DATE DUE

IKONOGRAPHIE DER CHRISTLICHEN KUNST · BAND 4,1

GERTRUD SCHILLER

Ikonographie
der christlichen Kunst

Band 4, 1

Die Kirche

GÜTERSLOHER VERLAGSHAUS
GERD MOHN

Gedruckt mit Unterstützung der Deutschen Forschungsgemeinschaft

CIP-Kurztitelaufnahme der Deutschen Bibliothek

Schiller, Gertrud
Ikonographie der christlichen Kunst. – Gütersloh: Gütersloher Verlagshaus Mohn.
Bd. 4.
1. Die Kirche. – 1. Aufl. – 1976.
ISBN 3-579-04138-X

ISBN 3-579-04138-X
© Gütersloher Verlagshaus Gerd Mohn, Gütersloh 1976
Gesamtherstellung: Paul Dierichs KG & Co, Kassel
Umschlagentwurf: M. Kortemeier

Inhalt

Abkürzungen der biblischen Bücher
(in Klammern die katholische Bezeichnung)

Am	Amos	Lk	Lukasevangelium
Apg	Apostelgeschichte	Mal	Maleachi (Malachias)
Apk	Apokalypse =	Mi	Micha (Michäas)
	Offenbarung des Johannes	1 u. 2 Makk	1. und 2. Makkabäerbuch
1 u. 2 Chron	1. und 2. Chronik	Mk	Markusevangelium
Dan	Daniel	Mt	Matthäusevangelium
Eph	Epheserbrief	1–5 Mos	1.–5. Buch Mose
Esr	Esra (1. Esra)	Nah	Nahum
Est	Esther	Neh	Nehemia (2. Esra)
Gal	Galaterbrief	Ob	Obadja (Abdias)
Hab	Habakuk	1 u. 2 Petr	1. und 2. Petrusbrief
Hag	Haggai (Aggäus)	Phil	Philipperbrief
Hebr	Hebräerbrief	Phlm	Philemonbrief
Hes	Hesekiel (Ezechiel)	Pred	Prediger (Ecclesiastes)
Hi	Hiob (Job)	Ps	Psalmen
Hl	Hoheslied =		(Ps 11–146 = kath. 10–145)
	Canticum Canticorum	Ri	Richter
Hos	Hosea (Osee)	Röm	Römerbrief
Jak	Jakobusbrief	Sach	Sacharja (Zacharias)
Jer	Jeremia	1 u. 2 Sam	1. und 2. Buch Samuelis
Jes	Jesaja (Isaias)		(1. und 2. Könige)
Joh	Johannesevangelium	Sir	Jesus Sirach (Ecclesiasticus)
1, 2 u. 3 Joh	1., 2. und 3. Johannesbrief	Spr	Sprüche
Jon	Jona	1 u. 2 Thess	1. und 2. Thessalonicherbrief
Jos	Josua	1 u. 2 Tim	1. und 2. Timotheusbrief
Jdt	Judith	Tit	Titusbrief
Jud	Judasbrief	Tob	Tobias
Kl	Klagelieder	Weish	Weisheit Salomos
1 u. 2 Kön	1. und 2. Königsbuch	Zeph	Zephanja (Sophonias)
	(3./4. Könige)		
Kol	Kolosserbrief	Ps Jac	Pseudo-Jacobus (sog. Proto-evangelium) Text griech. ed. C. Tischendorf Evang. apocr. 1–50; deutsch Hennecke-Schneemelcher I, 280–290
1 u. 2 Kor	1. und 2. Korintherbrief	Ps Matth	Pseudo-Matthäus (Liber de ortu beatae Mariae Text lat. C. Tischendorf Evang. apocr. 51–112. deutsch in Auszügen Hennecke-Schneemelcher I, 306–309.

Literaturabkürzungen

BKV	Bibliothek der Kirchenväter. München 1911 ff.
Cah. Arch.	Cahiers Archéologiques. Fin de l'antiquité et moyen âge. Paris 1945 ff.
CChL	Corpus Christianorum, servies latina. Turnhout (Holland) 1954.
ChrK	Die Christliche Kunst. Hg. von der Gesellschaft für Christliche Kunst. München 1904 ff.
GBA	Gazette des Beaux Arts. Paris 1859–1939, New York 1942–1948. New York–Paris 1948 ff.
LCI	Lexikon der Christlichen Ikonographie. Freiburg/B. 1968 ff.
LQ	Liturgiegeschichtliche Quellen. Hg. von Dr. P. K. Mohlberg und Dr. A. Rücker. Münster/Westf. 1918–1939, fortgeführt als: Liturgiewissenschaftliche Quellen und Forschungen. Münster/Westf. 1956 ff.
MPG	Patrologia Graeca, ed. J. P. Migne. Paris 1857 bis 1866.
MPL	Patrologia Latina, ed. J. P. Migne. Paris 1878 bis 1890.
RAC	Reallexikon für Antike und Christentum, hg. von T. Klauser. Stuttgart (Leipzig) 1941 ff.
RBK	Reallexikon zur byzantinischen Kunst, hg. von K. Wessel unter Mitwirkung von M. Restle. Stuttgart 1963 ff.
RDK	Reallexikon zur Deutschen Kunstgeschichte. Stuttgart 1937 ff.
RGG	Die Religion in Geschichte und Gegenwart. 3. Auflage, Tübingen 1957 ff.
RivAC	Rivista di Archeologia Cristiana. Rom 1924 ff.
Suppl. Mel.	Supplementa Melanchthoniana 5. Abt. Hg. von F. Cohrs. Leipzig 1915 ff.
Tischendorf	C. de Tischendorf, Evangelia Apocrypha, 2. Auflage, Leipzig 1876.
WA	Weimarer Ausgabe der Werke Luthers.
WRJb	Wallraf-Richartz-Jahrbuch. Köln 1924 ff.
ZDVKW	Zeitschrift des Deutschen Vereins für Kunstwissenschaft, Bd. I–X. Berlin 1934–1943. Berlin 1963 ff.
ZKG	Zeitschrift für Kirchengeschichte. Stuttgart 1876 ff.
ZKuG	Zeitschrift für Kunstgeschichte, Berlin 1932 ff.
ZKW	Zeitschrift für Kunstwissenschaft, hg. vom Deutschen Verein für Kunstwissenschaft. Berlin 1947 bis 1962. Seit 1963 wieder ZDVKW.

Bibliotheksabkürzungen

Göttingen UB	Niedersächsische Staats- und Universitätsbibliothek Göttingen
Heidelberg UB	Universitätsbibliothek Heidelberg
London BM	British Museum London
München SB	Bayerische Staatsbibliothek München
München UB	Universitätsbibliothek München
Nürnberg GMN	Germanisches Nationalmuseum Nürnberg
Oxford Bodl. Libr.	Bodleian Library Oxford
Paris NB	Bibliothèque Nationale Paris
Stuttgart LB	Württembergische Landesbibliothek
Wolfenbüttel HAB	Herzog August Bibliothek Wolfenbüttel

Vorwort

Der vierte Band erscheint aus technischen Gründen in zwei kurz aufeinander folgenden Teilen. Der erste Teil knüpft mit dem Kapitel »Pfingsten« unmittelbar an die Thematik des dritten Bandes an. Dem schließen sich die mannigfachen Darstellungsgruppen zu dem weit gefaßten Thema »Kirche« und ein Kapitel zur Katechismusillustration an. Dieses gibt einen Einblick in die Versuche des späten Mittelalters und der Reformationszeit, die Lehre zu verbildlichen. Es handelt sich hier weitgehend um populäre Illustrationen des frühen Buchdrucks, der seinen großen Aufschwung im 16. Jh. dem vielseitigen Bedarf an Verbreitungsmöglichkeiten der »Neuen Lehre« und der Heiligen Schrift verdankte. Allerdings haben sich von den Reformatoren nur die Wittenberger der bildlichen Darstellung bedient, während Calvin und Zwingli sehr zurückhaltend blieben. Wahrscheinlich sind Teile des Katechismus in größerem Umfang, als wir es heute überblicken können, auch in der Wandmalerei katholischer und evangelischer Kirchen dargestellt worden. Bei dem fast durchgehend schlechten Erhaltungszustand dieser Werke müssen wir hierfür auf Abbildungen verzichten, nennen aber die wichtigsten der bekannten Zyklen.

Da sich die Darstellung der Ekklesia aufgrund der Mariologie vom hohen Mittelalter an mit der Marias oft eng berührt, gilt der zweite Teil dieses Bandes dem Thema »Maria« und nicht wie vorgesehen der Ikonographie der Apokalypse, des Jüngsten Gerichtes und der Trinität, die nun in den fünften Band übernommen worden ist. Durch diese Planänderung konnten wir die Katechismusillustrationen aufnehmen und das apokryphe Marienleben, das viel zum Verständnis der Mariologie beiträgt, ausführlich behandeln. Es braucht wohl kaum betont zu werden, daß bei dem vielschichtigen und umfangreichen Marienthema Schwerpunkte gesetzt werden mußten. Für die Darstellung der Gottesmutter in neutestamentlichen Szenen können wir auf die vorhergehenden Bände verweisen. Da im zweiten Band das Andachtsbild der Passion aufgenommen ist, erübrigte es sich, das Thema der Compassio Mariae hier noch einmal aufzugreifen.

Der erste Teil dieses Bandes wurde 1973 abgeschlossen, der zweite Teil Ende 1975. Später erschienene Literatur konnte nicht mehr berücksichtigt werden.

Dem zweiten Teil sind mehrere Register, die alle vier bisher erschienenen Bände umfassen, angefügt. Um dem Leser die Benutzbarkeit der vorliegenden Bände zu erleichtern, wurden diese Register schon in diesem Band und nicht erst nach Abschluß des Werkes in einigen Jahren gebracht.

Zu besonderem Dank für hilfreiche Mitarbeit bin ich Herrn Professor Lic. Dr. Klaus Wessel, der das erste Kapitel des zweiten Teils übernahm, und Herrn Werner Schnell für die Ausführungen zum Kapitel »Immaculata Conceptio« verpflichtet. Ebenso wie bei den vorhergehenden Bänden habe ich Herrn Professor D. Georg Kretschmar für wertvolle Beratung bei theologischen und dogmatischen Problemen zu danken. Herr Rupert Schreiner hat mit Ausnahme des Bibelstellenverzeichnisses sämtliche Register verantwortlich erstellt; für diese mühevolle Arbeit sei ihm vielmals gedankt.

Der Deutschen Forschungsgemeinschaft darf ich für die Förderung meiner Arbeit durch einen Zuschuß zu diesem Band verbindlichen Dank aussprechen.

Die freundliche Bereitschaft der Museen, Bibliotheken und Institute bei der Beschaffung des Abbildungsmaterials soll nicht unerwähnt bleiben.

Grafrath-Wildenroth   *Gertrud Schiller*

DIE KIRCHE

Die Ausgießung des Heiligen Geistes – Pfingsten

Apg 2,1–13.32f.; vgl. auch Apg 1,4–8 und 10,34–48; Lk 24,49;
Joh 14,16–26; 15,26f.; 16,5–13; 20,19–23; Eph 4,7–13; 1 Joh 5,6f.;
Joel 3,1; Ps 51 (50),12; 68 (67),19; Weish 1,7.

Einführung

Pfingsten ist für die Christenheit das Fest der Ausgießung des Heiligen Geistes und der Gründung der Kirche. Der Heilige Geist als 3. Person der Trinität und die Kirche sind Gegenstände des Glaubensbekenntnisses. Der dritte Artikel des Nicaenischen Credo beginnt in der abendländischen Fassung mit dem Bekenntnis des Heiligen Geistes und der Kirche: »Ich glaube an den Heiligen Geist, der da ist Herr und macht lebendig, der von dem Vater und dem Sohne ausgeht, mit dem Vater und dem Sohne zugleich angebetet und geehrt wird und durch die Propheten geredet hat. Ich glaube an eine heilige, allgemeine und apostolische Kirche ...« In der Herabkunft des Heiligen Geistes enthüllt sich das Heilswerk der Trinität auf Erden. Christus hat mehrmals das Kommen des Geistes, den er bei Lk 24,49 und Apg 1,4 als die Verheißung des Vaters bezeichnet, angekündigt; er bezeichnet ihn als »Geist der Wahrheit« Joh 14,17; 16,13; als »Tröster« Joh 14,17.26; 16,7; und »Kraft aus der Höhe« Lk 24,49; außerdem ist der Geist Joh 15,26 mit dem Zeugnis von Christus verbunden. In den Abschiedsreden, in Joh 20,19–23 (vgl. Bd. 3, S. 14ff. und 104), Eph 4,7–12 und Apg 2,33 wird die Herabkunft des Geistes (adventus Spiritus sancti) in engstem Zusammenhang mit der Erhöhung Christi gesehen; in Joh. 16,8 mit dem Gericht und Joh 20,19–23, Apg 1,8 mit der Beauftragung der Jünger, Zeuge für Christus zu sein, das heißt das Evangelium verkünden »bis an das Ende der Erde«. Unmittelbar vor seiner Himmelfahrt verheißt Christus: »Ihr aber sollt mit dem Heiligen Geist getauft werden, nicht lange nach diesen Tagen« und verbindet mit diesem Wort die Weisung an die Apostel, bis dahin in Jerusalem zu bleiben, Apg 1,4f.; vgl. Lk 24,49–52. Lukas macht eine Aussage über das Geschehen am »Tag der Pfingsten« und nimmt in der Bindung der Geistausgießung an das jüdische Wochenfest eine alte Tradition der palästinensischen Urgemeinde auf. Eph 4,7–12, wo der Empfang der »Gnade« und der »Gaben« im Zusammenhang mit den Ämtern der Kirche (Schlüsselgewalt, vgl. Joh 20,19–23 und Missionsauftrag) gesehen wird (vgl. Ps 68 [67],19), gehört mit zu dieser Überlieferungsschicht. Die andern Evangelien und Paulus erwähnen weder die Herabkunft des Geistes noch die Stiftung der Kirche. Bei Paulus kommt der Heilige Geist besonders als eine Gabe für den einzelnen im Hinblick auf seine künftige Vollendung in den Blick. Dagegen ist für ihn die Erhöhung Christi zum Herrn der Welt – nicht der Kirche – Phil 2,6–11 eine zentrale Aussage. Röm 10,10–13 und Gal 3,28 entwirft Paulus die Kirche als Gemeinschaft im Heiligen Geist durch den Glauben. Nach diesen verschiedenen Zeugnissen gibt der Heilige Geist Anteil an der Una Sancta und begründet die eschatologische Neuschöpfung[1].

Die Juden feiern am »Tag der Pfingsten« das Wochenfest oder »Fest der Wochen«, 2 Mos 34,22; 5 Mos 16,10. Nach 3 Mos 23,15–21 ist auf Grund des jüdischen Kalenders die Gesetzgebung an Mose auf dem Sinai für den fünfzigsten Tag nach dem Auszug aus Ägypten zu errechnen, bei welchem das Passamahl gestiftet wurde[2]. Pfingsten ist zu übersetzen mit »der fünfzigste Tag«, schon in vorchristlicher Zeit wurde das Wochenfest griechisch »Pfingsten« genannt[3]. Dieses Fest war neben dem Passafest das zweite große jüdische Wallfahrtsfest, das in Jerusalem gefeiert wurde. Es bildet den Rahmen für die Versammlung der Jünger in Jerusalem, von der Lukas berichtet, sie waren »einmütig beieinander«, als die Ausgießung des Heiligen Geistes geschah[4].

Die christliche Gemeinde hat spätestens im zweiten, wahrscheinlich schon im ersten Jahrhundert dieses jüdische Fest am fünfzigsten Tag nach Ostern übernommen und seinen wichtigsten Gehalt, das Gedächtnis der Bundesschließung und -erneuerung und der Gesetzesübergabe an Mose bei der Gottesoffenbarung am Sinai[5], mit der Geistesausgießung und der Stiftung der Kirche verschmolzen. Bis zum 4. Jahrhundert wurde in Jerusalem, wie im ganzen christlichen Raum, am gleichen Tag die Himmelfahrt Christi gefeiert[6]. Als die Apostelgeschichte

kanonisiert wurde, verlegte zuerst die westliche Kirche das Himmelfahrtsfest auf den vierzigsten Tag nach Ostern, Ende des 4. Jh. dann auch der Osten. Seitdem wird Pfingsten als Fest der Ausgießung des Heiligen Geistes in der ganzen Christenheit am fünfzigsten Tag nach Ostern gefeiert, in der Ostkirche übernimmt es auch die Funktion des Trinitatisfestes.

Die Bindung der Ausgießung des Heiligen Geistes und dann auch des christlichen Pfingstfestes an das jüdische Wochenfest führte zunächst in der ostsyrischen Liturgie des christlichen Festes zur Übernahme der alttestamentlichen Perikopen, die sich auf Bund, Geist, Feuer, Beauftragung und Gottesoffenbarung beziehen, an erster Stelle die der Gesetzübergabe auf dem Sinai, 2 Mos 20,18; 19,16–20. Sie ist in anagogischer Parallele oder auch in Antithese zu der Kirchenstiftung durch den Heiligen Geist verstanden worden. Der Pfingstbericht setzt die Epiphanie Gottes am Sinai bis in die einzelnen Motive voraus. Es ist altjüdische Überlieferung, daß die Gottesstimme am Sinai sich in sieben Stimmen teilte, die als Feuerflammen sichtbar wurden; das Brausen vom Himmel zu Pfingsten entspricht dem Donner am Sinai. 4 Mos 4,12 heißt es im Rückblick auf die Gottesoffenbarung am Sinai: »Der Herr redete mit euch mitten aus dem Feuer. Die Stimme seiner Worte hörtet ihr, aber keine Gestalt saht ihr als die der Stimmen.« Feuer, Fackeln und Blitze sind ebenso auswechselbare

---

1. Zum Heiligen Geist siehe RGG, 3. Aufl., Band 2, Sp. 1268–1286. Vgl. zum johanneischen Pfingstbericht Bd. 3, S. 14f. und 104–106 und zu dem Gesamtproblem G. Kretschmar, Himmelfahrt und Pfingsten, in: ZKG 66, 1954/55, S. 209–253. Kretschmar untersucht die Frage, ob Apg 2 im Vergleich mit der liturgischen Überlieferung des palästinensischen Himmelfahrt-Pfingstfestes an eine historische Tradition anknüpft, und bejaht sie. Wir halten uns im folgenden weitgehend an seine aufschlußreichen Ausführungen.

2. G. Kretschmar, S. 213 und Anm. 59.

3. Die Zeit zwischen der Auferstehung Christi und Pfingsten wird die »Pentekoste« genannt und als die große Freudenzeit der Kirche aufgefaßt.

4. Lukas verbindet den Himmelfahrts- und Pfingstbericht, so daß nach seiner Version die Jünger in Jerusalem geblieben waren, während sie nach der älteren Tradition Mk 15,7 zunächst nach Galiläa gingen und sich zerstreuten. Erst das Pfingstfest führte sie wieder in Jerusalem zusammen.

5. Die Zuordnung von Wochenfest und Offenbarung am Sinai war im 2. Jh. im Judentum verbreitet und reicht in ihren

Anfängen vermutlich noch weiter zurück. Siehe Kretschmar, S. 222 ff

6. Vgl. Bd. 3, S. 14/15. Nach der neuesten Literatur ist zu ergänzen: J. Daniélou vermutet, daß die Aufspaltung von Himmelfahrt und Pfingsten mit der Dogmatisierung der Gottheit des Hl. Geistes 381 in Zusammenhang steht: Grégoire de Nysse et l'origine de la fête de l'Ascension, in: Kyriakon. Festschrift J. Quasten II. Münster 1970, S. 663–666. In Jerusalem ist ein selbständiges Himmelfahrtsfest am 40. Tage nach Ostern erst um 400 belegbar. Die aus Aquitanien oder Galaecien stammende Pilgerin Egeria (früher bisweilen als Aetheria, Silvia o. ä. bezeichnet), die zwischen 381 und 384 im Orient war, kennt jedenfalls an diesem Tage nur ein Fest in Bethlehem, das anscheinend dem Gedenken des Kindermordes gewidmet war. Zu Egeria vgl. zuletzt die engl. Übers. mit Kommentar von J. Wilkinson, Egeria's Travels. London 1971; zur Datierung P. Devos, La date du voyage d'Egerie, in: Analecta Bollandiana 85, 1967, S. 165–194: zum Jerusalemer Kirchenkalender G. Kretschmar, Festkalender und Memorialstätten Jerusalems in altkirchlicher Zeit. In: Zs. d. Deutsch. Palästina-Vereins 87, 1971, S. 167–205.

Vorstellungsbilder wie Brausen, Donner, Stimme der Posaune – mit allen ist die Gestalt der Stimme des bei seiner Epiphanie unsichtbaren Gottes gemeint. Die Teilung der Stimme Gottes am Sinai ist so verstanden worden, daß Gott das Gesetz den siebzig Völkern der Erde, die das Judentum zählte, anbot, es wurde aber nur von dem einzelnen, dem von Gott erwählten Volk angenommen. Dazu die Parallele und Steigerung: Der Heilige Geist führte an Pfingsten die in Jerusalem versammelten unterschiedlichsten Völkerschaften zusammen, die, gleich welcher Sprache, die Verkündigung der Apostel und die Predigt des Petrus verstanden. Die durch den Heiligen Geist bewirkte Spracheinheit hebt die von Gott nach dem Turmbau von Babel, 1 Mos 11,1–9, über die Menschen verhängte Sprachverwirrung wieder auf. Damals fiel die Gemeinschaft der Völker auseinander; an Pfingsten entstand eine neue Gemeinschaft derer, die der Botschaft von der Auferstehung des Herrn glaubten[7]. So ist die Sprachverwirrung beim Turmbau zu Babel Antitypus zur Pfingstpredigt, die von allen Sprachen verstanden wurde. Die alttestamentlichen Lesungen zu Pfingsten 4 Mos 11,16f., die Einsetzung der siebzig Ältesten in ihr Amt durch den Geist, den Gott auf sie legte und ihnen damit Anteil an dem Auftrag und Geist des Moses gab, und 1 Sam 16,13 die Salbung Davids und seine Berufung durch Gottes Geist zum Amt des Königs sah die Gemeinde in Parallele zur Beauftragung der Apostel. Neben der Gesetzesübergabe auf dem Sinai und der Berufung der Ältesten galten auch der Neue Bund, den Gott nach der Sintflut mit Noah schloß (1 Mos 8), und desgleichen das Opfer des Elia auf dem Berg Karmel, das vom Feuer des Himmels verzehrt wurde (1 Kön 18,17ff.), als alttestamentliche Typen für die Herabkunft des Heiligen Geistes und die Stiftung der Kirche. Die Taube mit dem Ölzweig zeigte Noah das Ende des Gerichts an; das Feuer vom Himmel führte die Baalverehrer zur Buße und Rückkehr in die Gemeinschaft des Volkes Israel. Taube und Feuer sind hier sichtbare Zeichen für das Wirken Gottes – im Neuen Testament für die Herabkunft des Geistes (Taufe Jesu)[8]. Auch das Wort Johannes des Täufers, Mt 3,11: »... Der (Christus) wird euch mit dem Heiligen Geist und mit Feuer taufen«, auf das sich Christus bei der Verheißung des Geistes vor seiner Himmelfahrt bezog, sah man am Pfingsttag an den Aposteln erfüllt. Petrus nimmt in seiner Pfingstpredigt eine Gerichtsweissagung des Propheten Joel auf, die dieser mit dem Wort »Ich will meinen Geist ausgießen über alles Fleisch« einleitet, Joel 3,1–5; Apg 2,17, so daß auch der Gerichtsgedanke in den Lesungen des Pfingstfestes anklingt. Vermutlich ging es beim christlichen Pfingstfest von Anfang an auch um die Einsetzung der Zwölf in ihr Amt als Repräsentanten der eschatologischen Gemeinde und um die an verschiedenen Stellen genannten Ämter, vgl. oben die Perikope 4 Mos 11,16f. Die Verbindung mit dem jüdischen Wochenfest verankert das Pfingstereignis im gesamten Heilsgeschehen. Der Auftrag, dem Volk das Gesetz zu bringen, den Mose auf dem Sinai von Gott erhielt, erfüllt sich in der Kirche, die das Evangelium verkündet, bis zum Jüngsten Tag. So ist die Herabkunft und das Wirken des Geistes ein stets aktuelles Ereignis. Über die Anzahl derer, die in der lukanischen Erzählung den Heiligen Geist empfingen, ist Klarheit nicht zu gewinnen. Apg 1,13 sind elf Apostel genannt, die nach der Himmelfahrt in die Stadt zurückkamen und sich auf dem Söller des Hauses aufhielten, Vers 14 heißt es, daß sie mit den Frauen und Maria, der Mutter Jesu, und seinen Brüdern beisammen waren, und nach Vers 15 spricht Petrus zu 120 Gemeindemitgliedern. Im letzten Vers des ersten Kapitels wird von der Wahl des Matthias anstelle des Judas berichtet. Apg 2,1 heißt es nur, daß am Tag der Pfingsten alle einmütig beieinander waren.

Auch die Frage, wer den Heiligen Geist gesandt hat, beantwortet das Neue Testament verschieden. Die Erhöhung Christi und die Ausgießung des Geistes durch ihn ist in der Pfingstpredigt des Petrus bezeugt: »Nun er durch die Rechte Gottes erhöht ist und empfangen hat die Verheißung des heiligen Geistes vom Vater, hat er ausgegossen dies, das ihr sehet und höret.« An dieser Stelle bezieht sich Petrus auf Ps 110 (109),1. In den Abschiedsreden des

---

7. Schon Augustin sah im Turmbau zu Babel das alttestamentliche Gegenstück zu Pfingsten: In Joh. tract. 6,10 (CChL 36, p. 58), vgl. Enn. in Ps. 147,19 (CChL 40, p. 2155f.): zur Sache vgl. J. Ratzinger, Die Einheit der Nationen. Eine Vision der Kirchenväter. Salzburg 1971, S. 93–103.

8. Manche der in das christliche Pfingstfest aufgenommenen alttestamentlichen Lesungen werden im hohen Mittelalter, als sich die typologische Darstellung verbreitet, in bezug auf die Ausgießung des Heiligen Geistes dargestellt, siehe unten.

Johannesevangeliums erklärt Christus, er werde den Vater bitten, den »Tröster« zu senden, Joh 14,16; nach 14,26 wird der Vater den Heiligen Geist im Namen Christi senden; nach 15,26 sendet Christus den Geist der Wahrheit, der vom Vater ausgeht. Der johanneische Pfingstbericht, Joh 20,21 ff., bezeugt die Spendung des Heiligen Geistes durch den Auferstandenen, die mit der Übertragung des Amtes der Schlüsselgewalt (der Vergebung der Sünden) verbunden ist. In der bereits erwähnten Formel des nicaeno-konstantinopolitanischen Glaubensbekenntnisses geht der Heilige Geist vom Vater und vom Sohne aus. Die alte, in der Ostkirche festgehaltene Formel von Konstantinopel 381 sprach nur davon, daß der Geist vom Vater ausgeht. Die eigenmächtige Änderung des gemeinsamen Textes durch die westliche Kirche im frühen Mittelalter, das »filioque« (= und dem Sohn), trug 1054 zur Trennung der lateinischen und griechischen Christenheit bei. Die kleine Gruppe von Pfingstbildern, die Christus als den Spender des Heiligen Geistes zeigen, gehört der abendländischen Kunst an und stellt den Gedanken der Sendung der Apostel in den Vordergrund. Dagegen sind die Darstellungen, welche die Ausgießung des Geistes mit einem Symbol der Gottheit oder der Trinität verbinden, ihrem Ursprung nach wahrscheinlich östlich. Diese Zeichen heben allerdings nicht nur die Emanation des Geistes von Gott hervor, sondern betonen auch die Gottheit des Hl. Geistes. In dem letztgenannten Sinn werden die Symbole im abendländischen Pfingstbild zu deuten sein. Am Sonntag nach Pfingsten begeht das Abendland seit dem 13. Jh. das Trinitatisfest. Die orthodoxe Kirche feiert das Geheimnis der Trinität am ersten und die Herabkunft des Hl. Geistes am zweiten Pfingsttag[9].

Die Darstellung des Ostens[10]

Wir wissen nicht, wann und wo das Pfingstbild entstand. Die älteste bekannte Darstellung enthält der Rabula-Codex, 586 im Kloster Zagba (Mesopotamien) von dem Mönch Rabula geschrieben, *Abb. 1*. Sie entspricht weitge-

hend dem unteren Teil des Himmelfahrtsbildes der gleichen Handschrift, *vgl. Bd. 3, Abb. 459*. Die Heilsgemeinde erlebt einmal die Erhöhung ihres Herrn und zum anderen die Herabkunft des Heiligen Geistes. Bei dem Himmelfahrt-Pfingstfest der alten Kirche lag in Palästina, Ostsyrien und Kleinasien der Schwerpunkt offenbar vor der Trennung der Feste im 5. Jh. bei der Himmelfahrt, die auch als kirchengründendes Geschehen gefeiert wurde. Vielleicht erklärt dies die Tatsache, daß einige vorikonoklastische Himmelfahrtsdarstellungen bekannt sind, bei denen der Akzent weniger beim Ereignis der Himmelfahrt als vielmehr bei der Repräsentation des erhöhten Christus und seiner Kirche liegt, *vgl. Bd. 3, Abb. 461*. Darin äußert sich der kausale Zusammenhang von Auffahrt Christi und Sendung. Das Ereignis spiegelt sich bei diesen frühen Werken, vor allem im Rabulabild, in den erregten Aposteln und den sich ihnen sprechend zuwendenden Engeln. Diese fehlen auf anderen östlichen Darstellungen der Zeit. Die Himmelfahrt im Rabula-Codex enthält aber auch einen Hinweis auf Pfingsten. Unter dem von Flammen umzüngelten himmlischen Thronwagen, auf dem der erhöhte Kyrios steht, erscheint die Hand Gottes als Zeichen der Sendung und der Verheißung des Heiligen Geistes[11]. Auf der Rückseite der Ampulle 10 von Monza, *Abb. 6*, die den zweiten vorikonoklastischen Bildtypus des erhöhten Herrn und seiner Kirche zeigt (vgl. Bd. 3, Abb. 460), ist unterhalb des Thrones Christi die Hand Gottes von Strahlen umgeben zu sehen; unmittelbar darunter schwebt über dem Haupt Marias die Taube des Heiligen Geistes. Durch sie ist der Hinweis auf Pfingsten noch deutlicher als auf dem Rabulabild gegeben. Möglicherweise gehen diese Darstellungen des erhöhten Christus mit seiner Kirche, die auf die Ereignisse von Himmelfahrt und Ausgießung des Heiligen Geistes hinweisen, auf das 4. Jh. zurück, als in Palästina und Syrien die Himmelfahrt Christi und die Ausgießung des Heiligen Geistes zusammen am fünfzigsten Tag nach Ostern gefeiert wurden.

Auf dem Pfingstbild des Rabula, *Abb. 1*, stehen die Apostel mit Maria vor neutralem Grund unter einem blauen Bogen, der, wie die Bäume zeigen, nicht als Kuppel

---

9. L. Ouspensky – W. Lossky, Der Sinn der Ikone, Bern-Olten 1952, S. 207.

10. S. Seeliger, Pfingsten, Düsseldorf 1950. Ders. in LCI III, Sp. 415–423.

11. Vgl. zum Thronsymbol allgemein Bd. 3, S. 193 ff., besonders S. 198 f.: zum Thron bei der Himmelfahrt Christi S. 147–149. Ferner K. Wessel, Himmelfahrt Christi, in: RBK Sp. 1224 ff., bes. 1232–1238 und die dort zitierte Literatur. Erschienen 1972.

eines Hauses, sondern als Himmel zu deuten ist. Aus ihm fährt die Geisttaube, von deren Schnabel ein kleines Strahlenbündel ausgeht, herab. Über den Häuptern Marias und der Apostel lodern die Flammen des Geistes als Zeichen der Feuertaufe. Im Gegensatz zum Himmelfahrtsbild hebt hier Maria die Hand im Sprechgestus, wie auch die beiden bärtigen Apostel rechts von ihr. Diese von der Himmelfahrt Christi beeinflußte Bildform mit den stehenden Figuren kommt in der abendländischen Kunst bis zum Barock kaum vor. Wir fügen als ein seltenes Beispiel dafür eine englische Buchmalerei des 12. Jh. aus einem Psalter aus York im Hunterian-Museum zu Glasgow ein, ohne Verbindungslinien aufzeigen zu können, *Abb. 2, siehe auch Abb. 41 und 42.* Eine fragmentierte, wahrscheinlich palästinensische Ikone im Katharinenkloster auf dem Sinai, deren Datierung zwischen dem 7. und 9. Jh. schwankt, zeigt untereinander die Geburt Jesu (vgl. Bd. 1, Abb. 154) mit der Darbringung im Tempel (fast ganz zerstört), die Himmelfahrt und die Ausgießung des Heiligen Geistes, *Abb. 4.* Im Gegensatz zum Himmelfahrtsbild sind die Apostel auf der Pfingstdarstellung sitzend dargestellt, Petrus und Paulus nehmen die Mitte ein. Zwischen ihnen schwebt die Taube mit ausgebreiteten Flügeln. Maria fehlt, während sie bei der Himmelfahrt mit dargestellt ist. Eine Parallele in der Darstellung beider Geschehnisse liegt in der Christusfigur. Bei der Himmelfahrt tragen zwei Engel den in der Mandorla thronenden Herrn, beim Pfingstbild gehen Lichtbänder von Christus aus, der als Brustbild über den Aposteln erscheint. Die Lichtbänder ersetzen hier die Feuerzungen auf den Häuptern der »einmütig versammelten« Apostel. Das Sitzen der Apostel und Fehlen Marias machen die Verselbständigung des Pfingstbildes gegenüber dem der Himmelfahrt deutlich.

Eine andere Bildformulierung enthält der im 9. Jh. (um

830 oder 2. H. 9. Jh.) in Konstantinopel geschriebene und illuminierte Chludoffpsalter, *Abb. 3.* Die Apostel sitzen in einer Reihe; mehrere von ihnen halten Bücher in Händen. Lichtstrahlen fahren unmittelbar vom Himmel (zwei flache Himmelssegmente) auf sie herab, und über ihren Häuptern lodern die Flammen. Die Mitte bildet auf dieser Marginalillustration der Thron; auf seinem Purpurkissen steht das geöffnete Evangelienbuch, auf dem sich die Taube niedergelassen hat. Der Thron deutet hier wahrscheinlich in Anlehnung an das bei Konzilien auf einem Thron aufgestellte Evangelienbuch darauf hin, daß Christus gemäß seiner Verheißung durch den Geist im Evangelium und damit in der Gemeinde gegenwärtig sein will[12].

Es ist nicht auszuschließen, daß dieser Darstellungstypus in die vorikonoklastische Zeit zurückreicht. Ob er der Vorläufer einer Zentralkomposition ist oder gleichzeitig mit einer solchen konzipiert wurde, wissen wir nicht. Die wahrscheinlich unter Justinus II., 565–578, in der Apostelkirche Konstantinopels angebrachten Mosaiken, die aber im 9. Jh. restauriert oder völlig erneuert wurden und beim Abbruch der Kirche durch die Türken im 15. Jh. verlorengingen, beschrieb Mesarites, ein hoher geistlicher Würdenträger unter den letzten byzantinischen Kaisern bis 1204[13]. Abgesehen von der Unklarheit der Entstehungszeit der von Mesarites gesehenen Mosaiken ist seine Schilderung des Pfingstbildes in der westlichen Kuppel so fragmentarisch, daß man weder eine einwandfreie Bildvorstellung gewinnen, noch mit Sicherheit auf vorikonoklastische Monumentalwerke schließen kann. Aus der Beschreibung geht hervor, daß die im Kreis sitzenden Apostel anscheinend das Geheimnis der Trinität verkündet haben und daß die Feuerflammen von einem Zentrum ausgingen, das aber nicht näher bezeichnet wird. Vielleicht

12. Die Bildkomposition ist noch um 1200 in der Kirche des griechischen Klosters in Grottaferrata bei Rom wiederholt worden, vgl. Bd. 3, Abb. 566, zum oberen Teil des Freskos siehe Bd. 5: Trinität. Das Lamm vor dem Thron ist aufgrund einer frühchristlichen römischen Bildtradition hinzugefügt. Nicht uninteressant ist, daß in dem Evangeliar des Thoros von Tavon, armenisch 1307, bei dem Thron des Pfingstbildes die Taube gegen ein Lamm ausgewechselt ist, Abb. siehe S. der Nersessian, Manuscrits Arméniens Illustrés Paris 1937, Pl. III. Sieht man in Grottaferrata die beiden Bildzonen zusammen, ist es nicht möglich, die untere Darstellung, wie bisweilen geschehen ist, als Teil eines

Weltgerichtsbildes zu deuten. Abgesehen davon, daß sie für das Pfingstbild übliche Motive enthält und die Anordnung der Apostel zu beiden Seiten des Thrones schon im Chludoffpsalter bei der Ausgießung des Heiligen Geistes zu finden ist, wurde in der Regel im Zusammenhang eines Gerichtsbildes nicht die Trinität dargestellt. Doch steht diese mehrmals in Beziehung zur Ausgießung des Heiligen Geistes.

13. Mesarites ist 1163 oder 1164 in Konstantinopel geboren und wurde nach der Eroberung der Stadt Erzbischof von Ephesus. Schriften von ihm sind im Codex Ambros. grec. F. 96 sup. und F. 93 sup. der Biblioteca Vaticana von A. Heisenberg ent-

handelte es sich hier schon um das Thronsymbol (Thron mit Kissen, Evangelienbuch und Taube) wie im Zentrum späterer byzantinischer Kuppeldarstellungen. In einer unteren Bildzone sollen Propheten und Vertreter der Völker dargestellt gewesen sein.

Die Umbildung einer räumlichen Zentralkomposition in die Fläche einer Buchmalerei liegt vielleicht beim Pfingstbild des Pariser Prachtkodex der Homilien des Gregor von Nazianz vor, der gegen 880 im kaiserlichen Skriptorium Konstantinopels hergestellt wurde, *Abb. 7.* Die Apostel sitzen im Halbkreis vor den Wänden eines Raumes. Sie sind so dicht aneinandergedrängt, daß man den Eindruck gewinnt, sie seien auf dem Vorbild in einem Kreis angeordnet gewesen. Petrus und Paulus nehmen die Mitte ein, die äußeren Plätze zwei jugendliche Apostel, Thomas und Philippus. Von dem Symbol des Thrones mit dem Evangelium und der Taube, das unten das Gesims der Wand und oben den Rahmen des Bildfeldes überschneidet, gehen zu jedem der zwölf Apostel drei Lichtstrahlen. Diese Dreizahl verweist auf die Trinität und somit auf die Gottheit des Geistes. Die Kunst der Ostkirche will wahrscheinlich durch den als Trinitätssymbol gedeuteten Thron die Einheit der Gottheit, deren Spiegelbild die Einheit der Kirche auf Erden ist, zum Ausdruck bringen.

Der durch einen Bogen nach oben geschlossene freie Raum des unteren Bildteiles der Buchmalerei erklärt sich vielleicht wiederum aus der Übertragung einer Kuppeldekoration in die Bildfläche. Die bei der Monumentaldarstellung in den Zwickeln angeordneten Vertreter der Völker stehen hier zu beiden Seiten der Öffnung. Ein Vergleich mit dem Kuppelmosaik der griechischen Klosterkirche in Hosios Lukas, Anfang 11. Jh., *Abb. 10,* macht den Zusammenhang der Miniatur mit einer räumlichen Zentralkomposition noch wahrscheinlicher. Zu vergleichen ist auch die Nischendarstellung einer kappadokischen Höhlenkirche vom Ende des 10. Jh., *Bd. 3, Abb.*

569. Auf der Abbildung fehlen die Völkerschaften, die in einem unteren Bildstreifen angebracht sind.

Die erste Miniatur in dem Alexios Komnenos (1081–1118) gewidmeten Kodex der Homilien des Mönches Jakobus (Bibl. vat.) setzt die Darstellungen von Himmelfahrt[14] und Pfingsten (in verkürzter Form oben in einer Nische) zu einem Kirchengebäude mit fünf Kuppeln in Beziehung, *Abb. 5.* Es ist wahrscheinlich, aber nicht zwingend, daß mit ihm die Apostelkirche wiedergegeben ist und die figürlichen Darstellungen auf zwei in der Kirche vorhandene Bildkompositionen verweisen, wie Heisenberg meint. Der dargestellte Kirchentypus weicht von der Beschreibung der Apostelkirche ab und ist nicht zu identifizieren. Dennoch werden die Darstellungen von Himmelfahrt und Pfingsten auf monumentale Vorbilder zurückgehen[15]. Aufschluß über die Bildformen beider Szenen im Mosaikschmuck der Apostelkirche geben vielmehr die Mosaiken in S. Marco zu Venedig, da diese Kirche nachweislich auf die Apostelkirche, neben der Hagia Sophia der wichtigste frühe Bau Konstantinopels, zurückgeht.

Auf Grund der erhaltenen Werke kann für den Osten festgestellt werden, daß spätestens vom 9. Jh. an zwei Anordnungen der Apostel bei der Ausgießung des Heiligen Geistes bekannt waren: die einfache Reihung und der Kreis, der sich bei der Kuppel als Bildträger anbietet. Wird diese zentrale Komposition in die Fläche übertragen, sitzen die Apostel im Halbkreis oder in der Form eines Hufeisens.

Eine Elfenbeintafel des 11. Jh. in den Staatlichen Museen Berlin-Dahlem hat sich schon weitgehend von den Vorbildern entfernt, *Abb. 8.* Die Vertreter der Völker, die durch die unterschiedliche Kleidung charakterisiert sind, stehen nun in dem freien Raum, den die umlaufende Fußbank bildet. Auf das Trinitätssymbol ist verzichtet, die Lichtstrahlen des Geistes gehen von einem Himmelsseg-

deckt und publiziert worden: August Heisenberg, Grabeskirche und Apostelkirche. Zwei Basiliken Konstantins, Bd. II, Leipzig 1908, S. 196ff., zur Datierung S. 167–171.

14. Die Figuren seitlich der Himmelfahrt (in der Abbildung nur teilweise zu sehen) sind Jesaja und David.

15. Die Pfingstdarstellung ist offensichtlich als Wiedergabe eines Kuppelmosaiks gemeint, und von da ausgehend ist es möglich, die unterhalb von Pfingsten stehende Himmelfahrt als eine

unter Anwendung der umgekehrten Perspektive sinngemäße Übernahme der Himmelfahrtsdarstellung in der Hauptkuppel zu verstehen. Bildlogisch steht von der Untersicht aus gesehen das dahinter Stehende unterhalb des Vorderen. Eine gleichzeitige Handschrift dieser Homilien, aber nicht so gut erhalten wie die in der Vaticana, befindet sich in Paris, BN, Cod. grec. 1208; fol. 1 v.

ment aus. Das Hochformat zwingt zu einer Reduzierung der Anzahl der Strahlen auf sechs. Zu dieser Gruppe, die sich im 11. Jh. verselbständigt hat, gehört auch die Miniatur des Melissande-Psalters, einer Kreuzfahrerhandschrift mit lateinischem Text und byzantinisch beeinflußten Bildmotiven vom Ende des 11. Jh., London, *Abb. 9*. Unter den Volksvertretern sind mehrere Soldaten mit Lanze und Schild zu erkennen. (Zum Kompositionstypus vgl. u. a. die Elfenbeintafel des Lehrenden Christus, 5. Jh., *Bd. 3, Abb. 622*.)

Die Zahl der »gottesfürchtigen Männer« aus allen Völkern schwankt. Mesarites spricht von zwölf, die in den Zwickeln angebracht waren, allerdings auch von Propheten. Da mit dem Pfingstwunder der Gedanke der Völkermission eng verknüpft ist, beziehen sich zwölf Männer auf die Völker, die nach den legendären Viten von den Aposteln missioniert wurden. Apg 2,9–11 nennt sechzehn Völker, die in ihrer eigenen Sprache von den großen Taten Gottes reden hören. Im Anschluß an diese Textstelle stehen in Hosios Lukas je vier Männer in den Zwickeln der Kuppel, *Abb. 10*. Die Fensterzone der Westkuppel von S. Marco, Venedig, um 1200, *Abb. 11*, erweitert den für das Mosaik zur Verfügung stehenden Raum, so daß die Vertreter von sechzehn Völkern paarweise zwischen den Fenstern in unterschiedlicher Tracht und Hautfarbe untergebracht werden konnten. Die jedem Paar beigegebenen Namen sind die in Apg 2 genannten Völker. In den Zwickeln stehen hier Engel; auf den kleinen Tafeln an ihren Stäben ist dreimal »Sanctus« und einmal »Dominus« zu lesen. Die Inschrift zwischen dem Thron und den Aposteln bezieht sich auf der rechten Seite auf die Apostel, auf der linken auf die Völker. »Der Heilige Geist ergießt sich in Flammen von oben herab auf diese (Apostel) wie ein Strom, ihre Herzen erfüllend stärkt er sie durch das Band der Liebe. – Hier kommen gläubig viele Völker, die das Wunder schauen und die Gewalt des Wortes vernehmen.« Die Kuppeldarstellung gibt durch die räumliche Umfassung der Menschen, die sich darunter befinden, dem Pfingstgeschehen Aktualität und Realitätsbezug.

Vom 12. Jh. an werden die Vertreter der Völkerschaften

in der Kunst des Ostens oft in der Gestalt eines gekrönten Greises, der als Kosmos oder als Welt bezeichnet ist, zusammengefaßt. Er hält in einem weißen Tuch zwölf Schriftrollen. Diese Rollen weisen auf die zwölf Apostel als die missionierende Kirche hin und so auf die Vereinigung der in alle Welt verstreuten Völker, die seit der Sprachenverwirrung nach dem Turmbau zu Babel verschiedene Sprachen sprechen und nun durch den Heiligen Geist wieder zusammengeführt werden. Ein kleines Mosaik-Diptychon mit der Darstellung eines Zwölffesttagszyklus (Dodekaeorton) zeigt auf dem vorletzten Bildfeld zwischen Himmelfahrt und Marientod den einfachen verselbständigten Bildtypus mit der sitzenden gekrönten Kosmosgestalt, *vgl. Bd. 2, Abb. 12 links unten*.

Bei diesem zweiten Kompositionstypus, der weiterhin vor allem in der Ikonenmalerei benutzt wird, kommt die durch den Geist bewirkte Einheit der Kirche in der Geschlossenheit der Apostel und dem Gesamtrhythmus der Figuren in der gleichen geistigen Intensität zum Ausdruck wie auf den zentralen Kompositionen der Kuppeldarstellungen durch den Kreis. Der Akzent der Bildaussage liegt nicht so sehr auf der Herabkunft des Heiligen Geistes als einem einmaligen Ereignis, sondern vielmehr auf der Einheit der Kirche als irdischem Spiegelbild der Einheit der göttlichen Trinität. Im Kondakion (Stufengebet) der russischen Pfingstliturgie heißt es: »Als er herabfahrend die Sprachen verwirrte, schied der Höchste die Völker; als er des Feuers Zungen verteilte, berief er alle zur Einheit; und einstimmig verherrlichen wir den allerheiligsten Geist.«[16] Auf einer griechischen Ikone des 17. Jh. (Slg. Dr. Amberg, CH Köllikon) ist die Kosmosgestalt durch eine große sitzende Figur des Propheten Joel ersetzt, *Abb. 12*. Das Spruchband in seiner Hand zeigt den Text Joel 2,29. Um die Fremdheit der entfernten Völker, die durch den Hl. Geist geeint werden, hervorzuheben, zeigt die syrische und armenische Buchmalerei des Mittelalters manchmal Leute mit Hundeköpfen (Kynokephaloi)[17], die auch auf einem Hauptwerk der Kathedralplastik Frankreichs ebenfalls vorkommen, *Abb. 52,53*.

Maria fehlt auf den Darstellungen der mittelbyzantini-

16. Nach L. Ouspensky und W. Lossky, 1952, S. 207–209.
17. Vgl. eine syro-orthodoxe Handschrift des 14. Jh. (Midyat, fol. 257 v), abgebildet bei J. Leroy, Les Manuscripts Syriaques à

Peintures, Paris 1964, Abb. 104, 1. Diese Kynokephaloi im Pfingstbild gehen sicher auf ältere Darstellungen zurück, die dem Abendland bei den Kreuzzügen bekannt wurden.

schen Epoche und in der sich an ihr orientierenden klein-asiatischen[18], russischen und serbisch-makedonischen Malerei[19], da die orthodoxe Theologie nicht die westliche Deutung Marias als Ekklesia übernahm. Im Rabula-Codex, *Abb. 1*, ist sie wie überall beim Himmelfahrtsbild als Glied der Urgemeinde in das Pfingstbild aufgenommen und wird als Mutter des Herrn durch den Platz in der Mitte der Apostel hervorgehoben. In der syrischen und byzantinischen Hymnendichtung ist die Bezeichnung Marias als Ekklesia allerdings anzutreffen. Erst unter dem Einfluß des abendländischen Bildes wird in postbyzantinischer Zeit Maria vereinzelt in das Pfingstbild einbezogen[20].

Das Bild des Ostens zeigt immer zwölf Apostel (vgl. das Himmelfahrtsbild), womit die Heils- und Pfingstgemeinde bzw. die Kirche vergegenwärtigt wird. Die zwei Jüngsten, Thomas und Philippus, sitzen bei der Kreiskomposition Petrus und Paulus gegenüber; sonst schließen sie die Reihe ab. Die Apostel halten Bücher oder Rollen als Zeichen des ihnen übertragenen Amtes der Evangeliumsverkündigung. Ihre Gesten sind differenziert, aber niemals so erregt wie bei den Aposteln der Himmelfahrtsdarstellung. Da sie die Kirche vertreten, sind sie in der Kunst der Ostkirche oft nicht mit den in den Evangelien genannten Jüngern identisch. Der Verräter Judas wird in der Regel nicht durch Matthias ersetzt, der nach Apg 1,26 an seiner Statt gewählt wurde, sondern durch Paulus, da er als Apostel der Heiden sinngemäß der Pfingstgemeinde angehört (Gal 1,1). Mit Petrus, dem Apostel der Juden, zusammen repräsentiert er in gesonderten Darstellungen und in verschiedenen Bildkompositionen die Kirche, deren Auftrag die Völkermission ist. Auch die Evangelisten Lukas und Markus befinden sich auf dem östlichen Pfingstbild unter den Aposteln. Tragen nur vier von den zwölf Bücher, so können diese dadurch als die Evangelisten gekennzeichnet sein. An die Stelle des Thrones, der das Zentrum der Kuppeldarstellung bildet,

tritt bei dem verselbständigten zweiten Typus vom 11. Jh. an allgemein ein Ausschnitt des Himmels, aus dem der Heilige Geist, durch Lichtstrahlen veranschaulicht, herabfährt. Die Taube und die Flammenzungen auf den Häuptern der Apostel, wie sie die Kuppeldarstellungen zeigen, fehlen hier in der Regel.

Zum Abschluß der byzantinischen Pfingstdarstellungen bilden wir noch eine architektonisch bedingte Umwandlung der ursprünglichen Kreiskomposition ab. Innerhalb der normannisch-byzantinischen Mosaikdekoration der Cappella Palatina in Palermo des 12. Jh. ist die Pfingstdarstellung in ein Tonnengewölbe links vom Chor verlegt, *Abb. 13*. Die Apostel sitzen auf zwei durchgehenden Bänken am Rand der Wölbung. Die Engel, die in S. Marco, Venedig, in den Zwickeln stehen, erscheinen hier als Halbfiguren zu beiden Seiten der Taube, mit der sie durch ein kreisförmig geschlungenes Band verbunden sind. Von der Taube (sie steht auf einem Suppedaneum) im Zentrum ausgehend, schweben zwölf kleine Tauben auf goldenen Linien zu den Häuptern der Apostel, die hier im Sinne der persönlichen Inspiration und Sendung den Geist Gottes empfangen.

Die abendländische Darstellung des Mittelalters

Für den Westen gilt gleichfalls die Tatsache, daß wir infolge des geringen und zufälligen Denkmälerbestandes des ersten Jahrtausends über die frühen Entwicklungsstufen des Pfingstbildes nur Vermutungen anstellen können. Ein überlieferter Titulus läßt auf ein Wandbild des 5. Jh. in St. Martin in Tours schließen, von dem jedoch keine Beschreibung erhalten ist[21]. Doch befindet sich in der sogenannten Bibel von St. Paul v. d. Mauern, Rom, die um 870–875 in der karolingischen Hofschule von Corbie entstand, ein Pfingstbild, das auf Grund des illusionistischen

18. M. Restle, Die byzantinische Wandmalerei in Kleinasien, Recklinghausen 1967. Im Registerband sind Pfingstbilder, die nach beiden Kompositionsschemata vorkommen, Nr. 10, 24, 26, 40, 44, 52, 69 angegeben. Die gleiche Bildkomposition, die wir in Bd. 3, Abb. 569 nach G. de Jerphanion, Les églises rupestres de Cappadoce, Paris 1925–1936, für die Kirche Qeledjlar Ende 10. Jh. brachten, ist bei Restle, Bd. II, XXIV, Abb. 275, abgebildet, Göreme, Kap. 29, Kiliçlar Kilise, schon gegen 900 datiert.

19. Für diesen Kunstkreis im heutigen Jugoslawien siehe R. Hamann-Mac Lean und H. Hallensleben, Die Monumentalmalerei in Serbien und Makedonien, Gießen 1963, Abb. 235 und 336.

20. S. Seeliger gibt S. 15 eine Nachzeichnung einer Elfenbeintafel mit Maria, die jedoch sicher später als 13. Jh. zu datieren ist.

21. J. v. Schlosser, Quellenbuch zur Kunstgeschichte des abendländischen Mittelalters, Wien 1896, Bd. V, 2.

Stils auf spätantike Vorbilder schließen läßt, *Abb. 17.* Es handelt sich um das Titelblatt zur Apostelgeschichte, das im oberen Drittel die Himmelfahrt Christi im abendländischen Darstellungstypus des Aufstiegs zum Vater (vgl. Bd. 3, S. 152 ff.) und darunter das Pfingstgeschehen zeigt[22]. Die Bildinschrift auf der rückseitigen Mauer im Pfingstbild gibt die ersten Worte von Apg 2,1 wieder.

Die zentrale Komposition dieser Darstellung geht von einer räumlichen Vorstellung, die sich aus dem dargestellten Ereignis ergibt, aus. Eine von Zinnen bekrönte achtseitige Mauer, in die zwölf Türme einbezogen sind, umschließt ein Haus, in das man von oben einsieht. Die zurückliegenden Kuppeln sind als das ganze Haus überdeckend vorzustellen. Doch bezieht sich diese Raumarchitektur zugleich auch auf die historische Stadt Jerusalem und auf das in der Apokalypse geschilderte »ewige Jerusalem«, das Sinnbild der Kirche und der künftigen »Gemeinschaft der Heiligen« ist. Die achteckige Form des Hauses symbolisiert insbesondere diese künftige Gemeinschaft, denn die Zahl 8 gilt als die Zahl der Auferstehung und der Vollkommenheit. In vier Dreiergruppen sitzen die durch ihre lebhaften Gesten aufeinander bezogenen Apostel den Wänden entlang um Maria, die den Platz in der Mitte des Raumes einnimmt. Nur über ihrem Haupt flammt keine Feuerzunge, vielleicht weil sie nach einer allgemeinen Ansicht des Heiligen Geistes nicht mehr bedurfte, da sie ihn schon bei der Verkündigung der Geburt des Sohnes empfangen hatte (Schade). Sie verharrt in völliger Ruhe[23], während die Betroffenheit der Apostel in ihren erregten Bewegungen zum Ausdruck kommt. Ihre redend erhobenen Hände verweisen auf das »Predigen mit andern Zungen«, Apg 2,4. Das große Tor des Hauses wird von innen durch zwei Männer geöffnet, die sich dem herandrängenden bestürzten Volk beschwichtigend zuwenden. Die Gruppen sind in ihren Äußerungen unterschiedlich charakterisiert. Die rechte lauscht staunend, weil jeder seine Sprache vernimmt, es sind die gottesfürchtigen Männer, Apg 2,5 f. Die linke, größere ist nicht nur erregt, sondern empört und haßerfüllt. Unter diesen Männern sind die »anderen« zu verstehen, diejenigen, die spotteten, Apg 2,13.

Im Vergleich mit den nachikonoklastischen Darstellungen fällt die zentrale Gestalt der Maria als »mater apostolorum« auf, die das gleichzeitige Pfingstbild des Ostens nicht kennt. Außerdem ist dem karolingischen Bild eine lebendige Schilderung des Pfingstereignisses eigen, während im Osten, in welcher Kompositionsform auch immer, die Tendenz zum Zustands- und Repräsentationsbild zu beobachten ist. Seine räumlichen Vokabeln schließen sich nicht zu einem illusionistischen Raumgehäuse zusammen, das die karolingische Renaissance von der Spätantike übernahm. Die Darstellung der Bibel von St. Paul übersetzt »das Brausen vom Himmel« nicht als herabfahrende Strahlen, auch die Taube ist nicht dargestellt. Die Flammenzungen stehen jedoch über den Häuptern der Apostel, und die Wirkung des Heiligen Geistes ist in Ausdruck und Gesten der Figuren vielfältig veranschaulicht. Im oberen Bildteil sieht man Christus nach Vollendung seines Auftrages, zu dem sinngemäß die Gründung seiner Kirche gehört, zum geöffneten Himmel emporschreiten. Seine Ankunft bei Gott bewirkt die Herabkunft des Heiligen Geistes. Dieser Zusammenhang klingt schon in der syrischen und palästinensischen Kunst des 6. Jh. an (siehe oben).

Obwohl mit Recht von diesem Pfingstbild der karolingischen Hofschule, in der spätantike Vorbilder kopiert wurden, auf eine frühe Darstellung geschlossen werden kann, so wissen wir doch nicht, ob im 5. oder 6. Jh. bei der Bildformulierung ein Austausch zwischen dem Osten und dem Westen stattfand oder ob in dem Bildtypus dieser karolingischen Bibel eine eigene westliche Bildschöpfung auf uns gekommen ist. Zwei liturgische Handschriften enthalten noch ältere Darstellungen zu den Pfingsttexten, die aber gleichfalls singulär sind und zu keinen Schlüssen

---

22. Siehe H. Schade, Studien zu der karolingischen Bilderbibel aus St. Paul vor den Mauern in Rom, in: Wallraf-Richartz-Jahrbuch. 1960, S. 24–45. Der Verfasser geht aufgrund der Doppeldarstellung auf die liturgische Verknüpfung beider Feste in der alten Kirche ein und untersucht die Übereinstimmung der Formtypen zwischen der Gesetzesübergabe am Sinai und dem Himmelfahrt-Pfingstbild der Bibel von St. Paul.

23. Die Haltung und zentrale Stellung Marias, wahrscheinlich auch ihre Anwesenheit überhaupt, lassen sich vielleicht daraus erklären, daß das Vorbild der Pfingstdarstellung keine Marienfigur enthielt, der Maler sie aber analog zu dem oberen Himmelfahrtbild einfügen wollte und deshalb die Figur einer ganz anderen Vorlage entnahm. Offensichtlich sind auf dieser Bildseite verschiedene Vorbilder kombiniert worden.

über Entstehung und Verbreitung des Bildes führen. Im westfränkischen Sakramentar aus Gellone, Paris, das zwischen 755 und 787 in Burgund entstand, ist in dem Kapitel, das »Dominica Pentecoste« überschrieben ist, bei der Oratio zum Pfingstfest für die O-Initiale zu dem Omnipotens sempiterne deus – allmächtiger, ewiger Gott – ein sehr vereinfachtes, formelhaftes Bildmotiv verwendet: die Gotteshand, gehalten über drei Köpfe. Das Bildzeichen ist von einem doppelten Kreis, dessen Zwischenraum mit Schmuckornamenten ausgefüllt ist, umschlossen. Die Hand (Dextera Dei) als Zeichen des Handelns Gottes finden wir schon in jüdischen Darstellungen des 3. Jh. (Dura Europos), von dort wird es in die frühchristliche Kunst übernommen worden sein. Ob mit den Köpfen drei Apostel gemeint sind, muß offenbleiben, *Abb. 16.*

Der Text, der auf diese Gebetsanrede folgt, beginnt im Sakramentar des Metzer Bischofs Drogo mit einer größeren D-Initiale, die eine Pfingstdarstellung umschließt, *Abb. 14.* Das Haus ist durch eine große Kuppel und zwei Giebel, die auf zwei Säulen ruhen, wiedergegeben. Die zwölf Apostel sitzen zum Teil in Rückenansicht in der Biegung des Buchstabens und blicken empor; nur zwei wenden sich einander zu. Keiner ist in der üblichen Weise charakterisiert. Vor Goldgrund erscheint über ihnen die geöffnete Gotteshand und entläßt die Taube des Geistes, von der aus die Lichtstrahlen herabfahren. Auf den Häuptern der Apostel stehen die Feuerzungen. Christus, die zweite Person der Trinität, ist figürlich über einer Wolke als der Auferstandene mit dem Kreuzstab dargestellt. Seine ausgestreckte Hand berührt die des Vaters und die Taube, als löse er die Herabkunft des Geistes aus. Bei dieser Kombination handelt es sich nicht um ein Trinitätssymbol, vielmehr wird damit ein Satz aus dem Evangelium des Pfingstfestes (Joh 14,23–31), das den Abschiedsreden entnommen ist, verbildlicht sein: »Der Anwalt, der heilige Geist, welchen mein Vater senden wird in meinem Namen, der wird euch alles lehren.« Ein zweites Mal erscheint eine Hand von oben und hält ein Schriftband, das sich über der Kuppel entrollt. In Parallele zu der göttlichen Hand auf den Himmelfahrtsdarstellungen des Rabula-Codex und der Ampulle, *Abb. 6,* dürfte auch hier in einem Pfingstbild die göttliche Hand, zumal sie das Evangelium hält, auf die Sendung der Apostel zu den Völkern der Erde hinweisen.

Der Buchdeckel von Narbonne, ein Elfenbeinrelief der

Hofschule Karls des Großen vom Anfang des 9. Jh., das die Kreuzigung mit verschiedenen Szenen umgibt, *vgl. Bd. 2, Abb. 368,* zeigt auf der Pfingstdarstellung elf Apostel in zwei Reihen hintereinander vor einem Gebäude sitzend. Unmittelbar über ihnen ragt aus den Wolken die auffallend große offene Gotteshand, von deren Fingern Strahlen ausgehen. Auf einem Elfenbeindiptychon in Manchester, das zu den Ausläufern der Hofschule der 2. Hälfte des 10. Jh. gehört, brechen die Strahlen hinter der Gotteshand aus dem Himmel hervor, *Abb. 15.* Es sind elf Apostel wiedergegeben, jedoch pyramidenförmig gruppiert; vgl. *Abb. 7.* In dem freien Dreieck zwischen den Fußbänken steht ein Spendengefäß, auf das wir noch eingehen werden. Auch auf diesem Buchdeckel der Rylands Library in Manchester ist wie auf dem in Narbonne und auf der Miniatur der Bibel von St. Paul die Himmelfahrt Christi im frühchristlichen westlichen Typus des Aufstiegs dargestellt.

Die Dextera Dei kommt auch nach der Karolingischen Epoche bis zum 13. Jh. dann und wann im Pfingstbild vor. Sie kann im Zusammenhang der Petruspredigt, die die Erhöhung des Sohnes zum Vater betont, interpretiert werden: »Nun er (Jesus) durch die Rechte Gottes erhöht ist und empfangen hat die Verheißung des heiligen Geistes vom Vater, hat er ausgegossen dies, das ihr sehet und höret«, Apg 2,33. Im folgenden Vers zitiert Petrus das Psalmwort 110 (109),1, das auf eine der Bildvorstellungen der Erhöhung Christi eingewirkt hat: »Der Herr hat gesagt zu meinem Herrn: Setze dich zu meiner Rechten ...« *(vgl. Bd. 3, Abb. 672, 673).* In einem englischen Evangeliar, um 1120–1140, in Cambridge, befindet sich eine Doppeldarstellung, die oben Gott Vater und Gott Sohn nebeneinander in der Mandorla thronend zeigt und unten die Ausgießung des Geistes, *Abb. 33.* Die Erhöhung des Sohnes wird durch die zwei Cherubim-Seraphim am Thron betont, die Einheit von Vater und Sohn durch die teilweise Verschmelzung der Figuren. Zwei Hände halten unterhalb der Architekturformel für das Coenaculum (drei Giebel) die Taube: Vater und Sohn senden den Geist. Auf einer Federzeichnung im Cottonpsalter, um 1150, *Abb. 32,* entläßt die Gotteshand die Taube des Geistes. Das Motiv erinnert an frühe Darstellungen der Taufe Jesu *(Bd. 1, Abb. 358; auch 356, 357, 366, 367 bringen Gotteshand und Taube in enge Beziehung).* Es ist nicht ausgeschlossen, daß die Zusammengehörigkeit von Taufe und Pfingsten zur Übertragung des Motivs in das Pfingstbild führt. Auf einem zum Teil zerstörten Fresko der Dorfkirche in Idensen (Hannover), 1130–1140, und auf einem der Pfeilerreliefs im Kreuzgang von Santo Domingo de Silos (Nordspanien), 1085–1100, *Abb. 42*, erscheint die Gotteshand im Segens- und Sprechgestus über den Aposteln, die Taube fehlt[24]. Dagegen ist auf dem Pfingstbild des Evangeliars Heinrichs des Löwen, um 1175, *Abb. 44*, die göttliche Hand vor dem Kreuznimbus in dem mehrfarbigen Himmelssegment gleich einer Schwurhand aufgerichtet, die hier vermutlich Erfüllung der Verheißung bedeutet[25]; zur Gesamtkomposition dieses Pfingstbildes siehe unten.

Von der Jahrtausendwende an wird das Pfingstbild in der Buchmalerei häufig, kommt in der Monumentalkunst jedoch sehr selten vor. Seiner Komposition liegen unterschiedliche Formstrukturen zugrunde. Innerhalb der Bildzyklen der spätmittelalterlichen Altäre erhält es dann seinen festen Platz nach der Himmelfahrt Christi. In der Barockmalerei gewinnt das Pfingstgeschehen in der Gesamtkomposition der großen Bildprogramme nochmals Bedeutung. Die bei den ältesten bekannten Bildformulierungen schon vorliegenden Einzelmotive, die Akzente der Interpretation setzen, kehren in stilbedingt abgewandelter Form wieder, werden variiert und gelegentlich bereichert durch neue Motive und Deutungen.

In immer neuen Formgebilden klingt die Zentralkomposition an oder wird zur wichtigsten Bildaussage erhoben, wie auf einer Miniatur eines Reichenauer Perikopenbuches um 1020–1040, München, *Abb. 19*. Die Befreiung von allen erzählerischen Motiven, die durch die Vierpaßform erreichte Konzentration auf die Mitte und die Geschlossenheit der vier Dreipersonengruppen steigert die Intensität der Gemeinschaft derer, die der Geist erfüllt und beruft. Die Vierpaßform enthält in sich das Kreuz und entspricht dem Grundriß eines Zentralbaus. In diesem Zusammenhang verweist die geometrische Form ebenso wie die oktogone Architektur des Bildes in der Bibel von St. Paul auf das Haus des Berges Zion. Noch deutlicher

steht hinter dem Pfingstbild eines Perikopenbuches der Salzburger Schule, um 1030, München, die alte Kreiskomposition, die in die Fläche übertragen ist, *Abb. 23*. Die Umformung des Vorbildes ist nicht so souverän wie bei der Reichenauer Malerei. Zwei Apostel, für die der Raum innerhalb des Kreises nicht mehr reichte, sind an den Rand gedrückt und zum größten Teil durch die die Kuppel und Türme des Hauses tragenden Säulen verdeckt. Wie auf der Reichenauer Miniatur sind alle Apostel in Vorderansicht wiedergegeben, nur die Kopfhaltung ist durch die Blickrichtung variiert. Da aber fünf nebeneinander auf einer Bank sitzen, ist der Rhythmus der Kreisschwingung etwas gestört. Diese Unbeholfenheit in der Übertragung des Vorbildes in die Fläche wird angesichts der geistigen Ausstrahlungskraft der Mitte jedoch belanglos. Aus dem Zentrum der in sieben Farben strahlenden Himmelsscheibe gehen gleich Speichen eines Rades zwölf Fackeln, jede mit drei Flammen, nach außen. Dieses »Feuerrad«, das sich zu bewegen scheint, ist sichtbares Zeichen für Blitze und Donner, für den Glanz und die Stimmen, die die Epiphanie Gottes begleiten, hier für das Brausen vom Himmel: die Feuertaufe des Geistes. Die Schriftzeilen über dem Bild zitieren den Text Joh 14,21.

Die vier isolierten Dreifigurengruppen der Reichenauer Miniatur, um 1200, sind ebenfalls auf dem Pfingstbild des Perikopenbuches, das Heinrich II. 1007 oder 1012 an den Dom von Bamberg schenkte, zu finden, *Abb. 21*. Auch sie erinnern an die Gruppierung der Apostel in der Bibel von St. Paul, *Abb. 17*, obgleich diese hier auf zwei Bänken übereinander in strenger Reihung sitzen. Die spätantike illusionistische Raumvorstellung ist zu geometrischen Formen erstarrt, die aber doch den Hinweis auf das Haus der Versammlung geben. Die strenge Flächenkunst führt zu dieser Anordnung der Apostel übereinander und der Gliederung durch Architektur[26]. Die ottonische Kunst kennt aber auch die einfache Reihung der Apostel, die auf der Miniatur des Sakramentars aus Fulda, um 975, Göttingen, *Abb. 18*, erhalten ist. Obwohl es sich bei dem Bild um ein Querformat handelt, so überschneiden sich doch einige der lebhaft miteinander disputierenden Figuren. Bei

24. Beide Werke weisen bei der Hand Beschädigungen auf, so daß der Gestus nicht mit Sicherheit bestimmt werden kann.

25. Diese Handhaltung kommt selten vor, vgl. das Verkündigungsbild des Aachener Ottonenevangeliars, Bd. 1, Abb. 82.

26. Vgl. zu diesem Umwandlungsprozeß der ottonischen Kunst allgemein H. Jantzen, Ottonische Kunst, München 1947, S. 75–77; für das Pfingstbild speziell Seeliger, 1950, S. 9ff., vgl. dass. Abb. 9, ein Reichenauer Epistolar um 980, Berlin.

einem Hochformat werden die Apostel häufig in zwei dicht hintereinander sitzenden Gruppen angeordnet, *Abb. 24, 29, 31,* oder auch in zwei Reihen übereinander, *Abb. 35, 36, 37.* Die Tendenz zur Kreiskomposition als Ausdruck der Gemeinschaft führt vereinzelt dazu, die unteren Figuren in Rückansicht wiederzugeben, so in noch etwas unbeholfener Weise auf dem Pfingstbild eines Sakramentars aus St. Bertin, 11. Jh., *Abb. 20.* Dagegen gibt Nikolaus von Verdun auf der Pfingstdarstellung des Klosterneuburger Altars, vollendet 1181, *Abb. 22,* die Jünger in einem nach oben geöffneten Kreis eng sitzend, einige in Rückenansicht. Die hufeisenförmige Anordnung des byzantinischen Bildtyps ist hier umgekehrt.

Der Heilige Geist strömt auf dem Emailtäfelchen in den nach oben offenen Raum ein, veranschaulicht ist er durch mit Flammen besetzte Goldbänder. Wie auf den Miniaturen des Reichenauer, *Abb. 19,* und des Salzburger Perikopenbuchs, *Abb. 23,* ist er – in drei verschiedenen Formen – die Bildmitte. Das Pfingstbild des Perikopenbuchs des Meisters Bertold von Regensburg der 2. Hälfte des 11. Jh., New York, *Abb. 24,* betont das Feuer des Geistes, das am Wolkenrand brennt. Auf die Zungen über den Häuptern ist verzichtet, dafür gehen feine Lichtstrahlen zu den Aposteln. Sehr große Feuerzungen fallen auf der Darstellung des Kölner Gereon-Sakramentars, zwischen 996 und 1002, Paris, auf sie herab, *Abb. 29.*

Auch in der englischen Kunst dieser Zeit wird der Feuercharakter des Geistes betont. Auf der reich geschmückten Miniatur im Missale des Robert von Jumièges der Schule von Winchester, zwischen 1006 und 1023, Rouen, *Abb. 31,* lodert das Feuer aus dem Schnabel der herabstürzenden Taube. Zwei Engel begleiten sie, die von der goldenen Mandorla umgeben ist. Die Herabkunft des Heiligen Geistes ist noch im 12. Jh. ähnlich im Bild des Psalters dargestellt, den Henry von Blois zwischen 1150 und 1160 der Schule von Winchester in Auftrag gab, *Abb. 30.* Durch das Aufblicken und die Bewegtheit der Apostel (von einigen sind nur die Nimben zu sehen) ist der Bezug zwischen ihnen und dem Geistfeuer lebendiger als auf der älteren Darstellung. Die stilisierte sakrale Architektur ist in Verbindung mit der Himmelsvokabel der Wolke als himmlische Stadt zu deuten, auch wenn sie auf manchen Darstellungen nur eine unverstandene Übernahme aus älteren Vorbildern sein mag.

Die »sieben Gaben des Geistes« aus Jes 11,2 tauchen schon im 11. Jh. im Pfingstbild eines Lektionars der Würzburger Universitätsbibliothek, Reichenauer Spätstufe, zwischen 1060–1080 auf, *Abb. 25.* Hier strahlen vom Himmel sieben unten dreigeteilte Lichtbänder aus. Die Anzahl kann nicht auf Raummangel beruhen wie zum Beispiel bei *Abb. 15,* sondern ist bewußt gewählt, um auf die sieben Gaben hinzuweisen. Auf einer ähnlichen Pfingstminiatur des Evangelistars Heinrichs IV., Berlin, Kupferstichkabinett, das der gleichen Schule und Zeit angehört, sendet die Hand Gottes, die das Kreuz hält, die sieben Geistesgaben. Deutlicher wird diese Interpretation auf dem Pfingstbild im Evangeliar Heinrichs des Löwen, das um 1175 in Helmarshausen für den Braunschweiger Dom geschrieben und illuminiert wurde, *Abb. 44.* Hier treffen die sieben Lichtbahnen auf Kreise, die Tauben umschließen. Darüber sind die Bezeichnungen der sieben Gaben nach Jes 11,2 zu lesen, siehe unten.

Die Völkerschaften – gentes – und die gottesfürchtigen Männer, die dem östlichen Bild wichtig sind und die auch die karolingische Miniatur der Bibel von St. Paul einbezieht, kommen in der abendländischen Kunst selten vor. In den Darstellungen der ottonischen Zeit sind beide Gruppen nicht differenziert. Im Egbert-Evangelistar des Erzbischofs von Trier, 980 auf der Reichenau geschrieben und illustriert, *Abb. 26,* steht dasselbe Gefäß in der Mitte, das schon das Elfenbeinrelief der 2. Hälfte des 10. Jh. aufweist, *Abb. 15.* Die Beischrift: communis vita (gemeinsames Leben) setzt das Gefäß zu Apg 2,44–47 in Beziehung, wo vom gemeinsamen, auf Privateigentum verzichtenden, kommunenhaften Leben der Jerusalemer Christen die Rede ist. So ist das Gefäß ein Zeichen für die Frucht des Geistes in der Gemeinschaft der Gläubigen. Auffallend ist seine achteckige Form, die der Form von Taufbecken und dem oktogonalen Grundriß von Baptisterien entspricht (Lateran-Baptisterium). Sie wird schon im 8. Jh. für die Darstellung des Lebensbrunnens im Paradies verwandt, siehe unten. Die christliche Vorstellung des Lebensbrunnens fußt auf der Taufe, andererseits auf dem Bild vom Strom am Thron Gottes und des Lammes in der letzten Vision der zukünftigen Herrlichkeit in Apk 22,1. Dieser Strom des Lebens wird von Ambrosius als Heiliger Geist gedeutet (»flumen est Spiritus Sanctus«, MPL 16, 740 und 812). Die Form und die zentrale Anordnung des Gefäßes auf den Elfenbeintäfelchen und der Miniatur im Egbert-Evangeliar verweisen auf seine vielschichtige Bedeutung, die über die eines Spendengefäßes weit hinausgeht. Auf der Miniatur sitzen vor Arkadenbögen Petrus und sechs Apostel, während die anderen, für die der Platz auf der Bank nicht ausreicht, dahinter stehen. Dem Bogen der Apostelsitze entspricht unten der flache, nach oben offene Halbkreis, in dem neun Männer stehen, einige in Rückenansicht. Sie blicken alle ehrfürchtig und staunend empor. Abgesehen von dem Mantel, den einige tragen, sind sie gleich gekleidet. Diese »gottesfürchtigen Männer«, Vers 5, sind in die Pfingstgemeinde einbezogen, auch wenn über ihren Häuptern keine Flammen brennen wie über den Aposteln. Auch sie gehören, wie das Gefäß mit der Inschrift in der Mitte zeigt, zur Gemeinde. Die Inschrift lautet: »Der sie lehrende Geist brennt hier in feurigen Zungen, daher versammeln sich zitternd die Völker.«[27] Konkreter ist das »gemeinsame Leben« auf einem künstlerisch einer anderen Tradition folgenden Pfingstbild eines Reichenauer Sakramentars, Ende 10. Jh., Paris, *Abb. 27*. Die spätere Abwandlung des Gefäßes im Pfingstbild zu einem »Hostienbrunnen« *siehe unten Abb. 149*.

Im Sakramentar von St. Gereon der Kölner Schule, zwischen 996 und 1002, Paris, nehmen die Völker, die in Jerusalem die Predigt des Petrus hören, eine eigene Bildseite gegenüber der üblichen Pfingstdarstellung ein, *Abb. 28*. Aus Apg 9 sind in der Schriftleiste die Parther, Meder, Elamiter und Mesopotamier genannt – und andere, die zum Fest kamen. Vornehm gekleidet (byzantinischer Einfluß) stehen verschieden große Gruppen vor einem mehrfarbigen Streifengrund; über sie alle senkt sich das flammende Himmelssegment mit der Taube. Die Zahl entspricht weder den sechzehn im Text genannten Völkern, noch den zwölf, die von den Aposteln missioniert wurden. Von den Männern vor der Mauer der Miniatur der Bibel von St. Paul unterscheiden sie sich durch ihr gemeinsames Hören, das keine Erregung oder gar Abwehr und Spott zum Ausdruck bringt. Sie sind die hörenden Glieder der zu Pfingsten gestifteten Kirche. Das gegen-

überstehende Pfingstbild, *Abb. 29*, zeigt über dem Himmelssegment, aus dem die Feuerzungen »herabbrausen«, vor violettem Grund die Taube als Zentrum des himmlischen Jerusalems.

Im Gegensatz zu diesen Beispielen des späten 10. Jh. bringt das Tympanon des mittleren Portals in der Vorhalle der Kathedrale in Vézelay (Burgund) gegen 1132, *Abb. 53*, in den sehr verschieden charakterisierten Volksgruppen, die um das Mittelfeld angeordnet sind, den Gedanken der Völkermission zum Ausdruck. Hier tauchen auch die oben Anm. 17 erwähnten hundeköpfigen Figuren auf, aber auch andere Mißgestalten und absonderliche Pygmäen und Riesen als Vertreter der fernsten Völker der Erde und der fremdesten Menschen, zur Gesamtdarstellung siehe unten. Danach bringt erst wieder die italienische Renaissance, beeinflußt von der byzantinischen Kunst, die Männer, die Einlaß in das Haus begehren und der Predigt des Petrus lauschen, *Abb. 72, 73*. Von neuem wird in der Barockmalerei für die Völkerschaften eine Form gefunden, die den Weltkreis dem Pfingstgeschehen unterordnet, siehe unten.

Die Apostel sind zunächst die Jünger, denen der verheißene Geist verliehen wird; im weiteren Sinn bedeuten sie Heilsgemeinde, Kirche. Die in ihrer Mitte hervorgehobenen und charakterisierten Gestalten, die insbesondere die Kirche vertreten, wechseln. Mehrmals ist es Petrus, *Abb. 26, 29*, der den Schlüssel als Zeichen der Schlüsselgewalt in der Hand halten kann. Durch seine auffällig im Redegestus erhobene Rechte ist manchmal auf seine Predigt verwiesen, die mit zur Stiftung der Kirche gehört, *Abb. 72, 80*. Gelegentlich wird er aus der Reihe herausgenommen und etwas vorgerückt oder über den anderen Aposteln thronend wiedergegeben, *Abb. 45, 56*.

Eine zweite Tradition setzt Petrus und Paulus nebeneinander, *Abb. 18, 21, 24, 25, 27, 40, 58*. Da sie seit früher Zeit als die Vertreter der Juden- und Heidenkirche gelten, ist durch dieses Apostelpaar auf die Universalität der Kirche verwiesen. Bei zentralen Kompositionen sind mehr-

---

27. Das Kompositionsschema mit den ehrfürchtigen Männern übernimmt die Echternacher Schule, jedoch ohne Spendenschale. Codex Aureus in Nürnberg, Perikopenbuch Heinrich III. in Bremen. Die Inschrift auf der Darstellung des Nürnberger Codex lautet: »120 waren mit ihnen versammelt; sie werden voll von der

Gabe des fruchtbaren Geistes«, siehe P. Metz, Das Goldene Evangelienbuch von Echternach im Germanischen Museum zu Nürnberg, München 1956, S. 70f. Zum Gefäß mit der Bezeichnung »vita comunis« siehe auch unten bei Lebensbrunnen.

mals Petrus und Paulus durch die Mittelachse zueinander in Beziehung gesetzt, *Abb. 19, 23*. Eine dritte, freilich selten vertretene Tradition ist es, Johannes und Petrus den Mittelplatz zu geben, *Abb. 32, 44*. Als Attribute kommen neben dem Schlüssel bei Petrus nur Bücher vor, die aber niemals bei allen Aposteln zu sehen sind, gelegentlich auch Schriftbänder. Eine Ausnahme ist es, wenn auf dem Pfingstbild des englischen Cotton-Psalters, um 1050, London, *Abb. 32*, wie auf der Himmelfahrtsdarstellung der gleichen Handschrift *(Bd. 3, Abb. 494)*, Johannes das Buch und Petrus die Krone in Händen halten. Die Anzahl der Jünger beträgt in der abendländischen Bildtradition wie beim Himmelfahrtsbild nur elf. Häufig werden jedoch, durch byzantinische Einflüsse bedingt, zwölf dargestellt. Lukas und Markus wurden aus der byzantinischen Darstellung nicht übernommen. Da bis zum 13. Jh. in der Regel nur Petrus und Paulus durch besondere Typen gekennzeichnet sind und Johannes, Thomas und Philippus jugendlich dargestellt werden, lassen sich die einzelnen Apostel oft schwer identifizieren.

Der englische Hunterianpsalter des 11. Jh., *Abb. 2,* fügt der Apostelgruppe drei Frauen bei, die zwar Apg 2 bei der Ausgießung des Hl. Geistes nicht genannt sind, aber aufgrund von Apg 1,14 ebenso wie Maria ihr sinngemäß angehören. Ein Mainzer Evangeliar, um 1260, Aschaffenburg, *Abb. 43,* setzt drei Frauen und auch die im gleichen Vers genannten Brüder Jesu in eine eigene Bildzone unter die Darstellung der Ausgießung des Heiligen Geistes.

Maria, die das byzantinische Pfingstbild nicht aufgenommen hat, da sie, wie schon gesagt, in der Ostkirche niemals als Ekklesia gedeutet wurde, wird auch in das abendländische Bild des Mittelalters nur allmählich einbezogen[28]. Im 11. und 12. Jh. kommt sie noch selten vor; vom 13. Jh. an wird sie fast regelmäßig dargestellt und ihr in steigendem Maße eine beherrschende Stellung im Bild gegeben. Wahrscheinlich ist Maria im Bild des 11. Jh. nur als Mutter Jesu und Glied der ersten Gemeinde zu verstehen. Es fällt auf, daß zunächst bei ihrer Anwesenheit, der biblischen Begebenheit entsprechend, nur elf Jünger wiedergegeben

sind. Allmählich nimmt Maria die Bedeutung eines figuralen Sinnbildes der Kirche im gleichen Sinn wie Petrus – oft in Parallele zu ihm – oder wie beide Apostelfürsten zusammen an, bis sie dann vom 13. Jh. an zur zentralen Figur der Pfingstdarstellung wird.

Diese Entwicklung der Aufnahme Marias läßt sich an einigen Miniaturen des 11. Jh. aufzeigen. Im sogenannten Abdinghofer Evangeliar des Helmarshauser Scriptoriums, um 1000, *Abb. 35,* liegt beim Pfingstbild eine Dreizonenkomposition vor ohne räumliche Angaben durch Architekturteile: oben der Himmel mit zwei die Gottheit verehrenden Engeln, dann die Apostel, deren Bewegungsrhythmus in der mittleren Zone von rechts nach links und in der unteren von links nach rechts weitergeht. Die erste Figur, von der die Bewegung ausgeht, und die letzte, in der sie mündet, sind Einzelfiguren, die sich zur Mitte wenden. Alle sind lebhaft bewegt und neigen sich sprechend und hörend einem anderen zu. Die obere rechte Figur ist als Maria gedeutet worden[29], was nicht auszuschließen ist, obwohl sie sich in Haartracht und Kleidung nicht von den anderen unterscheidet. Maria trägt sonst immer den Schleier; hier fehlt er. Doch kommt der Gestalt zweifellos eine besondere Bedeutung zu. Die nächste Gestalt mit dem Buch dürfte Petrus sein, seine typische Haartracht wird durch die große Feuerzunge verdeckt. Zwei Miniaturen aus der Abtei Prüm charakterisieren Maria und Petrus deutlicher, beide sitzen in der Mitte der oberen Reihe, so daß Maria den Platz des Paulus einnimmt. Ihr Gewand ist auf dem Bild des Perikopenbuches, 2. Viertel 11. Jh., Manchester, *Abb. 36,* etwas reicher verziert als das der Apostel; sie ist als einzige in streng frontaler Haltung wiedergegeben – beides läßt die Annahme zu, daß hier der Typus der Ekklesiagestalt übernommen wurde und Maria schon als Ekklesia zu deuten ist. Mit der vorderen Mauer und den zwei Toren erinnert die Architektur an die Darstellung in der Bibel von St. Paul. Die Miniatur im Antiphonar, um 1000, *Abb. 37,* steht stilistisch und im Marientypus in einer anderen Tradition. In der 2. Hälfte des 11. Jh. zeigt das Pfingstbild des Missale von Mont St. Michel, New York, *Abb. 38,* vor den beiden seitlich gedrängt sit-

---

28. Allerdings sitzt Maria schon auf dem karolingischen Bild der Bibel von St. Paul in der Mitte der Apostel und des Raumes, s. o. Ihr seltenes Auftreten auf Darstellungen der Reichenauer Schule wird auf den schon erwähnten stärkeren Einfluß der by-

zantinischen Kunst zurückzuführen sein.

29. L. Schreyer, Bildnis des Heiligen Geistes, Freiburg/Br. 1940, S. 127.

zenden Gruppen Petrus und Maria nebeneinander; Maria fällt kaum auf; was ins Auge springt, ist das Emporblicken aller Personen. Dagegen nimmt Maria auf der Miniatur des böhmischen Wys'schrader Krönungsevangeliars, 1085 bis 1086, Prag, den mittleren Sitz ein, *Abb. 39*. Ihre Kleidung und das Attribut des Buches sind aus der Darstellung der Ekklesia übernommen – ein auffallend frühes Beispiel für Maria als Ekklesia.

Auf den Pfingstbildern der wichtigen Kunstzentren des 11. Jh. (Reichenau, Echternach, Köln, Salzburg) fehlt die Marienfigur. Die schon erwähnte Miniatur im Evangeliar Heinrichs des Löwen, 1173–1180 in Helmarshausen entstanden, *Abb. 44*, zeigt Maria zwar in prächtiger Kleidung, jedoch ohne die für die Ekklesia typischen Merkmale. Dagegen trägt die beherrschende Marienfigur im Shaftesbury-Psalter, 2. H. 12. Jh., die Krone der Ekklesia über ihrem Schleier, die sie, in dieser Zeit als Himmelskönigin gedeutet, von der Ekklesia übernimmt, *Abb. 34*. Hier sitzen die Apostel auf dem Söller des Hauses, ein Motiv, das vom 14. Jh. an, vor allem in der italienischen Kunst, üblich wird. In der englischen Buchmalerei ist die Kompositionsform schon im Albanipsalter um 1120 zu finden, doch trägt Maria auf dieser älteren Darstellung noch keine Krone. Im Psalter der französischen Königin Ingeborg, gegen 1200, *Abb. 62*, ist Maria nicht nur gekrönt, sondern durch einen Respektabstand von den Aposteln isoliert; im Evangeliar aus Mainz, um 1260, *Abb. 43*, ist sie dann im üblichen Marientypus wiedergegeben, jedoch durch den Anbetungstypus, den großen Nimbus und die frontale Haltung hervorgehoben. Im Psalter des Landgrafen Hermann von Thüringen, zwischen 1211 und 1213, *Abb. 40*, Stuttgart, thront sie erhöht und ist formal und bedeutungsmäßig als Sinnbild der Kirche die Mitte des Bildes[30]. Über dem großen Bogen, der ihr Haupt umwölbt und sie mit Petrus und Paulus verbindet, steht das himmlische Jerusalem wie eine Bekrönung – die Verheißung der ewigen Kirche. Älter als die zuletzt genannten Buchmalereien sind zwei monumentale Werke, die Maria aufgenommen

haben: einmal das von Engeln umrahmte Tympanonfeld der Eglise de Perse (Friedhofskirche) in Espalion (Aveyron), spätes 11. Jh., *Abb. 41*, wo sie gekrönt inmitten der Apostel steht und aus drei Himmelswolken (Hinweis auf die Trinität) die Taube auf sie herabfährt, sodann auf einem Relief des Kreuzganges von Santo Domingo de Silos (Nordspanien), 1085–1100, *Abb. 42*, auf dem Maria über die obere Reihe der Apostel hinausragend ihr Angesicht zur Hand Gottes emporhebt. Zum Wandel der Mariendarstellung und zu ihrer Deutung als Kirche siehe Teil 2.

Die typologische Darstellung

Wir haben oben schon gesagt, daß die Beschreibung der Pfingstdarstellung in der Apostelkirche Konstantinopels von Propheten, die zwischen den Aposteln und den Völkerschaften standen, spricht. Sie kommen im abendländischen Pfingstbild erst im 12. Jh. vereinzelt und nicht im Zusammenhang der Völkerschaften, sondern in typologischen Darstellungen vor. Die schon besprochene einzigartige Darstellung der Geistsendung im Evangeliar Heinrichs des Löwen, Helmarshausen, um 1175, *Abb. 44*, ist auch unter dem Gesichtspunkt der Typologie zu betrachten[31]. Sie bezieht König David, der in der Pfingstpredigt Petri erwähnt wird, und König Salomo ein (Schriftbänder nicht mehr zu lesen) und setzt in die Ecken oben zwei Psalmisten und unten die Propheten Joel und Zacharias (Sacharja). Ähnlich verfährt eine andere niedersächsische Handschrift. Das sogenannte Stammheimer Missale, zwischen 1160 und 1180 von dem Presbyter Heinrich im Michaelskloster zu Hildesheim geschrieben und illuminiert, *Abb. 45*, ordnet der Pfingstdarstellung Brustbilder von Joel (3,1), Hiob (26,13 a), Paulus (1 Kor 2,12), Lukas (Apg 2,4), Salomo (Weish 1,7 a) zu. Bei der Apostelgruppe liegt der Akzent auf der Predigt des Petrus. Das architektonische Schema und die figuralen Einzeldarstellungen gipfeln in dem Brustbild des erhöhten Christus (vor einem Kir-

---

30. Vgl. das Bild im Psalter des Klosters Rheingau in Zürich, 1227–1241, abgebildet LCI, III, Sp. 420, auf dem Petrus in der gleichen Weise erhöht thront.

31. Von wem die niedersächsische Schule des 12. Jh., die künstlerisch in Verbindung zu Byzanz steht, gedanklich inspiriert wurde, vermögen wir nicht zu sagen. Es ist auffallend, daß die

Bildkompositionen in dieser Schule sehr oft neue Bildgedanken aufnehmen, die z. T. auch in der englischen Kunst vorkommen, und eine Vorliebe für alttestamentliche und typologische Bildmotive haben, vgl. das Geburtsbild mit Ekklesia, Bd. 1, Abb. 173, und das Himmelfahrtsbild Bd. 3, Abb. 502.

chengebäude), des Herrn und Haupts der Kirche. Allgemein verdeutlichen die Propheten im Pfingstbild die Einheit von Altem und Neuem Bund. Wie die Propheten vom Geist Gottes erfüllt wurden, so gibt Gott auch dem neuen Volk Israel den Geist. Die Vielzahl der typologischen Bezüge erklärt sich aus dem jüdischen Ursprung des christlichen Pfingstfestes (s.o.). Wir geben nur einige der alttestamentlichen Szenen wieder, die seit dem 12. Jh. dem Bild der Ausgießung des Heiligen Geistes im Sinne der Typologie häufiger gegenübergestellt werden.

Dem Pfingstbild des Klosterneuburger Altars, *Abb. 22*, ist die Arche Noah, *Abb. 47*, und die Gesetzesübergabe an Moses, *Abb. 48*, beigeordnet. Die Umschrift des ersten Täfelchens: »Siehe in diesem Vogel das Geschenk des Geistes, dem alles Gute entströmt« bezieht sich auf die Deutung der Taube Noahs als Sinnbild des Heiligen Geistes. Die Umschrift der Gesetzesübergabe lautet: »Das feurige Gesetz entflammt Mose mit seinem Feuer.« 2 Mos 9,18f. heißt es: »Der ganze Berg Sinai rauchte, weil der Herr herab auf den Berg fuhr mit Feuer, und sein Rauch ging auf wie ein Rauch vom Schmelzofen, der Posaune Ton ward immer stärker.« Die Herabkunft Gottes mit Feuer und dem Heiligen Geist, das Entflammtwerden des Mose und der Apostel, das Tönen der Posaune und das Brausen vom Himmel entsprechen sich im analogen Denken und in der bildlichen Vorstellung des Mittelalters[32]. Die Schilderung des rauchenden Berges ist wörtlich in das Bild übertragen. Aus drei Schmelztiegeln steigt der Rauch auf, darüber blasen drei Engel die Posaunen, in denen die Stimme Gottes bildhaft wird. Der auf dem Gipfel des Berges Sinai ankommende Mose erhält von Gott ein Schriftband, auf dem steht: »Dein Gott ist ein einziger Gott.« Das Pfingstbild ist unterschrieben: »In vielerlei Sprachen zu reden, hat dieses das göttliche Feuer gegeben.« In dem linken Zwickel darüber ist Joel dargestellt[33].

Das Bibelfenster in der Mitte des Chors von St. Vitus

in Mönchengladbach, um 1275, das zwölf neutestamentlichen Szenen ebenso viele alttestamentliche gegenübersetzt, stellt die Gesetzesübergabe am Sinai neben das Pfingstbild[34]. Das Gottesurteil am Karmel, 1 Kön 18, ist in dem typologischen Bildprogramm der Gewölbemalerei in der Kirche St. Maria Lyskirchen zu Köln, Mitte 13. Jh., dem Pfingstbild zugeordnet, *Abb. 46*. Rechts knien die Baalspriester, vergeblich um Annahme ihres Opfers bittend, vor ihrem Tieropfer und dem Götzenbild, über dem »Idol« zu lesen ist. Links begießt Elia das Opfertier und das Holz mit Wasser, Vers 34 b. Aus dem Himmel fällt das Feuer nieder, um das Opfer des Elia zu verzehren. Die Hand Gottes versinnbildlicht die Antwort des lebendigen Gottes Israels auf das Gebet des Propheten; auf dem Spruchband stehen Worte aus Vers 37: »Erhöre mich, Herr, erhöre mich, daß dieses Volk wisse, daß du der Herr bist.« Die Parallele zu Pfingsten liegt in dem von Gott herabgesandten Feuer, das Gnade und Annahme bedeutet[35].

In einem mainfränkischen Speculum humanae salvationis (Heilsspiegel: eine christliche Weltgeschichte in 45 Kapiteln, in denen jeweils ein neutestamentliches Ereignis in seinem Zusammenhang mit drei alttestamentlichen Typologien abgehandelt wird), 1330–1340, Karlsruhe, *Abb. 50*, sind dem Pfingstbild 1. der Turmbau zu Babel, 2. die Verkündigung der Zehn Gebote an Mose und die Israeliten, eine äußerst seltene Darstellung, die an die Stelle der Gesetzesübergabe tritt, 3. das Ölwunder des Elia, das der Witwe von Sarepta aus der Not hilft (2 Kön 4,1–7), zugeordnet. Eine Parallele zu Pfingsten ist in der letzten Szene nicht zu erkennen. Die Witwe galt jedoch als Präfiguration der Kirche[36].

In einer Biblia Pauperum der österreichischen Gruppe um 1320–1330, Wien, *Abb. 49*, werden die Gesetzesübergabe an Mose und das Brandopfer des Elia Pfingsten zugeordnet und wie folgt erläutert: »Gottes Gebot ward Moses gegeben auf Sinais Gipfel. Feuer, vom Himmel gefallen,

32. Zu dem großen Schritt des Mose vgl. Bd. 3, S. 145 f.

33. Wie bei den vorhergehenden Bänden übernehmen wir die Übersetzung der Inschriften des Klosterneuburger Altars dem Werk von F. Röhrig, Der Verduner Altar, hg. vom Stift Klosterneuburg bei Wien, 1955.

34. Abbildungen dieses für die typologische Darstellung sehr wichtigen Fensters bei C. W. Clasen, Mönchengladbach (Denkmäler des Rheinlandes), Düsseldorf 1966.

35. Vgl. auch das Blatt der Biblia pauperum aus Tegernsee, 2.

H. 14. Jh., München, abgebildet bei S. Seeliger, 1958, Taf. 20, auf dem auch noch die Gesetzesübergabe an Mose dargestellt ist. Ferner die Zuordnung des Turmbaus zu Pfingsten in einem Speculum, Ende 14. Jh., S. 31.

36. In der ostkirchlichen Liturgie ist das Öl Träger des Geistes. Es ist möglich, wenn auch nicht nachzuweisen, daß dies die Begründung für die Einbeziehung des Ölwunders in die Pfingsttypologie ist.

bewegt zum Glauben die Menge. Gottes Heiliger Geist erfüllt die heiligen Herzen.« Die Schriftworte lauten bei David: »Durch Gottes Wort wurden die Himmel befestigt«, Ps 32,6; bei Hesekiel: »Ich senke ein in euer Inneres meinen Geist«, 36,27; bei Joel: »Über meine Knechte und meine Mägde (will ich meinen Geist ausgießen)«, 2,29; bei Jesus Sirach: »Der Geist Gottes erfüllt den Erdkreis« Weish 1,7[37].

Die Verbindung von Pfingsten und erhöhtem Christus[38]

Unter den wenigen erhaltenen Monumentaldarstellungen[39] von Pfingsten befindet sich ein künstlerisch und ikonologisch bedeutendes Werk, das in eindrücklicher Weise die Ausgießung des Heiligen Geistes mit der Sendung der Apostel und dem Auftrag zur Völker- oder Weltmission miteinander verbindet: das Tympanonrelief in der Vorhalle der Kathedrale St. Madeleine zu Vézelay (Burgund), um 1120–1130, *Abb. 52 und 53*. Die Kirche liegt an der Pilgerstraße, die vom Norden Europas über Frankreich nach Santiago di Compostella in Nordspanien führte und von den Kreuzfahrern und Orientreisenden benutzt wurde. Schon vorher kommt auf einem Kölner Werk diese Verschmelzung von Joh 20,22f. mit dem lukanischen Pfingstbericht vor (vgl. auch die oben erwähnten Verheißungen der Abschiedsreden Joh 14–16 und Lk 24,49: »Ich will auf euch senden die Verheißung meines Vaters«). Die letzte szenische Tafel des rechten Flügels der Holztür von St. Maria im Kapitol, Köln, um 1049, *Abb. 55*, die stark beschädigt ist, zeigt zwischen den sitzenden Aposteln, über deren Häuptern die Feuerzungen lodern, Christus erhöht auf einem Sockel stehend. Die doppelte Reihe der Sitzenden, die Bücher in ihren Händen und die Feuerflammen entsprechen dem Pfingstbild. Auffallend ist die Figur des lehrenden oder segnenden Christus in-

mitten der Apostel, die sich auf den Auftrag, den Christus vor seiner Himmelfahrt den Jüngern gab, bezieht (*vgl. Bd. 2, S. 104–106 und Abb. 321, 323–329; S. 118–120, Abb. 389–393, vor allem 385*). Abgesehen von der Buchmalerei, *Bd. 3, Abb. 326*, sind hierbei keine Symbole zur Veranschaulichung des Heiligen Geistes verwandt, obgleich es sich bei der Erscheinung des Auferstandenen Joh 20,22f. nicht um die Ankündigung, sondern um die Verleihung des Geistes handelt. Doch erst im Pfingstbericht ist das Signum des Geistes: die Feuerzungen, genannt. Wichtiger als dieser Bildkomplex sind im Zusammenhang dieser Sondergruppe der Pfingstdarstellung die Bildtypen der Traditio legis (*vgl. Bd. 3, Abb. 574–588, 597, 598*) und die Schlüssel- und Gesetzesübergabe des frühen und hohen Mittelalters (*vgl. Abb. 601–603*). Beide Szenen gelten der Beauftragung der Jünger. Das Antependium von Salerno, 2. Hälfte des 11. Jh., stellt auf einem Täfelchen übereinander die Sendung der Apostel (*vgl. Bd. 3, Abb. 323*) und die Ausgießung des Heiligen Geistes dar. Dabei kommt sehr deutlich der Zusammenhang beider Berichte zum Ausdruck.

Die Gestalt des erhöhten Christus findet sich in einer von der Jahrtausendwende bis ins 14. Jh. reichenden, vornehmlich in Frankreich entstandenen, nicht sehr zahlreich vertretenen Gruppe von Pfingstdarstellungen in zwei Versionen: erstens als Quelle und Spender des Geistes und zweitens im Sinne der Majestas Domini über dem Himmelsbogen mit erhobener Rechter und dem Buch in der Linken. Es ist unwahrscheinlich, daß die Figur Christi im Pfingstbild, die in der Doxa, das heißt in der Herrlichkeit (Mandorla oder Kreisnimbus) als Spender des Geistes vergegenwärtigt ist, im Zusammenhang mit dem schon erwähnten großen Schisma zwischen der orthodoxen und der römisch-katholischen Kirche von 1054 steht, denn diese theologischen Fragen waren nicht populär. Vielmehr ist anzunehmen, daß bei dieser Bildgruppe außer der Stiftung der Kirche und der Erfüllung der Verheißung auch

37. Inschriften nach F. Unterkircher (G. Schmidt, J. Stummvogel), Die Wiener Biblia Pauperum, Codex Vindobonensis 1198, Graz–Wien 1962.

38. S. Seeliger, Das Pfingstbild mit Christus, in: Das Münster 9, 1956, S. 146–152; E. Male, L'art religieux du XII siècle en France, 1926, S. 326ff.

39. Für die Monumentalkunst wurden schon das Tympanon-

relief in Espalion (Aveyron) Eglise de Perse, das Pfeilerrelief von S. Domingo de Silos (Nordspanien), Abb. 40, 41, das Gewölbefresko der Dorfkirche in Idensen (Hannover), der typologische Zyklus der Gewölbemalerei in St. Maria Lyskirchen, Köln, erwähnt. Zu nennen wäre noch die Gewölbemalerei der Vierung im Braunschweiger Dom 1240–1250. Anders ist es in der Barockmalerei, wo das Thema häufig zu finden ist.

der Auftrag, den Christus den Seinen gab, zum Ausdruck gebracht werden soll. In dieser Darstellungsgruppe fehlt Maria, da sie nicht an der Sendung teilhat.

Auf einer Miniatur eines Lektionars aus Cluny, Ende 12. Jh., Paris, *Abb. 56*, erscheint Christus (Halbfigur) in der Mandorla über der Apostelgemeinschaft, in der Petrus hervorgehoben ist. Auf dem Schriftband, das von seinen ausgebreiteten Armen gehalten wird, steht: »Siehe, ich sende euch die Verheißung meines Vaters.« Die zwölf breiten Strahlen strömen aus Christus hervor. Die ausgebreiteten Arme und die Haltung der Hände *(vgl. Bd. 3, Abb. 483 unten Mitte)* sind Ausdruck der Gnade, des Segens und Beschützens, der Verheißung: »Ich will bei euch sein.« Wie hier die Strahlen, so geht auf einer oberitalienischen Psalterminiatur, spätes 12. Jh., Berlin, *Abb. 58*, die Taube aus dem erhöhten Christus hervor, während das »Donnern« (Bänder) vom Himmel ausgeht. Die Mauer mit dem Tor ist auf dieser Darstellung, der jede Raumillusion fremd ist, zu einem Bildsockel umgewandelt, dadurch bleibt offen, ob die Apostel sitzen oder stehen. Ein mit dem Lektionar von Cluny etwa gleichzeitiges Sakramentar der Kathedrale St. Etienne in Limoges, um 1100, Paris, *Abb. 59*, enthält ein Pfingstbild, auf dem Christus in der oberen Bildhälfte thront. Der Heilige Geist geht in Form zweier geschwungener »Schläuche« vom Haupte Christi nach beiden Seiten aus, teilt sich außerhalb der Gloriole und ergießt sich auf die Apostel. Wahrscheinlich steht hinter dem schlauchartigen Gebilde die Vorstellung des Füllhorns, aus dem Christus die Gaben über die Seinen ausgießt[40].

Diese wenigen Beispiele, die nicht auf eine größere Bildtradition schließen lassen, sind nur Vorstufen (nicht im entwicklungsgeschichtlichen Sinn) zu der Tympanondarstellung in Vézelay, die in ihrer umfassenden Aussage einmalig ist, *Abb. 52, 53*. In einer großen Mandorla thronend, nimmt die ekstatische Christusgestalt die Mitte des Tympanonfeldes ein. Die Wolken über ihren ausgereckten Händen besagen, daß Christus der in den Himmel

erhöhte Herr ist, der aus seiner Herrlichkeit den Geist spendet. Seine Hände sind Träger des Lichts und der Kraft des Heiligen Geistes. Das Wort des Propheten Habakuk 3,4 ist in dieser göttlichen Erscheinung verwirklicht: »Sein Glanz war ein Licht; Strahlen gingen von seinen Händen; darin war verborgen seine Macht.« Die Erregung, die in der Pfingstgeschichte bei dem Brausen vom Himmel die Menschen befällt, äußert sich in den gebrochenen Bewegungen und den schwingenden Gewandfalten der Apostel, die nicht nur stilbedingt, sondern Bedeutungsträger sind. Selbst die Christusgestalt ist von der Erregung erfaßt, doch nur soweit sie der Zone der Apostel angehört. Sie ragt über die Wolken hinaus. In Beziehung zu dem Missionsbefehl des Herrn der Kirche an seine Jünger – nachdem sie die Kraft des Heiligen Geistes empfangen haben, seine Zeugen in aller Welt zu sein – stehen die mißgestalteten und absonderlichen Menschen. Mit diesen Vertretern der sagenhaften Völker am Rande der Welt wird der weltumspannende Auftrag der Kirche hervorgehoben: Das Evangelium soll allen Völkern und »aller Kreatur« (Mk 16,15) gepredigt werden. Die Phantasie, mit der die fremden Völker in der Eingangshalle der Kirche von Vézelay dargestellt wurden, mag auf Vorstellungen zurückgehen, die durch die Kreuzzüge inspiriert wurden. Bernhard von Clairvaux hat in Vézelay eine seiner zum Kreuzzug auffordernden Predigten gehalten. Allerdings sprach schon Augustin im Blick auf die zu Pfingsten in Jerusalem zusammengeströmten Völker von den mancherlei ungeheuren Menschenarten und bezeichnete sie als »monstra«[41]. In acht Bogenfeldern, die die Heilung von Blinden, Aussätzigen, Lahmen und andere Wunder darstellen, ist präfigurativ auf die Zeichen hingewiesen, die nach Mk 16,7; 18,20 die Apostel in Christi Namen tun werden: sie sind Wirkungen des Heiligen Geistes. Die Sternbildzeichen im Bogenfries veranschaulichen die kosmische Ordnung, die im hohen Mittelalter Sinnbild der göttlichen Heilsordnung ist.

Die Deutung der Darstellung in Vézelay als Ausgießung

---

40. Auf einem Verkündigungsrelief in einem Tympanon des Würzburger Domes, 1430–1440, vgl. Bd. 1, Abb. 105, hält Gott-Vater einen »Schlauch« an seinen Mund, der zum Ohr Marias führt. Durch Mund und Ohr ist hier eine Beziehung zu dem »Wort«, das Gott in die Welt sprach und das in der Erwählten »Fleisch ward«, hergestellt. Die sehr sinnfällige Veranschauli-

chung entspricht dem Realismus des 15. Jh., aber nicht dem künstlerischen Ausdruckswillen des hohen Mittelalters. Bei dem älteren Pfingstbild sind die schlauchartigen Gebilde entweder Füllhörner oder einfach Ströme.

41. Augustin, zit. nach Seeliger, S. 41.

des Heiligen Geistes ist mehrfach in Frage gestellt worden. Man bezeichnete sie statt dessen als Sendung der Apostel. Gewiß weicht das Relief mit der beherrschenden ekstatischen Christusfigur und den mannigfachen Motiven von dem Pfingstbild, das sich an den Text der Apostelgeschichte hält, ab, doch gehören Ausgießung des Heiligen Geistes, Stiftung der Kirche und Missionsbefehl zusammen. Sie können daher in einer Bildkomposition miteinander verbunden werden, wobei die Ausgießung des Heiligen Geistes als das die Kirche bewirkende Geschehen im Mittelpunkt steht.

Die französische Wandmalerei weist eine Darstellung auf, die vielleicht als Pfingstbild gedeutet werden kann und im Zusammenhang mit Vézelay gesehen wurde. Es handelt sich um das zum Teil zerstörte und durch Übermalung verunklärte Fresko der Nordapside der Chorpartie von St. Gilles de Montoire (Loire-et-Cher) gegen Mitte 12. Jh. Die Chorpartie ist der einzige Teil, der von dieser Kapelle erhalten ist; in ihr befinden sich drei monumentale Darstellungen des erhöhten Christus in der Mandorla (*vgl. Bd. 3, Abb. 714*, Südapsis). Die linke Seite des Freskos der Concha in der Nordapsis ist zerstört, auf der rechten sind einige sitzende Apostel zu erkennen. Über sie hält Christus die Hand, von der Strahlen oder Ströme ausgehen. Das Fresko ist zu schlecht erhalten, um die Behauptung, es handle sich um eine Pfingstdarstellung, stützen oder widerlegen zu können[42].

Für die zweite Version der Sondergruppe mit der Christusgestalt finden sich die ältesten mittelalterlichen Beispiele auf dem Titelblatt im Psalter des Abtes Odbert von St. Bertin, Initiale B zum 1. Psalm, 989–1008, *Abb. 51*, und auf der Seitenwand des Elfenbeinkästchens aus Farfa, das zu den Arbeiten unter Abt Desiderius von der Benedikti-

nerabtei Monte Cassino (1072–1087) gehört, Rom, *Abb. 60*. Auf beiden Darstellungen thront Christus als Majestas Domini im himmlischen Bereich, ohne einen aktiven Bezug zum Pfingstgeschehen, jedoch als der Herr der Kirche. Inmitten der sitzenden Apostel erscheinen auf dem Elfenbeinrelief die zwei Symbole Hand und Taube. Als Vorstufe dieser Darstellung kommt die palästinensische Ampulle, *Abb. 6*, in Betracht, doch ist diese frühe, durch die Taube erweiterte Himmelfahrtsdarstellung hier in Einzelheiten abgewandelt. Auf dem Elfenbeinrelief tragen die Engel nicht den Thron, sondern verehren die Majestas Christi. Der Thron steht fest im Himmel. Es handelt sich nicht um eine Himmelfahrtsdarstellung, in welche die Taube eingefügt ist, sondern um ein Pfingstbild, dem die Repräsentation der Majestas Domini zugeordnet ist[43]. Das Elfenbeinrelief ist als eine Verbindung von Trinität und Pfingsten gedeutet worden. Doch erhebt sich wie bei dem Bild der Ampulle und der Himmelfahrt des Rabula-Codex die Frage, ob die Hand als Symbol der ersten Person der Trinität gedeutet werden kann, zumal sie hier in der irdischen Sphäre erscheint und Christus darüber als Majestas Domini, in der die Vorstellungen von Gott und Christus im überirdischen Bereich zusammenfallen, dargestellt ist. »Sitzen zur Rechten Gottes« heißt Gottgleichsein. Die göttliche Hand veranschaulicht wie im Rabula-Codex vermutlich den Auftrag an die Kirche. In der Majestas Domini ist der Stifter und Herr der Kirche zu sehen.

Die Christusgestalt einer Miniatur des Halberstädter Lektionars, 2. Viertel 12. Jh., *Abb. 57*, dürfte ebenso zu deuten sein. Auffallend ist der Verzicht auf die typischen Motive der Ausgießung des Heiligen Geistes. Ein Pfingstbild einer italienischen Handschrift des Neuen Testaments des 12. Jh., Bibl. Vat., *Abb. 61*, gehört mit zu dieser zwei-

---

42. Abb. S. 147 bei O. Demus, Romanische Wandmalerei, München 1968. Für das Ausgehen der Strahlen des Geistes von den Händen Christi gibt es noch ein Beispiel in einem kleinen Brevier um 1160 der Kathedrale von Płock, Cod. Nr. 140; abgebildet in L'art Mosane Journées d'étude, Paris (Fevrier), 1933, Tf. 31,3. A. Fabre hat in einem Aufsatz »Iconographie de la Pentecoste« in: Gazette des Beaux Arts, Juillet-Août 1923, den Versuch gemacht, nachzuweisen, daß die Christusgestalt bei Pfingstdarstellungen den Heiligen Geist figurativ wiedergebe. Die drei Apsidenfresken in Montoire zusammen deutet er als eine Dreifaltigkeitsdarstellung. Die Figur der Nordapside soll demnach den Heiligen Geist, die der beiden anderen Gott-Vater und Christus

wiedergeben. Diese Interpretation blieb nicht unbestritten und ist schon von der Tatsache, daß im hohen Mittelalter der Heilige Geist selbst beim Trinitatisbild, von geringen Ausnahmen abgesehen, nicht figürlich veranschaulicht wurde, abzulehnen. In der Figur der Nordapsis wurde von andrer Seite Christus als der Spender des Lebenswassers gesehen, was sich ebensowenig beweisen läßt wie die Deutung als Pfingstdarstellung.

43. Diese Zuordnung kommt in der englischen Kunst auch in anderer Form vor. So ist in der unteren Bildhälfte Abb. 29 die Majestas Domini dargestellt. Bei einem anderen Psalter, München, Clm. 835, nimmt sie in der Form des über den Tieren Thronenden die Seite neben dem Pfingstbild ein, vgl. Bd. 3, Abb. 91.

ten Bildgruppe, denn auch hier ist Christus nicht unmittelbar der Spender des Geistes. Die Scheibe unter der Figur
ist mit Sternen besetzt, bedeutet also Himmel, wenn auch
in einer ungewöhnlichen Bildformel. »Sanctus Spiritus«
bezieht sich auf die Feuerzungen darunter und auf die
Lichtbahnen, die zu den Aposteln gehen.

Das sogenannte Koblenzer Retabel[44], das der Maasschule entstammt, 1160–1170, Paris, *Abb. 54*, ist das wichtigste Werk dieser zweiten Darstellungsgruppe mit dem
erhöhten Christus. In dem geöffneten Buch, das die über
den flammenden Himmel erhöhte Christusfigur in der
Hand hält, ist zu lesen: »Friede sei mit euch.« Von dem
nach unten geöffneten Flammenbogen – nicht von Christus – gehen feine Lichtstrahlen zu den Aposteln. Die oberen Flammen sind Zeichen der göttlichen Epiphanie. Die
Schriftleiste bezieht sich auf Apg 2,1–4, der Friedensgruß
geht auf Joh 20,19–23 zurück. Das dem Gehalt der Darstellung entsprechende frühchristliche Bildschema der
Gemeinschaft des erhöhten Herrn mit den Seinen hat
Christus inmitten des Apostelkollegiums im Himmel
thronend oder stehend dargestellt *(vgl. Bd. 3, Abb.
614–618).* Durch den Einfluß der Majestas Domini und
der mit ihr verbundenen Auffassung ändert sich im Mittelalter die Bildkomposition.

Auch die Darstellung im französischen Ingeborgpsalter, gegen 1200, Chantilly, *Abb. 62*, gehört noch dieser
Bildgruppe an, obwohl sie sich durch die Einbeziehung
und Hervorhebung der Mariengestalt von allen älteren
Beispielen dieser Sondergruppe unterscheidet. Maria als
Himmelskönigin ist Typus der Ekklesia und trägt deshalb
die Krone (siehe unten). Die frontale Haltung in der Mittelachse und der aktionsfreie Raum um sie scheinen sie –
obwohl sie auf der gleichen Bank mit den Aposteln sitzt
– aus der irdischen Sphäre herauszunehmen und in eine
direkte Relation mit der Majestas Domini zu setzen.

Eine grundsätzliche Wandlung der Frömmigkeit und
der künstlerischen Interpretation vollzieht sich in den 200
Jahren, die zwischen dem Ingeborgpsalter und einer Altartafel von 1403 des Taddeo di Bartolo in Perugia liegen,
Abb. 63, auf der Christus, begleitet von vier Engeln, un-

mittelbar über Maria und den Aposteln erscheint und den
Geist über Maria haucht. Die in ihrer Reaktion sehr unterschiedlich wiedergegebenen Apostel tragen kleine Feuerzungen auf den Häuptern, nach denen manche erschrok-
ken greifen. Diese Reaktion auf ein spürbares Getroffen-
sein entspricht im Realitätswert dem Hauchen des Geistes.
Außerdem ist die im 15. Jh. entwickelte Raumvorstellung,
die die Trennung zwischen irdischer und himmlischer
Sphäre aufhebt, betont. Christus neigt sich nun zu den
Menschen herab.

Weitere Sondermotive

Oben ist schon auf Miniaturen mit sieben Geiststrahlen,
die die *»Sieben Gaben des Heiligen Geistes«* symbolisieren, hingewiesen worden, *Abb. 25*. Die Verbindung mit
alttestamentlicher Prophetie tritt ebenso bei der Übernahme der sieben Säulen des Hauses der Weisheit (Spr 9,1)
in das Pfingstbild auf, wie sie auf dem schon erwähnten
Retabel der Maasschule zu finden ist, *Abb. 54*. Die Apostel
sind hier paarweise zwischen sieben Säulen gesetzt, die
aber nicht wie bei Schreinen, an die das Retabel erinnert,
Arkadenbögen tragen, sondern eine Inschriftleiste mit
Worten aus Apg 2,2 unterbrechen. Die mittlere Säule ist
erhöht und ganz unmotiviert unter den Himmelsbogen
gestellt, so daß sie in der Achse der Figur des erhöhten
Christus steht. Wenn die Säulen auch im 19. Jahrhundert
erneuert wurden, so gehen sie doch sicher auf das Original
zurück und können in ihrer ungewöhnlichen Anordnung,
die nicht architektonisch bedingt ist, nur symbolischen
Aussagewert haben. Die Kirche Christi wird durch diese
Säulen als der neue Tempel der Weisheit gedeutet. Seine
sieben Säulen sind mit den sieben Gaben des Heiligen
Geistes gleichgesetzt worden. Diese sind wiederum in der
mittelalterlichen Interpretation mit dem Geist, der zu
Pfingsten ausgegossen wurde, identisch. Das Haus der
Weisheit gilt als Prophetie auf die Kirche, ähnlich wie die
präexistente Weisheit als Typus der Kirche verstanden
wurde.[45] Da auch die Apostel als die Säulen der Kirche

---

44. P. Bloch, Zur Deutung des sogenannten Koblenzer Re-
tabels im Clunymuseum, in: Das Münster, 14, 1961, S. 256ff.

45. Siehe zu den Säulen des Tempels der Weisheit im Bild der
»Wurzel Jesse« und der Verkündigung an Maria Bd. 1, S. 30, 33,

51 und Abb. 38, 86. Zu der Verschmelzung der präexistenten
Weisheit und der Ekklesia siehe unten S. 75 f.; zu der Weisheit und
den sieben Gaben des Heiligen Geistes im Bild des 17./18. Jh.
S. 112 ff., zu Maria als Haus der Weisheit S. 69.

gelten, besteht zwischen den Säulen und den Aposteln auf dem Retabel eine zusätzliche Beziehung. Das geschichtliche Ereignis der Ausgießung des Heiligen Geistes wird auf dieser Darstellung durch die interpretierenden Motive zu einem Bild der universalen Kirche Christi abgewandelt, die im Heilsplan Gottes verankert ist.

Das Evangeliar aus Mainz, um 1260, Aschaffenburg, *Abb. 43*, setzt, wie schon erwähnt, drei Frauen und die Brüder Jesu in eine Sockelzone, und zwar unter Arkadenbögen, die auf sieben Säulen ruhen. Diese sind im gleichen Sinn wie auf dem Retabel zu deuten. Die Figuren tragen alle die Feuerflammen, gehören also mit zu den Erleuchteten, denen die Gaben des Geistes zuteil wurden. Daß auch sie (vgl. Eph 4,7–12) mit zu dem Gedankenkomplex Pfingsten-Kirche gehören, ist oben schon erwähnt worden. Die Inschrift bezieht sich auf die Erneuerung der Welt durch das Feuer des Geistes, das den Menschen als Geschenk die höchsten Tugenden geben wird.

Der »Ratschluß Gottes« ist im 15. Jh. vereinzelt durch die Wiedergabe von Gott-Vater und Gott-Sohn mit dem Pfingstbild verbunden worden. Dieses Motiv hat mit dem byzantinischen Bildzeichen der Gottheit oder der Trinität und auch mit der Hand Gottes des früh- und hochmittelalterlichen abendländischen Bildes keinen direkten Zusammenhang. Der Bildtypus aus dem oberen Teil der schon erwähnten englischen Miniatur, *Abb. 33*, geht von der Psalmstelle: »Setze dich zu meiner Rechten ...«, Ps 110 (109),1, und der Bekenntnisformel »sitzend zur Rechten Gottes« aus und gehört zu den Anfängen oder Vorstufen des Trinitätsbildes. Dagegen ist im 15. Jh. das Motiv Gott-Vater und Gott-Sohn auf einer Bank sitzend, im Gespräch miteinander oder in einem Buch lesend dem Vorstellungsbereich des göttlichen Ratschlusses entnommen, der sich sowohl auf die Schöpfung der ersten Menschen als auf die Erlösung der Menschheit durch die Sendung des Sohnes auf die Erde beziehen kann, vgl. Bd. 1, S. 20ff. Die Vorstellung eines göttlichen Ratschlusses ist offenbar im Anschluß an das Motiv bei der Sendung des Sohnes im späten Mittelalter auch auf die Sendung des Heiligen Geistes übertragen worden. In einem Chorbuch aus der Karmeliterkirche in Mainz, S-Initiale um 1432, *Abb. 64*, sitzen im oberen Teil eines Pfingstbildes beide göttlichen Gestalten und weisen auf Stellen in einem aufgeschlagenen Buch, in dem der Heilsplan verzeichnet ist. Abgewandelt und

mit der Sendung verbunden ist das Motiv auf der Altartafel eines spanischen Meisters aus der Mitte des 15. Jh., in Frankfurt, *Abb. 65*. Gott-Vater und -Sohn erscheinen in einer Lichtwolke; Christus haucht den Geist, die Geste Gott-Vaters mag als Aufforderung dazu gemeint sein. Die Apostel nehmen die Lichtstrahlen mit dem Mund auf. Ob das eine realistische Verdeutlichung der Aufnahme des Geistes oder des Lösens der Zunge zum Predigtamt ist, läßt sich nicht entscheiden. Das Motiv kommt schon im 11. Jh. auf einer der ersten Darstellungen, die Maria als Kirche einbezieht, vor, *Abb. 38*.

Obwohl die *Tendenz zur sakramentalen Akzentuierung* der verschiedensten Bildthemen im späten Mittelalter sehr verbreitet war, finden sich doch kaum Pfingstbilder, in denen ein Bezug zur Eucharistie zum Ausdruck kommt. Zwei Tafeln von Flügelaltären westfälischer Meister in Netze (Nordhessen), 1360/70, Evang. Pfarrkirche, und aus Osnabrück, um 1380, in Köln, sind bekannt, bei deren Darstellungen sich nicht mit Sicherheit sagen läßt, ob es sich um Pfingstbilder oder um die Wiedergabe der Gemeinschaft des Brotbrechens handelt. In der Bildfolge der Altäre haben beide Tafeln ihren Platz neben der Himmelfahrt Christi. Die Altartafel in Köln, *Abb. 67*, zeigt die Apostel mit Maria um einen runden Tisch versammelt. Die Geist-Taube bringt eine Hostie als sichtbares Zeichen der Gegenwart Christi. Auch in der Mitte des runden Tisches liegt eine Hostie, von der dreizehn Strahlen zu dem Mund der Apostel und Marias gehen. Die Pfingstgemeinde sitzt auf einer Rasenbank und ist dadurch aus dem biblisch-historischen Zusammenhang herausgelöst. Die Darstellung des Netzer Altars ist sehr ähnlich, doch fehlt die Hostie auf dem Tisch.

Ein *Hinweis auf das Gericht* ist in der Darstellungsgruppe, die den erhöhten Christus mit dem Buch oder dem Globus in der Hand im himmlischen Bereich zeigt, gesehen worden (Seeliger). Das stimmt nur, wenn man nicht den Akt des »Jüngsten Gerichts« im Auge hat, sondern das ständige Gericht der Endzeit, die identisch ist mit der Zeit der Kirche. Bei dieser Epiphanie des erhöhten Christus liegt der Akzent darauf, daß er der Herr und Lehrer der Kirche und bei den Seinen gegenwärtig ist. Aus der Tatsache, daß bei größeren Altären das Jüngste Gericht auf Pfingsten folgt, kann man keine gedankliche Verknüpfung beider Themen herleiten. Auf Werken, die von der byzantinischen Ikonographie beeinflußt sind, folgt der Marientod auf Pfingsten. Einen unmittelbaren Hinweis auf das Gericht enthält jedoch eine Illustration der »Grandes Heures de Rohan«, eines Stundenbuches, um 1418, *Abb. 66*. Gott-Vater erscheint in einem Flammenkreis, umgeben vom Heer des Himmels, unmittelbar über den Aposteln als der Richter. Jeder Abstand zwischen himmlischer und irdischer Welt ist aufgehoben. Gott-Vater hält in der segnenden rechten Hand die Lilie als Zeichen der Gnade und in der Linken das Schwert als Zeichen der Verdammung. Über dem linken Flügel der in den Flammenkreis einbezogenen Taube sind Kopf und Arm eines Kindes zu sehen, welches das Schwert berührt und zu ihm aufblickt. Das Kind ist der ewige Logos. Auffallend ist hier die Gleichsetzung von Gott und Christus; der Richter im eigentlichen Gerichtsbild ist immer Christus, siehe Bd. 5. Es liegt in diesem Stundenbuch bei allen dargestellten Geschehnissen der Akzent bei Ende, Tod, Gericht. So ist auch bei der Pfingstdarstellung durch die Gerichtszeichen auf den Zusammenhang vom Empfang des Geistes und seiner Bewahrung hingewiesen.

Das Pfingstbild vom 14. bis 16. Jahrhundert

Abgesehen von diesen nur selten vorkommenden Sondermotiven bringt das Pfingstbild nördlich der Alpen, das vom 14. Jh. an sehr häufig wird und kaum in einem größeren Altarwerk fehlt, keine neuen Bildgedanken. Maria ist jetzt immer die zentrale Figur. Die Apostel sitzen oder knien (analog zum Himmelfahrtsbild dieser Zeit, *vgl. Bd. 2, Abb. 520 und 521*) im Kreis um sie, häufig ihr im Gespräch zugewandt. Der Entwicklung der Malerei entsprechend sitzt die Gruppe vor neutralem Goldgrund: Wildunger Altar von Konrad von Soest, 1403, *Abb. 68*, in einer Landschaft, was bei einer österreichischen Tafel der 1. Hälfte 15. Jh. in Graz durch die Verbindung mit der Himmelfahrt Christi bedingt sein mag, *Abb. 70*, oder in einem Innenraum, wie zum Beispiel auf einer Tafel des Kappenberger Altars, 2. Hälfte 15. Jh., *Abb. 69*. Vereinzelt wird im späten 15. Jh. das Pfingstbild zur Hauptdarstellung, wie bei dem Altarschrein vor 1483 von Bernt Notke, Reval[46]. Hier thront Maria, was für diese Zeit eine Ausnahme ist. Mehrere der Apostel halten ihre Attribute

in Händen. Das Ereignis der Ausgießung des Heiligen Geistes tritt auf den spätmittelalterlichen Altarwerken nördlich der Alpen in der Regel hinter der Veranschaulichung der Gemeinschaft der Apostel mit Maria, der mater ecclesiae, zurück. Sehr häufig ist der Gebetsgestus. Auf dem Pfingstmedaillon des Rosenkranzes, *Abb. 71*, der beim Englischen Gruß des Veit Stoß, 1517–1518, Nürnberg, St. Lorenz, die Verkündigungsgruppe umschließt, knien Maria und Petrus betend im Vordergrund, so daß sich die Bildaussage auf diese beiden Repräsentanten der Kirche konzentriert.

In der italienischen Kunst verbreitet sich die Pfingstdarstellung erst im 14. Jh. Giotto gibt auf einem Fresko der Arena-Kapelle in Padua, 1305–1307, die Apostel auf einer in einem Innenraum ringsherum laufenden Bank sitzend, ohne besondere inhaltliche Akzente wieder. Maria fehlt noch auf Grund des Einflusses der byzantinischen Ikonographie. Andrea da Firenze nimmt sie dagegen in das Fresko der Spanischen Kapelle (Florenz, 1365–1368) in die Mitte der Apostel auf, *Abb. 72*. Einen zweiten Schwerpunkt der Apostelgruppe, die auf dem Söller des Coenaculum versammelt ist, bildet der predigende Petrus, dem sich die meisten der Apostel zuwenden, so daß Maria isoliert ist. Die Predigt des Petrus gilt der Volksmenge vor der verschlossenen Tür des Hauses, die durch die Kleidung nach Völkern und Ständen unterschieden ist. Dieses Bildschema der italienischen Frührenaissance wurde in Italien mehrfach wiederholt und abgewandelt. Auf dem Relief der Bronzetür von Lorenzo Ghiberti an der Nordseite des Baptisteriums zu Florenz, 1403–1424, *Abb. 75*, bildet die hörende Menge den Schwerpunkt der Darstellung. Ein Seitenflügel des Weltgerichtstriptychons von Fra Angelico, 1445–1450, Rom, *Abb. 73*, zeigt den predigenden Petrus, wie er sich über die Balustrade zu den Männern herabbeugt.

Neben dieser Gruppe, die byzantinische Einflüsse selbständig verarbeitet und den Akzent auf die Pfingstpredigt und somit auf das Sprachwunder legt, steht auch in Italien der in allen abendländischen Kunstzentren übliche Bildtypus. Früher als nördlich der Alpen kommt die Pfingstdarstellung als Hauptthema eines Altars vor. Ein Triptychon der Orcagna-Schule, 3. Viertel 14. Jh., Florenz, Chiesa di Badia, *Abb. 74*, gibt Maria als Zentralfigur ste-

46. Abb. 12. bei S. Seeliger, 1950.

hend und von sechs knienden Aposteln umgeben auf der Mitteltafel wieder und setzt auf die Seitenflügel je drei Apostel. Auf dem Relief der Bronzekanzel in S. Lorenzo, Florenz um 1460, *vgl. Bd. 3, Abb. 231*, kommt in der erregten, auf die Wirklichkeit gerichteten künstlerischen Sprache Donatellos die Bestürzung der Apostel bei der Herabkunft des Geistes in einer Fülle von individuellen Bewegungen und Gesten zum Ausdruck. Auf dem Boden liegen die Attribute der Apostel, die auf ihre spätere Wirksamkeit und auf ihren Märtyrertod, den sie in Ausübung ihres Missionsauftrages erleiden, hinweisen.

Tizian verlegt auf einem Gemälde in einer Seitenkapelle von S. Maria della Salute, Venedig, um 1550, *Abb. 76*, das Pfingstgeschehen in einen Kirchenraum. Das von der Taube ausstrahlende Licht des Heiligen Geistes dringt in den Raum ein und durchflutet ihn. Der Bildraum ist in der Wirkung der perspektivischen Malerei identisch mit dem Kapellenraum. Die Herabkunft des Geistes in unsere Welt durch das Licht als geistige Substanz künstlerisch zu realisieren ist die Absicht der italienischen Renaissancemalerei. Im Vergleich zu dieser Lichtfülle, in die die Taube hineingenommen ist und die doch zugleich ihre Quelle bedeutet, ist auf spätmittelalterlichen Darstellungen die Taube oft nur ein überliefertes Emblem. Die zwei Frauen, die hinter Maria stehen, gehören zur Urgemeinde in Jerusalem. In keiner Weise ist diese Mittelgruppe hervorgehoben. Alle empfangen in freudiger Erregung oder frommer Hingabe den Heiligen Geist. Dieses Gemälde von Tizian war für die zeitgenössischen Maler richtungweisend. So liegt zum Beispiel die Komposition dem Gemälde des Jacopo da Ponte, 1562–1568, in Bassano del Grappa zugrunde, auf dem außer den Strahlen auch die Feuerzungen den Raum erfüllen.

Der betende Apostelkreis und Maria, die die spanische Malerei häufig jugendlich als die ewige Jungfrau wiedergibt, werden auf Zurbaráns Gemälde, 1635–1637, Cadiz, *Abb. 78*, von inbrünstiger Erwartung erfüllt. Dagegen steigert El Greco auf einem Bild, das zwischen 1604 und 1614 entstand, Madrid, *Abb. 77*, die Erregung zur Ekstase. Auch hier sind, wie bei Tintoretto, zwei Frauen eingefügt.

Im Vergleich zur Kunst nördlich der Alpen ist in Spanien und Italien das Pfingstbild verhältnismäßig selten[47].

Die Pfingstdarstellung des Barock

Das Altargemälde von Zurbarán gehört schon der Barockkunst an, hält jedoch in der Anordnung der um Maria knienden Apostel an der spätmittelalterlichen Tradition fest. Aber die sich aufgipfelnde Lichtführung und das Erfülltwerden der irdischen Sphäre durch den göttlichen Geist ist typisch für die Malerei des Barock.

Für die Frömmigkeit des 17. und 18. Jh., vor allem im süddeutschen Raum, ist die Aufnahme der Verehrung der Trinität in das Pfingstbild kennzeichnend, wie sie auf der Darstellung des Heilig-Geist-Altars von C. P. List, 1681, im Vorchor der ehemaligen Stiftskirche in Mondsee vorliegt, *Abb. 79*. Es handelt sich hier um den in dieser Zeit sehr verbreiteten Bildtypus der Trinität, der nichts mit dem oben erwähnten Ratschluß Gottes zu tun hat, vgl. Bd. 5 Trinität. Die Himmelswolke ist über den Architekturhintergrund weit heruntergezogen und so der Abstand zwischen göttlichem und irdischem Bereich nahezu aufgegeben. Gott-Vater und Christus neigen sich nicht nur herab, wie es schon im 15. Jh. vorkommt, sondern jeder von ihnen steht mit einem der Apostel in Blickverbindung. Die von Flammen umzüngelte Weltkugel, auf die ein Engel weist, bezieht sich auf den Vollzug der Völkermission, das aufgeschlagene Buch daneben auf die zu verkündende Lehre. Die Missionierung der fremden Völker der im 16. Jh. entdeckten Länder klingt in diesen Attributen an. Im Hintergrund ist ein Mann durch den Turban als Türke gekennzeichnet. Die Türken waren in dieser Zeit für die Christen die gefährlichsten Feinde (1683 Belagerung und Befreiung Wiens). F. A. Maulbertsch macht dann 1757–1758 auf dem Altargemälde (Freskotechnik) in der Pfarrkirche zu Sümeg (Westungarn), *Abb. 80*, die Petruspredigt zum Hauptgegenstand des Bildes. Frauen mit Kindern und Männer in fremder Tracht und mit dunkler Hautfarbe bilden die Menge der Zuhörer. Hier ist auf

---

47. Vgl. unten die Illustrationen zum Vaterunser, die mit einem Pfingstbild die zweite Bitte: »Dein Reich komme« veranschaulichen. Bemerkenswert ist auch die Pfingstdarstellung, die an der Untersicht des Kanzelschalldeckels in der evangelischen Kirche

zu Rodenkirchen 1631 von Ludwig Münstermann angebracht wurde. An dieser Stelle befindet sich bis in jüngster Zeit sehr oft lediglich die Taube. Siehe P. Poscharsky, Die Kanzel. Gütersloh 1963, Abb. 28.

kleinem Raum der Hinweis auf die Völkermission gege-
ben, den die Kuppelmalerei durch die Wiedergabe der vier
Erdteile breiter ausführt. Die Apostel treten an Zahl und
Bedeutung völlig zurück. Es besteht hier kaum noch eine
Beziehung zur Bildtradition.

Das Pfingstbild ist im 17. und 18. Jh. sehr verbreitet
(siehe Pigler). In Süddeutschland sind vielfach Wiederholungen des Gemäldes von P. P. Rubens zu finden, das der
Pfalzgraf Wolfgang Wilhelm von Neuburg 1619 in Auftrag gab und der dortigen Jesuitenkirche schenkte, heute
in der Alten Pinakothek München. Die Häufigkeit des
Bildgegenstandes hängt mit der allgemeinen Bevorzugung
der Darstellung der Kirche in der Zeit der katholischen
Restauration zusammen. Mit Pfingsten bot sich eine biblische Szene an, mit der sich der Triumph der Kirche aus-
drücken und auch das in dieser Zeit ebenso vorherrschende Thema der Trinität verbinden ließ. Im Zusammenhang mit der Bedeutung, die die Trinität als Inbegriff
des sich der Welt mitteilenden Göttlichen erhält, ist der
Zeit das Wirken des Heiligen Geistes als einer jenseitigen
Kraft auf Erden wichtig. Nahe verwandt mit Pfingsten ist
das allgemeine Thema der Spendung des göttlichen Lichtes, das schon Pozzo in S. Ignatio, Rom, in die Barockmalerei einführte und das in mannigfacher Abwandlung auch
im süddeutschen Barock beliebt ist. Beide Konfessionen
weihen im 18. Jh. sehr viele Kirchen der Dreifaltigkeit und
dem Heiligen Geist. Die Dreifaltigkeitskirche in Stadl-
Paura (Oberösterreich) hat drei Altäre, der des Heiligen
Geistes stellt das Pfingstwunder dar: Die Apostel, Maria
und das Volk sind um eine Weltkugel gruppiert; die Pe-
trusgestalt mit erhobenen Händen im Vordergrund verweist wieder auf das Zeugnis der Kirche von der Auferstehung des Herrn, Abbildung Bd. 5 bei Trinität.

Fast zur gleichen Zeit, als Tizian das Bild für S. Maria
della Salute in Venedig malte, machte Giulio Campi das
Pfingstgeschehen zum Bildgegenstand eines Deckenge-
mäldes in einer Scheinkuppel in S. Sigismondo in Cremona, 1557, *Abb. 81*. Damit ist das alte tektonisch-räum-
liche Prinzip der Zentralkomposition östlicher Kuppeldarstellungen wieder aufgegriffen, wenn auch das
Kuppelmosaik von S. Marco, Venedig, nicht direkt Pate
gestanden haben wird, sondern künstlerische Anliegen der

italienischen Spätrenaissance und des Frühbarock ausschlaggebend gewesen sein werden. Die Gestaltung im
einzelnen mit den starken Verkürzungen der bewegten
Apostelfiguren und der Realitätsverwischung zwischen
Diesseits und Jenseits ist von der Tradition des östlichen
Kuppelbildes losgelöst. Was hier ein einzelner vorweg-
nahm – das Herabkommen des Geist-Lichtes von oben in
den als irreale Sphäre aufgefaßten Raum –, kehrt 200 Jahre
später in vielen süddeutschen Barockkirchen in der Aus-
weitung zu komplexen Bildprogrammen wieder. Die
schon erwähnte Lichtkonzentration zur Mitte und zur
Höhe hin, die eine Entmaterialisierung und Aufhebung
der Raumgrenzen bedeutet, ist im süddeutschen Barock
ein künstlerisches Prinzip, das auf der in dieser Zeit von
neuem theologisch begründeten Lichtsymbolik beruht.

Das Pfingstgeschehen wird in die großen Bildprogramme der Freskenmalerei auch als Abschluß des Heils-
weges und der Verherrlichung der Erlösung oder des
Weges zur Anschauung Gottes einbezogen[48]. Hans Georg
Asam, der Einflüsse der illusionistischen Deckenmalerei
Italiens, vor allem Pozzos, verarbeitete, hat in der Klosterkirche zu Benediktbeuren in einem auf die Joche verteilten Christuszyklus, der zwischen 1683–1686 entstand,
die Ausgießung des Hl. Geistes aufgenommen und damit
das Pfingstthema in die süddeutsche Deckenmalerei eingeführt, *Abb. 82*. In der mit reichen Stuckornamenten de-
korierten Decke der Klosterkirche in Banz nimmt das
Pfingstbild (Erleuchtung) die ovale Hauptkuppel ein,
1716 von dem Tiroler Melchior Steidel gemalt. Die Licht-
aura, gesäumt von einem Wolkenkranz mit kleinen Engel-
köpfen, beherrscht die Bildkomposition und läßt nur wenig Raum für die Figuren, die zwischen acht Säulen verteilt
sind. In den vier Ecken außerhalb des Kreises sitzen disputierende Propheten mit offenen Büchern. Anschließend
ist in der Kappe beim Hochalter das Abendmahl als die
Vereinigung mit Christus dargestellt. Das Pfingstbild in
der ehemaligen Zisterzienser-Abteikirche in Aldersbach
von Cosmas Damian Asam aus der Zeit um 1720 bildet
den Schluß der Szenenfolge in der Scheinkuppel des Chores. In der Klosterkirche zu Fürstenfeld bei Bruck hat
dann Asam 1731 die Geisttaube in die Wölbung der Kup-
pellaterne gemalt, so daß das durch die Fenster der Laterne

48. Diese zuletzt genannte Konzeption des Bildprogramms ist
von Theresia von Avila beeinflußt, die drei Stufen des Weges

nennt: Via purgativa (Reinigung), via illuminativa (Erleuchtung),
via unitiva (Vereinigung).

in den Raum einströmende Licht mit dem Licht des Heiligen Geistes zusammenfällt. In Neumünster in Würzburg geht die Komposition der Deckenfresken, um 1736, auf Joh. Bapt. Zimmermann zurück; hier schließt Pfingsten an Auferstehung und Himmelfahrt an. Matthäus Günther malte 1743 das Pfingstbild der westlichen Chorkuppel (oval) in der Kirche des Augustinerchorherrn-Stifts in Neustift bei Brixen, *Abb. 83*. Die erweiterte Pfingstgemeinde ist vor der die Kuppel umziehenden Scheinarchitektur verteilt, wie schon vorher in der Scheinkuppel des Chores der Benediktinerabtei-Kirche in Weingarten, 1711–1724, in deren Zwickeln die vier abendländischen Kirchenväter dargestellt sind. Das Pfingstbild folgt in Weingarten auf den Triumph der Kirche, der in der fünften Kuppel dargestellt ist.

Den Höhepunkt der Pfingstdarstellungen süddeutscher Rokokomalerei, von denen nur einige Beispiele genannt wurden, bildet an zentraler Stelle im Raum die Ausmalung der Vierungskuppel in der Benediktinerabtei-Kirche zu Ottobeuren von Johann Jakob und Franz Anton Zeiller, 1763–1764, *Abb. 84*. Die bildliche Darstellung wird gleichsam getragen von den vier Evangelisten in den Zwickeln, denen auf dem Gebälk die vier Kirchenväter zugeordnet sind. Das Zentrum der Kuppelmalerei bildet die Geisttaube im Licht; sie ist umgeben von sieben jubelnden Engelgruppen, die die sieben Gaben des Heiligen Geistes symbolisieren. An die Ausgießung des Geistes vor einer anspruchsvollen historisierenden Architektur mit zwei Obelisken, *Abb. 85*, schließt die Ausbreitung der Kirche in den vier damals bekannten Erdteilen an, deren personifizierte Vertreter einer Phantasielandschaft eingefügt sind. Das Rund der Kuppel ist identisch mit dem Weltkreis. Die Grenzen zwischen dem von Engeln erfüllten Himmel und der Erde sind völlig aufgegeben. Die Darstellung der vier Weltteile, bei der die Fabulierfreude das Exotische oft in den Vordergrund stellt, gehört mit zu dem umfassenden Thema »Propaganda fidei«, das im Barock in Predigt und Malerei bevorzugt wird, mit beeinflußt durch die Gründung der Missionskongregation durch Gregor XV. (1622). Auf der andern Seite der Kuppel in Ottobeuren, dem Pfingstbild gegenüber, kämpft vor einem Hügel Michael mit dem flammenden Schwert gegen die Feinde der Kirche. Über dem Hügel, auf dem die Grabrotunde steht, schwebt der Auferstandene; vor ihm hebt die Personifikation des Glaubens den Kelch empor.

Ein Engel bringt ihr das Kreuz, ein anderer die Krone. So erscheint am Ende der Bildgeschichte der Ausgießung des Heiligen Geistes das Pfingstwunder in strahlenden Farben und zugleich in Licht getaucht im Schnittpunkt der breiten Schiffe und des Chores einer der bedeutendsten Kirchen des 18. Jh. Es ist zu einer Verherrlichung der universalen Kirche über Raum und Zeit gesteigert, ein Bildthema, das im späten süddeutschen Barock (Rokoko) immer wieder abgewandelt in das gesamte Bildprogramm vieler Kirchen einbezogen wird.

Zusammenfassend sei noch einmal auf die Architektur des Pfingstbildes hingewiesen, die zu allen Zeiten eine Rolle spielt, sei es in der Wiedergabe des acht- oder sechseckigen Hauses, *Abb. 17*, in verkürzten, dieses Haus andeutenden Architekturteilen, *Abb. 24*, in der geometrischen Anordnung der Apostel, *Abb. 21*, oder in der räumlich realen Kuppel als Bildträger, *Abb. 11, 81, 83, 84*. Immer ist damit an das Coenaculum in Jerusalem, in dem die Jünger versammelt waren, angeknüpft, doch weist diese Architektur darüber hinaus und läßt sie in einem tieferen Verständnis zu einem Sinnbild der durch den Heiligen Geist gestifteten Kirche werden. Die Identifikation von »Haus der Weisheit« und Kirche, die vereinzelt schon im Pfingstbild des 12. und 13. Jh. durch die sieben Säulen zum Ausdruck kam, vgl. *Abb. 54, 43*, lebt im theologischen Schrifttum des 16. Jh. wieder auf und regt nun zu einer architektonischen Gestaltung des Pfingstgeschehens an. Es ist oben schon kurz auf Dreifaltigkeitskirchen mit drei Altären verwiesen worden, auf die wir im fünften Band eingehen werden. Die Universitätskirche S. Ivo della Sapienza in Rom von Borromini, 1642–1650, ist nach einer eingehenden Untersuchung[49], die auch der endgültigen Festlegung des Bauplans vorausgehende Vorentwürfe einschließt, als ein durch die Architektur selbst dargestelltes Pfingstgeschehen vom Erbauer konzipiert worden. Sie ist – wie viele Universitätskirchen der Zeit – der göttlichen Weisheit geweiht, und wieder tritt darin die enge Beziehung zwischen dem Heiligen Geist und der göttlichen Weisheit auf. Es handelt sich um einen von der Laterne bis zum Boden durchlaufenden Einheitsraum, der auf einem sechsseitigen Stern (Hexagon) beruht und wie eine hoch-

---

49. H. Ost, Borrominis röm. Universitätskirche Sant'Ivo della Sapienza, in: ZKG 30, 1967, 101–142. Viele Abbildungen und ausführliche Literaturangaben.

gestelzte Kuppel wirkt. Durch sechs große Fenster der stuckierten Kuppel, *Abb. 86*, dringt eine Fülle von Licht ein, die den Eindruck der Erleuchtung erweckt. Im Zentrum der Laterne schwebt die Taube des Geistes, zwölf Sterne umgeben sie, zwölf Sternbahnen führen zwischen den Fenstern hinab zu den Wandfeldern, vor denen ursprünglich zwölf Apostel aufgestellt waren. Den Fenstergiebeln sind sechs Cherubim eingefügt. Das pfingstliche Haus, das im umfassenden Sinn Kirche – Raum des wirkenden Geistes – bedeutet, beschränkt sich in S. Ivo nicht nur auf die räumliche Darstellung einer Kuppel als Attribut des Heiligen Geistes, sondern ist in der auf dem Grundriß zweier sich durchdringender gleichschenkliger Dreiecke beruhenden Gesamtarchitektur in der Weise realisiert, daß der Einheitsraum Abbild des Geistwirkens ist. Einer der nicht ausgeführten Vorentwürfe zeigt den Altar von der Wand abgerückt und vor sieben Säulen gestellt. Auch darin ist unter anderem zu ersehen, wie sehr sich der Erbauer um die symbolische Aussage der Architektur mühte. Die Dekoration des Baus enthält noch mehr Motive, die im Zusammenhang der sinnbildlichen Veranschaulichung der göttlichen Weisheit stehen.

Die sieben Gaben des Heiligen Geistes

Die Messiasprophetie Jes 11,1 f. vom Geist des Herrn (spiritus Domini), der erläutert wird als Geist der Weisheit (sapientia) und des Verstandes (intellectus), Geist des Rates (concilium) und der Stärke (fortitudo), Geist der Erkenntnis (scientia) und der Gottesfurcht (timor Dei), wird auf Christus bezogen. Diesen sechs Gaben wird seit Justin (2. Jh.) als siebente die Frömmigkeit (pietas) hinzugefügt; der hebräische Urtext zählt nur sechs Gaben. Im hohen Mittelalter wurde der Darstellungstypus der Wurzel Jesse geschaffen, der die sieben Geistgaben in der Gestalt von Tauben dem Jessebaum, dem über ihm thronenden Christus, vereinzelt auch der im Baum stehenden Virgo-Ecclesia *(vgl. Bd. 1, S. 26 ff., Abb. 22, 23, 25; 30, 31, 33, 34, 35; 24 vgl. auch Bd. 2, Abb. 442)* zuordnet. Sind sie der Gottesmutter beigefügt, so beziehen sie sich auf das göttliche Kind *(vgl. Bd. 1, Abb. 27)*, vor allem bei der Darstellung des »sedes sapientiae« *(Bd. 1, Abb. 46, 47, S. 33 ff.;* vgl. auch die Geburt Christi *Bd. 1, Abb. 183, 198* sieben Strahlen). In dem Bildkreis zur Inkarnation bezeichnen die sie-

ben Gaben das Kind aus Davids Stamm als den Sohn des Höchsten, dem die Fülle des göttlichen Geistes   ist. Eine Scheibe der Glasfenster der Kathedrale in Le Mans, 13. Jh., *Abb. 88* (Nachzeichnung), zeigt den in der Gloriole thronenden Christus von sechs Tauben umgeben. Die siebente hält er auf seinem Schoß. Unter den Fenstern der Abteikirche St. Denis, die auf Abt Suger zurückgehen, 12. Jh., *Abb. 89* (Nachzeichnung), zeigt eine der noch im Original erhaltenen Scheiben den gekrönten Christus zwischen Ekklesia und Synagoge stehend. Auch hier kommen sechs Tauben auf Christus zu, sie sind durch Lichtbänder mit der siebenten, die vor der Brust Christi schwebt, verbunden. Zur Gesamtdarstellung siehe unten. Nicht eindeutig läßt sich eine Miniatur in den Psalterauslegungen von Angers aus der 1. Hälfte des 11. Jh., Amiens, erklären, *Abb. 91*. Unter einer Giebelarchitektur, die auf zwei mächtigen, reich ornamentierten Säulen ruht, steht ein mit Tüchern verhängter Altar, auf dem offenbar ein großes Buch liegt. Die sieben Kreuze kennzeichnen es (falls es ein Buch ist) als die Heilsordnung oder den Heilsplan Gottes, dessen Siegel nach Apk 5 vom Lamm geöffnet werden. Auf dem Buch steht eine große Taube, die ihren Kopf emporhebt. Aus ihrem Schnabel gehen sieben Schriftbänder mit den Bezeichnungen der sieben Gaben hervor. Wen die große Taube symbolisiert, läßt sich nicht mit Sicherheit sagen, vielleicht den »spiritus Dei«. Die zurückgeschlagenen Vorhänge, die um die Säulen drapiert sind, bedeuten das Offenbarwerden des Göttlichen. Völlig isoliert sind die sieben Gaben des Geistes in der Initiale D zu einem Text, der den Heiligen Geist nennt, im Meßformular zu Pfingsten des Bertold-Missale aus dem Kloster Weingarten, 1200–1215, New York, *Abb. 87*. Die zuletzt genannten Beispiele sind alle singulär, so daß sie nicht weiter verfolgt werden können. Doch machen einige von ihnen deutlich, daß die Prophezeiung Jes 11,1 f. nicht nur auf Christus bezogen worden ist, sondern, wie schon erwähnt, bereits in früher Zeit auch auf den Heiligen Geist. Somit kommen die sieben Geistgaben als Tauben oder Strahlen auch im Pfingstbild vor. Sie bedeuten die Fülle des Geistes, der der Kirche gegeben ist. In den Introitus am Pfingstfest ist die Stelle Weish 1,7 aufgenommen. »Der Erdkreis ist erfüllt vom Geist des Herrn.«

In einer Durchdringung von Allegorie und Symbolik verbindet eine Miniatur zum Buch Hiob in der Bibel von Floreffe, Maasschule um 1160, *Abb. 90*, das Mahl der Kinder Hiobs, in dem eine Präfiguration der Gemeinschaft von Christus und seiner Gemeinde im Abendmahl gesehen wurde, mit den drei theologischen Tugenden – Glaube, Liebe, Hoffnung – und den sieben Gaben des Heiligen Geistes und setzt diese wiederum durch die von der göttlichen Hand ausgehenden Geiststrahlen mit den Aposteln der Pfingstgemeinde in Verbindung. Die drei theologischen Tugenden wurden schon von Gregor d. Gr. als die Schwestern der sieben Gaben des Heiligen Geistes bezeichnet[50]. Wie die Tugenden sind sie (als Büsten) personifiziert und werden von den sieben Tauben des Geistes inspiriert. Sie umkreisen die theologischen Tugenden, die die Mitte der Komposition bilden. Die diese umschließende Schrift lautet: »Der Glaube begründet, die Hoffnung richtet auf, die Liebe vollendet.« Die Dextera Domini, dem Kreis der Gaben eingefügt, ist in dreifacher Weise zu deuten: Zunächst auf die Tugenden; die Beischrift lautet: »Die Rechte Gottes schafft die Tugend.« Außerdem sendet sie den Geist den Aposteln. Die Schriftleiste unterhalb der beiden sitzenden Apostelgruppen lautet: »Mit dem höchsten Geschenk bedacht werden die, die das Höchste erbitten. Danach streben auch die, die in Unfreiheit leben ...« Der zweite Satz bezieht sich auf den Hungernden, den Frierenden, den Einsamen und den Gefangenen der untersten Bildzone, mit denen in lehrhafter Weise an die Werke der Barmherzigkeit erinnert wird. Schließlich steht die Gotteshand in Verbindung mit der Gestalt Christi, die im Typus des zum Himmel auffahrenden und emporblickenden Herrn wiedergegeben ist. Die Schriftbänder in seinen Händen, die an die Abschiedsreden Joh 17 anklingen, sind ein Gebet des Herrn für die Seinen, die er in der Welt zurückläßt: »Aber für die, welche versprechen, daß sie an mich glauben wollen, Vater, bewahre sie in deinem Namen, die du mir gegeben hast; regiere nicht nur für die Rechtschaffenen.« Den guten Werken, der vita activa, ist ganz oben das Morgenopfer, das Hiob Gott für seine Kinder darbringt, vita contemplativa, gegenübergesetzt. Die Inschrift über dem Mahl lautet: »Daß nicht die Sterblichen sündigen, sind sie vom Vater gesegnet worden, da für alles, was dem frommen Gott geschieht, Gnade gegeben (wird).« An dem Tisch sitzen drei weibliche Figuren, die die Randschriftleiste als die Töchter Hiobs bezeichnet. Sie sind den drei göttlichen Tugenden gegenübergestellt, während die sieben männlichen Figuren, die Söhne Hiobs, in Beziehung zu den sieben Gaben stehen. Die Randleiste enthält folgenden Text: »Diese drei Töchter des Hiob vereinigt mit den sieben Söhnen kräftigen sich am süßen Fluß der Speise, gestützt auf das siebenfache Geschenk, den Frommen zu nähren. So stellen Hoffnung, Glaube, Liebe die Kräfte wieder her.« Der Tod der zehn Kinder Hiobs während eines gemeinsamen Mahles (Hi 1,18f.) gehörte mit zu den Prüfungen, die Gott über Hiob verhängte. Und zehn ihm erneut geschenkte Kinder gehören zu den neuen Segnungen nach der Prüfung (Hi 42,13–15). Die seltene Schönheit der neuen Töchter verstand man in der kirchlichen Auslegung symbolisch. Sie sind schön um ihrer Tugend willen und können deshalb in Beziehung zu den drei höchsten Tugenden gesetzt werden.

Noch ein Beispiel mag auf das Zusammenfließen der drei Begriffe Kirche, Gaben des Heiligen Geistes und Tugenden hinweisen. Auf dem Albinusschrein, 1186, in St. Pantaleon, Köln, sind an den linken Längsseiten in den Zwickeln über sieben Doppelsäulen sieben Tauben angebracht; auf der rechten Seite sieben Tugenden. Zwischen den Säulen waren die vornehmsten Kirchenpatrone Kölns bzw. Heilige dargestellt (zerstört)[51]. Abgesehen davon, daß Heilige ebenso wie die zwölf Apostel an den Schreinen Kirche bedeuten, ist die Form der Schreine mit Dach und oft auch einem die Längsseiten durchstoßenden Mittelteil an ein Kirchengebäude angeglichen. Die Verwendung des gleichen Wortes für das Sakralgebäude und die Gemeinde macht deutlich, daß beide in der Bildsymbolik auswechselbar sind. Das Kirchenmodell gehört auch zu den Attributen der personifizierten Ekklesia.

Auf die Gleichsetzung der sieben Säulen des Hauses der Weisheit (»Die Weisheit baute ihr Haus und hieb sieben Säulen«, Spr. Salomos 9,1) mit den sieben Gaben des Heiligen Geistes ist oben schon hingewiesen worden, vgl. auch unten S. 69ff., 115. Den unmittelbaren Anlaß für die Verbreitung dieses Bildmotivs gab die populäre Schrift »Speculum Ecclesiae« des Honorius Augustodunensis (1080–1065). Hier heißt es von dem Tempel der Weisheit: »... dies sind die Sieben Säulen, durch die das Haus gestützt wird, da durch die sieben der Geist der heiligen Kirche, die das Haus ist, bezeichnet wird.« Die Gleichsetzung

50. Moralia I, 28; II, 29.

51. H. Schnitzler, Rhein. Schatzkammer II, S. 35, Nr. 28, Tf. 101.

des salomonischen Tempels der Weisheit mit der christlichen Kirche geht über die übliche Bedeutung der Typologie oder Präfiguration des Neuen Testamentes im Alten Testament hinaus. Sie wird von Honorius als eine Prophetie verstanden. Das schon erwähnte Koblenzer Retabel mit der Pfingstdarstellung, *Abb. 54*, das der Form der Schreine angeglichen ist und damit zu einem Bild des Kirchengebäudes und von der Darstellung her zu einem Abbild der Kirche wird, erhält durch die sieben Säulen darüber hinaus die Bedeutung des neuen Tempels der Weisheit, der mit der zu Pfingsten gestifteten Kirche, die durch die sieben Gaben erleuchtet wird, identisch ist[52].

In diesem Zusammenhang sei auch auf den siebenarmigen Leuchter aufmerksam gemacht, der im Judentum Hinweis auf den kommenden Messias war. Dieser literarisch als Ausstattungsstück des Tempels bekannte Leuchter wurde für christliche Kirchen nachgebildet *(vgl. Bd. 1, S. 32 u. 103, Abb. 43)*. Sach 4,1 deutet die Lampen als die sieben Augen Gottes, die christliche Exegese deutet sie als die sieben Gaben des Heiligen Geistes. Es ist charakteristisch für das assoziative Denken des hohen Mittelalters, das in der Kunst einen adäquaten bildlichen Ausdruck findet, wenn zwei Stellen aus Sacharja zusammengezogen werden, 3,6ff. und 4,1ff., und es zu einer Darstellung des Steins des Propheten Sacharja mit den sieben Augen Gottes und den sieben Gaben des Heiligen Geistes kommt. Im Hortus deliciarum der Herrad von Landsberg, 2. Hälfte

12. Jh. *Abb. 92* (Nachzeichnung 19. Jh.), erscheint hinter diesem Stein Christus mit ausgebreiteten Armen dem Betrachter zugewandt zwischen den Siegeszeichen seines Leidens. Die Tauben fliegen nicht auf Christus zu, wie auf den oben erwähnten Darstellungen französischer Glasfenster, sondern als die der Kirche gegebenen Gaben von dem Stein nach auswärts.

Zusammen mit den Darstellungen von Pfingsten und des Triumphes der Kirche und der göttlichen Weisheit kommen die sieben Gaben des Heiligen Geistes personifiziert in den Bildprogrammen der Barockmalerei vor, die im Sinne des 18. Jahrhunderts die theologischen Grundprobleme der Scholastik widerspiegeln. In Ottobeuren umschweben die sieben Gaben in Gestalt von Engeln die Pfingsttaube. In Weingarten sind die sieben Gaben durch Frauengestalten personifiziert am Rand des Kuppelfreskos angebracht, vgl. auch Michelfeld (Oberpfalz), Kuppelfresko von C. D. Asam. Doch können in der Barockmalerei die sieben Gaben auch durch Apostel und Heilige personifiziert werden wie in der Heiliggeistkirche in Neuburg a. d. Donau, Deckengemälde, 1726, von Matthias Zinkh: Sapientia – Johannes auf Patmos, Intellectus – Thomas, Concilium – Philipp Neri, Fortitudo – Laurentius, Scientia – Petrus Canisius, Pietas – Helena, Timor Domini – Saulus auf dem Weg nach Damaskus. (Zur Darstellung des Heiligen Geistes siehe auch Bd. 5, Trinität.)

---

52. Vgl. zu diesem und dem nächsten Abschnitt P. Bloch, 1961 (Das Münster) und ders. Ekklesia und Domus Sapientiae, in:

Misc. Mediaevalia, IV: Judentum im Mittelalter, Berlin 1966, S. 370–381.

Die Darstellung der Kirche

Voraussetzungen der Bildmotive[1]

Das Pfingstbild, ausgehend von Apg 2, zeigt die Stiftung der Kirche und ihre besondere Beziehung zum Heiligen Geist. Bei den Darstellungen der personifizierten Kirche im Mittelalter sind, vereinfachend gesagt, zwei Gruppen zu unterscheiden. Die erste, die Ekklesia und Synagoge

zeigt, geht von zwei verschiedenen Ansatzpunkten aus. Einerseits steht dieser Bildtypus in enger Beziehung zur Theologie und Frömmigkeit, andererseits spiegelt sich in

---

1. Zur Geschichte des Kirchenbegriffs siehe RGG III, Sp. 1304–1307 (A. Adam). H. Fries, Handbuch theologischer Grundbegriffe, I, München 1962, 790–872.

ihm zeitgeschichtliche Entwicklung. So kann der Akzent auf der Einheit von Altem und Neuem Bund und dem heilsgeschichtlichen Wirken Gottes an den Menschen liegen oder auf der Auseinandersetzung mit dem Judentum der jeweiligen Zeit, in die oft politische Faktoren hineinspielen. Die Kirche hat der Synagoge voraus, daß sie die Heilstat Gottes erkannte und annahm. Dies lag im Heilsplan Gottes begründet, so daß die Kirche nun von sich sagen konnte: Extra ecclesiam nulla salus. Zu der zweiten Gruppe kann man diejenigen Darstellungen zusammenfassen, die an der Frage nach der Gemeinschaft der Heiligen und ihrer Gemeinschaft mit Christus auf Erden und im zukünftigen Reich orientiert sind. Sie sind durch die allegorische Deutung des Hohenliedes und durch den Geist der mystischen Frömmigkeit bestimmt.

Die Kirche versteht sich als das wahre Israel, das zu Christus gehört. Die Frage, wie es sich zu dem Teil der Juden, der Christus nicht als den erwarteten Messias anerkennt, verhält, ist schon im Neuen Testament in dem Gleichnis von den bösen Weingärtnern, Mt 21,33–46, beantwortet. Paulus handelt im 9.–11. Kapitel des Römerbriefes ausführlich über die Verheißung und Verwerfung Israels und über die Berufung von Juden und Heiden zum Glauben. Der Gedanke von Annahme und Verwerfung beim Hereinbruch der endzeitlichen Gottesherrschaft klingt auch in Worten wie Lk 17,33–36 an, so daß man z.B. bei Ambrosius (339–397) und Maximus von Turin (um 380 bis 465) noch die beiden mahlenden Frauen auf Ekklesia und Synagoge gedeutet findet. Jesu eigentümlich ambivalente Haltung dem mosaischen Gesetz (Thora) gegenüber, das er einerseits erfüllt und gegen dessen Mißbrauch er sich andererseits scharf abgrenzt, äußert sich im Neuen Testament häufig; Mt 5,17–48 mag für viele andere Stellen stehen. In der Kirche zeigt sich dann die Verbundenheit mit dem Judentum in der Anerkennung des Alten Testaments als Quelle der Gottesoffenbarung, als Messiasprophetie, als Ausdruck des Lobpreises Gottes; ferner in der Übernahme von Festen. Als das wahre Israel bewahrt die Kirche die Kontinuität mit dem alten Bund, seinen Gestalten und Begriffen, die übernommen werden, wie zum Beispiel: Israel, Juda, Tochter Zion und vor allem

die Gottesstadt Jerusalem, die zum Symbol der neutestamentlichen Eschatologie wird. Bei dieser Auffassung kann das Lebensgesetz, das Christus den Menschen gab, der Thora gleichgesetzt werden (vgl. oben die Zusammenschau von Gesetzesübergabe am Sinai und Ausgießung des Heiligen Geistes am Pfingstfest).

In der ersten Zeit wurde je nach Herkunft der Getauften die Kirche aus den Juden (ecclesia ex circumcisione) und aus den Heiden (ecclesia ex gentibus) im Sinn der »ecclesia universalis« betont. Sie wurden durch Petrus und Paulus repräsentiert. Vereinzelt ist im 5. Jh. die Kirche auch durch weibliche Personifikationen beider Gemeindegruppen veranschaulicht worden. Zwei Frauengestalten im Typus von Matronen halten auf dem Mosaik in S. Prudenziana, Rom, über Petrus und Paulus Siegeskränze, *vgl. Bd. 3, Abb. 618.* In S. Sabina, Rom, stehen auf einem Mosaik, das unter Papst Coelestin I. (422–432) entstand, zwei Frauen im selben Matronentypus zu beiden Seiten der Widmungsinschrift (nicht mit abgebildet) der Kirche, *Abb. 93, 94.* Beide halten ein geöffnetes Buch mit unterschiedlichen Schriftzeichen in der linken Hand und erheben im Sprech- oder Lehrgestus die Rechte. Die Inschriften unter ihnen bezeichnen sie als »ecclesia ex circumcisione« und »ecclesia ex gentibus«. Diese getrennte Darstellung ist im 5. Jh. auffallend, denn das Problem, daß das Neue Israel sowohl aus Heiden als auch aus Juden hervorwuchs, das sich für die frühe Kirche stellte, hatte in dieser Zeit kaum noch Bedeutung. Vermutlich soll durch diese Darstellungen, vor allem durch die Inschriften, besonders für Rom die alte Tradition der Gründung der Kirche durch Petrus und Paulus (Gal 2,7f.) unterstrichen werden.

An Einzeldarstellungen der Ecclesia universalis aus der frühen Zeit sind nur zwei aus einem Randgebiet des oströmischen Reiches erhalten[2]. Ein oberägyptisches Hochrelief des 5. Jh., *Abb. 97,* zeigt eine nimbierte weibliche Büste in frontaler Ansicht. Sie trägt über der Haube den Schleier (Maphorium), einen Halsschmuck und die Rundfibel. Um ihrer kaiserlichen Insignien willen, Stabzepter und Globus mit Kreuz, kann sie als Ekklesia gedeutet werden. Weder Maria noch die personifizierte Weisheit

---

2. Es werden manchmal die Oranten der frühchristlichen Kunst des Westens als Kirche gedeutet, doch läßt sich von ihnen nur mit Sicherheit sagen, daß sie Betende sind. Ihr Typus geht auf

einen antiken zurück, der allgemein die persönliche Pietas verkörpert, siehe Bd. 3, S. 216, Anm. 1. Nur vereinzelt können sie aus dem Zusammenhang als Ekklesia verstanden werden.

besitzen diese Insignien, dagegen die Ekklesia in der karolingischen Kunst. Eine andere weibliche Büste einer Ni-
schenmalerei im Raum 17 des Apollonklosters in Bawit
(Oberägypten) des 6. oder 7. Jh., *Abb. 98*, mit einem auffallend großen Nimbus und einer Krone auf dem Haupt,
hält einen großen Kelch vor sich und legt einen Finger auf
dessen Rand. Mit dieser Geste weist sie eindringlich auf
die rote Flüssigkeit, die der Kelch birgt. Dieser »Kelch des
Heils«, den die Kirche bewahrt und spendet, ist ihr zen-
trales, ihr Amt deutendes Attribut. (Zum Kelch des Heils
vgl. Ps 116 (115),13 und Bd. 2, S. 117.) Neben ihr steht ein
Hirsch: Hinweis auf den Taufpsalm »Wie der Hirsch nach
frischem Wasser schreit ...« (42) und damit auf die Taufe.
So wird mit dieser Figur auf die beiden Sakramente, die die
Täuflinge empfangen, hingewiesen. An diesen zwei Figuren wird ebenso wie an den römischen Bildgestalten der
Kirche deutlich, daß die christliche Kunst von der Antike
die Möglichkeit zur Personifizierung von Begriffen, die an
sich nicht Personencharakter haben, übernahm. Von diesen beiden auf uns gekommenen Werken lassen sich jedoch keine Schlüsse auf eine Verbreitung eines selbständigen Ekklesiabildes der orientalischen Kunst ziehen[3]. Doch
könnte der Marmorkopf einer Ekklesia über dem Aufgang
zur Kanzel im Dom von Ravello der 2. Hälfte des 13. Jh.
auf uns nicht mehr bekannte orientalische Vorbilder der
Zwischenzeit zurückgehen, *Abb. 99*[4].

Die »Concordia Veteris et Novi Testamenti«, ein Begriff,
der sich im frühen Mittelalter bildete, während der damit
bezeichnete Sachverhalt dank der christologischen Deutung des Alten Testaments in der Exegese von Anfang an
praktiziert wurde, drückte sich vom 12. Jh. an in größerem
Ausmaß auch in der Kunst aus. Gottesepiphanien werden
als Christusepiphanien verstanden; im Neuen Testament

enthüllte Heilswahrheiten erkennt man vorgebildet, wenn
auch noch verhüllt im Alten Testament. Wir haben für den
typologischen Zusammenhang der Heilsgeschichte schon
viele Beispiele gebracht und werden auf die Typologie
ausführlich in Bd. 6 bei der Behandlung des Alten Testaments eingehen[5]. Prägnant wird diese Einheit, die für die
Darstellung der Kirche wichtig ist, in der Zusammenfügung von Propheten- und Evangelistengestalten in zwei
Vierergruppen, *vgl. Bd. 2, Abb. 397, Bd. 3, Abb. 684, 685,
686, 698*, oder der Propheten- und Apostelgestalten in
zwei Zwölfergruppen (Schreine) zum Ausdruck gebracht.
Noch sinnfälliger geschieht das, wenn die Apostel auf den
Schultern der Propheten sitzen und von ihnen getragen
werden, wie auf dem Merseburger Taufstein, um 1180,
Abb. 96. Am Fürstenportal des Bamberger Doms, um
1230, stehen die Apostel auf den Propheten im Gewände
des Portals, in dessen Bogenfeld das Jüngste Gericht, seitlich flankiert von Ekklesia und Synagoge, dargestellt ist.
In St. Gereon, Köln, sind vor kurzem Fragmente einer
Wandmalerei aus dem 1. Viertel des 12. Jh. freigelegt worden, die auf einen Zyklus von auf den Schultern von Propheten sitzenden Aposteln schließen lassen. Abgewandelt
taucht dieser Bildgedanke in einer Bibel der 2. Hälfte des
12. Jh., Bibl. munic. in Boulogne-sur-Mer, auf: Eine Miniatur zeigt Paulus auf den Schultern der Synagoge stehend. Allerdings klingt in der leicht geknickten Haltung
der Synagoge, die kleiner als Paulus wiedergegeben ist,
auch der Gedanke ihrer Überwindung mit an[6]. Auch die
Prophetenbüsten an Konsolen von Apostelfiguren gehören zu dieser Bildvorstellung und in weiterem Sinn die Figuren der sogenannten Vorfahren in der Portalplastik, in
denen nicht nur leibliche und geistige Vorfahren des Messias gesehen werden sollten, sondern ebenso die Vertreter
des Alten Bundes, die zusammen mit denen des Neuen

3. Vgl. zu diesen beiden Werken RBK Lf. 9, Sp. 30–33 (Wessel). Hier ist noch auf zwei spätere Fresken in Randgebieten hingewiesen, die kleine nimbierte weibliche Büsten in priesterlicher
Kleidung und mit Kelch wiedergeben (Kastoria 11. oder 12. Jh.
und Studenika 1208).

4. Krone und byzantinisches Geschmeide trägt eine Orante auf
einem der wenigen erhaltenen Reste des Mosaikschmuckes aus
dem ehemaligen Oratorium bei St. Peter, Rom, das Johannes VII.
errichten ließ. Da es im 8. und 9. Jh. in Rom Darstellungen der
kaiserlichen Maria gab, läßt sich nicht mit Sicherheit entscheiden,
ob es sich um eine Maria Orans oder um eine Ekklesia handelt.

Siehe zu dem römischen Sondertypus der Maria im 2. Teil.

5. Zu den Nachwirkungen des Alten Bundes in der christlichen
Kunst: Ausstellung »Monumenta Judaica« in Köln 1963, Handbuch, S. 735–786, und Katalog A 1–A 85 (P. Bloch). B. Blumenkranz, Juden und Judentum in der mittelalterlichen Kunst, Stuttgart 1965.

6. Zu St. Gereon siehe Ausstellungskatalog »Rhein und Maas«,
1972, S. 202. Zu der Miniatur siehe Abbildung bei A. Boutemy,
La Bible de Saint-André-au-Bois, in: Scriptorium, Bd. 5, 1951, Tf.
18.

Bundes die Heilsgeschichte demonstrieren. Ferner gehört in diesen Gedankenkomplex auch der Bildtypus »Wurzel Jesse« (vgl. Bd. 1), die mit den Vorfahren Jesu als ein Abbild der Kirche gilt; schließlich auch der »Thron Salomons« (vgl. Bd. 1), obgleich hierbei die Typologie der Weisheit im Vordergrund steht[7].

In der Buchmalerei zeigt in einmaliger Weise das Titelbild der Bernwardbibel, Hildesheim, Anfang des 11. Jh., *Abb. 95*, die Bewahrung des Alten Bundes im Neuen. Unterhalb eines Kreuzes, das in den Himmel ragt, übergibt Mose das Alte Testament, in dem der Anfang von Gen 1 zu lesen ist, an Ekklesia. Aus ihrer offenen Armhaltung darf geschlossen werden, daß sie es annimmt und bereit ist, es in ihrer neuen Botschaft zu bewahren. Das Kreuz verbindet und trennt Ekklesia und Mose, der außerhalb des die Kirche umhegenden Vorhangs bleibt. Er befindet sich aber mit Ekklesia in dem Bezirk, den eine Mauer umschließt. Die im Sprechgestus ausgestreckte Gotteshand segnet die Kirche.

Neben dieser Einheit steht jedoch von Anfang an die Gegnerschaft zwischen Judentum und Christentum. Für die frühe Kirche wurde vor allem die Kreuzigung Christi zum Scheidepunkt zwischen Christen und Juden. Seitdem verstummte der Vorwurf der Christen gegen die Juden nicht, den Herrn getötet zu haben, doch ebensowenig der Versuch, die Juden davon zu überzeugen, daß sich ihre Messiaserwartung in Christus erfüllt habe. Die Anklage gegen die Juden gehört seit dem 2. Jh. (Melito von Sardes) zu der Liturgie des Festes, an dem die Christenheit der Kreuzigung und Auferstehung Jesu gedenkt – zunächst der Passanacht, dann des Osterfestes und seit der Differenzierung von Karfreitag und Ostern im 4. Jh. zur Karfreitagsliturgie. Es sind vor allem die Verse aus den Klageliedern des Jeremia, mit denen der Prophet sein eigenes Volk zur Buße ruft: »Die Krone unseres Hauptes ist abgefallen. O weh, daß wir so gesündigt haben. Darum ist auch unser Herz betrübt, und unsere Augen sind finster geworden ...« 5,16f. Daran schließt sich in der lateinischen Liturgie der Ruf an: »Jerusalem, Jerusalem, wende dich wie-

der zu deinem Gott.« Das Volk Israel ist in diesem Wort wie so oft im Alten Testament zu einer Gestalt verdichtet. In Parallele dazu personifiziert die christliche Kirche das nachbiblische, christusfeindliche Judentum in der Gestalt der Synagoge, die bei der Gegenüberstellung zur Ekklesia, im Anschluß an die durch die Liturgie allen bekannte Klage, im Bild sehr oft ihrer Krone verlustig geht und mit verbundenen Augen dargestellt wird. Diese Blindheit der Offenbarung gegenüber ist auch an anderer Stelle durch das Verhüllen des Angesichts ausgedrückt. Paulus spricht 2 Kor 3,12–15 von der Verhüllung Moses und der Decke über dem Alten Testament. Aufgrund dieses Wortes, das auf das Unvermögen der Juden, die Christusoffenbarung zu erkennen, abzielt, formulierte die karolingische Kunst der Hofschule Karls d. Kahlen[8] das Motiv der »Enthüllung des Mose«, *vgl. Bd. 3, Abb. 568, S. 199*. Die Personifikation der Synagoge in der Kunst läßt immer wieder die Tragik des Judentums erkennen, dem am Karfreitag seine drei Ehrengaben genommen wurden: das Königtum bei der Dornenkrönung, das Priestertum beim Zerreißen des Vorhangs und das Prophetentum durch die Kreuzigung[9]. Außerdem nahm die christologische Deutung des Alten Testaments ihm seine eigene Volksgeschichte. Der geschichtliche Konflikt mit dem Judentum im Mittelalter drängt die Kunst in steigendem Maß dazu, in der Synagoge auch die Entmachtung und Schmähung bis hin zur Verstoßung durch Christus aufzuzeigen. In Darstellungen der Opfertypologie kann ihr im Gegensatz zu Melchisedek (vgl. *Bd. 2, Abb. 427 und 428*) Aaron entsprechen, der das überwundene jüdische Opfer vertritt (vgl. *Bd. 2, Abb. 418*, Kreuzigung, Bibel von Floreffe).

Die Kontrastierung von Kirche und Judentum fand in der Kunst des frühen Mittelalters in den Gestalten von Ekklesia und Synagoge ihren ersten Niederschlag. Sie blieben als Symbole der gesamten Darstellung der Heilsgeschichte und des Gerichts ein durch Jahrhunderte verbreitetes Motiv. Bei unterschiedlicher Akzentuierung der Aussage zielte die Darstellung stets auf die Kirche als die

---

7. Hrabanus Maurus interpretiert den Thron Salomos als Symbol der Kirche. MPL 199; 197.

8. Dieser westfränkische König, der Sohn jener judenfreundlichen Kaiserin Judith, der zweiten Gemahlin Ludwigs des Frommen, war selbst den Juden gegenüber positiv eingestellt. Daraus

ist wahrscheinlich zu erklären, daß ein soches Motiv wie die Enthüllung des Mose den drei Bibeln seiner Hofschule eingefügt ist.

9. Syr. Schatzhöhle, 51f., siehe Rießler, Altjüdisches Schrifttum, Augsburg 1928, 1006–1008.

Bevorzugte. Neben den verschiedenen Hoheitsattributen kommt im Kelch der Ekklesia immer ihr Amt als Mittlerin und Bewahrerin der Sakramente zum Ausdruck. Der Gedanke der Bekehrung der Juden am Ende der Zeit bei der Wiederkunft des Herrn, da der Schleier von den Augen der schicksalhaft Verblendeten genommen wird, Römerbrief 9–11, kann allerdings in den Gestalten auch anklingen und führt sogar zur Formulierung einer Sondergruppe[10].

Die zweite eingangs erwähnte größere Bildgruppe, deren Thema die Kirche als Gemeinschaft der Heiligen ist, geht außer von einschlägigen neutestamentlichen Stellen von der in der alten und mittelalterlichen Kirche üblichen Exegese der drei salomonischen Bücher, des 45. (44.) Psalms und des 12., 19. und 21. Kapitels der Apokalypse aus. Auch hier werden die Akzente verschieden gesetzt. Es geht einmal um die Gemeinschaft der Kirche mit Christus (1 Petr 2,9 und andere Stellen) und zum anderen um das Einswerden der einzelnen Seele mit ihm in der unio mystica. Schon Augustin beschrieb die Kirche vor allem als die Liebesgemeinschaft der Gläubigen, die durch die Caritas den geistigen Zusammenhang mit dem Gottesreich haben. Die Kirche ist der irdische Teil der »Civitas Dei«, sie gehört zum »Regnum Christi«. Die Entstehung der Kirche sieht Augustin vor allem im Pfingstgeschehen, doch spricht er auch von der Geburt der Kirche aus der Seitenwunde Christi[11]. Wir können die vielfältigen Interpretationen und allegorischen Ausdeutungen verschiedener Texte nur kurz skizzieren, soweit sie für das Verständnis der bildlichen Darstellung erforderlich sind[12].

Das Hohelied, eine Sammlung orientalischer Liebesgesänge, die Salomo zugeschrieben wurden, ist im vorchristlichen Judentum allegorisch als ein Buch zum Ruhme Israels in seinem Verhältnis zu Gott gedeutet worden. Doch findet sich das Bild der Ehe Gottes mit Israel auch bei dem Propheten Hosea. Die Kirche hat ebenfalls das Hohelied allegorisch auf das Verhältnis der Kirche (Hippolyt, gest. 235) oder der Seele des einzelnen (Origines) zu Christus gedeutet. Origines unterscheidet zwischen der Kirche auf Erden und der in eschatologischer Sicht. Die Juden- und die Heidenkirche sind die Braut des himmlischen Bräutigams und die menschliche Seele Braut des zeitlosen Logos (anima ecclesiastica)[13]. In dieser zweiten Sinngebung des Liebesgesprächs mit Christus, das jenseits des weltlichen Verständnisses steht, tritt die einzelne Seele an die Stelle der Kirche als Braut. In ihrer liebenden Vereinigung mit Christus erkennt sie Gott. In karolingischer Zeit spielt, abgesehen von Beda (663–735), die Exegese des Hohenlieds nur eine geringe Rolle. In der Frühscholastik gehen die Mitte des 12. Jhs. von Anselm von Laon zusammengestellten »Glossa ordinaria« (ein viel benutztes exegetisches Handbuch) von Beda aus und greifen auf Auslegungen von Bibeltexten der Väterliteratur zurück. Wie für Beda ist für Anselm die Braut des Hohenlieds die geschichtliche Kirche. Dagegen deutet Rupert von Deutz (1070–1129) in seinem Hohenlied-Kommentar als erster die Braut auf Maria, auch hierfür gibt es schon altkirchliche Vorstufen (Ambrosius) und später gelegentlich Anklänge in Predigten zu Marienfesten und in der Marienliteratur, nicht aber in Kommentaren. Erst Rupert interpretiert das ganze Buch als ein Gespräch zwischen Maria und Christus.

---

10. Benutzte Literatur: Ch. Cahier – A. Martin, Monographie de la Cathédrale de Bourges, Première Partie: Vitraux Paints de Saint-Etienne de Bourges II, Paris 1841–44; P. Weber, Geistliches Schauspiel und kirchliche Kunst in ihrem Verhältnis erläutert an einer Ikonographie der Kirche und Synagoge, Stuttgart 1894; A. Raddatz, Die Entstehung des Motivs »Ecclesia und Synagoge«. Geschichtliche Hintergründe und Deutung. Diss. 1959, Humboldt-Universität, Berlin, Theol. Fak.; L. Grodecki, Les Vitraux allégoriques de Saint-Denis, in Art de France I, Paris 1961; RDK IV, Sp. 1189–1214 (A. Weis). LCI, I, Sp. 562–568, Ecclesia; Sp. 569–578, Ecclesia und Synagoge (W. Greisenegger); S. W. Seiferth, Synagoge und Kirche im Mittelalter, München 1964; H. Rahner, Symbole der Kirche. Die Ekklesiologie der Väter, Salzburg 1964.

11. RGG III, Sp. 1306–1307. Vgl. danach Augustin, De civ. Dei, 13,16; 20,9.

12. Literatur: F. Ohly, Hohelied-Studien, Wiesbaden 1958; RGG III, Hoheslied, Sp. 428–431 (L. Behling), IV, Weisheit und Weisheitsdichtung, Sp. 1574–1581 (H. Gese); RAC II, Brautschaft, hl., Sp. 528–564, für hier wichtig ab 546 (J. Schmid); RDK II, Braut – Bräutigam, Sp. 1110–1124 (O. Gillen); LCI, I, Bräutigam und Braut, Sp. 318–324 (O. Gillen); E. Guldan, Eva und Maria, Graz–Köln 1966, siehe Stichwortverzeichnis Ecclesia und Synagoge, Braut und Bräutigam, Sapienta divina.

13. Hom. in Cant. I, 10. Siehe T. Rousseaus, Einleitung zu Origenès Homélies sur le Cantique des Cantiques (Source chrétienne 37, Paris 1945).

Dagegen bleibt in den Predigten des Bernhard von Clairvaux (1090–1153), obwohl er die Marienverehrung im Abendland sehr gefördert hat, in seiner Hohenlied-Deutung Maria außer Betracht. Für ihn ist die Braut die der Kontemplation hingegebene Seele des Gläubigen, die über die liebende Vereinigung mit Christus, dem Bräutigam, die Gotteserkenntnis sucht. Da Bernhard und der Zisterzienserorden einen großen Einfluß ausübten und von diesem Geist auch Hildegard von Bingen und andere Mystiker in ihren Visionen beeinflußt sind, ist es verständlich, daß sich die mariologische Deutung der Braut, wie sie Rupert von Deutz gibt, erst allmählich durchsetzte. Dem 12. Jh. entstammt auch der umfangreiche Hohenlied-Kommentar des Honorius von Autun (1080– ca. 1156), den er 30 Jahre nach dem »Sigillium beatae Mariae« schrieb, wobei er sich der Volkssprache bediente. Für ihn ist die Braut des Hohenliedes die sich bewährende und siegende Kirche, aber er bezieht das zur Kirche Gesagte auch auf Maria. Die mystische Deutung liegt ihm fern. Vielmehr arbeitet er die Dramatik der Dichtung heraus und schildert die Aufzüge der verschiedenen Bräute, die im Hohenlied erwähnt werden. Als sich im 13. Jh. allmählich die Deutung der Braut auf Maria durchsetzte, wurde das Hohelied in seinen Einzelmotiven zur Quelle für die mariologische Symbolik, siehe unten.

Mit der Braut des Hohenlieds wird aber auch die Königstochter des 45. (44.) Psalms gleichgesetzt. Sie ist die Braut des Messias und deshalb ebenso als Kirche und als einzelne Seele gedeutet worden. Die Schilderung ihres Aussehens und ihrer Kleidung nimmt das mittelalterliche Bild der Ekklesia auf (vgl. u. a. auch Hes 16,10–12).

Im Neuen Testament finden die Bilder von Brautschaft und Ehe zur Veranschaulichung des Verhältnisses zu Christus an Stellen wie Mt 22,1–14; 25, 1–13; Joh 3,29; Mk 2,19f., 2 Kor 11,2 Verwendung; hier spricht Paulus davon, daß er als der geistige Vater der Gemeinde diese als unversehrte Braut dem wiederkommenden Christus zuführen will. Das Gleichnis von den klugen und törichten Jungfrauen wurde vielfach nicht nur unter dem Gesichtspunkt des Gerichts, sondern auch der Brautsymbolik und der Konfrontation von Ekklesia und Synagoge gesehen[14]. Die Bilder von der Hochzeit der Braut, Apk 19,6–9, und vom Neuen Jerusalem, das »bereitet ist als eine geschmückte Braut ihrem Mann«, Apk 21,2, dienen zum Hinweis auf Parusie und Vollendung.

Die Adam-Christus-Typologie, Röm 5,12ff. und 1 Kor 15,44, führt zur parallelen Eva-Ekklesia-Typologie. Die Kirche als die zweite Eva der erlösten Menschheit ist die Braut Christi. Zu dieser Vorstellung gehört die Gegenüberstellung der Geburt Evas aus der Seite des Mannes, dem sie verbunden wird, und die Geburt Ekklesias aus der Seitenwunde des gekreuzigten Christus. »Wenn Adam ein Vorbild Christi war, so war der Schlaf Adams ein Bild des in den Tod hinüberschlafenden Christus, damit gleichfalls aus der Verletzung seiner Seite die wahre Mutter der Lebendigen, die Kirche, gebildet werde.«[15] Die Geburt der Kirche aus der geöffneten Seitenwunde des Gekreuzigten, der Wasser und Blut entströmt – die Elemente der Taufe und der Eucharistie –, geht über die Typologie Adam-Christus und Eva-Ekklesia hinaus, sie markiert die Verbundenheit der Kirche mit dem Erlöser in besonderer Zuspitzung. Als Bild der Geburt der Ekklesia wird diese sakramentale Gemeinschaft erst im hohen Mittelalter dargestellt; doch schon in der karolingischen Zeit steht Ekklesia unter dem Kreuz und hebt den Kelch zur geöffneten Seite des Gekreuzigten.

An ein lapidares Wort aus dem 2. Klemensbrief der Mitte des 2. Jh. zu der Typologie Adam-Christus und Eva-Ekklesia: »Es schuf Gott den Menschen als Mann und Weib; der Mann ist Christus, das Weib die Kirche« schließt sich der Satz an: »Und dazu (sagen) die Bücher und die Apostel, daß die Kirche nicht von jetzt sei, sondern von Urbeginn.«[16] Diese Ekklesia vom Urbeginn – angetraut dem neuen Adam – vergleicht Ambrosius mit der Braut des Hohenliedes.

Der messianischen Deutung des Fluches über die Schlange des Paradieses, der der Kopf zertreten wird (1 Mos 3,15), entspricht das in die Karsamstagsliturgie aufgenommene Wort Hoseas 13,14: »Ich werde dein Tod sein, o Tod, dein Biß werde ich sein, o Satan.« Vgl. auch die Deutung von Ps 91 (90),13 auf Christus, den Sieger,

14. Das Hochzeitsbild in den Evangelien identifiziert an sich nicht die Braut mit der Kirche.

15. Tertullian, De anima 43. Vgl. hierzu oben Augustin.

16. 2. Klemensbrief, 14. Hier liegt auch ein früherer Hinweis auf die Präexistenz der Kirche vor. Die Übersetzung beider Zitate nach Guldan, S. 33.

Bd. 3, Kap. »Christus Victor«. Durch eine unterschiedliche Übersetzung von 1 Mos 3,15 kommt es zu einer zweiten Deutung. In einem breiten Strang der lateinischen Bibelübersetzung stand an der Stelle des Wortes »ipse« »ipsa« – dann ist das Weib (mulier) die künftige Siegerin über die Schlange, die ihr den Kopf zertreten wird. Schon Hieronymus hat sich gegen das Wort »ipsa« gewandt[17], damit aber wenig Erfolg gehabt. In diesem Weib hat Augustin[18] und in vorkarolingischer Zeit wieder Beda die Personifikation der Kirche gesehen[19]; Beda ließ aber auch die Deutung auf Christus gelten, obwohl die Lesart »ipsa« schon geläufig war. Die Interpretation als Ekklesia trat bis zum 12. Jh. immer wieder hervor, ist aber in der Kunst nur vereinzelt zur Darstellung gelangt. Nach der Jahrtausendwende[20] wurde daneben die Deutung auf Maria vertreten, da die Verheißung, die der Fluch enthält, als Ankündigung der Geburt des Erlösers aus der Jungfrau verstanden wird. Jedoch erst im 15. Jh. fand diese Vorstellung in einem neuen Marientypus einen bedeutenden künstlerischen Ausdruck, siehe unten bei Maria.

Unter den Schriften des Neuen Testaments ist die Apokalypse des Johannes stets im besonderen als ein Buch von der Kirche betrachtet worden, da hier die Anfechtungen des neuen Gottesvolkes in der Welt und seine zukünftige Rettung in großen Bildern eindringlich vor Augen gestellt werden. Die Exegese von Kap. 12 sah schon um 300 in der Gestalt der von der Sonne umkleideten gebärenden Frau, deren Kind vor den Anfeindungen des Drachens gerettet wird, während sie selbst in der Wüste vor den Nachstellungen des Satans Schutz findet, eine Gestalt der Kirche[21]. Als Beleg ein Wort des Methodius, Bischof von Olympos (Lykien), der 311 den Märtyrertod fand: »Das Weib am Himmel, umgürtet mit der Sonne, einen Kranz von 12 Sternen auf dem Haupte, den Mond als Schemel zu seinen Füßen, das Weib in den Wehen und Schmerzen der Geburt – das ist recht eigentlich nach dem genauen Sinn unsre Mutter, die da eine Kraft für sich ist, gesondert von ihren Kindern, die die Propheten im Hinblick auf das Zukünftige bald Jerusalem heißen, bald eine Braut, bald den Berg Sion, bald Tempel und Zelt Gottes, die erleuchtete Kraft, die herbeigesehnt wird beim Propheten mit dem Ruf: Werde Licht, Jerusalem ... (Jes 60,1–4) ist die Kirche ...«[22] Das Wort macht zugleich das Ineinanderfließen der verschiedenen Bilder, mit denen man auf unrationale Weise »Kirche« faßbar machen wollte, deutlich. Bis heute sind sich die meisten Exegesen darin einig, daß es sich bei dem insgesamt ekklesiologisch zu interpretierenden Kapitel um den Schlüssel zum Verständnis des Buches handelt. Wir gehen darauf im Zusammenhang der Apokalypse näher ein.

Die Ekklesia, die der Synagoge gegenübersteht, und die apokalyptische Frau in der Wüste weisen auf die Kirche in der Geschichte hin. Bereits im 2. Jahrhundert beschrieb Hermas die Kirche als präexistente Gestalt, womit er spätjüdische Gedanken von der Präexistenz der Weisheit weiterführte, die im Gesetz (Thora) Gottes auf die Erde kam. Die Weisheit sagt von sich, Sirach 24,4–8,16: »Ich bin vom Munde des Höchsten ausgegangen und schwebte über der ganzen Erde wie die Wolken. Ich allein wandelte allenthalben, so weit der Himmel ist und so tief der Abgrund ist ... Ich bin eingewurzelt bei einem geehrten Volk, das Gottes Erbteil ist« (vgl. auch Spr 8,22–31 und Weisheit 8 und 9).

Die Weisheit ist einerseits mit Christus identifiziert worden – die seit dem 6. Jh. im Osten der Hagia Sophia geweihten Kirchen sind Christuskirchen –, andererseits verbinden sich im hohen Mittelalter die Vorstellungen von Weisheit und Kirche. »Das Volk, das Gottes Erbteil« ist, wird als Israel und damit auch als Kirche verstanden. Drittens gehört die Weisheit zu den Tugenden, die zur Erlangung einer reinen Seele führen und sie fähig machen, sich

---

17. Hebr. quaest. in Gen zu 3,15.

18. Z. B. Ennaratio in psalmum 35,18, vgl. 73,16. CChL 38, S. 335 bzw. 39, S. 1014.

19. Beda Venerabilis, in Gen, zu 3,15. CChL 118 A, S. 66.

20. Fulbert von Chartres, Sermo 4 De nativitate Beatae Mariae Virginis, MPL 141, 320 f. – Siehe zu der genannten theologischen Literatur auch E. Guldan.

21. Ch. Brütsch, Die Offenbarung Jesu Christi, Johannes-

Apokalypse, 2. Aufl. Zürich 1970, Bd. 2. Wir verweisen ausdrücklich auf diese Auseinandersetzung mit den vielen Deutungsversuchen des 12. Kap., da es außerhalb des Rahmens unsrer Darlegungen liegt, im einzelnen auf alle Motive einzugehen. Siehe auch: H. Gollinger, Das »große Zeichen« von Apokalypse 12. Würzburg 1971. Zu der gesamten Apokalypse siehe bei uns Bd. 5.

22. Gastmahl oder die Jungfräulichkeit, 8. Rede, BK, Kempten und München 1911, Methodius S. 80.

mit Christus zu vereinen. Deshalb sind auch die Tugenden mit unter dem Typus Kirche zu sehen.

In diesem Gewebe, dessen Fäden sich überlagern und durchdringen – Sponsa-Ecclesia und zukünftige himmlische Braut, die vom Urbeginn von Gott geliebte Sapientia, die mater ecclesia, das die Schlange besiegende Weib und die von der Sonne bekleidete apokalyptische Frau (mulier amicta sole) –, wird vom hohen Mittelalter an immer mehr Maria erkennbar, die vorerwählte jungfräuliche Mutter des Herrn. Die Eva-Ekklesia-Typologie wird verdrängt von der Eva-Maria-Typologie, wobei allerdings der Bedeutungsakzent, ebenso wie bei der mariologischen Brautsymbolik, auf die Inkarnation gelegt wird. Das die Schlange besiegende und das mit der Sonne bekleidete Weib, beide, wenn auch unter verschiedenen Voraussetzungen, gekennzeichnet durch ihre Feindschaft zur Schlange, münden im späten Mittelalter ein in die Gestalt der Maria-Immaculata. Die Prädikate der Ekklesia und der Braut des Hohenliedes gehen auf Maria über, siehe unten. Es läßt sich die ekklesiologische und mariologische Deutung dieser Gestalten zeitlich und inhaltlich nicht scharf abgrenzen. Ebenso sind in der Ikonographie die Darstellungsgruppen der Ekklesia nicht immer auf einen der skizzierten literarischen Ansätze festzulegen.

Im Lauf des 14. Jh. treten die beiden großen Bildgruppen und die Sondermotive zurück. Die Ekklesiagestalt gibt ihre Attribute an die Personifikation des Glaubens ab. Die Reformation kennt keine bildliche Darstellung der Kirche, allerdings die der Glaubensinhalte und der diese bezeugenden Gemeinde. Neu belebt wird durch den Humanismus das Thema der Weisheit. Schließlich führt die Gegenreformation in der Barockmalerei zur Darstellung der »Triumphierenden Kirche«, in der sich das Selbstverständnis des nachtridentinischen Katholizismus demonstriert.

Ekklesia und Synagoge

Die Gegenüberstellung von Ekklesia und Synagoge, beide als Frauengestalten personifiziert und dem gekreuzigten Christus zugeordnet, entstand in der karolingischen Kunst[22] um 850. Da diese Bildgruppe im 2. Band schon behandelt wurde, verweisen wir auf die Abbildungen *364–367, 371–373, 377, 385 und S. 117, 118, 121–124* daselbst und ergänzen hier nur diese Darlegungen. Die Aufnahme dieser Figuren in das Kreuzigungsbild zeigt die christliche Kirche sowohl als die Erwählte, der Christus das von ihm gewirkte Heil anvertraut, als auch von daher in ihrem Anspruch, die alte Herrscherstellung der Synagoge zu übernehmen. Der unmittelbare Anlaß zur Darstellung des Gegensatzes von Ekklesia und Synagoge ist jedoch zeitgeschichtlich begründet. Um 830 ist im Drogosakramentar, *vgl. Abb. 364 und S. 117*, das Judentum durch die Gestalt des Propheten Hosea veranschaulicht, der das Tympanon in der einen Hand hält und mit der anderen auf den Gekreuzigten weist. Der Auferstehende und die überwundene Schlange beweisen die Erfüllung seiner prophetischen Worte, die in die Lesungen der Karfreitagsliturgie aufgenommen sind, Hos 6,1–6; 13,14. So äußert sich hier noch keine Rivalität zur Ekklesia – im Gegenteil[24]. Doch ist bereits auf einer Elfenbeintafel der Reimser Hofschule, um 850, die kirchliche Polemik erkennbar, die unter der Herrschaft Ludwigs des Frommen (durch Agobert von Lyon) gegen die Judengesetzgebung des Kaisers einsetzte[25], *vgl. Abb. 365* und S. 122f. Dieser Zeit entstammt eine Fälschung, eine als Werk Augustins

---

23. Betty Kurth glaubt in dem fragmentarischen angelsächsischen Andrew Auckland Cross, 2. Hälfte 8. Jh., einen Engel mit der Ekklesia erkennen zu können. Bei dem Erhaltungszustand des Steinkreuzes ist diese Annahme nicht gesichert. Es fehlen auch Vergleichsbeispiele aus dem 8. Jh. – Siehe Betty Kurth, Ecclesia and an Angel on the Andrew Cross, in: Warburg Journal, 6, 1943, S. 213 f.

24. Das Sakramentar Drogos (823–855, Halbbruder Ludwigs des Frommen) wird von Goldschmidt, Köhler, Boekler um 850 angesetzt, also an das Ende seiner Regierungszeit, da sie annehmen, daß das Sakramentar nach seiner Erhebung zum Erzbischof 844 entstanden sein muß. Raddatz weist Anm. 10 nach, daß

Drogo bereits 835 Erzbischof ist, ja schon 831 bei der Weihe Ansgars zum Bischof von Hamburg den Erzbischöfen von Reims, Trier und Mainz vorangestellt wird und diese ihm assistieren. Da darüber hinaus das Kreuzigungsbild offensichtlich die Auseinandersetzungen Ludwigs des Frommen, dem Drogo sehr nahestand, mit Agobard von Lyon in der Judenfrage 825–827 widerspiegelt, ist das Sakramentar zwangsläufig früher zu datieren. Raddatz, 1959, S. 5 und S. 40ff.

25. Diese Elfenbeintafel galt als Einbanddeckel des 870 datierten Codex von St. Emmeram und ist deshalb von Goldschmidt auf diese Zeit datiert worden. Als sich diese Zugehörigkeit als irrig erwies, wurde 1954 diese dem Utrechtpsalter eng verwandte Tafel

ausgegebene Schrift: »Dialogus de altercatione Ecclesiae et Synagogae«[26]. Der Dialog schildert den Erbstreit zweier Frauen vor den Zuhörern, die als Richter auftreten. Die ältere, eine reiche kinderlose Witwe (Synagoge), die wegen Ehebruchs enterbt worden war, wird von der jüngeren (Ekklesia) auf Rückgabe des unrechtmäßig an sich gebrachten Erbes verklagt. Da die Synagoge dieses Erbe – die Herrschaft über die Heiden – nicht oder nur widerwillig teilweise an Ekklesia abgibt, kommt es zum Prozeß und zum Dialog der Streitenden vor dem Richter, in dem sich die zeitgeschichtlichen politischen und kirchlichen Auseinandersetzungen mit dem Judentum in einer populären und dramatischen Form spiegeln[27]. Es geht in diesem Streit nicht um die Spannung zweier nebeneinander lebender Völker mit verschiedenem Glauben, sondern um die Gegnerschaft von Ekklesia und Synagoge, von fides und perfidia. In der Synagoge ist der Unglaube personifiziert, sie ist die wegen ihres Ungehorsams und um ihrer in der Kreuzigung Christi gipfelnden Sünden (Goldenes Kalb, Mord der Propheten, Verstocktheit etc.) willen von Gott Verworfene. Die Synagoge verteidigt sich mit ihrer einstigen königlichen Stellung, die auf der Münchner Elfenbeintafel durch die Krone auf ihrem Haupt zum Ausdruck kommt. Aber die Ekklesia erklärt sich, nachdem der Staat nun christlich geworden ist, zur Herrscherin und erniedrigt die Synagoge zur Magd, von der sie die Herrschaftsinsignien fordert. Die Beschneidung, einst Zeichen der Zugehörigkeit zum auserwählten Volk, ist nun zu einem Zeichen der Schande und damit das Beschneidungsmesser zu einem Attribut der verworfenen Synagoge geworden. In diesem Dialog verstummt die Synagoge erst, als die Ekklesia auf Grund von Worten der Propheten beweist, daß Christus der von den Juden erwartete Messias ist. Die Münchner Elfenbeintafel um 850 stellt das Calcatio-Motiv, die Forderung der Ekklesia an die Synagoge, ihr die Herrschaft – das tympanon (Globus) – zu übergeben, zum erstenmal dar. Die Worte der Ekklesia aus dem Dialogus: »Ich bin die Königin, die dich der Herrschaft entsetzt« sind hier ins Bild umgesetzt.

Hasta signifera mit flammula (Lanze mit dreizipfligem Fahnentuch) und solium regni (Herrschaftsthron) dienen dazu, die Übernahme der Herrschaft, die »depositio« der Synagoge, sinnfällig zu machen[28]. Eine um 900 entstandene Metzer Tafel in Paris, *vgl. Bd. 2 Abb. 366 und S. 123,* zeigt die Inbesitznahme des Thrones der Synagoge und die Übernahme ihrer hasta signifera durch die Ekklesia. Das Altercatio-Motiv ist der Münchner Tafel gegenüber nur wenig abgewandelt. Das Tempelgebäude hinter der Synagoge ersetzt deren Mauernimbus. Die Synagoge hält in der linken Hand das Beschneidungsmesser. Ihre flammula ist an eine Hasta, die der Ekklesia an das Zepter gebunden. Das Tympanon hält hier die siegreiche Ekklesia, die, ein zweites Mal dargestellt, unter dem Kreuz auf dem gleichen lehnenlosen Thron sitzt, den bei der Altercatio oben die Synagoge einnimmt. Sie blickt auf die Besiegte zurück. Es hat einen tiefen Sinn, daß die Herrschaftsübertragung unter dem Kreuz stattfindet, denn sie ist in der Stellung der Ekklesia zum Kreuz begründet. Das eigentliche Altercatio-Motiv tritt schon im Laufe des 10. Jh. zurück. Es wird abgelöst durch die Gegenüberstellung von Ekklesia und Synagoge unter dem Kreuz, deren Auftrag und Geschick durch verschiedene Gestik und Attribute gekennzeichnet sind. Die typische Haltung für die Synagoge wird nun die Abwendung vom Kreuz. Sie schreitet hinweg, blickt aber

von Sven Jenski um 860 angesetzt. Aus stilistischen und ikonographischen Gründen kommt Raddatz zu der Datierung Mitte des 9. Jh., der wir uns wie bei der Vordatierung des Drogo-Sakramentars schon im Band 2 anschlossen, siehe Raddatz, S. 7 und Anm. 16.

26. MPL 42, 1131–1140. P. Weber, 1894, machte schon auf den Zusammenhang dieser Schrift mit dem antithetischen Figurenpaar der karolingischen Kunst aufmerksam und sieht in ihr den Ansatz des mittelalterlichen geistlichen Dramas. Er erkannte, ebenso wie andere Gelehrte, nicht, daß es sich um eine Schrift des 9. Jh. handelt. Seine Datierungen für die geistlichen Spiele dürften zu früh liegen, denn aus den genannten Zeiten sind keine überliefert.

27. Zur zeitgeschichtlichen Situation, die sich von der judenfreundlichen Einstellung unter Karl d. Gr. und Ludwig dem Frommen zu einer antijudaistischen Haltung, die, durch die Schriften Agobards von Lyon, der sich auf das »altheilige Recht der Kirche« beruft, ausgelöst, sich auf den Synoden von Meaux und Paris 845/846 und durch weitere staatliche und kirchliche Bestimmungen zu dem Verhältnis der Juden zum Staat und den Christen festigte, siehe Raddatz, 1959, S. 33–52, und zur Fälschung in der Werkstatt Pseudo Isidors, jener lange Zeit in der Datierung umstrittenen Schrift des »Dialogus de altercatione Ecclesiae et Synagogae«, S. 52–55 und Anm. 285.

28. Zu Hasta signifera und Bacalus siehe Raddatz S. 57–59, zum Tympanon S. 60f., zur Krone S. 62–64.

zu Christus zurück, *vgl. Bd. 2, Abb. 371, 373, 376.* Auf einer weiteren Metzer Elfenbeintafel um 900, Florenz, *Abb. 100,* ist die Synagoge ohne jedes Attribut hinter Johannes am Bildrand angebracht. Sie flieht vom Kreuz, ohne sich umzuwenden.[29].

Ekklesia mit der Fahne in der linken und dem erhobenen Kelch in der rechten Hand zeigen schon die Initiale im Drogosakramentar um 830, in der noch die Einheit von beiden Kirchen durch die Gestalt des Hosea zum Ausdruck gebracht wird, und die Münchner Elfenbeintafel, um 850. Das Motiv des Speerstichs durch Longinus ist von alters her sakramental gedeutet worden: Das Blut und Wasser, das nach Mt 27 der Wunde des gekreuzigten Herrn entsprang, galt als Zeichen der Eucharistie und der Taufe[30]. Diese Deutung wird in der karolingischen Kunst mit Ekklesia in Verbindung gebracht. Indem sie den »Kelch des Heils« zum Kreuz emporhebt, ist sie in eine enge Beziehung zum Erlöser und zu dem unmittelbar auf Christus zurückführenden Sakramenten gesetzt. Von Beginn der Darstellung der Ekklesia an ist der Kelch, wie auf den beiden Metzer Tafeln von Anfang des 10. Jh., auf denen die Synagoge mit baculus und flammula vom Kreuz hinwegschreitet, *vgl. Abb. 371, 373,* ihr wichtigstes Attribut. Es kann sogar das einzige sein. Zur Siegesfahne tritt vom 10. Jh. an bei ihr die Krone, zuerst in der Form eines mit Lilien besetzten Stirnreifs, *Abb. 100.*

Die Nicasius-Diptychontafel des Kirchenschatzes der Kathedrale zu Tournai, um 900, *vgl. Band 2, Abb. 367,* weicht von den gleichzeitigen gegensätzlichen Darstellungen von Ekklesia und Synagoge dieser Zeit ab. Die Personifikationen sind als »Sancta Ecclesia« und »Jerusalem« inschriftlich benannt und stehen vor kleinen Gebäuden. Sie blicken in gleicher Weise zu Christus empor, Jerusalem etwas erschrocken. In ihrer insgesamt positiven Haltung ist diese Gestalt nicht als Synagoge zu interpretieren, sondern wie Hosea auf dem Kreuzigungsbild des Drogosakramentars als Personifikation des Alten Bundes im Sinne der Einheit der Heilsgeschichte.

Während die Darstellungen des 9. und 10. Jh. weitgehend voneinander abhängig sind, unterscheidet sich die Elfenbeintafel von Tongern, 1. Hälfte 11. Jh., *vgl. Bd. 2, Abb. 377,* von den karolingischen Vorbildern insofern, als die Ekklesia nicht der Kelch hochhebt, sondern einen dreiblättrigen Zweig als Zeichen des Lebens in der Hand hält; die Synagoge dagegen einen Isopzweig. Der Isopzweig wurde im Tempel Jerusalems zum Rühren des Opferblutes benutzt. Er ist in der Hand der Synagoge ein Hinweis auf das alte Opfer des Tempels, das durch Christi Opfertod abgelöst wurde. Vgl. für dieses Attribut, das ein Sondermotiv dieses Kunstgebietes zu sein scheint, auch die Lütticher Elfenbeintafel, 1. Hälfte 11. Jh., *Bd. 3, Abb. 482.* Hier fällt außerdem auf, daß die Synagoge dem Kreuz zugekehrt steht, sich aber zu Johannes umwendet und mit ihm zu sprechen scheint, während sie auf Christus weist.

---

29. In eine Bildzone unter die Kreuzigung ist das Calcatio-Motiv auf einer Elfenbeintafel des späten 9. Jh. im Victoria and Albert Museum, London, verlegt, vgl. Goldschmidt I, 132 a. Siehe zur jüngeren Gruppe der Metzer und ihr verwandter Schulen des 9. und 10. Jh. die Elfenbeintafeln in London, Goldschmidt I, 85, 88 und in Cannat, Goldschmidt I, 89.

30. Vgl. Bd. 2, S. 104. In verhüllter Form vertreten Longinus mit der Lanze und Stephaton mit dem Ysopstab unter dem Kreuz Ekklesia und Synagoge. Stephaton war der Überlieferung nach Jude, daraus erklärt sich die Deutung des Essigs als die alte Lehre, die jetzt verdorben ist. Longinus ist häufig mit dem heidnischen Hauptmann identifiziert worden. So treffen in dieser Figur zwei Momente zusammen: das Bekenntnis des Hauptmanns, in dem man die neue Lehre sah, und die Öffnung des Herzens Christi durch den Speer. Die Verlegung des Speerstoßes auf die rechte Seite des Kruzifixus zeigt, in welchem Maße er symbolisch gedeutet wurde. Die Longinuslegende (vgl. Bd. 2, S. 23 f.), nach der der Speerhalter durch das Blut Christi von seiner Blindheit geheilt

wurde, ist hinsichtlich der Deutung des Longinus als Ekklesia aufschlußreich, da der wichtigste Vorwurf, der der Synagoge gemacht wurde, ihre Blindheit, das heißt ihr Unvermögen, den Messias zu erkennen, ist. Die Kirche (der Glaube der Christen) ist die sehende, die den Wein der neuen Lehre empfängt, um ihn weiterzureichen. Wieso die Gottesmutter unter dem Kreuz auch als Kirche aufgefaßt wurde, wird in einem späteren Kapitel ausgeführt. Entsprechend galt Johannes als Synagoge, was weniger einleuchten will. Doch Gregor der Große (in Hom. XXII in Ev. Joan XXII, 1–9) und die im wesentlichen von Anselm von Laon zusammengestellte und von der Mitte des 12. Jh. an weit verbreitete Glossa Ordinaria, (Glossa ordin. in Joan XII), deuten den Wettlauf der Jünger zum Grab (vgl. Bd. 3) dahin, daß Johannes dem Petrus, der die neue Kirche vertritt, den Vortritt lassen muß und erst als zweiter das Grab betritt, so daß er im Gegensatz zu Petrus als die dem Glauben zögernd gegenüberstehende Synagoge galt.

Die Matronenkleidung der Ekklesia mit dem über den Kopf gelegten Tuch wird im 11. Jh. allmählich durch ein fürstliches Gewand mit weiten Ärmeln und Borten abgelöst. Dieses Gewand trägt oft auch die Synagoge, die nun durch die herabfallende Krone als die ehemalige Königin Juda und durch den herabgezogenen Schleier oder eine Binde über den Augen als die zum Glauben Unfähige und darum Schuldige gekennzeichnet ist. In steigendem Maße kommt ihre Niederlage durch Haltung und Attribute zum Ausdruck. Sie wendet sich nicht nur vom Kreuz ab, sondern geht gebeugt von dannen (Kl 5,16f.[31]). Ihre Lanze ist zerbrochen, das Fahnentuch hängt schlaff herab. So zeigt sie schon die gedankenreiche Miniatur des Regensburger Uta-Evangelistars, 1. Viertel 11. Jh., München, *vgl. Bd. 2, Abb. 385 und S. 126f.* Ekklesia trägt den Kelch über dem gekrönten Haupt und ist so mit dem Blute Christi geschmückt. Beide Gestalten sind der rahmenden Leiste eingefügt, während unten am Kreuz sich die Personifikationen von Vita und Mors gegenüberstehen. (Für diese Anordnung von Ekklesia und Synagoge *vgl. auch Bd. 2, Abb. 410.)* Das Gunhild-Elfenbeinkreuz, um 1050–1075, (Vorderseite), Kopenhagen, verteilt diese beiden Gegensatzpaare auf die Enden der Kreuzbalken, so daß oben Vita mit dem Dreiblütenzepter (Lebenszeichen) steht, während unten der Tod in die Sargkiste gedrückt wird. Links vom Kruzifix (die Figur ist verloren) kauert die Synagoge. Ihr Oberkörper ist unbekleidet, was Schmach bedeutet, ihre Augen sind geschlossen. In Gram rauft sie sich die Haare. Hinter Ekklesia, die zu Christus blickt und wie auf der Nicasiustafel durch eine Inschrift als »heilig« qualifiziert ist, steht die dreigeteilte Fahne am Kreuzzepter gleich einem Siegesbanner, *Abb. 102 a–d.* Die Rückseite des Kreuzes zeigt in der Mitte den Weltenrichter. Auf dem linken Kreuzarm entsprechen die Verdammten auf der Rückseite der Synagoge, rechts die Auferstehenden der Ekklesia. Der Bezug zwischen Opfertod und Gericht auf diesem Kreuz mag dazu geführt haben, die Synagoge nicht nur als entmachtet und verstoßen, sondern als Verurteilte und Verdammte darzustellen. Diese Verbindung

des Ekklesia-Synagoge-Motivs mit dem Gerichtsgedanken äußert sich in der abendländischen Kunst häufiger erst ab Mitte 12. Jh. Allerdings sind aus dem 11. Jh. überhaupt nur wenig Kreuzdarstellungen mit Ekklesia und Synagoge erhalten. Für die ottonische Buchmalerei um 1000 mag die Ursache hierfür die häufige Benutzung byzantinischer Vorlagen sein, die offenbar das Motiv vor dem 11. Jh. nicht kannten. Möglicherweise war es aber doch verbreiteter, als nach dem heutigen Denkmälerbestand zu erkennen ist, denn in mehreren abendländischen Kreuzigungsdarstellungen des 12. und 13. Jh. ist der Einfluß der östlichen Ikonographie zu beobachten.

In der mittelbyzantinischen Kunst[32] kommt die isolierte Gegenüberstellung von Ekklesia und Synagoge, die im Abendland von der Mitte des 12. Jh. an üblich wird, nicht vor. Sie stellt die beiden Figuren nur im Kreuzigungsbild dar, und zwar über oder unter dem Querbalken des Kreuzes im freien Raum (als Ganz- oder Halbfiguren); sie werden von zwei fliegenden Engeln zum Kreuz beziehungsweise von ihm hinweg geführt oder gedrängt. Außerdem wird auch eine einzelne Frauengestalt am Fuße des Kreuzes kniend mit dem Kelch dargestellt, wie in dem Tetra-Evangeliar in Paris, grec. 74, fol. 207v, und auf einer russischen Miniatur im Gertruden-Psalter in Cividale[33]. Die Pariser Handschrift, 11. Jh., enthält fol 59 außer diesem Darstellungstypus eine zweite Kreuzigungsminiatur mit den aus den Gräbern Auferstehenden und verbindet beide byzantinischen Varianten des Motivs, *Abb. 104.* Man kann allerdings kaum annehmen, daß Ekklesia zweimal dargestellt ist, es sei denn, daß Vorlagen von zwei Traditionen der Ekklesiadarstellung benutzt und vereint wurden. Beide Figuren unterscheiden sich in ihrer Kleidung. Da Ekklesia vielfach in Parallele zur Personifikation des Glaubens (fides) steht, so daß eine Figur die andere ersetzen kann, wird es sich hier bei der Gestalt am Fuß des Kreuzes nicht um eine Wiederholung der Ekklesia, sondern um die Fides handeln. Auf einer allerdings sehr viel späteren Miniatur, einer Kreuzigung durch die Tugenden, Regensburg 1271, *vgl. Bd. 2, Abb. 452,* sind alle Personen

31. Siehe die Paraphrase der Klagelieder des Prudentius, MPL 59, 1044.
32. RBK, Lf 9, Sp. 30–33 (Wessel).
33. Der Psalter ist nach der Frau des russischen Fürsten Isjaslow genannt, die längere Zeit am Hof Heinrichs IV. weilte. Da-

mals wurden die Miniaturen diesem im Auftrag von Erzbischof Egbert von Tours Ende des 10. Jh. geschriebenen Psalter eingeheftet; daher auch die Bezeichnung »Egbertpsalter«. Siehe dazu Sauerland-Haseloff, Der Egbertpsalter, Trier 1901.

namentlich bezeichnet. Hier ist der Vertreibung der Synagoge die gekrönte Fides, die im Kelch das Blut Christi bewahrt, gegenübergestellt[34]. In einem slawischen Psalter des 14. Jh., München, sind die zwei Halbfiguren im Freiraum über dem Kreuz als Altes und Neues Testament bezeichnet.

Beide Kompositionsformen übernimmt die abendländische Kunst; dabei kann sich die östliche Ikonographie mit westlicher Ausdrucksgestik verbinden. Niccolò und Giovanni Pisano fügen den Kreuzigungsreliefs der verschiedenen Kanzeln im oberen Bildraum die beiden Engel mit Ekklesia und Synagoge ein. Auf der Domkanzel in Siena, *vgl. Bd. 2, Abb. 507*, hält die jugendliche Ekklesia ein Kirchenmodell in Händen, das in dieser Zeit im Westen zu ihren Attributen gehört. Die sich sträubende Synagoge, als altes Weib wiedergegeben, wird mit Gewalt verdrängt. Sie hält ein Tempelgefäß in Händen. Das Grundschema ist auf allen Kanzeln der Pisaner Meister dasselbe, die Attribute wechseln. Auch das Relief der Kreuzabnahme von Antelami in Parma, 1178–1179, *vgl. Bd. 2, Abb. 555*, zeigt die Engel, die der byzantinischen Ikonographie entstammen. Das Herabstoßen der Krone, worin die Verurteilung der Synagoge zum Ausdruck kommt, ist allerdings ebenso westlicher Herkunft wie das Stehen beider Figuren unter dem Kreuz.

Ein unteritalienisches Elfenbeinrelief des späten 11. Jh. stellt die vier Figuren in ein eigenes Bildfeld unter die Kreuzigung, *Abb. 103, Ausschnitt*. Im Gegensatz zur Synagoge, die die Arme hochhebt und deren Haare in Strähnen herabhängen, trägt Ekklesia die Krone und byzantinische Hoftracht. Hier tritt der Umarmungsgestus auf, der bei der Brautsymbolik und den Tugenddarstellungen als Ausdruck der seelischen Gemeinschaft häufig ist, siehe unten. Ein Altarretabel aus Soest, Anfang des 13. Jh., Berlin, *Abb. 105*, das der byzantinisierenden Gruppe der sächsisch-westfälischen Malerei angehört, übernimmt

die byzantinische Kompositionsform, jedoch die Attribute der abendländischen Synagogendarstellung und dramatisiert die Verstoßung durch einen Lanzenstoß gegen die Synagoge. Das unter den Figuren eingefügte Gesims ist als ein Requisit der Bühnenspiele, auf dem die Spieler unter dem Querbalken des Kreuzes agierten, gedeutet worden[35]. Aufbauten an beiden Seiten, nicht unter Ekklesia und Synagoge, enthält eine syrische Miniatur aus der Zeit um 1200, London, *Abb. 106*, und noch im 1. Viertel des 14. Jh. ein Fresko der Klosterkirche in Gračanica[36]. Das Motiv des Gesimses könnte also ebenso aus der östlichen Bildkunst stammen und das mehrfach vorkommende Hilfsmittel der Wolken unter den Halbfiguren ersetzen. Auf die byzantinische Ikonographie gehen bei dem Retabel auch die vier Juden und die sechs anbetenden Engel, die im 13. Jh. im abendländischen Kreuzigungsbild noch selten sind, zurück[37].

Ein Nachklang der Ekklesia oder Fides am Fuß des Kreuzes mag die Wiedergabe beider Gestalten als Halbfiguren unter dem Kreuz auf einer Miniatur auf Pergament, um 1200, aus dem Kloster St. Knud, Odense (Dänemark), sein, die im 16. Jh. für ein kleines Triptychon verwendet wurde, Nationalmuseum Kopenhagen. Wie auf dem Gunhildkreuz ist der Oberkörper der Synagoge entblößt. Interessanter für die Einschmelzung der Variante der byzantinischen Ikonographie in die abendländische ist die vermutlich in Venetien entstandene Holzschnitzerei des ehemaligen Einbanddeckels vom Gertrudenpsalter, um 1200, in Cividale, *Abb. 107*. Die gekrönte Ekklesia mit dem Attribut der Siegesfahne kniet am Stamm des Kreuzes und hebt einen großen Kelch zu den blutenden Füßen Christi empor, während die Synagoge steht und die im Westen um diese Zeit üblichen Attribute hat. Zwei herabstürzende Engel, Michael und Gabriel bezeichnet, sammeln das den Händen Christi entströmende Blut und schwingen Rauchfässer. Wie sie, so sind auch zwei der vier

34. K. Wessel in RBK hält es für möglich, die kniende Frau der Pariser Miniatur als eine Personifikation der Eucharistie zu deuten.

35. Siehe Weber, Anm. 10 u. 26, und andere nach ihm.

36. Zu Gračanica siehe K. Wessel, RBK, und R. Hamann-Mac Lean und Hallensleben, Die Monumentalmalerei in Serbien und Makedonien vom 11. bis zum frühen 14. Jh., Gießen 1963, Abb. 330. Vgl. auch Studenica, Muttergotteskirche, in: S. Radojčić, Geschichte der serbischen Kunst, Berlin 1969, Abb. 9.

37. Es muß allerdings eingeräumt werden, daß beide genannten Beispiele, die noch durch eine weitere syrische Handschrift um 1230, fol. 139 r, Vat. syr. 559, Tf. 90, 2, bei Leroy, Les manuscrits Syriaques à Peintures, Paris 1964, ergänzt werden können, verhältnismäßig spät liegen und den Randgebieten des byzantinischen Bereiches angehören, die dem westlichen Einfluß offener waren als Byzanz. Die Annahme, die Requisiten entstammten den abendländischen Spielen, ist durch diese Beispiele nicht widerlegt.

Wesen, Adler und Mensch, herabstürzend gezeigt, und zwar als anthropomorphe Gestalten, während die beiden anderen in den unteren Ecken des Bildfeldes als Löwe und Stier wiedergegeben sind. (Zur Hand Gottes und der Taube über dem Kruzifix *vgl. Bd. 2, Abb. 395, 409, 410.*)

Der Einfluß der beiden Varianten des byzantinischen Ekklesia-Synagogen-Motivs im westlichen Kreuzigungsbild ist so gering, daß sich, abgesehen von den erwähnten Wiederholungen der Pisanoschule, keine Tradition für diese Kompositionsform im Westen gebildet hat. In der serbischen und makedonischen (heute Jugoslawien) Wandmalerei lebt der byzantinische Darstellungstypus noch im 14. Jh. weiter. Doch kommt im byzantinischen Raum vereinzelt auch der abendländische Darstellungstypus vor, so schon auf einem Emailtäfelchen, Mitte 10. Jh., des Museums in Tiflis, *Abb. 101.* Ob eine Parallelentwicklung oder Beeinflussung der spätkarolingischen Darstellung vorliegt, muß offenbleiben.

Im Laufe des 12. Jh. löst sich im Abendland die Ekklesia-Synagoge-Darstellung von der Kreuzigung. Sie verbindet sich mit anderen Themen, um dann im 13. Jh. in der Monumentalkunst ihren künstlerischen Höhepunkt zu erreichen. Der Schwerpunkt der Darstellungen liegt immer im westlichen Bereich der abendländischen Kunst. Es treffen im 12. Jh. mehrere Komponenten zusammen, die das Interesse an dieser Antithese von verschiedenen Seiten her steigern. Mit den Kreuzzügen ab 1096 verschärft sich die abendländische Haltung den Juden gegenüber, und es breitet sich vielerorts Haß gegen sie aus. Sie werden, wie vorher nur die Heiden und Araber, den »Feinden Christi« zugerechnet, die es zusammen mit den Ketzern im eigenen Land zu vernichten gilt. Der alte Vorwurf gegen die Juden, die »Mörder Christi« zu sein, die selbst den Fluch Gottes heraufbeschwören (»Sein Blut komme über uns und unsere Kinder«, Mt 27,25), wird gegen alle zeitgenössischen Juden erhoben. Diese Gesinnung, die schon aus der oben erwähnten Schrift »Dialogus de altercatione Ecclesiae et Synagogae« des 9. Jh. spricht, führt nun bei der bildlichen Darstellung öfters zur Verächtlichmachung und Demütigung der Synagoge. Auch die Schauspiele, hervorgewachsen aus den dialogischen Prophetenspielen (*vgl. Bd. 1, S. 24*), die der Bekehrung der Juden dienen sollten, nehmen in steigendem Maße die zeitgenössische Polemik auf und erfreuen sich von der 2. Hälfte des 12. Jh. an großer Popularität.

Neben dieser negativen Haltung den Juden gegenüber steht jedoch das sich Ende des 11. Jh. anbahnende stärkere theologische Interesse am Alten Testament, das zu der von der Scholastik ausgebauten Typologie führt[38]. Bei dieser Betrachtungsweise steht die Einheit der Heilsgeschichte im Vordergrund. In sie ist der eschatologische Aspekt einbezogen, wie ihn Paulus Röm 11,25–27 beschreibt: »Ich will euch nicht verhehlen, liebe Brüder, dieses Geheimnis: Blindheit ist Israel zum Teil widerfahren, so lange, bis die Fülle der Heiden eingegangen sei und also das ganze Israel selig werde, wie geschrieben steht: Er wird kommen aus Zion, der da erlöse und abwende das gottlose Wesen von Jakob. Und dies ist mein Testament mit ihnen, wenn ich ihre Sünden wegnehme. Nach dem Evangelium sind sie zwar Feinde um euretwillen, aber nach der Wahl sind sie Geliebte um der Väter willen.« Dahinter steht die Weissagung vom künftigen Heil Israels, Jer 31,31–34 und andere Stellen der Propheten. Aus diesem Geist ist um 1160 die vom eschatologischen Gedanken der Wiederkehr Christi (2 Thess 2) bestimmte Dichtung »Ludus de Antichristo« entstanden, die im Gegensatz zu anderen polemisierenden Dramen steht. Der Dichter weicht entschieden von den üblichen Vorstellungen seiner Zeit ab und vermeidet jede Verunglimpfung der Synagoge und der Juden. Für ihn geht der Antichrist nicht aus den Juden, sondern aus dem Schoß der Kirche hervor. Aus dieser selbständigen Geisteshaltung kann man als Verfasser auf einen theologisch und politisch kritisch denkenden Ordensmann schließen, der wahrscheinlich mit dem Herrscherhaus der Staufer, das sein Schutzrecht über die Juden wahrnahm, in Ver-

38. Als Grund für das Aufleben der Typologie im 11. und 12. Jh. führt F. Röhrig, Rota in medio votae, Wien 1960, die Waldenser- und Katharerbewegung an, die das Alte Testament mit Ausnahme der Psalmen, Weisheitsbücher, Teile der Propheten und des Buches Hiob ablehnten. Gewiß war eine der Reaktionen der Kirche darauf, das ganze Alte Testament in das Bewußtsein des

Klerus zu bringen. Vermutlich haben aber diese Bewegungen mit ihrem großen Zulauf zu der Einsicht geführt, daß der allgemeine theologische Bildungsstand der Geistlichkeit gehoben werden müsse. Dazu eignete sich diese Altes und Neues Testament verbindende typologische Betrachtungsweise, die in ihrem Bilderreichtum für die Kunst sehr ergiebig war, besonders gut.

bindung stand[39]. Zur gleichen Zeit hat Abt Suger von Denis (gest. 1151) das Programm von drei Fenstern in den
neu errichteten Teilen der Klosterkirche in St. Denis ent-
worfen und in einem Rechenschaftsbericht 1146–1149 die
Fenster im Hinblick auf die Heilsgeschichte beschrieben:
1) das Wurzel-Jesse-Fenster als ein Bild der Kirche, 2) fünf
Szenen aus dem Leben des Mose, 3) das sogenannte »ana-
gogische Fenster«, das uns noch beschäftigen wird, da in
ihm die Heilsgewißheit auch für den Alten Bund aufgezeigt ist[40].

Bernhard von Clairvaux (1090–1153), der selbst zum
Kreuzzug aufrief, wandte sich mit zeitweiligem Erfolg gegen
die Judenverfolgung, da das Urteil über die Juden dem
Menschen nicht zustehe. Der einflußreiche Prediger Berthold von Regensburg, Mitte des 13. Jh., wehrte sich ebenfalls gegen den Judenhaß. Er nennt einmal zwei Dinge, um
deretwillen die Juden unter den Christen zu dulden sind.
»Das eine ist, daß sie Zeugen sind, daß unser Herr gemartert ward von ihnen. Wenn ein Christenmensch einen Juden sieht, soll er daran andächtig denken. ›Ach‹, soll er
denken, ›bist du deren einer, von denen unser Herre Jesus
Christus gemartert ward und der für unsere Schuld litt?‹
Und ihr sollt Gott für seine Marter danken, ihr Christen-
leut, wenn ihr den seht.«[41]

Bernhard gab im 12. Jh. den Anstoß zu der zweiten großen Bildgruppe der Darstellung der Kirche, die von der
Interpretation des Hohenliedes ausgehend ihr Brautver-
hältnis zu Christus zum Ausdruck brachte. Es werden jedoch auch in der Darstellung der Konfrontation die Akzente unterschiedlich gesetzt, so daß auf die Nuancen des
Ausdrucksgehaltes zu achten ist. Gleiche Attribute können die Synagoge einmal als das schicksalhaft besiegte und
verschmähte Volk Israel, das Vorstufe der Kirche war,
ausweisen, zum anderen aber als Vertreterin der »Mörder
Christi« und als Verurteilte. Es ist zum Beispiel ein Unterschied, ob sie die Gesetzestafeln als ihr Emblem hält oder
ob diese ihren Händen entgleiten oder zerbrochen am Boden liegen.

In der 2. Hälfte des 12. Jh. tritt das Jüngste Gericht all-

gemein stärker in das Blickfeld als vorher. Es wird zu einem Hauptthema der Kathedralplastik Frankreichs. Dies
löste in der Ekklesia-Synagoge-Darstellung den Gedanken der Abrechnung des Herrn mit seinen Mördern aus.
Neben der oben erwähnten endzeitlichen Annahme des
Judentums kommt nun in der Synagogendarstellung bisweilen seine endgültige Verurteilung zum Ausdruck, sei es
durch die Verächtlichmachung der Synagoge, den Sieg der
Ekklesia über sie oder auch durch die Verstoßung der
Synagoge durch Christus. Während die Gestalt der gekrönten und nimbierten Ekklesia mit Kelch und Kreuz-
fahne oder -banner sich im hohen Mittelalter bei der Konfrontation kaum verändert, wird die Synagoge durch ihre
Haltung, in ihrer Kleidung und durch viele Attribute variiert. Auf einer Miniatur im Essener Missale, um 1100,
Düsseldorf, *Abb. 109*, die unter dem Kreuz nur die beiden
Figuren – in gleicher Weise fürstlich gekleidet – zeigt, trägt
die Synagoge den Judenhut, der damals die rechtliche
Sonderstellung der Juden bezeichnete. Sie hält als die Ent-
machtete die Fahne nach abwärts, ihre Kleidung erinnert
an ihr einstiges Königtum. Das Antiphonar von St. Peter,
Salzburg, um 1160, eine der wenigen südostdeutschen
Darstellungen, *Abb. 110*, bietet das erste Beispiel für das
Attribut des Jochs, das die Knechtschaft unter dem Gesetz
ausdrückt. Eine Steinfigur am Südportal des Wormser
Doms, um 1300, *Abb. 115*, zeigt ihr ehemaliges Herrschaftszeichen mehrfach gebrochen und als Attribut ein
Böcklein. Dies kann auf den alttestamentlichen Opferkult
hinweisen, kann sie aber auch verächtlich machen, wie es
hier der Fall ist, denn neben ihr steht Luxuria (Wollust),
auf die in dieser Zeit das Attribut des Bocks übergeht[42].
Ihre Blindheit (vgl. Röm 11,25), das heißt ihr Unvermögen, in Christus den Messias zu erkennen, wird entweder
durch den herabgezogenen Schleier, der am Jüngsten Tag
gelüftet wird, oder durch eine Augenbinde sinnfällig gemacht. Dieser schicksalhafte Mangel an Erkenntnis kann
als vom Satan bewirkt gedeutet sein, wenn sich um das
Haupt der Synagoge eine Schlange windet. Dieses Motiv
kam bei einer nicht mehr erhaltenen Figur in Notre Dames

---

39. Der Antichrist. Der staufische Ludus de Antichristo, kommentiert von G. Günther, Hamburg 1969. Der Kommentar gibt
ein gutes Bild der vielschichtigen geistigen Strömungen des 12.
Jahrhunderts.

40. K. Hoffmann, Sugers »anagogisches Fenster« in St. Denis,
in: Wallraf-Richartz-Jahrbuch 30, 1968, 57–88. Daselbst ist die

ältere Literatur genannt.

41. Zitiert bei A. Seiferth, 1964, S. 110, nach dem Sachsenspie-
gel.

42. Die Synagoge kann auch lediglich durch einen Tierkopf
veranschaulicht sein, vgl. Bd. 2, Abb. 433.

zu Paris auf und ist in St. Seurin, Bordeaux, um 1300, wiederholt worden, *Abb. 114.* Zwei Worte, die mehrmals neben der Synagoge oder auf ihrem Schriftband zu lesen sind, erläutern ihre Blindheit als Verstockung und Schuld: »Verflucht ist der, der am Holze hängt«, Gal 3,13 (*vgl. Bd. 2, S. 147, Abb. 442,* eine Miniatur eines Speculum humanae Salvationis, 1340–1350, das den Jessebaum mit dem Baumkreuz verbindet) und das herausfordernde Wort: »Sein Blut komme über uns und unsere Kinder«, Mt 27,25. Auf einem Fenster der Kathedrale in Bourges trifft ein von einem Teufel abgeschossener Pfeil ihre Augen und verursacht so ihre Blindheit; auf einem Fenster der Kathedrale in Le Mans stützt Aaron die Sinkende, während Ekklesia von Petrus gekrönt wird. Auf einer Tafel in der Hand der Synagoge der Darstellung im Hortus deliciarum der Herrad von Landsberg, 2. Hälfte 12. Jh., *Abb. 111* (Nachzeichnung), ist das Zugeständnis der Besiegten zu lesen: »Und ich wußte nichts.« Die erläuternde Inschrift neben ihr besagt, daß die Synagoge als die Mutter Jesu (»genetrix«), die er verlassen hat, unter dem Holz des Kreuzes unterging, als die Pharisäer riefen: »Sein Blut komme über uns und unsere Kinder.« Dem Wort auf der Tafel entspricht der über die Augen gezogene Schleier. Beschneidungsmesser und Böcklein sind Embleme des jüdischen Opferkultes. Das Banner, das sie hielt, liegt am Boden. Mit alledem verkörpert sie das Judentum, das nicht zum christlichen Glauben findet. Der Esel, auf dem sie sitzt, könnte als Verhöhnung aufgefaßt werden, wenn er nicht in dem Esel Bileams eine Parallele hätte, der vor dem ihm in den Weg tretenden Engel Gottes scheute, weil er ihn erkannte. Bileam dagegen, erfüllt von der Absicht, das Volk Israel zu verfluchen, war dem Engel gegenüber blind, 4 Mos 22. Der Esel der Synagoge scheut vor dem Kreuz zurück und blickt mit gesenktem Kopf in das Grab Adams. Das Reittier der Ekklesia hat die vier Köpfe der Evangelistensymbole, die in ihrer Vereinigung (Tetramorph) im hohen Mittelalter Sinnbild der Kirche sind (siehe unten zum Wagen der Kirche). Über dem Südportal des Doms zu Worms sitzt im Wimperg Ekklesia in stolzer, herausfordernder Haltung auf dem gleichen Reittier, *Abb. 113.* Beide Tiere sind noch einmal auf dem Tucherfenster des Freiburger Münsters um 1300 bei einem Turnier zwischen Ekklesia und Synagoge, deren Esel hinkt, zu finden; die Figuren tragen das ritterliche Kostüm der Zeit. Wenn das Reittier des Judentums ein Schwein oder ein Eber ist, wie

auf einer Gestühlswange um 1400–1410 im Erfurter Dom, *Abb. 140,* so ist das allerdings Verhöhnung, denn die Sau galt als Reittier der Heiden. Hat die Synagoge als Attribut den Beutel der Habsucht, so wird sie mit Judas dem Verräter gleichgesetzt. Bei dieser negativen Kennzeichnung der Synagoge trägt sie in der Regel nicht mehr die fürstliche Kleidung.

Ein häufiges Motiv ist das Herabfallen der Krone, das wie das Entgleiten der Gesetzestafeln und das Zerbrechen ihres Fahnenstabes den Verlust ihrer alttestamentlichen Heilsvollmachten bedeutet. Die Krone kann als Signum ihrer abgegebenen Herrschaft im freien Raum neben ihr stehen, *Abb. 108,* ihr zu Füßen liegen oder vom gesenkten Haupt gleiten. Sehr selten tritt dabei ein Engel in Aktion, wie bei der erwähnten Kreuzabnahme in Parma und auf dem stark beschädigten Relief im Kreuzigungstympanon der Kirche Saint-Gilles bei Arles, Anfang 12. Jh., *Abb. 112.* Die bei der Gewalttätigkeit des Engels herabfallende große Krone scheint hier ein Modell des salomonischen Tempels zu sein. Der Engel ist wahrscheinlich eine Übernahme aus einem Passionsspiel, denn in der unterhalb der Kreuzigung liegenden Bildzone ist der Salbeneinkauf der Frauen auf dem Weg zum Grab dargestellt, eine Szene, die nicht biblisch ist, sondern von der Kunst den Spielen entnommen wurde (vgl. ein oberitalienisches Beispiel hierfür Bd. 3, Abb. 44 und S. 30). Vom gesenkten Haupt gleitet die Krone auch bei der Figur auf der Dachfläche des 1247 vollendeten Eleutherius-Schreins in der Schatzkammer der Kathedrale zu Tournay, *Abb. 127.* Wie auf den Kanzeln der Pisani ist die Synagoge alt dargestellt: sie ist abgetan, ihre Zeit ist vorbei. In der rechten Hand hält sie einen nach unten gekehrten Kelch. Ob er als negative Umkehrung des Kelchs, den Ekklesia auf der anderen Seite des Schreins feierlich auf einem Tuch trägt, *Abb. 126,* zu gelten hat oder das Emblem der törichten Jungfrauen auf die Synagoge übertragen ist, muß offenbleiben. (Zur Parallelisierung der Ekklesia und Synagoge mit den zehn Jungfrauen siehe unten). Die beiden Gestalten sind der Stirnseite des Schreins zugewandt, auf der der Auferstandene als Sieger und Richter thronend dargestellt ist, wie er seine Füße auf die überwundenen Feinde setzt, *vgl. Bd. 3, Abb. 92.* In den Zwickeln der Dachschrägen befinden sich Engel mit den Leidenswerkzeugen.

Ein Buchdeckel des Hildesheimer Kunstkreises, um 1160, im Domschatz zu Trier, *Abb. 108,* Ausschnitt, gibt die Gegnerinnen zweimal wieder. Einmal in der Mitte auf der Grubenschmelzplatte unter dem Kreuz, wobei die erhobene Hand[43] der sich Johannes zuwendenden Synagoge Anklage oder Fluch bedeuten kann; zum anderen auf zwei Elfenbeinplättchen im Rahmen als kämpferische Gestalten. Ekklesia mit Helm, Banner und Schild steht der Synagoge, die das überdimensionierte Beschneidungsmesser über der Schulter trägt, gegenüber. Beide blicken sich herausfordernd an. Offenbar findet ein Streitgespräch statt, doch ist auch hier die Synagoge im Hinwegschreiten wiedergegeben. Kampfmotive oder der Ausdruck eines Streitgespräches sind im hohen Mittelalter selten. In der Regel ergibt sich die Synagoge mit Trauer oder Gram in ihr Geschick. Indem sie sich zum Gehen wendet, vollzieht sie die göttliche Bestimmung.

Auf dem Emailtäfelchen dieses Buchdeckels hält die Synagoge drei Marterwerkzeuge Christi in der Hand: Lanze, Isopstab und Dornenkrone[44]. Sie sind Zeichen ihrer Schuld am Tod des Herrn. Vgl. hierzu auch die Platten von zwei Tragaltären aus der 2. Hälfte des 12. Jh., die künstlerisch zusammenhängen, *Bd. 2, Abb. 427 und 428, S. 138 f.*, ferner das Passionsfenster der Kathedrale Châlons-sur-Marne, 1150–1160. Auf der Platte aus Mönchengladbach entspricht dem Kelch in der Rechten Ekklesias die bei der Synagoge erhobene Thora. Die Figuren flankieren die Darstellung des Opfertodes Christi und stehen zusammen im Bezug zu den drei alttestamentlichen Opfertypen (Melchisedek, Abraham und Abel). Durch die übereinstimmende Haltung beider Frauengestalten ist die Würde der Synagoge gewahrt, soll doch auch sie letztlich gerettet und des Heils, das sie wider ihren Willen gewirkt hat, teilhaftig werden.

Die Synagoge verwundet das Gotteslamm. Hierbei handelt es sich um ein Motiv, das in einer besonderen Bildgruppe im 12. und 13. Jh. zu beobachten ist und den Akzent auf den sakramentalen Gehalt der Bildaussage legt. Ein Einzelblatt aus einem Missale, vor 1250, Baltimore, *Abb. 119*, zeigt die Synagoge, wie sie mit ihrer Lanze das Lamm durchbohrt. Der Speer zersplittert, Ekklesia hält den Kelch an die durch die Synagoge verursachte Wunde des Lammes[45]. Das Blatt, auf dem die kleine Miniatur dem Text mit Noten eingefügt ist, entstammt einem Meßbuch, doch ist dieses Sondermotiv auch in der Wandmalerei zu finden. Am Apsisbogen aus Spentrup (Dänemark), um 1200, Kopenhagen, *Abb. 116, 117*, stehen gegenüber den allegorischen Gestalten, die eng nebeneinander gerückt sind, Maria und Johannes. Letzterer ist durch seine betonte Trauergeste im Ausdrucksgehalt von Maria unterschieden, dem der Synagoge aber angenähert. Mit den beiden biblischen Gestalten mag an die Kreuzigungsdarstellung angeknüpft und das Lamm an die Stelle des Kruzifixus getreten sein; vielleicht soll aber auch die typologische Gegenüberstellung von Ekklesia – Maria und Synagoge – Johannes anklingen. Die Krone ist vom Haupt der Synagoge gefallen; Gram steht in dem alt gewordenen Gesicht. In gebeugter Haltung führt sie, ihrem sich selbst auferlegten Gesetz folgend, die Lanze gegen das Lamm und schlägt ihm die Wunde. Ekklesia, in der linken Hand das Buch (Lehre) haltend, vollzieht ohne Triumph ihren eucharistischen Auftrag, der nach dem Ratschluß Gottes ihr gegeben ist. (Zur Schlange, auf die Ekklesia tritt, siehe unten.) Wie Gott die »Blindheit« der Synagoge in seinen Plan mit einbezieht und sie durch ihre unheilvolle Tat Heil wirken läßt, wird besonders deutlich, wenn Ekklesia nicht mit dargestellt ist, wie in der Mitte auf der Rückseite des Kreuzes aus der Abtei Bury St. Edmunds wahrscheinlich letztes Viertel 12. Jh., New York[46], *Abb. 118*, Ausschnitt.

---

43. Zur erhobenen Hand vgl. Bd. 2, Abb. 424.

44. Es wird manchmal geäußert, die Synagoge halte ihre eigene Krone. Das trifft nicht zu, denn diese drei Leidenszeichen werden, sofern eine Auswahl getroffen ist, zusammen dargestellt, vgl. Bd. 2 das Kapitel »Arma Christi« und Abb. 647, 651, 652. Die Dornenkrone der Synagoge auf dem Bucheinband und den Tragaltären ist keine königliche Krone, sondern die gleiche wie auf Armadarstellungen. Ein dritter Altar der Maasschule, vgl. Bd. 2, Abb. 446, zeigt als Attribute der Synagoge den zerbrochenen Speer und die Krone. Da die zerbrochene Lanze ein häufiges Attribut der Synagoge ist, liegt es nahe, hier in der Krone die eigene

zu sehen, doch hat sie auch hier die geflochtene Form der Dornenkrone Christi.

45. Zum Darstellungstypus der Ekklesia, die das Blut des Lammes auffängt (ohne Synagoge), vgl. Bd. 2, Abb. 400, 403, S. 129–133.

46. T. P. F. Hoving, The Bury St. Edmunds Cross, in: The Metropolitan Museum of Art Bulletin N. s. 22, 1963/64, 317–340 setzt das Kreuz mit den sozialen und religiösen Krisen vor der Vertreibung der Juden aus England in Verbindung. Vgl. zu diesem Kreuz auch W. Mersmann, Das Elfenbeinkreuz der Slg. Topic-Mimara, in: Wallraf-Richartz-Jahrbuch 25, 1963, S. 7–108. In

Ebenso wie auf der Wandmalerei führt die Synagoge in abgewandter Haltung die Lanze gegen das Lamm, die hier vierfach zersplittert. Hinter der Synagoge steht trauernd Johannes. Propheten und Engel, um das mittlere Rund herumgeführt, und Johannes halten Schriftbänder: Auf das Lamm und Johannes beziehen sich Apk 5,4.5.12. Der Spruch der Synagoge geht auf 5 Mos 21, 23, vgl. Gal 3,13, zurück. Die Worte des Propheten unter dem Lamm und des über dem Kreis liegenden zitieren Jer 11,19. Das Kreuz (siehe die Auferstehungsdarstellung Bd. 3, Abb. 23) enthält insgesamt 108 Engel, Propheten, Patriarchen, Apostel mit sechzig Schriftbändern. Darin wird sein Zusammenhang mit den Prophetenspielen deutlich. Wie das Kreuzigungsbild der Herrad von Landsberg überträgt es ein Kompendium der Heilslehre ins Bildhafte.

Die Erwählung der Ekklesia und die Verstoßung der Synagoge durch Christus. Zu dem Kompositionsschema des Fensters in St. Denis mit den drei stehenden Figuren, *Abb. 89,* ist Suger vielleicht durch eine Miniatur im Liber floridus des Kanonikers Lambert aus St. Bertin angeregt worden. Diese Handschrift war schon bald nach ihrer Entstehungszeit um 1100 so bekannt, daß sofort Kopien mit verschiedenen Abwandlungen der Illustrationen angefertigt wurden. Das 1120 vollendete Genter Exemplar enthält eine Darstellung des zwischen Ekklesia und Synagoge stehenden Christus, *Abb. 122.* Sie zeigt die Krönung der Ekklesia, aber statt der Entschleierung der Synagoge ihre Verstoßung. Ihre Augen sind wie auf der karolingisch-ottonischen Darstellung nicht verdeckt; sie blickt vielmehr zurück, während die Hand Christi sie beiseite drängt. Ihre zerbrochene Fahne verweist auf die Entmachtung, der Höllenrachen, auf den sie zuschreitet, auf die Verurteilung. Diese wird begründet durch den großen Taufstein hinter Ekklesia, der ein Zeichen der Entscheidung für Christus ist.

Eine etwa gleichzeitige Initiale zu Beginn des Hohenliedes in der Hardingbibel von Citeaux, 1088–1109, Dijon, betont die Gerichtsvorstellung (Mt 25,34 und 41) durch die Christusfigur, die gleich dem Weltenrichter auf dem Regenbogen thront. Auch hier segnet er die gekrönte Ekklesia und verstößt die Synagoge, die in gebeugter Haltung abgeht[47]. Ebenfalls in der Eingangsinitiale zum Hohenlied zeigt die Riesenbibel des 12. Jh. in Montalcino diese Szene, *Abb. 123.* Die Initiale ist in der Regel der Braut-Bräutigam-Darstellung vorbehalten, die sich hier mit der Verstoßung der Synagoge verbindet. Zur Rechten Christi sitzt die von ihm erwählte Braut, die eine hohe Krone trägt und Kelch und Hostie hochhebt. Der linke Platz ist leer. Die vom Thron und von der Seite Christi verstoßene Synagoge liegt, das Böcklein in ihren Armen haltend, vor den Stufen des Thrones und blickt traurig empor. Sie ist die Entthronte oder Verstoßene, aber nicht die Gerichtete, denn der alttestamentliche Opferkult, auf den das Böcklein in ihren Armen hinweist, war einst gottgefällig, ist aber nun aufgehoben und überhöht durch das einmalige Opfer Christi (vgl. Hebräerbrief). Der Bildtradition des alt- und neutestamentlichen Gegensatzpaares näher steht eine Initialminiatur zum Introitus »De sacramento« in einem Missale aus Metz der 1. Hälfte des 14. Jh., Trier, die Christus mit dem Kelch in der linken Hand, den er mit der Rechten segnet, auf einem hohen Thron zwischen Ekklesia und Synagoge sitzend zeigt, *Abb. 124.* Als Hoherpriester des Neuen Bundes blickt er der sich abwendenden Synagoge nach. Der thronende Christus mit dem Kelch, zuweilen auch mit der Hostie, ist vom Abendmahlsbild abgeleitet. Isoliert dargestellt kann er bis in die erste Hälfte des 13. Jh. zurückverfolgt werden: Initiale »B« zu Beginn des 1. Psalms im Psalter von Peterborough, Cambridge. Gedanklich entspricht ihm die stehende Figur Christi mit dem Kelch, wie sie im Hortus deliciarum der Herrad von Landsberg, 2. Hälfte 12. Jh., im »Christus Rex und Sacerdos« zu finden ist. Er steht auf dem Propitiatorium (Dek-

diesem Zusammenhang ist auf den Darstellungstypus »Die Tugenden schlagen Christus an das Kreuz«, der im 13. Jh. aufkommt, hinzuweisen, vgl. Bd. 2, S. 149ff., insbesondere Abb. 450–454. Hier ist es die Caritas, die Sponsa oder die Ekklesia, die mit dem Speer die Seite des Gekreuzigten öffnet, damit die Menschheit an der Quelle des Heils teilhat, also im umgekehrten Sinn als der Versuch der Synagoge, das Lamm zu verwunden. –

Eine weitere Darstellung des Motivs der Verwundung des Lammes und des zersplitternden Speers der Synagoge befindet sich in einem Pontificale, fol. 109, vom Anfang 13. Jh. in Montpellier, Fac. de Medicin, abgebildet bei Blumenkranz Nr. 67. Ekklesia trägt hier statt des Kelchs ein Kirchenmodell. Siehe unten auch das Wandbild in Göß, Abb. 265.

47. Bibl. munic. Ms. 14, fol. 60, siehe Abb. RDK IV, Sp. 1194.

kel) der Bundeslade, die als alttestamentliche Präfigura-tion der Kirche gilt. In der Bundeslade wurden die jüdischen Glaubenssymbole verwahrt (siehe Bd. 2, S. 46); auf dem Deckel waren zwei Cherubim aus Gold als Hüter der Stätte göttlicher Offenbarung und Gegenwart ange-bracht (vgl. Bd. 2, S. 242, 239 und Abb. 675).

Diese wenigen bekannten Bildbeispiele der Verstoßung der Synagoge durch Christus haben nichts mit dem Ju-denhaß der Zeit zu tun, sie zeigen auch nicht das endgül-tige Gericht über die Synagoge, sondern sind typologisch im Sinne der Erfüllung des alten Bundes durch das Opfer Christi zu verstehen[48]. Die neben Christus thronende Er-wählte ist die Braut, siehe unten, die dem Bräutigam am innigsten im Sakrament verbunden ist.

Für die liegende Synagoge gibt es zwei Beispiele, die ty-pengeschichtlich allerdings in einem anderen Zusammen-hang stehen. Das Figurenprogramm des ehemaligen Trie-rer Folcardusbrunnens der Abtei St. Maximin, um 1100, der nur in einer Nachzeichnung erhalten ist, geht von der Psychomachie aus und stellt nebeneinander zwölf christ-liche Tugenden, die als Sieger auf liegenden Lastern ste-hen, dar. Eingefügt ist ihnen die sieghafte Ekklesia auf der Synagoge. In der unteren Zone stehen zwölf Apostel auf den Landesfürsten, die die heidnischen Länder, die von ihnen missioniert wurden, vertreten[49]. Das antike Motiv des Stehens auf dem besiegten Feind, das schon im 5. Jahr-hundert für den Bildtypus »Christus victor« oder »Chri-stus triumphans« übernommen wurde (vgl. Bd. 3), ist ebenso auf die Tugend-Laster-Darstellung übertragen worden. Auf einer karolingischen Miniatur einer Hand-schrift der Psychomachie des Prudentius der Schule von Reims, 2. Drittel 9. Jh., steht Fides (Glaube) auf dem durch eine Frau personifizierten Heidentum und tritt de-ren Kopf nieder. Zugleich reicht sie den Siegeskranz dem ihr nahenden Märtyrer. Die allegorischen Gestalten Glaube und Kirche stimmen in ihrer Bedeutung überein

und sind austauschbar. Ekklesia auf dem Folcardusbrun-nen geht wahrscheinlich auf eine Fidesgestalt zurück. Da im hohen Mittelalter jedoch die Darstellung der Ekklesia verbreiteter war als die des Glaubens, hat der Meister des Brunnens der übernommenen Gestalt die Beschriftung »Ekklesia« hinzugefügt, entsprechend der besiegten »Synagoge«.

Da auf dem Brunnen die Überwindung des Judentums durch die Kirche im Typus der Psychomachie-Illustration dargestellt ist, entsteht eine »ecclesia triumphans«. Ob dieser Bildtypus im 12. Jahrhundert häufiger war, läßt sich nicht sagen. Es ist bisher nur eine Buchmalerei bekannt geworden, und zwar eine Initialminiatur zu Beginn der Homilie Bedas zum Kirchenweihfest, um 1175, Verdun, *Abb. 125.* Ekklesia steht, fürstlich gekleidet, das Haupt ohne triumphierenden Ausdruck leicht zur Seite geneigt, auf dem Rücken der Synagoge und setzt den Kreuzstab auf ihren Nacken. Im Gegensatz zu der an den Thronstufen liegenden Synagoge ist sie hier »blind« und ohne ein Attri-but des jüdischen Kultes als Allegorie für den Unglauben wiedergegeben[50].

Die Entschleierung der Synagoge lenkt den Blick auf die zukünftige Annahme Israels. Sie hat, wie oben erwähnt, eine Parallele in der »Entschleierung des Mose«, die schon um 870 dargestellt wird. Inhaltlich bedeuten diese Dar-stellungstypen das gleiche, denn Mose, der sein Antlitz verhüllte, weil das Volk den bei der Gottesoffenbarung auf dem Berge Sinai empfangenen Glanz nicht ertrug (2 Mos 34,29 ff.), figuriert ebenso wie die Synagoge das Volk Is-rael, nicht nur historisch, sondern gleicherweise im sym-bolischen Sinn.

Die Wurzel-Jesse-Darstellung, die manchmal Ekklesia und Synagoge als Vertreterinnen des Alten und Neuen Bundes aufnimmt, steht in der Bibel der Lambeth-Pa-lace-Library, 1. Hälfte 12. Jh., am Beginn des Buches Je-

---

48. Diese beiden Miniaturen hat F. Ronig publiziert und damit, wie auch mit den anschließend zu besprechenden Darstellungen, den bekannten Bildschatz zu dem Thema um wesentliche Bei-spiele neuer Bildgedanken bereichert. Er stellte uns freundlicher-weise seine Aufnahmen zur Verfügung. Literatur: Zwei singuläre Darstellungen von Ekklesia und Synagoge in einer Handschrift des 12. Jahrhunderts zu Verdun, in: Archiv für mittelrheinische Kirchengeschichte, 18, 1966, 297–305, und Der thronende Chri-

stus mit Kelch und Hostie zwischen Ekklesia und Synagoge, in der gleichen Zeitschrift, 15, 1963, 391–403.

49. Siehe P. Clemen, Monumentalmalerei, S. 312–318; A. Kat-zenellenbogen, Allegories of the Virtues and Vices in Mediaeval Art, 2. Aufl. New York 1964, S. 14–21; für die karolingische Zeit: S. Mähl, Quadriga virtutum, Köln–Wien 1969.

50. Vgl. F. Ronig, Zwei singuläre Darstellungen, S. 303.

saja, *vgl. Bd. 1, Abb. 35, S. 30.* Sie zeigt die Entschleierung der Synagoge, die hier die Hand Gottes (auf der karolingischen Darstellung bei Mose zwei der vier Wesen) vollzieht. Die Synagoge wendet sich dem unmittelbar neben ihr stehenden Mose zu. Für beide Entschleierungen oder Enthüllungen (revelatio) gibt 2 Kor 3,14–18 den biblischen Ansatzpunkt. Die schon erwähnte Scheibe des sogenannten anagogischen Glasfensters von St. Denis, Mitte 12. Jh., *Abb. 89* (Nachzeichnung), zeigt Ekklesia und Synagoge zu beiden Seiten des königlichen Christus der Herrlichkeit. Ebenso auf der englischen Wurzel-Jesse-Miniatur ist er mit den sonnenhaft angeordneten sieben Gaben des Heiligen Geistes angetan. Anlaß dafür gaben die letzten Verse des Korinthertextes. Eine andere Scheibe des Fensters zeigt die Entschleierung des Mose (im 19. Jh. erneuert). Auf dem Schriftband ist zu lesen: »Was Mose verhüllt, das enthüllt die Lehre Christi, der das Gesetz entschleiert und die Decke des Mose aufhebt.«[51]

Ekklesia und Synagoge sind auf dem Fenster von St. Denis beide königlich gekleidet; ihre Embleme sind Kelch und Krone beziehungsweise Gesetzestafeln und Isopzweig. Christus legt seine rechte Hand segnend auf das Haupt der Ekklesia, mit seiner linken nimmt er den Schleier von den Augen der Synagoge. Dieses eschatologische Motiv der zukünftigen Erkenntnis der Synagoge ist auch in einem Sakramentar aus Tours des 12. Jh. in der Initiale des Präfationstextes der Messe dargestellt, *Abb. 121.* Die Hand Gottes nimmt den Schleier vom Angesicht der Synagoge, die die Tafeln des Gesetzes, deren rechten Sinn

sie nun erkennt, vorweist und auf Ekklesia hindeutet. Diese hat nicht nur das übliche Emblem des Kelches in der Hand, sondern hält in der anderen eine große Hostie. Die Gnade, als die Erfüllung des Gesetzes, wird im Sakrament sichtbar. Die sich durchkreuzenden Linien des Initialbuchstabens bilden eine Mandorla für die Halbfigur des erhöhten Christus. Der Gedanke, daß die Juden am Ende der Weltzeit den Sinn des Gesetzes und seine Erfüllung in Christus erkennen, ist auf einer Miniatur einer Apokalypse-Handschrift des 13. Jh., im Eton-College, *Abb. 120,* weitergeführt[52]. Die Synagoge thront zwischen Mose und Aaron. Sie hebt in der rechten Hand die Thorarolle, in der linken ein Salbgefäß (ein jüdisches Kultgerät) empor. Dieser Thronenden nimmt die göttliche Hand den Schleier vom Angesicht. Die Umschrift lautet: »Synagoge, die du bisher blind die Vorzeichen des Gesetzes nicht gesehen hast, komme zum Glauben und zur unmittelbaren Schau.«[53]

Die MONUMENTALKUNST. In den dogmatisch systematisierten Figurenprogrammen der Portalplastik französischer Kathedralen sind Ekklesia und Synagoge einerseits auf den erhöhten Christus und das Gericht im Tympanon bezogen, andererseits in den Gewänden den Vertretern der Heilsgeschichte des Alten und Neuen Bundes und damit der universellen Heilslehre eingeordnet[54]. In St. Benigne zu Dijon, um 1160, standen sie zu beiden Seiten des Tympanon am Portal. Aus einem Stich des 18. Jh., *Abb. 128,* geht hervor, daß im Tympanon die Majestas Domini

---

51. Nach K. Hoffmann, 1968, war die ursprüngliche Anordnung der fünf Scheiben des sogenannten »anagogischen« Fensters, zu dem die Tituli des Abtes Suger erhalten sind, von oben nach unten folgende: Christus zwischen Ekklesia und Synagoge, die apokalyptische Buchöffnung durch Lamm und Löwe, der Gnadenstuhl über der Bundeslade, die Entschleierung des Mose, die Mühle des Paulus. Die apokalyptische Buchöffnung und die Entschleierung des Mose waren auf dem zweizonigen Titelbild der touronischen Bibeln Karls des Kahlen auf einer Seite übereinander dargestellt, vgl. Bd. 3, Abb. 568. Die Miniatur der Bibel von St. Paul zeigt das Doppelbild etwas abgewandelt, in der ersten Szene fehlt der Löwe. Suger hat die aufeinander bezogenen Szenen getrennt (beide im 19. Jh. erneuert, die zweite stark verändert) und dazwischen den Gnadenstuhl gesetzt. In allen fünf Szenen geht es um das Offenbarwerden des Evangeliums im Bezug zum Alten Testament. Hoffmann macht darauf aufmerksam, daß

in den touronischen Bibeln der in 2 Kor 3,13–15 im negativen Sinn genannte Schleier umgewandelt wird zu einem Erleuchtungssymbol und Mose in Anlehnung an das Repräsentationsbild der Majestas Domini zwischen den vier Wesen thronend erscheint. Vgl. die Darstellung der Synagoge, Abb. 116.

52. Meines Wissens zum erstenmal von Blumenkranz publiziert.

53. Die Entschleierung des Mose klingt noch bei der Mosegestalt des Claus Sluter am Mosebrunen der Kartause bei Dijon, Ende 14. Jh., an. Hier ist die Decke zurückgeschoben, aber deutlich auf dem Haupt liegend erkennbar, siehe Seiferth, S. 51, Tf. 15.

54. A. Weis, Die Synagoge am Münster zu Straßburg, in: Das Münster 1, 1947, S. 65–80 und E. Mâle, L'art religieux du XIIe siècle, I, Paris 1905, S. 392.

umgeben von den vier Wesen, flankiert von zwei Seraphim und umzogen vom Strom des Lebens dargestellt war. Ihm waren Ekklesia und Synagoge zugeordnet und somit in ein Bild der zukünftigen Herrlichkeit aufgenommen. Im Türsturz befanden sich die Darstellungen der Inkarnation (Geburt Christi) und der Epiphanie (Anbetung der Könige). An dem zerstörten Portal von St. Madeleine zu Besançon stand die Synagoge gekrönt, ohne Augenbinde und mit dem Salomonischen Tempel als Attribut in der Hand, als die Königin von Juda inmitten von sechs Propheten; ihr gegenüber Ekklesia und sechs Apostel. Im Tympanon darüber thronte wiederum der Christus der Herrlichkeit[55].

An dem Doppelportal der Südseite des Straßburger Münsters, 1225–1230, sind Ekklesia und Synagoge, Figuren des Meisters der frühgotischen Skulpturen des Münsters, erhalten (außerdem noch Marientod und -krönung, alle Werke heute im Museum des Frauenhauses aufgestellt). Das gesamte Programm des durch die Französische Revolution stark beschädigten Portals ist durch einen Stich von Isaak Brunn, 1617, zu rekonstruieren, Abb. 129. Am Mittelpfeiler thronte Salomo mit dem Richtschwert, der auf Grund des salomonischen Urteils als Präfiguration des Weltenrichters diesen vertrat. Das Mittelalter sieht in ihm den »rex iustus« oder »rex pacificus«. (Vgl. Salomonischer Thron Bd. 1 und unten die Abschnitte »Weisheit« und »Brautsymbolik«, in der er mit anderer Akzentuierung ebenfalls Typus Christi ist.) Christus selbst war am Straßburger Südportal in Halbfigur als Salvator mundi über Salomo zu sehen. Auf beiden Portalen standen in der Säulenzone die Apostel in vier Gruppen gegliedert; daran anschließend rechts auf einem Postament in der gleichen vorgezogenen Ebene wie Salomo Ekklesia, links entsprechend die Synagoge.

So sind hier Ekklesia und Synagoge, Abb. 130, 131, Ausschnitte, zwei adelige Gestalten – die eine erhobenen Blicks, das Kreuzesbanner als Zeichen der Kirche neben ihrem Haupt, den königlichen Mantel um ihre Schultern gelegt, die andere mit dem Schleier über den Augen und gesenkten Hauptes, doch der Rivalin ebenbürtig an Hoheit – auf den Weltenrichter bezogen. Etwas gedrungener in der Gestalt, doch ebenso adelig wie in Straßburg, sind

die Figuren vom Fürstenportal des Bamberger Doms, um 1225–1230, wo wie in so vielen Tympana der Kathedralen Frankreichs und Kirchen Deutschlands des 13. und 14. Jahrhunderts das Jüngste Gericht dargestellt ist. In den Gewänden befinden sich die schon erwähnten Apostelfiguren, die als Ausdruck der »Concordia veteris et novi testamenti« auf den Schultern der Propheten stehen. Die gleiche heilsgeschichtliche Sicht nimmt im Innern des Domes an den Georgenschranken, um 1220, in der Disputation der Propheten und Apostel Gestalt an.

Die Glasmalerei des 13. Jh. hat die isolierten großformatigen Figuren ebenfalls übernommen und einander gegenübergestellt. Die Elisabethkirche in Marburg bewahrt im Hochchor ein schönes Beispiel, Abb. 133, 134. Die Öffnung in der Augenbinde der Synagoge mag die Vorläufigkeit ihrer »Blindheit« andeuten. Gleichsam wie Schwestern solcher Figuren muten einen die klugen und törichten Jungfrauen aus dem Gerichtsgleichnis Mt 25 an, vgl. Band 5. Die Form des Kelches der Ekklesia ist auf die Lampen der Jungfrauen übertragen worden; die törichten halten sie gesenkten Hauptes abwärts, wie bei Abb. 127. Mehrmals führt in der Statuenzone der Portalplastik Ekklesia die klugen Jungfrauen und Synagoge die törichten an. Glauben und Wachsein der einen entsprechen dem Blindsein und Verschlafen der anderen. Im Gewände am Nordwest-Portal des Erfurter Doms, 14. Jh., ist diese Aufstellung noch erhalten, Abb. 132. (Vgl. auch Magdeburger Dom und Liebfrauenkirche in Trier, Figuren zum Teil im Museum.) Wie schon gesagt, ist gerade in der Monumentalkunst mit der Vorstellung des Gerichts meistens die der Ecclesia universalis verbunden. Die Gestalten sind in dieser Sicht Sinnbilder der Heilszeit von Urbeginn der Welt bis zu ihrer Vollendung bei der Wiederkunft des Herrn. Deshalb wird die feindselige Disputation und die Verunglimpfung der Synagoge in den bedeutenden Werken der 1. Hälfte des 13. Jh. (Hohenstaufenzeit, vgl. oben auch das zu der Dichtung des Tegernseer Antichristspiels Gesagte) vermieden. Das Ende bedeutet für die Synagoge nicht Gericht, sondern Erkennen des Messias. »Alten und Neuen Bund verbindet die Gnade Gottes« (Paulinus von Nola). Die Hoheit und Ebenbürtigkeit beider Figuren ist nicht nur mit dem Stil der Monumentalkunst des 13. Jh.

55. Ein beschädigtes Metallantipendium aus Sindbjerg (Dänemark) im Nationalmuseum Kopenhagen zeigt als zentrale Darstellung die Majestas Domini, zu beiden Seiten Ekklesia (zerstört) und Synagoge.

zu erklären, sondern auch mit der oben erwähnten Einstellung der Staufer zu den Juden, vgl. oben das Zitat Röm
11,25–29.

Wie Ekklesia und Synagoge in ein großes lehrhaftes Figurenprogramm hineingenommen werden, läßt sich noch
in der Vorhalle des Münsters zu Freiburg, die gegen 1300
errichtet wurde, ablesen, vgl. das Portal *Bd. 1, Abb. 283
und S. 119*. Vom Eingangsportal ausgehend setzen sich die
Figuren in der Vorhalle beiderseits bis zum Eingang in die
Kirche fort. Links an der Westwand beginnt der Zyklus
mit dem Figurenpaar: »Der Fürst der Welt« Joh 12,31[56]
und »Frau Welt«[57], daneben ein Warnengel. Als Pendants
auf der anderen Seite des Eingangs stehen Margarethe und
Katharina. An der Nordwand fünf biblische Gestalten,
abschließend mit Magdalena, als Vorbild der fünf klugen
Jungfrauen, die geführt von Christus folgen. An der Südwand: die fünf törichten Jungfrauen, anschließend die sieben freien Künste, die den Menschen zum Erfassen der
göttlichen Wahrheit führen. Ekklesia und Synagoge als
Vertreterinnen des Alten und Neuen Testaments stehen
beiderseits am Portalgewände. Sie leiten über zu bi-
blisch-geschichtlichen Darstellungen: Neben Ekklesia die
Heiligen drei Könige, dem Kind auf dem Arm der Mutter
am Mittelpfosten huldigend; neben der Synagoge die Verkündigung an Maria und die Heimsuchung. Das Tympanonfeld zeigt die Geburt und Passion des Herrn und das
Jüngste Gericht, darauf bezogen sind in zwei Archivolten
Patriarchen, Könige und Propheten.

In der Monumentalmalerei – abgesehen von den Farb-
fenstern – sind nur wenig Beispiele für die Gegenüberstellung von Ekklesia und Synagoge erhalten. Wir verweisen
auf eine traditionelle Komposition in Verbindung mit der
Kreuzigung, um 1277, im Seitenschiff der Dominikaner-
kirche zu Krems an der Donau[58], und auf die Darstellung
beider Gestalten ohne Attribute, getrennt auf zwei Bildfeldern der romanischen Deckenmalerei in Zillis. Jede von
ihnen tritt hier aus einem Gebäude hervor und schiebt den
Vorhang zurück. Auffallend ist die Wahl des spätantiken
Frauentypus im Gegensatz zu gleichzeitigen Darstellun-

gen, die sie in fürstlichen Gewändern wiedergeben. Im
Ablauf der Bildmotive sind vorher drei Vorfahren und an-
schließend die Verkündigung an Maria wiedergegeben.
Synagoge und Ekklesia stehen hier – ohne das geringste
Anzeichen von Rivalität – an der Grenzscheide zwischen
Altem und Neuem Bund. Vgl. zur Wandmalerei auch
Abb. 116/117.

In der Goldschmiedekunst des 12. und 13. Jh. – an
Kreuzreliquiaren (Innenplatte des Reliquiars in Tongern,
12. Jh.), Tragaltären (Maas-Schule) und Reliquienschrei-
nen (Eleutheriusschrein Tournay, Nantelmusschrein St.
Maurice, Wallis) und an Kruzifixen – kommen die beiden
Gestalten ebenso vor, wenn auch lange nicht so häufig wie
in der Buch- und Glasmalerei und in der Monumentalpla-
stik. Die Thematik der Kirche übernehmen an den Schreinen die Apostel- und Prophetenreihen, insbesondere die
Apostel als Verfasser und Zeugen des Glaubensbekenntnisses, siehe unten.

In der Tafelmalerei ist das wichtigste und zugleich das
letzte bedeutende Werk, das die Ablösung der Synagoge
durch die Ekklesia aufnimmt, der Heilsspiegelaltar von
Konrad Witz, um 1435, Basel Kunstmuseum, ehemals in
der Kirche des Augustiner Chorherrnstiftes St. Leonhard,
Abb. 135, 136. Wie der Name sagt, geht der Altar auf das
typologische Darstellungsprinzip der Handschriftengruppe »Speculum humanae salvationis« (Spiegel der
menschlichen Erlösung) zurück, deren älteste gültige Fassung 1324 im Dominikanerkloster in Straßburg entstand,
in Entsprechung dazu zur gleichen Zeit die typologischen
Fenster in Colmar und Mühlhausen. Von den acht dop-
pelseitig bemalten Flügeln des Altars sind noch fünf voll-
ständig und zwei mit je einer bemalten Seite erhalten. Das
Mittelfeld und die Predella sind verloren[59]. Nach der heutigen Rekonstruktion standen die Tafeln mit Ekklesia und
Synagoge beim geschlossenen Zustand in der oberen
Reihe außen. Die beiden inneren Tafeln stellten die Verkündigung an Maria dar (nur der Engel erhalten). Ekklesia
hält, wie es seit Beginn des 13. Jh. üblich ist, demonstrativ
das hohe Stabkreuz und in der rechten Hand den Kelch

---

56. Ein modisch gekleideter Jüngling, dessen Rücken mit Krö-
ten und Gewürm bedeckt ist; eine Nachbildung der älteren Figur
am Straßburger Münster, die mehrmals wiederholt wird.

57. Nur mit einem Bocksfell angetan, verkörpert sie die Wollust.

58. Abb. bei O. Demus, Romanische Wandmalerei, 1968, Tf.
248.

59. J. Gantner, Konrad Witz, Der Heilsspiegelaltar, Stuttgart
1969 (Werkmonographie Reclam).

mit der Hostie. Bei der Synagoge sind die Gesetzestafeln mit hebräischen Buchstaben hervorgehoben. Sie steht neben einer Tür, Ekklesia vor einem Fenster. Die Figuren in einen Innenraum zu setzen, ist in dieser Zeit ein künstlerisches Prinzip.

Die »BIBLE MORALISEE« veranschaulicht das Thema der Kirche in all seinen Varianten und in einer Fülle neuer Bildmotive, die aber zumeist auf diese Handschriftengruppe beschränkt bleiben. Das erste Exemplar dieser Gruppe ist wahrscheinlich Anfang des 13. Jh. vom französischen Königshaus in Auftrag gegeben worden. Bis zu Beginn des 15. Jh. entstanden in verschiedenem Umfang im französischen Bereich viele Wiederholungen mit zahlreichen Varianten. Ihr Prinzip beruht auf der typologischen Gegenüberstellung von Altem und Neuem Testament, doch gibt sie außerdem zu allen biblischen Szenen moralisierende Auslegungen in Schrift (französisch und lateinisch) und Bild. Manche der Handschriften, die die ganze Bibel illustrieren und bildlich erläutern, enthalten über 5000 Miniaturen, paarweise geordnet, mit entsprechenden Texten. In dieser Handschriftengruppe haben sich das Bilddenken, die Mentalität der Zeit und die populäre Predigt, in der sich scholastisches Wissen mit Kirchenväterzitaten und mit moralischen Ermahnungen mischen, niedergeschlagen[60]. Die Gestalt der Synagoge wird oft durch Juden im Dialog mit Christus oder der Ekklesia, ebenso durch Mosedarstellungen und andere alttestamentliche Motive ersetzt. So enthält der Pariser Kodex, BN. 115 60 fol.87 ein Bildfeld, das vor der mit dem Kelch erhöht thronenden Ekklesia eine Disputation von Juden und zwei Bischöfen zeigt, *Abb. 137.* Die Wiener Handschriften 2554, fol. 1 rechts oben, und 1179, fol. 2 v links unten, zeigen, wie Juden die Ekklesia bedrohen, *vgl. Abb. 178f.;* doch ebenso, wie die Ekklesia, einmal mit Kelch thronend, zum anderen stehend und das geöffnete Buch über ihr Haupt haltend, von Gläubigen verehrt wird.

Die personifizierte Synagoge kommt in diesen Illustrationen, im Gegensatz zu Ekklesia, seltener vor und wird in der Regel ohne Gehässigkeit im Sinne der Typologie

wiedergegeben. So ist auch die Darstellung der toten Synagoge zu verstehen. Der Pariser Codex 166, Anfang 15. Jh., *Abb. 138,* zeigt sie in einem gotischen Gebäude tot am Boden liegend; Ekklesia und disputierende Männer stehen im Halbkreis um sie. In der Architektursymbolik bedeuten die gotischen Bauformen im Gegensatz zu den romanischen, die das Judentum allegorisieren (vgl. Bd. 1, S. 59), die neue Kirche. Das Bildfeld darüber zeigt inmitten von Juden Moses, der die Tafeln des alten und des gültigen Gesetzes hochhält. Die Inschriften lauten: »Das Gesetz, das den Juden, die es nicht erfüllen wollten, gegeben worden ist, war nicht von Dauer. Das Evangelium aber, das den Völkern gegeben ist, wird in Ewigkeit währen.« Bei der Mosesdarstellung darüber: »Hier hält Moses die ersten Tafeln, die aus Stein waren und zerbrochen worden sind, in der anderen Hand die unbeschädigten, die gemäß dem Wort gemacht sind.« Bei Ekklesia: »Dies zeigt, wie das Gesetz, das den Juden gegeben ward, die es nicht erfüllten, keinen Bestand hatte. Das Evangelium aber ist den Völkern gegeben: es dauert ewig für diejenigen, die es vom Geist erfüllt erfüllen und üben.« Die gleiche Einstellung zur Synagoge spricht aus der Bestattung der Synagoge derselben Handschrift, *Abb. 139.* Dabei liegt sie mit ihrer Krone und den Gesetzestafeln im Sarg; ihr zu Häupten steht Ekklesia, zu Füßen Christus, der die Tote aussegnet, außerdem vier Evangelisten.

Die Aburteilung der Synagoge kommt in der kleinen Darstellungsgruppe des 15. und 16. Jh., die das »Lebende Kreuz« genannt wird, in sehr schroffer Weise zum Ausdruck, *vgl. Bd. 2, S. 171–174.* Mit diesem sich sehr spät entwickelnden Bildtypus läuft die mittelalterliche Darstellung der Antithese der allegorischen Personifikationen aus. Das schon erwähnte Turnier zwischen Christentum und Judentum einer Gestühlswange des Erfurter Doms, Anfang 15. Jh., *Abb. 140,* ist diesen Ausläufern zuzurechnen.

Das 17. und 18. Jh. läßt auf Grund seines historischen Interesses an den Quellen, also auch am Alten Testament, diese Antithese zurücktreten. Um so erstaunlicher ist ein Fresko über der Eingangstür im Innern der Kirche der ehemaligen Reichsabtei in Ochsenhausen (Württemberg) von Bergmüller, 1725–1727, *Abb. 141,* dessen Unterschrift Ps 121 (120) entnommen ist: »Der Herr behüte dei-

---

60. Vgl. die fünfbändige Publikation von A. de Laborde, La Bible Moralisée illustrée, Paris 1911–1921. Eine größere Untersuchung wird demnächst von Rainer Haussherr erwartet.

nen Ausgang und Eingang von nun an bis in Ewigkeit.« Das Wort bezieht sich einerseits auf denjenigen, der die Kirche betritt und verläßt, doch auch auf die Darstellung selbst. Unter der Orgelempore ist wie in anderen Kirchen Süddeutschlands dieser Zeit die Tempelaustreibung dargestellt, die auf die Heiligkeit des Ortes hinweist. Ihr steht im Osten der Kirche in der Deckenwölbung des Presbyteriums ein Bild der Austreibung des Luzifer aus dem Himmel gegenüber. Auch bei dem ersten Fresko über dem Eingang geht es um eine Vertreibung, die das alte Bildthema der Rivalität zwischen Judentum und christlicher Kirche noch einmal aufgreift und in die künstlerische Ausdrucksweise der Zeit übersetzt[61].

In der Mitte dieser Darstellung stehen auf einem durch einen Stufenaufbau altarähnlichen Tisch die beiden Tafeln der Thora. Dahinter ragt vor einem doppelgesichtigen (jung und alt) Cherub ein Leuchter auf, dessen Flamme umschrieben ist: »Es war das wahre Licht.« Rechts davon hält ein auf einer Wolke herabkommender Engel das geöffnete Buch der sieben Siegel mit der Inschrift: »Testamentum novum«. Auf derselben Seite steht neben den Tafeln ein Tablett mit zwei Kannen, davor ein Weihrauchgefäß, dessen Rauch zur linken Seite dunkel, zur rechten hell ausströmt. An dieser Stelle, wo auch die Abendmahlskannen stehen, ist ein breites Kreuz an die Stufen und den Altartisch angelehnt. Auf der andern Seite steigt von den gelöschten Kerzen eines siebenarmigen Leuchters (Menora) schwarzer Qualm auf. Der Leuchter steht auf der Bundeslade, auf der auch ein Cherub in kauernder Haltung zu sehen ist. Aus einer dunklen Wolke fährt ein Blitz herab und zielt gegen einen wie ein Hoherpriester gekleideten Rabbiner, der im Begriff ist, durch eine angelehnte Tür die Flucht zu ergreifen. Er wendet sich aber noch zurück zu der Frau, die mit dem Kelch in der Hand – darüber eine lichtumstrahlte Hostie – durch eine weit geöffnete Tür getreten ist und die Stufen emporsteigt, während sie auf das Kreuz weist. Auf diese Gestalt der Kirche fällt das von der Schwurhand Gottes und der Taube des Heiligen Geistes gesendete Licht. Das Judentum ist nicht durch die Allegorie der Synagoge, sondern durch die konkrete Gestalt eines Rabbiners veranschaulicht, der vom Blitzstrahl vertrieben wird und selbst die Thora der Kirche überlassen muß. Die Inschrift »Es war das wahre Licht« bei dem Leuchter in der Mitte bezieht sich von Ps 119 (118),105 ausgehend auf das den Juden gegebene Wort der göttli-

chen Offenbarung. Mit dem Hinweis auf das Erlöschen dieses Lichtes und den ausgebrannten Kerzen der Menora ist die heillose Situation des empirischen Judentums angedeutet. Paul Troger hat auf einem Wandbild 1729 in der Sakristei der ehemaligen Chorherrenkirche S. Andrä a. d. Traisen einen Engel, der das Feuer auf einem Opferaltar löscht, überschrieben: »Destruit diruitque vetusta«. Dagegen ist neben einem Kelch mit den Hostien zu lesen: »Nova facta salutis«.

Die mittelalterliche Allegorie der Synagoge wird auf dem Wandbild in Ochsenhausen durch die Figur des Rabbiners in die Gegenwart übergeleitet. Seit es nicht mehr üblich ist, an den Attributen und der Haltung der Personifikation der Synagoge die Wertung des Judentums aufzuzeigen, wird vielfach die positive typologische Wertung des Judentums durch Mose oder auch Paulus und die negative bei polemischen Darstellungen durch einen jüdischen Priester oder Rabbiner verdeutlicht. (Kanzel, um 1760 von Straub in Schäftlarn, Matth. Günther, Wandbild 1740 in Mittenwald, Wandbild um 1770 von Johann Anwander in Eglingen.) Doch in dem Nebeneinander der Symbole des jüdischen und christlichen Gottesdienstes auf dem Tisch, zu dem die Kirche tritt, äußert sich neben dem Urteil über das Judentum die Integration von Israel und Kirche im typologischen Sinn von Vorbereitung und Erfüllung. Zwei Stuckreliefs von 1783–1786 in der Kirche des Nachbarortes Rot an der Rot (ehem. Mönchsrot, Reichsabtei der Prämonstratenser) zeigen über zwei sich im Presbyterium gegenüberstehenden Türen nur diese Symbole (die des Alten Testamentes sind durch die erhöhte Schlange und die Schaubrote erweitert, die Gesetzestafeln fehlen). Mit dem Verzicht auf die figürliche Antithese tritt der Gedanke der Typologie und der eschatologischen Einheit noch mehr hervor als in der figürlichen Szene.

Durch die Jahrhunderte schwingt in diesem Gegenüber von Ekklesia und Synagoge, wo auch immer der Akzent liegen mag, die Spannung von Gesetz und Gnade mit, die als erster Paulus theologisch formulierte. Ein Fresko in St. Maria Lyskirchen in Köln, 13. Jh., bezeichnet Ekklesia

61. Siehe dazu F.-W. Marquardt, Altes Testament im Rokoko, in: Emuna, Horizonte zur Diskussion über Israel und das Judentum, VII, 1972, 38–49.

62. P. Clemen, Roman. Monum. Mal.

und Synagoge als Gratia und Lex[62]. Die erwähnte Miniatur im Uta-Evangelistar gibt der Ekklesia eine Beischrift: Pia gratia surgit in ortum – der Synagoge: Lex tenet occasum. Aus den Tituli der ehemaligen Fresken in St. Ulrich und Afra zu Augsburg geht hervor, daß sich hier auf der Seite der alttestamentlichen Heilszeit drei Personifikationen befanden: das Gesetz mit Schwert, das Alte Testament und die Synagoge – also drei Aspekte, unter denen das alte Gottesvolk betrachtet wurde. Andererseits war die Ekklesia mit Kelch vom Neuen Testament mit dem Zepter und von der Gratia mit der Lilie begleitet[63]. Für Luther bedeutete dieser Gegensatz das Zentrum seiner neuen Lehre, und so richtet sich das Interesse der Kunst in der Reformationszeit besonders stark auf den Menschen, der in der Entscheidung zwischen Gesetz und Gnade steht, und seine Rechtfertigung durch Christus. Das wird vor allem an Adam und Mose in ihrem Bezug zum Kreuz Christi exemplifiziert, *vgl. Bd. 2, Abb. 532–539 und S. 174–176 und Bd. 3, Abb. 439 und S. 139f.*

Die Mühle. Zu unterscheiden sind das Gerichtsbild Lk 17,35, das von zwei die Mühle mahlenden Frauen handelt, und die »Mystische Mühle«. Die beiden mahlenden Frauen sind schon von Ambrosius in seinem Lukaskommentar auf Ekklesia und Synagoge gedeutet worden[64]. Danach mahlt Ekklesia, als die schuldlose Seele, den Weizen, der von der Christussonne gereift wurde; das feine Mehl der gläubigen Seele nimmt Gott an, sie geht in die Ewigkeit ein. Dagegen versucht die Synagoge, als die schuldbeladene Seele, nassen Weizen zu mahlen; sie kann das Innere des Korns von der Kleie nicht trennen und wird verurteilt, bei der Mühle zu bleiben (vgl. auch Maximus von Turin, Hom III). Wie bei der Baumallegorie, siehe unten, wird das Gerichtswort von den mahlenden Frauen auf die Antithese von Ekklesia und Synagoge bezogen, und zwar nicht im typologischen Sinn, sondern im Hin-

blick auf den Glauben und Unglauben der einzelnen Seele. Allerdings deutet im gleichen Text Ambrosius die Mühlsteine auch als Altes und Neues Testament.

Im Hortus Deliciarum der Herrad von Landsberg, 2. Hälfte 12. Jh., ist das Mühlengleichnis illustriert, aber nicht die Deutung auf Ekklesia und Synagoge zugrunde gelegt worden. Dagegen sind bei einem verkürzten Gerichtsbild der Initiale »J« zum Sermo des Maximus am 1. Adventssonntag in dem schon erwähnten Homiliar in Verdun, um 1175, die beiden Frauen an den Mühlsteinen als Ekklesia und Synagoge charakterisiert, *Abb. 142.* Über den Frauen ist Vers 34 des Lukastextes dargestellt. Auf einem Bett liegen zwei Männer; der eine schläft und ist durch eine Beischrift als Nero (Heidentum) bezeichnet, der andere – Petrus – wacht und blickt wie Ekklesia nach oben zu Christus[65]. Bei diesem sind die Seelen der Erretteten versammelt, wie auf anderen Gerichtsdarstellungen bei Abraham (Gerichtsgleichnis vom reichen Mann und dem armen Lazarus, Bd. 5). Als Gegenbild ist unten der Höllenrachen mit den Verdammten dargestellt. Obwohl durch die Kennzeichnung der beiden mahlenden Frauen als Ekklesia und Synagoge (schlachtet ein Böcklein) die Kenntnis der Ambrosius-Homilie vorausgesetzt werden kann, so sind Glaube und Unglaube nicht auf die einzelne Seele bezogen, sondern auf Christentum und Judenschaft, parallel dazu die beiden Männer auf Heidentum und Christentum. Es ist nicht bekannt, ob in dieser Darstellung eine singuläre Bilderfindung vorliegt oder ein zufällig erhalten gebliebenes Beispiel einer Bildtradition.

Der »mystischen Mühle« liegt zunächst der Gedanke der »Concordia Veteris et Novi Testamenti« zugrunde, der bei Ambrosius in der Deutung der Mahlsteine schon anklingt und bei Thomas von Aquin (1225–1275) bei der Übernahme dieser Homilie stärker hervortritt. Der alttestamentliche Weizen wird in der Mühle von den Aposteln = Kirche zum Mehl des Evangeliums gemahlen. Die älte-

---

63. G. Swarzenski, Regensburg, S. 94, Anm.

64. Expos. in Luc., lib. VIII, 48, MPL 15, Sp. 1179. Zur Darstellung siehe F. Ronig, Zwei singuläre Darstellungen von Ekklesia und Synagoge, 1966, S. 297–301.

65. Ronig macht S. 299/300 darauf aufmerksam, daß an der Kathedrale von Evora (Portugal), 13. Jh., Petrus dargestellt ist, wie er auf den inschriftlich bezeichneten Nero tritt (L. Réau, Iconographie III, S. 1084). Außer Nero können auch Cäsar und Kai-

ser Augustus den Unglauben und das Heidentum allegorisieren. – Vgl. auch die schon erwähnte Prudentiushs. des 9. Jh. in der Burgerbibliothek in Bern, Cod. 264, in der eine Darstellung der Fides, die auf dem durch eine Frau personifizierten Heidentum steht, vorhanden ist. Siehe O. Homburger, Die illustrierten Handschriften der Burgerbibliothek. Die vorkarolingischen und karolingischen Handschriften, Bern 1962, Tf. 9.

ste Darstellung, die durch die Tituli und eine Nachbildung des 19. Jh. bekannt ist, wenn auch im Detail nicht gesichert, ist das ursprünglich unterste der Medaillons des sogenannten anagonischen Fensters, um 1140, der Abteikirche St. Denis, siehe oben. Paulus, die zentrale Figur der Komposition, betätigt die Mühle, in die ein Prophet den Weizen schüttet. Die Beischrift hebt Paulus als Lehrer hervor, der den Sinn des Alten Testamentes, das durch die Propheten repräsentiert wird, offenbart[66]. Ebenso kommt die Concordia in der verkürzten Darstellung eines Säulenkapitells der Kathedrale von Vézelay, Mitte 12. Jh., zum Ausdruck, *Abb. 143*. Hier hantieren zwei in der Kleidung voneinander unterschiedene Männer an der Mühle. Mose schüttet den Weizen in den Trichter, Paulus fängt das Mehl des Evangeliums in einen Sack auf.

Das 13. und 14. Jh. kennt die Mühlendarstellung nicht, aber die mystische Dichtung beschäftigt sich in dieser Zeit mit dem Mühlengleichnis und verschiebt die Akzente von der Einheit der Testamente zur Eucharistie und zur Inkarnation (Joh 6,26–58). Mit dem eucharistischen Aspekt, der vor allem auf die Wandlung des Brotes bei der Messe abzielt, verbindet sich der Bezug zur Menschwerdung des Wortes. Dadurch kann Maria in das Bild eingeführt werden. Nach 1400 entsteht, angeregt durch diese mystische Literatur, ein neuer Darstellungstypus, der von Süddeutschland ausgehend sich bis zur Ostseeküste (Doberan, Rostock) verbreitet. Ihrer neuen Bedeutung entsprechend wird die Mühle nun »Sakramentsmühle« oder »Hostienmühle« genannt. Oft beziehen sich Inschriften des Bildes auf die Literatur. Das Mahlwerk erhält eine lange Welle, die von den zwölf Apostel gedreht wird; dadurch kommt es auch zur Bezeichnung »Apostelmühle«. Das Korn wird von den vier amorph wiedergegebenen Evangelistensymbolen, die an die Stelle der Propheten treten, in die Mühle geschüttet. Dabei kann auch Maria, in der der Heilige Geist die Menschwerdung des göttlichen Wortes bewirkt, beteiligt sein. Das gemahlene Korn ist Christus. In Kindesgestalt erscheint er statt des Mehles in einem Kelch, den die vier unter der Mühle knienden

Kirchenväter gemeinsam halten. Schriftbänder weisen vielfach auf die Menschwerdung des Wortes. Der Bezug zum Alten Testament kann durch die Hinzufügung der eucharistischen Präfigurationen – Felswunder und Mannaspeisung – gegeben sein, wie zum Beispiel auf dem Mühlenfenster des Berner Münsters um 1450. Dieses weicht durch einige Sondermotive von dem üblichen Darstellungstypus ab. Nicht das Mehl, sondern die vier Evangelistensymbole werden in die Mühle gesteckt; statt der Apostel betätigt das Wasser des Alten Testaments, das Petrus von dem darüber dargestellten Felswunder ableitet, die Mühle. Im unteren Teil des Fensters reichen die Kirchenväter die Hostien weiter an Geistliche und die Gemeinden. Durch die bildlichen und inschriftlichen Hinweise auf das Alte Testament wird der neue Bildtypus mit dem ursprünglichen verbunden, so daß das Bild folgendes aussagt: Das Wort Gottes (Korn) wurde durch Mose zu Speise und Trank des Volkes Israel, durch das Wasser des Alten Testaments zum Antrieb des Neuen Testaments, durch Maria zu Jesus Christus, durch die Evangelisten und die Kirche zur geistlichen Speise der Christenheit (Hahnloser).

Ein weiteres Sondermotiv, das sich aus der Frömmigkeitshaltung des 15. Jh. erklärt, ist Gott-Vater, der den Schmerzensmann (vgl. Bd. 2) in die Mühle senkt, Fresko, 2. Hälfte 15. Jh., in der Kirche von Mundelsheim. (Der untere Teil der Darstellung ist durch Epitaphien verdeckt beziehungsweise zerstört.) Die Inkarnation kann durch die Darstellung der Verkündigung an Maria betont sein wie auf einer Federzeichnung in der Mettener Armenbibel, 1414, (München cod. lat. 8201, fol. 37 r) und auf einer Tafel des ehemaligen Hochaltars der Barfüßerkirche in Göttingen, 1424, Hannover Landesgalerie. Die Szene der Verkündigung wird jedoch auch durch die Taube neben Maria ersetzt, wie auf einem schwäbischen Tafelbild, um 1460, des Ulmer Museums, *Abb. 144*. Hier schüttet Maria einen Sack Korn in den Trichter. Aus der Mühle gehen nicht nur das Gotteskind, sondern auch Hostien hervor[67].

Aus der Reformationskunst ist eine polemische Um-

---

66. K. Hoffmann, 1968, S. 71. Siehe hier ältere Literatur.

67. Wir beschränken uns auf diese kurzen Hinweise zur Apostel- oder Hostienmühle, da sie nicht direkt zu dem Kapitel Ekklesia und Synagoge gehört. Zu Bern siehe H. Hahnloser, Chorfenster und Altäre des Berner Münsters, Bern 1950, S. 30–34,

Abb. 15–19. Zu Ulm siehe M. Schefold, Die Hostienmühle im Museum der Stadt Ulm, in: Aus dem Museum der Stadt Ulm, 1925, S. 5–7. Allgemein siehe A. Thomas, Die mystische Mühle, in Chr. K. 31, 1934/35, S. 129–139. LC I, 3, Sp. 297–299, (A. Thomas). Hier Angabe der gesamten Literatur.

deutung des mittelalterlichen Bildes bekannt, der Titelholzschnitt eines vermutlich oberrheinischen Meisters einer Flugschrift von H. Füsseli und M. Seeger, die 1521 bei
Christian Froschauer in Zürich erschien. Der Dialog in
Gedichtform beschreibt das Reich Gottes als Mühle, die
das Korn des göttlichen Wortes mahlt. Auf der Illustration
ist zu sehen, wie Christus selbst Paulus und die vier Evangelisten in den Mahlkasten schüttet. Statt der Hostien fallen drei Schriftbänder mit den Inschriften: Glaube, Liebe,
Hoffnung heraus. Erasmus sammelt sie in einen Sack. Luther »backt« daraus in einem Trog Bibeln, die von einem
nicht gekennzeichneten Mann dem Papst und seinen Klerikern angeboten, von ihnen jedoch fallen gelassen werden. Im Text, der im Umkreis Zwinglis oder wahrscheinlicher im lutherischen Basel entstand, da Zwingli nicht mit
dargestellt ist, heißt es: »durch den hochberühmtesten aller Müller, Erasmus von Rotterdam, zusammengeschwar-
bet und von dem treuen Bäcker Martino Luther gebak-
ken«. Ein Bauer (Karsthans) schwingt den Dreschflegel,
um die Reformatoren vor den Papisten zu schützen. Über
den Vertretern der katholischen Kirche fliegt ein drachen-
ähnlicher Vogel, dessen geöffnetem Schnabel die Worte
»ban, ban« (Kirchenbann) hinzugefügt sind[68]. Der Druck
ist mit geringfügigen Änderungen mehrmals erhalten.
Solche Umdeutungen alter Bildthemen sind in den schar-
fen, oft sehr polemisch geführten Auseinandersetzungen
der Konfessionen im 16. Jh. gerade in der volkstümlichen
Druckgraphik auf beiden Seiten häufig. Eine Inschrift des
Blattes zeigt, daß sich auch die Bauern auf diese Weise in
den polemischen Kampf einschalten: »Das hand zwen
schwytzer puren gmacht. Fürwar sij hand es wol ber-
racht.«

Der Lebensbrunnen. Von der Symbolik des Lebensbrunnens (Lebensquell, Lebensstrom, Paradiesflüsse – fons vitae, fons salvatoris) ist in den drei ersten Bänden schon

mehrfach die Rede gewesen, da er sich auf Grund seines
Bedeutungsgehaltes mit verschiedenen Themenkreisen
verbindet (siehe ikonographische Verzeichnisse). Wir beschränken uns deshalb hier auf ein paar Bemerkungen zu
den frühesten Bildmotiven, zu dem Lebensbrunnen in der
karolingischen Kunst und den personifizierten Flüssen,
um dann Beispiele für das spätmittelalterliche Brunnen-
motiv, das für die polemische Darstellung der Gegnerschaft von katholischer Kirche und Judenschaft bzw.
»Ketzern« verwandt wurde, zu zeigen[69].

Die biblischen Quellen für diese Symbole sind 1 Mos
2,10–14 (eine Quelle, vier Flüsse) und Apk 22,1 f. (ein
Strom, an seinen Ufern das Holz des Lebens), Apk 21,6
(»Ich will dem Durstigen geben von dem Brunnen des lebendigen Wassers umsonst«), Ps 42 (41),1 f. (Taufpsalm),
2 Mos 17,6 (Leben erhaltendes Wasser beim Felswunder),
Jes 12,3; Hes 47,1–12; Joh 4,14; 7,37–39. Von der Braut
im HL, die als Braut Christi und so als Kirche gedeutet
wird, heißt es: »... ein Gartenbrunnen bist du, ein Born lebendiger Wasser«, 4,15. Die biblischen Bildmotive des
Urparadieses und des zukünftigen Paradieses vereinen
sich zum Bild der ewigen Herrlichkeit, so daß die Para-
diesströme in der frühchristlichen Kunst sowohl der
himmlischen Landschaft als auch der Himmelsarchitektur
(z. B. Stadttorsarkophage, siehe Bd. 3) eingefügt wurden.
Sie sind Attribute des Ortes der Seligen und der neuen
Welt, über die der erhöhte Christus herrscht *(vgl. Bd. 3,
Abb. 531, 575, 577, 580ff., 599, 610 (personifiziert), 630,
638).* Die Quelle wird jedoch auch als Weisheit, Ekklesia
oder Christus gedeutet (nach Ambrosius ist die »fons vitae
aeternae« Christus); die von ihr nach den vier Himmelsrichtungen ausgehenden Flüsse als die vier Evangelisten
und die Lehre *(vgl. Bd. 3, Abb. 623),* gelegentlich auch als
die Kardinaltugenden, die die Gemeinschaft der Gläubigen mit Christus bewirken (Augustin). Doch kann auch
insgesamt im Paradies ein Bild der Kirche gesehen werden.

68. Siehe Katalog der Ausstellung »Von der freyheyt eynes
Christenmenschen«, 1967 in Berlin, S. 115 (F. Anzelewski) und
Die Drucke der »Göttlichen Mühle« um 1521, in: Schweizeri-
sches Gutenberg-Museum XL/1954.

69. Die wichtigste Literatur zum Lebensbrunnen, den wir im
Zusammenhang dieses Kapitels nicht so ausführlich behandeln
können, wie es der Bedeutung dieses Themas angemessen wäre:
R. Bauerreiß, Fons sacer, München 1949; A. Underwood, The
fontaine of Life in Mss. of the Gospels, in: Dumb. Oaks Paper,
5, 1950, S. 41–138; A. Thomas, Ikonogr. Studien zu Darstellungen des Lebensbrunnens in trierischen Hss. des Mittelalters, in:
Kurtrierer, Jb. 8, 1968, S. 59–83. ders. in LCI, 1, Sp. 331–336. Zu
den Paradiesflüssen: E. Schlee, Die Ikonographie der Paradiesflüsse, Leipzig 1937. P. A. Février, Les quatre fleures de Paradis,
in: Riv AC 32, 1956, S. 179–199; LCI 3, Sp. 382–384.

In hochmittelalterlichen Verherrlichungsdarstellungen, denen das kosmische Kompositionsschema der um eine Mitte (Monogramm, Kreuz, Lamm) gesetzten Vierergruppen zugrunde liegt, sind die Paradiesesflüsse nicht mehr ein Attribut des vorgestellten Ortes, sondern unmittelbar des erhöhten Christus. Sie können als Männer, die Wasser aus Urnen gießen, personifiziert gleichwertig neben den vier Wesen, vier Evangelisten, vier Elementen, vier Kardinaltugenden stehen oder diese vertreten, *vgl. Bd. 2, Abb. 404.* In einem Evangeliar aus Mainz, um 1260, Aschaffenburg, Schloßbibliothek, *Abb. 147,* sind die vier personifizierten Flüsse als Sinnbild der von der Kirche ausgehenden Ströme des Heils zwischen die schreibenden Evangelisten gesetzt. Die Mitte der Darstellung bilden hier die beiden mit Augen bedeckten Räder der Cherubimvision des Hesekiel (Kap. 10), die ineinandergreifen und so in der Deutung dieser Zeit die Einheit von Altem und Neuem Bund versinnbildlichen. Im Schnittpunkt der Räder steht ein Cherub, der als ein figurales Symbol für Christus zu verstehen ist. Die vier Ströme weisen ebenso wie die vier Evangelisten und ihre in den Bildecken angebrachten Symbole auf den weltweiten Missionsauftrag der Kirche hin.

Ebenso gehört das »Wasser des Lebens« zur Taufsymbolik, *vgl. Bd. 1 S. 140f.* Die frühchristliche Kunst veranschaulicht die Teilhabe an der Taufgnade und am ewigen Leben durch eine Quelle oder ein Gefäß, aus dem Hirsche (Ps 42), *vgl. Bd. 1, Abb. 345,* Pfauen (Symbol der Unsterblichkeit) oder Vögel (allgemein Symbol für die menschliche Seele), *vgl. Bd. 3, Abb. 546–548,* trinken.

Die Darstellung des Brunnens ist bis in die karolingische Kunst zurückzuverfolgen. Sowohl das Godescalc-Evangeliar, um 782 für Karl den Großen geschrieben, als auch das Evangeliar von St. Médard in Soissons, um 827, ein Geschenk Ludwig des Frommen an St. Médard, beide Paris NB, übernahmen die charakteristischen Formen des oktogonalen Umbaus (432–440 unter Sixtus III.) des konstantinischen Lateranbaptisteriums: acht Säulen, die eine baldachinartige Kuppel tragen. Auf der Miniatur im Evangeliar von St. Médard, *Abb. 145,* umfassen die acht Säulen ein sechseckiges Wasserbecken (im Godescalc-

Evangeliar ein rundes), in dem ein Springbrunnen aus vier Öffnungen Wasser spendet. Die Inschrift, die Sixtus III. auf dem Architrav über den Säulen im römischen Baptisterium anbringen ließ, bezeichnet das Taufbecken als »fons vitae« und besagt außerdem, daß die Taufe Wiedergeburt ist und in Beziehung zur Passion Christi steht. Den Zusammenhang der Lebensbrunnendarstellungen in den beiden Handschriften der karolingischen Hofschule mit dem Lateranbaptisterium belegt die Inschrift auf dem Bildgrund der Godescalc-Miniatur, die von der Taufe des Sohnes Karls d. G. im Baptisterium des Laterans im April 781 spricht. Die Hirsche sind aus der frühchristlichen Taufsymbolik in diese Miniaturen übernommen; ebenso die paradiesische Landschaft, die mit der Architektur zu einer Bildeinheit verbunden ist. Die Vierzahl der Hirsche, wie sie die Miniatur vom Anfang des 9. Jh. zeigt, verweist auch auf die vier Evangelien und die sie symbolisierenden vier Flüsse, die dem Lebensbrunnen – der Kirche – entspringen. Die Darstellung steht am Schluß des Prologs des Hieronymus, der vielen Bibelhandschriften vorangestellt ist und von der Einheit der Evangelien (Evangelienharmonie) handelt. (Vgl. »Prologus quattuor evangelorum«, Bd. 3, S. 186, und die Darstellung der Anbetung des Lammes Abb. 541, die in dieser Handschrift am Anfang des Prologs steht.) An das Bild des Lebensbrunnens schließen zwölf Seiten mit Kanontafeln an. In der Arkade der fünften steht der erhöhte Christus (Bd. 3, Abb. 470), ihm gegenüber in der sechsten Tafel die »Enthüllung des Lebensbrunnens«, *Abb. 146.* Den Hintergrund bilden bizarre Wolken, die an die Stelle der Paradieslandschaft treten. Ein Engel und ein nimbierter Löwe schlagen den Vorhang zurück, die gleichen Gestalten stehen mit geöffneten Schriftrollen und erhobenen Blicks auch neben dem Brunnen. Es sind die Symbole der beiden Evangelisten, deren Textstellen auf den Kanontafeln angegeben sind. Die Enthüllung des Lebensbrunnens, die die Offenbarung des Heils bedeutet, steht in gedanklichem Zusammenhang zu der Entschleierung des Moses, die in drei karolingischen Bibeln erhalten ist, siehe oben und *vgl. Bd. 3, Seite 199, Abb. 568. Vgl. auch Abb. 120 oben* die »Entschleierung der Synagoge«[70].

Das Danklied Jes 12 ist als ein liturgischer Text in die

---

70. Wir müssen es uns versagen, auf die symbolische Formgebung des Lebensbrunnens, die auch mit dem Tholos, dem östlichen Grabbau, zusammenhängt, weiter einzugehen, weil wir hier

nur kurz auf die frühen Darstellungen des Lebensbrunnens zu sprechen kommen können. Zusätzlich zur genannten Literatur verweisen wir hierfür noch auf die Ausfü͏̈ . . gen von V. H. El-

Psalterien aufgenommen und bildet in der Psalterillustration die Textgrundlage für die Darstellung der »fons salvatoris« – Vers 3: »Ihr werdet mit Freuden Wasser schöpfen aus dem Brunnen des Heils«. Im Utrechtpsalter ist (fol. 83) der Brunnen, aus dem zwei Männer in Kelchen Wasser schöpfen, in Bezug zur Verklärung Christi gesetzt. An dem Wasser, das vom Brunnen durch ein Tor aus dem himmlischen Bezirk hinausfließt, labt sich das alte und das neue Gottesvolk. Derselbe Gesang ist im Albani-Psalter, englisch, 1. Hälfte 12. Jh., Hildesheim, illustriert. Hier schöpft nur ein Mann aus der Quelle, die mit dem Lebensbaumkreuz verbunden ist, auf dessen Querbalken das Lamm steht. Daneben kniet Jesaja vor Gott.

Der Lebensbrunnen findet sich auch in Verbindung mit der Pfingstdarstellung, denn der »lautere Strom des lebendigen Wassers«, Apk 22,1, ist mit dem Heiligen Geist gleichgesetzt worden[71]. Ob das als »communis vita« bezeichnete Gefäß im ottonischen Pfingstbild, vgl. *Abb. 15–26, 27, S. 22f.*, die achteckige Form des karolingischen Lebensbrunnens zufällig oder absichtlich hat, läßt sich schwer entscheiden. Deutlicher wird der Bezug der Ausgießung des Heiligen Geistes zu dem Lebensbrunnen durch die Einfügung der Paradiesflüsse in den Bildecken der Pfingstminiatur im sogenannten Berthold-Missale aus Kloster Weingarten, 1200–1215, New York, *Abb. 148*. Da die Kuppel tragenden Säulen des Hauses können möglicherweise eine schematisierte Übertragung der Baptisterium- oder Tholosform des Lebensbrunnens in die Flächenstruktur des Bildes sein. Als sich Ende des 14. Jh. die Verehrung des Leidens Christi und des Sakraments allgemein verbreitet, geht die Bedeutung des Lebensbrunnens in die Sakramentssymbolik über, und es findet sich sogar ein »Hostienbrunnen«, der die Inschrift »communis vita« trägt: unterer Teil der Pfingstminiatur im Evangeliar des Kuno von Falkenstein, um 1380, Trier, *Abb. 149*.

Die Verbindung des Brunnens, der nun auch »Gnaden-

brunnen«, »Blut-Christi-Brunnen« oder »Fons pietatis« genannt wird, mit Christus als dem Gekreuzigten oder dem Kelertreter, dessen Blut in den Brunnen rinnt, liegt im späten Mittelalter nahe (*vgl. Bd. 2, Abb. 808, 810, 811, S. 242f.* und Kapitel »Schmerzensmann«.) Das Titelblatt der Kurfürstenbibel von 1641, *vgl. Bd. 2, Abb. 812,* zeigt – in protestantischer Bildtradition – den Keltertreter als den auferstandenen Sieger über Tod und Teufel. Er ist hier mit der Darstellung der Heilserwartung des Alten und des Neuen Bundes verbunden, deren Vertreter die Strahlen des Erlöserblutes trifft (vgl. Bd. 2, Abb. 532).

Die spätmittelalterliche Darstellung des Gnadenbrunnens lebt, vorwiegend in der Graphik, in vielen Varianten bis zur Mitte des 17. Jh. weiter[72]. In der katholischen Kirche gehört das Motiv zu dem Bildkreis der Christi-Blut-Mystik, die in nachreformatorischer Zeit von den Jesuiten besonders gepflegt wurde. Die Kunst der Reformation bezieht den Gnadenbrunnen in die Sakramentsdarstellung ein. Ein Holzschnitt der Schule des Lucas Cranach d. J., 1555, *vgl. Bd. 2, Abb. 112,* stellt eine Abendmahlsfeier dar, bei der Luther und Hus ihrer Abendmahlsauffassung entsprechend den Kelch und das Brot an Mitglieder des sächsischen Fürstenhauses reichen. Der Lebensbrunnen über dem Altar in der Mitte wird anstelle eines Sockels von dem Stamm eines Weinstocks getragen, der im Altar zu wurzeln scheint. Seine Äste und Reben ranken sich bis zur Christusgestalt, die aus den Wunden dem Brunnen das Blut spendet, empor. In Verbindung mit dem Weinstock (Joh 15,1 ff.) ist der Brunnen ein ausgesprochenes Sinnbild der Kirche, jedoch in der Betonung des Blutes Christi auch ein Hinweis auf die Kommunion in beiderlei Gestalt. Dadurch unterscheidet sich diese Darstellung des Gnadenbrunnens wesentlich von denen, die sich auf die katholische Blutmystik beziehen[73].

In direktem Zusammenhang zu der Gegnerschaft von Ekklesia und Synagoge steht eine Sondergruppe von Ta-

---

ben, Der eucharistische Kelch im frühen Mittelalter, II: Ikonographie und Symbolik, in: ZDVKW 17, 1963, S. 1–76.

71. Ambrosius, De Spiritu Sancto I, 16, 157; III, 20, 154. MPL 16, 740 und 812.

72. Maj-Brit Wadell, Fons Pietatis. Eine ikonographische Studie, Göteborg 1969.

73. Die namentlich bezeichneten Fürsten gehörten dem sächsischen Kurfürstenhaus an und hatten sich tatkräftig für die Reformation eingesetzt (Friedrich der Weise, Johann der Beständige,

Friedrich der Großmütige). Sie lebten ebenso nicht gleichzeitig wie Luther und Hus. Die Fons pietatis dieses Holzschnittes ist in Verbindung mit dem Weinstock ein deutlicher Hinweis auf das Blutopfer und begründet die Austeilung beider Elemente beim Abendmahl, die Hus und Luther praktizierten. Daß es sich hier um ein typisches Sakramentsbild mit Lehrcharakter handelt, wird auch durch die Darstellung der Beichte (Johann Friedrich und Luther) im Hintergrund deutlich.

felbildern, die wahrscheinlich auf ein verschollenes Bild des Hubert van Eyck zurückgeht, das mehrfach kopiert wurde. Wir zeigen eine spanische Replik aus dem 16. Jh. des Museums in Oberlin (Ohio)[74], *Abb. 151.* (Eine andere Replik, Dieric Bouts zugeschrieben, befindet sich in Lille, Musée des Beaux Arts; eine weitere im Prado, Madrid.) Vor einem durchgehenden Architekturgrund zeigt der obere Teil des Bildes in der Mittelachse den Thron Gottes und des Lammes (Apk 22,1 f.), der untere den Brunnen des Lebens. Die Thronarchitektur ist als neues Jerusalem verstanden. In dem Brunnen überschneiden sich verschiedene Vorstellungen. Im Zusammenhang mit dem Thron Gottes ist er der Brunnen des lebendigen Wassers. Das Wort HL 4,15 auf dem Schriftband in der Hand eines Engels bringt die allegorische Auslegung des Hohenliedes ins Spiel. Doch ist der Brunnen als Hostienbrunnen dargestellt, steht auf der Erde und trennt die Kirche von der Judenschaft. Vertreten ist die Kirche nicht durch Heilige, sondern durch den Papst inmitten von kirchlichen und weltlichen Würdenträgern. Der Hohepriester auf der Seite der Juden trägt die im Alten Testament vorgeschriebene Kleidung (Schild mit den zwölf Steinen, die auf die zwölf Stämme Israels verweisen, Gürtel, Glöckchen am Rock). Auf ihn sind die Attribute und die Haltung der Gestalt der Synagoge (Augenbinde, zerbrochene sinkende Fahne, Abwendung) übertragen. Er stützt sich auf einen Knienden, dessen Banner mit einer hebräischen Inschrift sich am Boden entrollt. Andere Juden stürzen, klagen, gehen davon. Ein ganz anderer Realitätsgehalt als bei der mittelalterlichen Ekklesia-Synagoge-Darstellung tritt in dieser Bildgruppe dem Betrachter entgegen. Die Wandlung von der objektiven heilsgeschichtlichen Aussage zu dieser vielleicht auch auf Erfahrungen des zeitgenössischen Judenhasses beruhenden Gegenüberstellung weist bereits auf das sich wieder auf zwei Figuren konzentrierende Fresko des 18. Jh. in Ochsenhausen, auf dem ein Rabbiner bei dem Auftreten der Kirche die Flucht ergreift. Vor dem göttlichen Thron ist das Gericht aber ein endgültiges. Der Lebensbrunnen, auf die Juden bezogen eindeutig Symbol der Taufe, erhält in diesem hier auch die Qualität eines Gerichtszeichens: Er trennt Glauben von Unglauben.

Nur aus dem erbitterten Kampf der Gegenreformation in den Niederlanden ist es zu verstehen, wenn auf einem flämischen, 1596 signierten Flügelaltar von Lukas Horenbout d. J. in Gent, *Abb. 150,* die Protestanten von der um den Brunnen versammelten »Gemeinschaft der Heiligen« (siehe Unterschrift) ausgeschlossen sind und die Stelle der Juden einnehmen. Das Zentrum der allegorischen Darstellung auf der Haupttafel bildet der Brunnen. Ihn krönt die Dreifaltigkeit. Vom Thron aus spendet Christus sein Blut, das in die obere, als »Brunnen des Lebens« bezeichnete Schale fließt. Durch vier Engelsmaskaronen (vier Paradiesflüsse, vier Evangelien) fließt es weiter in die nächste, »Brunnen der Barmherzigkeit« genannte Schale, die hinten und auf der rechten Seite von Aposteln, Heiligen und Märtyrern umgeben ist. Sie vertreten den neuen Bund. Alle, die sich in dieser Wolkenzone (Paradies) befinden, leeren das Blut ihrer Kelche in diese große Brunnenschale. Es symbolisiert ihre Leiden, die sie auf Erden um Christi willen ertragen haben, die sie gleichsam als ihren Beitrag zur Erlösung der Menschen dem Inhalt des Gnadenbrunnens hinzufügen[75]. Auf der anderen Seite des Brunnens stehen die Vertreter des Alten Bundes. Ihre leeren Kelche deuten auf die endzeitliche Verheißung hin: auch sie können am Gnadenbrunnen gefüllt werden. Durch sieben Engelsmaskaronen fließt das Wasser in die untere Schale, auf deren rechter Seite die »Rechtgläubigen« stehen: Papst, Kardinal, Bischof, Kaiser, Mönche, Nonnen. An der Stelle, wo sie der Strahl trifft, entsteht ein kleines Herz. Zwei der Männer wenden sich den Seelen im Fegefeuer am äußersten Bildrand zu und schenken den Gequälten zum Trost ihr neues Herz. Die Gruppe auf der linken Seite ist vom Brunnen abgewandt. Sie haben keinen Anteil an der Gnade, die der Brunnen spendet – sie fließt zurück. Unter dieser Gruppe sind mehrere Fürsten, ein Mohammedaner und im Hintergrund Luther in der Mönchskutte zu erkennen. Alle wenden sich einem Verkaufstisch zu, an dem der durch eine Frau personifizierte Unglaube ein Buch anbietet, das die Aufschrift »Ungläubige Philosophen« – u(n)waen(de) wigoh(e)r(en) – trägt[76].

---

74. Das Bild wurde von Josua Bruyn im Bulletin des Museums Bd. XVI, S. 5 ff. publiziert.

75. Deutung nach Wadell, S. 85.

76. Nach Bruyn Anm. 7 Seite 17 handelt es sich bei den hebrä-

ischen Inschriften um folg. Psalmenverse, die als Mahnungen an die Juden zu verstehen sind: 4,8 f.; 106 (105),f; 107 (106),1; 111 (110),4 f.; 136 (135),1.

Bockshörner und Vogelklauen verunglimpfen die Verkäuferin. Die Halskrause, die sie trägt – eine weitere liegt auf dem Ladentisch –, verweist auf das Predigerhabit der reformatorischen Kirche, für das die Halskrause aus der profanen Tracht übernommen wurde. Der Kelch auf dem Tisch bezieht sich auf die von den Reformatoren eingeführte Austeilung des Kelches an die Laien. Auf den Verkaufsregalen stehen Bücher, die die Namen Calvin, Luther Mohammed, Menno tragen, deren Werke auf dem Index der von Rom verbotenen Bücher standen. Als Pendant zu den Seelen im Fegefeuer auf der anderen Seite steht hier unter dem Ladentisch ein Teufel und neben ihm eine emporfahrende Schlange: die Helfer des Unglaubens und ein Hinweis auf die ewige Verdammnis der »Käufer«. Die überlieferten Formeln der Exegese und der Kunst werden auf diesem Bild verwandt, um die Teile der katholischen Lehre, die von den Reformatoren angegriffen wurden (Fegefeuer und Mitwirken der Märtyrer und Heiligen an der Erlösung der Sünder durch ihr vergossenes Märtyrerblut und ihre guten Werke), zu verteidigen. – Bei der heutigen Aufstellung des Altars zeigen die Innenseiten der Flügel oben die 24 Ältesten, unten in typologischer Gegenüberstellung eine Messefeier und die Zurückführung der Bundeslade in den Tempel mit dem tanzenden König David. Diese Tafeln waren ursprünglich an der Außenseite, während bei geöffnetem Zustand des Altars die Heilung am Teich Bethesda und das Jüngste Gericht zu sehen waren.

Die Baumallegorie, die in der Darstellung der Reformationskunst bei den Gegenüberstellungen von Gesetz und Gnade, Sündenfall und Erlösung einen wichtigen Platz einnimmt, läßt sich in mannigfachen Formen weit zurückverfolgen (siehe dazu Bd. 2). In allegorischen Darstellungen des 15. und 16. Jh. tritt der Baum als zur Hälfte verdorrt und zur Hälfte grün auf, die eine Seite dem Sündenfall und Alten Testament zugewandt, die andere der Erlösung durch Christus. Er wird in diesem Zusammenhang als »Baum des Todes und des Lebens« bezeichnet und steht in gedanklicher Verbindung zu den beiden Bäumen im Paradies. So windet sich auf der ältesten dieser Darstellungen die Schlange zwischen den beiden verschlungenen Baumstämmen hindurch und neigt sich Eva zu, die die Früchte des Todesbaumes verteilt, während Ekklesia ein Kruzifix hält und den Gläubigen die ewige

Speise von der rechten Seite des Baumes reicht. Das älteste Beispiel befindet sich in einem Bibelfragment der Schreibstube des Johannes von Zittau, um 1420, vor dem Beginn der Schöpfungsgeschichte[77]. Der Lebens- und Todesbaum ist auch einige Male in den Darstellungstypus des »Lebenden Kreuzes« aufgenommen, der die Antinomie von Ekklesia und Synagoge in einer außergewöhnlichen Formulierung demonstriert, *vgl. oben und Bd. 2, Abb. 529*. Ausläufer dieser Baumallegorie sind in der spätbarocken Kunst im Zusammenhang der großen allegorischen Bildprogramme der Kanzeln zu finden, deren bekannteste die der Kirche von Zwiefalten ist.

Die weit ältere Form der Baumantithese ist der »Tugend- und Lasterbaum« (arbor bona und arbor mala). Im Liber floridus des Kanonikers Lambert von St. Omer (Flandern), um 1100, von dem neun Kopien erhalten sind, ist diese Antithese von Ekklesia und Synagoge benutzt, um den Gegensatz zu veranschaulichen, *Abb. 152 und 155*, Genter Handschrift, um 1120 vollendet. Die Inschriften lassen keinen Zweifel an der Bedeutung der Bäume. Die Äste und Zweige des Baumes, der die »ecclesia fidelium« symbolisiert, entfalten sich in einer strengen Ordnung. Wo die Blätter oder Früchte hervorsprießen, sind Medaillons mit personifizierten Tugenden eingefügt, die alle benannt sind. Die Pflanzennamen der Blätter und Früchte entstammen dem Hohenlied. Ihre Bedeutungen stehen jeweils in einem Sinnzusammenhang zu den Tugenden. Über dem zwölffachen Wurzelgeflecht umschließt der Stamm die Caritas. Sie wird durch die Inschrift daneben als die »Mutter der Tugenden« bezeichnet. Rechts unten heißt es: »Der gute Baum, welcher ist die Königin zur Rechten Gottes, mit Buntheit (verschiedene Farben) umgeben, ist die Kirche der Gläubigen, mit der Verschiedenheit der Tugenden bekleidet.« Diesem farbenprächtigen Baum steht die eintönig grüne »Arbor mala«, die Synagoge, gegenüber. An den Wurzeln sind zwei Äxte angelegt, die Blätter sind als »ficulnea« bezeichnet. Es ist der Feigenbaum (vgl. das Gerichtsgleichnis Mk 13,24 f.) gemeint, von dem Johannes der Täufer in seiner Bußpredigt sagt, daß ihm die Axt schon an die Wurzel gelegt ist (Mt 3,10). Unten ist die Axt zu sehen. Die den

---

77. Abgebildet bei E. Guldan, Eva und Maria, Graz–Köln 1966, Nr. 156. Wir bringen ein Beispiel im Abschnitt Eva-Ekklesia-Typologie, Abb. 773.

Baum deutende Inschrift lautet: »Dieser herbstliche Baum
ist unfruchtbar, zweimal gestorben, entwurzelt, dem der
Ansturm der Finsternis in Ewigkeit aufbewahrt ist.« Die
Texte in den Medaillons beziehen sich auf Laster[78].

Der Liber Floridus enthält noch zwei Pflanzendarstellungen, die die Kirche symbolisieren: eine weiße Lilie auf
blauem Grund, *Abb. 156,* und eine Palme, *Abb. 157,* Wolfenbüttler Exemplar Mitte oder 2. Hälfte des 12. Jh. In
dem Text rechts sind die sieben Gaben als die Früchte des
Heiligen Geistes erwähnt (Gal 5,22), an erster Stelle wieder die Caritas. Darauf folgen die Namen von Hölzern,
die zum Teil das Hohelied nennt. Im Text der linken Seite
wird dem Heiligen Geist die Philosophie gegenübergestellt, aus der die sieben freien Künste hervorgehen, *vgl.
Abb. 180,210.* Die Palme (vgl. Sirach 24,18) breitet ihre
Blätter radial aus. Sie steht als die Kirche auf dem Berg
Sion (Inschriften). An den Spitzen der Blätter sind die Namen der Tugenden, außerhalb der Umgrenzung die der
Laster zu lesen. Die Palme ist ein altes Symbol des Wissens
und der Weisheit; Prudentius spricht es in seiner Tugend-
lehre der als Herrscherin thronenden Weisheit zu, vgl.
Abb. 168. Außerdem ist der Palmzweig Symbol des durch
den Kampf errungenen Friedens und so von früh an Attribut der Märtyrer. Dieses Attribut ist hier zum Baum aus-
geweitet, der als Kirche bezeichnet ist. (Auf die Identität
von Kirche und Weisheit gehen wir unten ein.) Und
schließlich bedeuten die im Liber Floridus durch Pflanzen
veranschaulichten acht Seligpreisungen der Bergpredigt
ebenfalls den blühenden Baum der Kirche, *Abb. 153, 154,
158.* Alle Texte, die die Pflanze mit der entsprechenden
Seligpreisung in Beziehung bringen, beginnen hier mit:
vox ecclesiae – Die Stimme der Kirche. Die Symbolik dieser Pflanzendarstellungen ist ebenfalls eng mit dem Hohenlied und der Mystik verwoben.

Die Göttliche Weisheit (Sophia, Sapientia)

Weisheitsdichtung im Alten Testament u. a.: Sprüche 1–9
(4.–3. Jh. v. Chr.); Jesus Sirach, besonders Kap. 1 und 24
(190 v. Chr.); Weisheit Salomos (Alexandria 1. Jh. v. Chr.)

Da die zweite Gruppe der Ekklesiadarstellungen in ihrer Symbolik und Typologie mit dem Vorstellungskom-
plex der Göttlichen Weisheit über den oben schon gezeig-
ten Zusammenhang mit der Ausgießung des Heiligen
Geistes und der Kirche als Haus der Weisheit (Domus sapientiae) hinaus verknüpft ist, gehen wir zunächst auf den
Niederschlag dieses Komplexes in der christlichen Kirche
ein.

Die unterschiedlichen Vorstellungen, die sich mit der
Weisheit in den kanonischen und apokryphen Schriften
des Alten Testamentes verbinden, hängen mit der Entstehungszeit und dem Grad ihrer Beeinflussung von der Antike zusammen. Als Hypostase Gottes kann die Weisheit
personifiziert vorgestellt sein, andererseits steht sie als reiner Geist über den Geistern und Gestirnen und ist Ab-
glanz des ewigen Lichtes, Abbild Gottes (Weish 7,22–29),
und wiederum ist sie Gabe an die Menschen und deren
Lehrer. Diese Vorstellungen werden in nachexilischer Zeit
in die jüdische Theologie der Heilsgeschichte aufgenommen. So ist die Weisheit als Ordnung der Schöpfung mit
dem Schöpfungsplan Gottes identifiziert worden und
rückt damit in die Nähe zum Geist Gottes (1 Mos 1,2).
Diese Präexistenz der Weisheit und ihre Beteiligung an der
Schöpfung (Spr. 3,19f., 8,22ff., Ps 33,6, Sirach 24) wird im
Neuen Testament von Joh 1 und Kol 1 vorausgesetzt: Der
präexistente Logos heißt »Ebenbild des unsichtbaren
Gottes«, durch den alles geschaffen ist und in dem alle
Schätze der Weisheit verborgen liegen. Der Logos- und
Sophiabegriff der frühen Gnosis ist von der Weisheits-
dichtung des Alten Testaments ebenso wie von Gedanken
der antiken Philosophie beeinflußt.

Da Christus auch als Inkarnation der Göttlichen Weis-

---

78. M. L. Delisle, Notice sur les manuscrits du »Liber floridus«
de Lambert, Chanoine de St. Omer, Paris 1906. L. Behling, Ecclesia als arbor bona, in: Zeitschr. f. Kunstwiss. XIII, 3/4, 1959,
S. 139–154. Siehe S. 144 und 148 die Übersetzung aller genannten
Tugenden und Laster, ebenso zu den beiden folgenden Abbildungen. Vgl. auch M. Böckeler, Hildegard von Bingen: Wisse die
Wege. Scivias I, die 4. Vision, die L. Behling zur Deutung mit her-

anzieht; H. Tubert, Une fresque des San Pedro de Sorpe (catalo-
gue) et le thème iconographique de l'arbor Bona-Ecclesia, Arbor
Mala-Synagoge, in: Cah. Archéol. 19, 1969, S. 167–189. Hier sind
auch zwei Beispiele abgebildet, die die Arbor bona mit den klugen
und die Arbor mala mit der an seine Wurzeln gelegten Axt mit
den törichten Jungfrauen verbindet.

heit aufgefaßt wurde, nimmt er den Thron der Weisheit (sedes sapientiae) ein, der in dem Bildkreis zur Inkarnation eine wichtige Aussage über die Göttlichkeit des von der Jungfrau geborenen Kindes macht. Folgerichtig gilt die Jungfrau, auf deren Schoß das Kind sitzt, als Thron der Weisheit (vgl. Bd. 1). Die Identifizierung von Weisheit und Logos führt zur Übernahme der nach Jes 11,1 ff. in der alttestamentlichen Heilserwartung dem Messiaskönig zugesprochenen sieben Gaben des Geistes in die Bildtypen »Sedes sapientiae« und »Wurzel Jesse« (siehe Bd. 1), wo sie in Gestalt von sieben Tauben das Haupt des Christus-Sapientia oder Christus-Logos umgeben. Die schon erwähnte Parallelisierung der sieben Gaben des Geistes mit den sieben Säulen des Tempels der Sapientia (domus sapientiae) erklärt die sieben Säulen in einigen Verkündigungsbildern, vgl. Bd. 1, Abb. 86, und in Darstellungen der »Wurzel Jesse« in der Handschriftengruppe des »Jungfrauenspiegels«, wo im offenen Buch der Jungfrau Spr 8,22 f. und in dem des Christus Jes 60,1 zu lesen sind oder der Jessebaum dem Haus der Weisheit mit entsprechenden Textstellen eingefügt ist, vgl. Bd. 1, Abb. 37, 38. Die abendländische Mariologie bezeichnet auch Maria als »domus sapientiae«, in dem Gott (Trinität oder Christus als inkarnierte göttliche Weisheit) Wohnung nahm.

Nun ist aber der Thron der Weisheit 1 Kön 10,18–22 als Thron Salomos geschildert. Dieser König Israels, mit dem auch einige der Weisheitsdichtungen des Alten Testaments in Verbindung gebracht wurden (zu Unrecht, da sie jüngeren Datums sind), galt als Inbegriff der einem Menschen innewohnenden Weisheit. So wird Salomo, der zu den Vorfahren Jesu zählt, auch als alttestamentlicher Typus für Christus-Sapientia gesehen. Die Königin von Saba, die zu Salomo kam, um seine Erkenntnisse und Weisheit zu erfahren (1 Kön 10,1–9), gilt in Verbindung mit Salomo als Typus der Kirche, so daß gelegentlich mit beiden Figuren in verschiedenen Bildthemen auf Christus und seine Kirche hingewiesen wird, vgl. Bd. 1, Abb. 173, 374. Am einleuchtendsten ist diese Typologie bei der Gruppe von Darstellungen der Kirche, die der Brautsymbolik entstammt, siehe unten.

Abgesehen von dieser Typologie wurde die Weisheit als die der Schöpfung vorgeordnete geistige Kraft und als Offenbarungsvermittlerin und Lehrerin Israels (Spr 1,20 ff., 8,1 ff.) auch als Präfiguration für die Kirche gewertet; dieser Bezug wandelt sich allmählich zur Identifizierung. Daraus ist zu erklären, daß auch die Ekklesia ihrem Ursprung nach als präexistent gesehen werden konnte und das Verhältnis von Christus und seiner Kirche von Anfang an als vorbestimmt galt. Die erwähnte Nähe von Geist und Weisheit im Hinblick auf die formgebenden Kräfte der Schöpfung kann in der christlichen Interpretation der Sapientia auch zu einer Gleichsetzung von Weisheit und Heiligem Geist führen. Da nach Aussagen des Neuen Testaments der Heilige Geist die Kirche auf Erden konstituiert, gibt diese Tradition eine weitere Erklärung für die Verbindung Sapientia-Ekklesia.

Die nachexilische theologische Interpretation setzt die Weisheit auch der Thora, die die von Gott dem Volk Israel gegebene Ordnung und das Gesetz enthält (Weisheit als Schöpfungsordnung!), gleich. Ps 19 (18),8 f. preist das Gesetz als vollkommen. Für die von der Weisheit gestiftete Ordnung siehe Sp 8,15 f. und Sir 1,10. Der oben schon deutlich gewordene heilsgeschichtliche und typologische Bezug von Gesetzesübergabe und Pfingsten umschließt auch die Identifizierung von Weisheit und Kirche.

Die Qualifikation der Weisheit als außerordentliche Gnadengabe (Spr 2,6; Hebr 6,4 f.) und Vermittlerin der Gotteserkenntnis (Spr 1,20 ff., 8,1 ff.) geht vor allem aus ihrer Vorrangstellung innerhalb der sieben Gaben des Geistes hervor[79].

In der Kunst werden diese verschiedenen Auffassungen der Sapientia – Person, Schöpfungsordnung, Geist, Seinsqualität, Gabe des Geistes – durch Personifikation oder durch die Symbole für den Heiligen Geist (Taube, Feuerflammen, -zungen, Lichtstrahlen, Lichtwolken) zum Ausdruck gebracht. Die wichtigste der Identifikationen der Weisheit ist die schon vom Neuen Testament vorgenommene mit Christus, in der späteren Terminologie mit der zweiten Person der Trinität, die sich nicht nur in den genannten Bildtypen, sondern ebenso als isolierte Darstellungen in Illustrationen zu den alttestamentlichen

---

79. Siehe zu den sehr komplizierten Interpretationen der Weisheit, die wir nur im Hinblick auf die Darstellungen kurz skizzieren, RGG VI, Sp. 1574–1581 (H. Gese), zu Geist und Gei-

stesgaben II, Sp. 1270–1278 (G. Gerleman, E. Käsemann) und die dort genannte Literatur.

Weisheitsbüchern und im Osten auch in der Wand- und Tafelmalerei finden.

Die Darstellung im Osten. Konstantin der Große weihte eine der von ihm in Konstantinopel errichteten Kirchen der Hagia Sophia und verherrlichte damit Christus als die göttliche Weisheit. Da es die kaiserliche Kirche in der neuen Residenzstadt war und sie auf Konstantin selbst zurückging, der als Vorbild christlichen Kaisertums in der Ostkirche als Heiliger verehrt wird, ist das Sophia-Patrocinium im Osten seit dem 4. Jh. weit verbreitet. Bildliche Darstellungen der Weisheit sind jedoch aus der frühen byzantinischen Kunst nicht erhalten. Lediglich der Mitte des 6. Jh. vermutlich in Antiochien (Konstantinopel?) angefertigte Codex Rossanensis enthält eine Miniatur, die die Weisheit darstellt, wie sie den Evangelisten Markus beim Schreiben inspiriert, *Abb. 159.* Als Frauengestalt personifiziert trägt sie ein einfaches Gewand mit Mantel und Maphorium und ist nimbiert. In der gleichzeitigen und dem Codex in Rossano verwandten »Wiener Genesis« tritt die Weisheit bei der Darstellung der Traumdeutung des Joseph im Kerker in gleicher Funktion auf (1 Mos 40,8). Als personifizierte Inspiration steht sie hier in der allgemeinen Tradition griechischer Personifikationen. Noch im 14. und 15. Jh. kommt die Inspiration von Evangelisten durch die Weisheit in der serbischen Buchmalerei vor (S. Radojčić, Abb. 46 und 64).

Eine syrische Bibelhandschrift des 7. oder 8. Jh. in Paris enthält zu den Sprüchen Salomos eine Miniatur, die drei nebeneinanderstehende Figuren zeigt, *Abb. 160:* König Salomo in der Tracht byzantinischer Kaiser, die Gottesmutter mit dem Kind in der Mandorla[80] und die personifizierte Weisheit mit dem Kreuzstab und einem großen, mit einem Kreuz geschmückten Buch. Der Kreuzstab ist im Westen seit karolingischer Zeit ein Attribut der Ekklesiagestalt. Das Buch dürfte in der Hand der Weisheit Sinnbild der Lehre sein; bei Salomo ein Hinweis auf seine Autorenschaft, da sein Name mit der Weisheitsdichtung des Alten Testaments verknüpft war. In der Zuordnung zur Gestalt der ewigen Weisheit und der Jungfrau mit dem Kind ist er hier der alttestamentliche Typus der Weisheit und Präfiguration für den geweissagten Christus als die inkarnierte göttliche Weisheit. Trifft diese Deutung der drei Figuren, die nicht durch Beischriften bezeichnet sind, zu, so läge hier eine syrische Darstellung vor, in der sich verschiedene Linien der Weisheitsinterpretation verbinden[81].

Auf Darstellungen der Weisheit in der byzantinischen Kunst bis zum 13. Jh. kann nur von der Freskenmalerei in Serbien und Makedonien und von russischen Ikonen aus geschlossen werden. Hier findet sich vom Ende des 13. Jh. an ein Darstellungstypus für die Weisheit, der sie in Gestalt eines sitzenden Engels zeigt. Die sieben Säulen oder das Haus der Weisheit und eine Inschrift aus Spr 9 sind ihr zugeordnet. Daraus geht eindeutig hervor, daß es sich nicht um einen Engel handelt, sondern um eine Personifikation der Sophia, die mit Flügeln, einem Symbol des Geistes und der göttlichen Herkunft, ausgestattet ist. Da sich im Osten die hellenistisch geprägte Weisheitslehre und die Logoskonzeption, die in Joh 1 ihren Niederschlag fand, eng berührten, wurde immer in der göttlichen Sophia der Christus-Logos erkannt. So bezeichnet diese Weisheitsdarstellung den präexistenten Christus-Logos als die zweite Person der Trinität[82].

Seit dem späten 9. Jh. kommt auch in szenischen Darstellungen manchmal die Gestalt des geflügelten Christus-Logos vor, ältestes Beispiel in dem Prachtkodex der Homilien des Gregor von Nazianz, 880–886, bei der Gotteserscheinung des Habakuk der zweiten Osterhomilie, Paris gr. 510; ferner zum gleichen Text: Sinai, Cod. grec. 339, Paris BN., Coislin 239 und grec. 543. Im Abendland ist das seltene Motiv in der von der byzantinischen Ikonographie beeinflußten Psalterillustration zu finden – Albanipsalter, Illustration zu Ps 36 (35), englisch, 1. Hälfte 12. Jh., Hildesheim. In der gleichen Zeit, in der sich die Darstellung der Weisheit mit Flügeln in der serbisch-makedonischen Wandmalerei nachweisen läßt, findet sich dort

---

80. Die Mandorla hebt die Gottmenschlichkeit des Kindes hervor. Zu diesem Marienbildtypus der Kyriotissa, der in dieser Zeit auch auf byzantinischen Siegeln vorkommt, siehe Teil 2.

81. Vgl. zu der Miniatur: H. Omont, Peinture de l'Ancient Testament dans une Ms. syr. du VII ou VIII siècle, in: Les monuments et mémoires publies par l'Accad. des Inscriptions et Bel-

les-Lettres (Fond. Piot) XVII, 1909, 85–99.

82. J. Meyendorff, L'Iconographie de la Sagesse divine dans la Tradition byzantine, in: Cah. Archéol. X, 1959, S. 259ff.; M.-Th. d'Alverny, La Sagesse et ses sept filles: Mélanges dédiés à sa mémoire de Félix Grat I (Paris 1946) 245–78. LCI IV, Sp. 39–43. Vgl. auch Anm. 83 S. 71.

auch die geflügelte Christusgestalt mit dem Kreuznimbus und dem Monogramm ICXC, die inschriftlich als »Engel des Großen Rates« bezeichnet ist (Ohrid, Sv. Kliment, Narthex Gewölbe[83]). Hingewiesen sei auch auf die Trinitätsdarstellung des Ostens, die sich des Besuches der drei Engel bei Abraham bedient, um das trinitarische Geheimnis der Gottheit zu veranschaulichen, vgl. Bd. 5 Trinität. Es ist also im Osten nicht ungewöhnlich, die Göttlichkeit Christi durch eine engelähnliche Gestalt zu personifizieren[84].

Den einfachen Typus des »Weisheitsengels«, von dem nicht feststeht, wann er zuerst auftrat, zeigt ein Fresko der Klosterkirche in Gračanica (Serbien), zwischen 1299 und 1321, *Abb. 161*. Sophia thront frontal vor einer Tempelarchitektur mit sieben Säulen hinter einem Tisch, auf dem ein aufgeschlagenes Buch liegt. Die Inschrift in der Ädikula der Architektur bezieht sich auf das Haus der Weisheit, Spr 9,1. Ein Fresko in Sv. Kliment in Ohrid (Makedonien), gegen 1300, *Abb. 162*, variiert und bereichert diesen einfachen Typus. Es zeigt den Weisheitsengel, der den rhombenförmigen Nimbus als Attribut der Göttlichkeit trägt. Er sitzt an der Schmalseite eines Tisches; das Wort im offenen Buch Spr 9,5 lautet: »Kommt, zehret von meinem Brot und trinket den Wein, den ich schenke.« Er lädt zum Mahl in sein Haus an den gedeckten Tisch ein. Hinter den drei dienenden Jungfrauen steht auf der anderen Seite des Bildes ein tempelartiges Gebäude mit sieben Säulen, in dessen Giebel eine weibliche Büste angebracht ist, die nur als Marienbild gedeutet werden kann. So klingt hier die Inkarnation – Maria als Tempel der Weisheit – und die Eucharistie – die Feier der Gemeinschaft mit Christus beim Mahl in der ewigen Herrlichkeit – mit an. Auf bestimmte Vorgänge lassen sich diese symbolischen Darstellungen allerdings nicht festlegen.

Auf russischen Ikonen der göttlichen Weisheit, die bis ins 16. Jh. zurückzuverfolgen sind, ist in der Regel eine gekrönte Frau, mit oder ohne Flügel, meist im feurigroten, mit Goldborten verzierten Gewand, inmitten einer mehrfarbigen Strahlengloriole thronend dargestellt. Sie hält Stabkreuz und Schriftrolle; in ihrem Nimbus ist häufig das Christusmonogramm ICXC gesetzt. Über ihr steht ein Brustbild des erhöhten Christus. Den Thron flankieren die Jungfrau mit dem Bild des Christus in der Mandorla und Johannes der Täufer. Christus ist auf diesen Ikonen in seiner präexistenten und eschatologischen Einheit dargestellt: als vorzeitlicher Logos und zweite Person der Trinität und als der überzeitliche Weltenherrscher. Wir zeigen eine russische Ikone des 17. Jh. aus Privatbesitz, *Abb. 163*. Der Bildtypus, der häufig variiert wird, ist oben durch sechs Engel zu Seiten eines Altars erweitert, die sich über das Himmelszelt herabneigen.

Es kommt in der serbisch-makedonischen Malerei jedoch auch vor, daß Christus als Sophia dargestellt wird. Im Narthex der Kirche des Marko-Klosters bei Skopje, nach 1371, ist eine Christusfigur in einer Aureole von sieben Cherubim inschriftlich als Sophia bezeichnet. Daneben steht Salomo mit dem Wort aus Spr 9,1, das sich auf das Haus der Weisheit bezieht.

Die Darstellung in der abendländischen Kunst spiegelt seit dem Ende des 10. Jh. die vielfältige christliche Deutung der göttlichen Weisheit, – Logos, Tugend, Kirche – wider; in der Buchmalerei vorwiegend im Zusammenhang mit Texten der alttestamentlichen Weisheitsbücher. Mehrfach steht zu Beginn des Buches Sirach in Verbindung mit der O-Initiale des ersten Verses: »Alle Weisheit ist von Gott, dem Herrn, und ist bei ihm ewiglich« eine Illustration der Sapientia. Sie wird entweder durch Christus oder Salomo im Typus des Herrschers oder durch eine Frauengestalt, vor dem Haus der Weisheit thronend, dargestellt. Bei der Seltenheit bekannter Bildbeispiele können im folgenden nur eine Reihe Varianten aufgezeigt werden, ohne den

83. A. M. Ammann, Slawische Christus-Engel-Darstellungen, in: Orient. Christ. Period. 6, (1940), S. 467–94; J. Barbel, Christos Angelos, in: Theophaneia 3, 1941; S. Der Nersessian, Notes sur quelques images se rattachant au thème du Christ Ange, in: Cah. Arch. 13, 1962, S. 209–16; hier Abbildungen aus den genannten Handschriften und der Nachweis für die Entwicklung der Illustration der Homilie (MPG 36, 624 A-B); RBK I, Sp. 1012–14 (K. Wessel); LCI, I, Sp. 398–399 (E. Lucchesi Palli).

84. Die Darstellung Christi als Engel des großen Rates in den Balkanländern mit der dort sehr verbreiteten Sekte der Bogomilen, die in Christus nur einen Engel sehen wollten, in Verbindung bringen zu wollen, ist abwegig. Die Bogomilen waren streng bilderfeindlich. Die Kirchen, die in ihr großes Bildprogramm diese Christusdarstellung aufgenommen haben, haben ausgesprochen orthodoxen Charakter, so daß ein Einfluß dieser Sekte ausgeschlossen ist.

Zusammenhang der Typen klar herausarbeiten zu können. Dabei muß berücksichtigt werden, daß die im Mittelalter gebräuchliche Übernahme gleicher Typen zur Illustrierung unterschiedlicher Texte zur Verschiebung der Bedeutungsakzente führen kann.

In einer Sammelhandschrift aus der Lütticher Saint-Laurent-Abtei, Ende des 10. oder 1. Viertel des 11. Jh., die die Psychomachie des Prudentius enthält, Brüssel, *Abb. 164*, zeigt eine Miniatur die über dem Rundbau des salomonischen Tempels thronende Sapientia; sie ist durch eine Beischrift als solche bezeichnet und durch einen gekrönten Herrscher im Typus Salomos wiedergegeben. Der einer Stadtarchitektur eingefügte Rundtempel steht im Zusammenhang der Salomotypologie anstelle des Weisheitstempels. Er ist hier in einer Handschrift der Psychomachie, siehe unten, als von den Tugenden errichtet vorgestellt.

Die Miniatur zu Beginn des Buches Sirach im 3. Band der Bibel aus St. Vaast, 2. Viertel 11. Jh., Arras, *Abb. 165*, bezeichnet den im Tempel der Weisheit thronenden Christus (Kreuznimbus) als Sapientia. Er hält den Herrscherstab in der Rechten und den Globus mit dem Kreuz in der Linken und tritt auf zwei überwundene Feinde. Der eine von ihnen trägt den spitzen Judenhut, der andere, ohne bestimmte Merkmale, kann ein Vertreter der Heiden oder ein Häretiker sein. Schon früh ist der Satz: »Setze dich zu meiner Rechten, bis ich deine Feinde zum Schemel deiner Füße lege«, Ps 110 (109),1 als Verheißung des Sieges über Unglauben und Häresie ausgelegt worden. Von Illustrationen dieses Psalmwortes, die die neben Gott sitzende Christusgestalt zeigen (*vgl. Bd. 3, Abb. 672, 677 und Bd. 1,7*), geht offenbar dieser Christus im Haus der Weisheit aus (vgl. aber auch unten die Weisheit in der Psychomachie, die ihren Tempel über den Lastern errichtete). Dem Haus der Weisheit sind in der Bibel von Arras über den sieben Säulen sieben nimbierte Köpfe eingefügt, die als die sieben Künste gedeutet werden. (Zu ihrer Gleichsetzung mit den sieben Tugenden oder den sieben Geistesgaben siehe unten.) Rechts und links sitzen unter Bogenöffnungen vier personifizierte Tugenden: Justitia mit der Waage, Fortitudo mit dem Schild, Temperantia mit einer erhobenen Flammenschale und Sapientia mit einem offenen Buch auf dem Schreibpult – alle sind im Gegensatz zu antiken Tugendpersonifikationen männliche Gestalten. Ebenfalls unter Rundbogenarkaden sitzen unten die Evangelisten.

Da der Miniaturist noch den Tempelvorhang unterbringen wollte, ist einer der Evangelisten kleiner wiedergegeben als die anderen. Die Sapientia, die bei den Gaben des Heiligen Geistes genannt ist, erscheint hier nicht nur thronend, sondern auch bei den vier Kardinaltugenden. Der Vorhang, der im jüdischen Tempel das Allerheiligste verbarg und beim Tode Jesu zerriß, ist ein Symbol für die Verhüllung bzw. für das Offenbarwerden der Weisheit Gottes.

Auf einer Miniatur vor dem Offizientext eines Kollektars aus Zwiefalten, 12. Jh., Stuttgart, *Abb. 166*, die von Apk 4 ausgeht, thront Christus im himmlischen Jerusalem. Die Stadt ist durch eine Beischrift, die um die Stadtmauer mit den Türmen geführt ist, als Haus der Weisheit (Spr 9,1) interpretiert; den sieben Säulen ist Spr 9,2 hinzugefügt. (Von fünf Köpfen gehen Blitze aus, fünf Köpfe mit offenem Mund bedeuten den Ruf oder Donner, die äußeren Figuren sind die 24 Ältesten.) Der Christus der zukünftigen Herrlichkeit ist mit der Weisheit gleichgesetzt und das ewige Jerusalem als Haus der Weisheit aufgefaßt. Darin spricht sich, mit anderen Motiven als auf den russischen Ikonen, die Einheit von präexistentem und eschatologischem Christus aus.

Den Bildtypus der als Frau personifizierten Weisheit in Verbindung mit der Initiale O zu Beginn des Sirachbuches gibt eine Handschrift von Limoges, Ende des 11. Jh., in Paris wieder, *Abb. 167*. Auf einem runden Thron mit einem Suppedaneum sitzt die reich gekleidete Sapientia. Sie hält in der rechten Hand sieben Bücher, in der linken ein Blütenzepter. Das bis zu ihren Schultern herabkommende Himmelssegment mit sieben Sternen deutet auf ihre himmlische Herkunft (Sirach 24,6: »mein Gezelt war in der Höhe und mein Stuhl in den Wolken«), vermutlich symbolisieren die Sterne zugleich die sieben Gaben des Geistes. Die sieben Bücher – in Anlehnung an die sieben Weisheitsbücher der Antike – bedeuten die Fülle der göttlichen Weisheit. – In einer deutschen Bibel des 12. Jh. (Paris lat. 11508 fol. 54r) zeigt die O-Initiale zum Buch Sirach Christus und die Sapientia, die zusammen ein Schriftband halten mit dem Wort: Omnis sapientia a Domino Deo est. Neben Christus thronend ist die Weisheit die Braut und damit die Kirche.

In einem anderen textlichen Zusammenhang, der die zweite Herkunft der Weisheitsdarstellung aufzeigt, steht die thronende Weisheit innerhalb der Illustrationen der

Psychomachie-Handschriften, die sie als weibliche Gestalt figurieren. Die »Psychomachie« des Spaniers Prudentius (348–405/6) schildert – an Homer und Virgil geschult – den Kampf der Tugenden und der Laster, der in der Seele des Menschen ausgetragen wird. Die Weisheit wird dabei als der Inbegriff des Sieges über die Laster aufgefaßt[85]. Im vorletzten Kapitel dieses im Mittelalter sehr verbreiteten Buches wird geschildert, wie die Sapientia ihren Tempel über den besiegten Lastern errichtet. Die Beschreibung der thronenden Sapientia in diesem Text – mit Buch, Rosen- oder Lilienzepter – hat nicht nur die Illustration dieser Handschriften geprägt, sondern allgemein die Darstellung beeinflußt. Der Tempel ist bei Prudentius von den sieben Tugenden erbaut, die in den sieben Säulen allegorisiert sind. Durch diesen spätantiken Schriftsteller finden in erster Linie die antike Tugend- und Lasterlehre und die sieben freien Künste, die in engem Bezug zur Philosophie stehen, Eingang in die mittelalterliche Morallehre, die die christlichen Tugenden mit der Weisheit (Ekklesia) verbindet. In dieser Typenreihe übernimmt die Weisheit als die höchste der Tugenden die Stelle der Philosophie.

Auf der vorletzten Illustration der Prudentiushandschrift vom Anfang des 11. Jh. der Stiftsbibliothek St. Gallen, *Abb. 168,* thront die Sapientia vor der mittleren der sieben Säulen des Weisheitstempels. Sie trägt eine Bügelkrone über dem Schleier und ein dreiteiliges Blütenzepter in der linken Hand, während die rechte lehrend erhoben ist. In der von der Psychomachie interpretierten weiblichen Sapientiagestalt geht die personifizierte Weisheit Gottes, die gleicherweise durch Christus oder Salomo dargestellt wird, in die höchste und über alle Laster siegende Tugend der Weisheit über.

Da die Weisheit schon in früher Zeit auch als Typus des Opfers Christi erklärt (z. B. Cyprian, um 200–258) und mit dem Heilsplan identifiziert wurde, kann die thronende Weisheit als Eingangsbild zum Buch der Weisheit auch in-

mitten von Passionsszenen dargestellt sein, wie in der Gumbertusbibel der Regensburg-Prüfeninger Schule, um 1180, Erlangen, *Abb. 170.* Sie ist auf den Schriftleisten oben Sophia und unten Sapientia genannt. Die Inschrift bezieht sich auf den Plan der göttlichen Weisheit vor den Zeiten, nach dem beschlossen war, daß Jesus durch Leiden und Tod der Herr sein wird[86]. Doch enthält die Verbindung Weisheit–Leiden auch die Auffassung, daß der Mensch durch Leiden zur wahren Gotteserkenntnis geführt wird, siehe Hiob 28,20–28; auch 32–37. (Vgl. auch das Godehardkreuz in Hildesheim, auf dem über dem Kruzifix ein Emailplättchen mit der Darstellung der Sapientia angebracht ist, *Bd. 2, Abb. 476.*)

Im 13. Jh. verschmilzt die Gestalt der thronenden Sapientia mit der Ekklesia und übernimmt deren Attribute, Kelch und Kreuzstab, gelegentlich auch das Kirchenmodell. Spr 1,20ff. gibt die Möglichkeit, die Weisheit in Entsprechung zur Ekklesia als lehrend zu deuten, auf die eucharistische Interpretation nach Spr 9,5 ist oben schon hingewiesen worden. Die Akzentverschiebung zum eucharistischen Gehalt ist vom Ende des 13. Jh. an in allen Themenkreisen der Kunst zu beobachten. Man kann bei der Illustration am Beginn des Buches Sirach im 15. Jh. Sapientia und Ekklesia nicht mehr unterscheiden, *Abb. 169,* Miniatur einer Bibelhandschrift, 1428–1430, München. Es macht sich nun ebenso die mariologische Deutung der Ekklesia bemerkbar.

Ein im 19. Jh. überarbeitetes Wandbild der Taufkapelle St. Johann am Kreuzgang des Domes zu Brixen, Mitte 13. Jh., *Abb. 171,* weicht von dem üblichen Darstellungsschema des Thrones der Weisheit insofern ab, als die Sapientia und nicht die Gottesmutter mit dem Kind auf dem Salomonischen Thron sitzt. Bei dem Erhaltungszustand und teilweiser Übermalung des Bildes sind die Texte der Schriftbänder der Apostel und Propheten, der beiden knienden Könige David und Salomo und der vier Psalmtugenden ebensowenig zu lesen wie der Text des Bandes,

---

85. H. Woodruff, The Illustrated Manuscripts of Prudentius, in: Art Studies, VII, 1929, S. 40, Abb. 47; A. Engelmann, Die Psychomachie des Prudentius, Freiburg 1959. Vgl. ein Beispiel der in ihrem Tempel thronenden Weisheit in einer Kopie der Psychomachie des 9. Jh. nach einer Vorlage aus der Zeit der Söhne Konstantins, Universitätsbibliothek Leiden, in: E. B. Smith, Architecture Symbolisme of Imperial Rome and the Middle Ages,

Princeton 1956, Abb. 52, S. 58, Anm. 32.

86. Cyprian, ep. LXIII ad. Caecilium V, 1–2. In: G. Swarzenski, Salzburger Malerei, Nr. 143 ist aus der gleichen Bibelhandschrift zum Buch Sirach Blatt 146 noch eine Darstellung der Weisheit zwischen Menschenliebe und Menschentorheit abgebildet; außerdem Nr. 125 zum Buch Prediger Bl. 136v eine sehr ungewöhnliche Darstellung der »Wurzel Jesse« mit der Weisheit.

das die Sapientia ausgebreitet vor sich hält. Die sechs Stufen (zwei auf der Abb. seitlich beschnitten), auf denen hier die Löwen fehlen, kennzeichnen den Thron als den des Salomo, der durch die Propheten und Apostel als Bild der Ekklesia Universalis verstanden werden kann. Die vier Tugenden neben der Weisheit gehen auf Ps 85 (84),11f. zurück (Güte und Treue, Gerechtigkeit und Friede), die sich auf Grund der Exegese dieses Psalms durch Bernhard von Clairvaux und Mechthild von Magdeburg auf die Geburt Christi beziehen (vgl. Bd. 1, Abb. 35 und 173 und S. 22, 30, 82). Sapientia verweist durch die Motive aus dem Darstellungstypus des Salomonischen Thrones hier auf die Inkarnation der Göttlichen Weisheit, vgl. oben. Die Verschmelzung von Maria und Weisheit wird auch auf einer Miniatur in einem Evangelistar aus Brandenburg, zwischen 1221 und 1242, die dem Text zum Fest der Himmelfahrt Marias gegenübersteht, erkennbar, *Abb. 172*. Die Thronende ist im Typus der gekrönten Sapienta wiedergegeben, auf ihrem Schriftband ist ein Wort aus Sirach 24,6 (7) zu lesen. Die vier alttestamentlichen Gestalten sind Jesaja, Sirach, David, Salomo. Zwei von ihnen beziehen sich auf die Sapientia, zwei auf Maria. Durch die Zuordnung des Bildes zur Lesung des Festes Mariä Himmelfahrt wird deutlich, daß hier zur Darstellung Marias als Himmelskönigin der Bildtypus der Sapientia übernommen wurde – ein Vorgang, der im 13. Jh. auch in der theologischen Gedankenführung zu beobachten ist, da sich die Vorstellung der Himmelskönigin innerhalb der Mariologie aus der der Weisheit ergibt.

Während der Darstellungstypus des salomonischen Thrones mit der alttestamentlichen Messiasprophetie vom 12. Jh. an verknüpft ist, bietet die betrachtende Schau der Mystiker, die von der Weisheitsliteratur des Alten Testaments ausgeht, vielfältige deutende Bilder. In ihrem frühesten und bedeutendsten Werk faßte Hildegard von Bingen (um 1100–1179), Äbtissin des Klosters auf dem Rupertsberg, unter dem Titel »sci vias« (wisse die Wege) ihre Visionen zusammen[87]. Sie schildert in der 9. Schau des 3. Teils den »Turm der Kirche«. Die mit einer goldenen Tunika bekleidete Sapientia steht auf sieben weißen Marmorsäulen eines Rundtempels, *Abb. 181*. Sie blickt zu dem unvollendeten Turm hinüber, an dem die Menschheit noch arbeitet. Der Abschnitt über die Weisheit bei Hildegard ist für die Vielfalt der allegorischen Ausdeutungen der Texte im hohen Mittelalter äußerst aufschlußreich: »Das sind die sieben blendend weißen Stützen, die der wehende Hauch des Heiligen Geistes im Werk des allmächtigen Vaters zum Schutze und zur Zierde der neuen Braut offen erstellt hat. Jeder Sturmesangriff zerschellt an ihrer Kraft, in der sich die höchste Kraft offenbart, die weder Anfang noch Ende findet in der Rundung der Ewigkeit. Sieben Ellen sind diese Säulen hoch, denn die Gaben des Geistes überragen alle Kraft und Höhe der menschlichen Erkenntnis und zeigen, daß man denjenigen, der alles erschaffen hat, mit dem reinsten Glauben ehren müsse. Hoch oben tragen die Säulen einen eisernen runden Sockel, der sich ein wenig emporwölbt, denn in der Erhabenheit ihrer Herrlichkeit deuten die sieben Gaben auf die unbesiegliche und unfaßbare Macht der Gottheit, die mit auserlesener Gerechtigkeit die im Himmel schützt und trägt, die sich hienieden durch die Gaben des Heiligen Geistes von den fleischlichen Lüsten getrennt haben. Daß du aber auf der Höhe dieses Sockels eine überaus schöne Gestalt erblickst, das bedeutet, daß diese Kraft vor jeglichem Geschöpf im höchsten Vater war. In seinem Ratschluß schuf sie die Ordnung aller geschaffenen Gebilde im Himmel und auf Erden. Als herrlicher Schmuck leuchtet sie in Gott, als der vollendete Schritt im Reigen der übrigen Gotteskräfte, denn sie ist in innigster Umarmung Gott vereint... Diese Gestalt sinnbildet die Weisheit Gottes. Alles hat Gott durch sie erschaffen, und alles lenkt er durch sie... Von Weltenbeginn an, da sie zuerst offen in Erscheinung trat, zielte sie auf das Ende der Zeiten hin. Sie wandelt gleichsam eine einzige Bahn im Schmuck heiliger und gerechter Anordnungen: in der ersten Pflanzung sprossenden Grüns, den Patriarchen und Propheten, die in Elend und Mühe nach dem Sohne Gottes seufzten und mit großer Inbrunst um seine Menschwerdung flehten;

---

87. Der illustrierte Rupertsberger Kodex, der in der Hessischen Landesbibliothek Wiesbaden verwahrt wurde, ist seit dem letzten Krieg verschollen. Er ist zw. 1170–1180 in der Schreibstube auf dem Rupertsberg geschrieben worden und kommt von allen erhaltenen Handschriften dem Original am nächsten.

1927–1933 kopierten die Chorfrauen der Abtei St. Hildegard zu Eibingen den ganzen Kodex mit den Illustrationen auf Pergament. M. Boeckeler, Hildegard von Bingen, Wisse die Wege. Scivias, 4. Auflage 1961, Salzburg, zum Wiesbadener Kodex siehe S. 395ff.

dann in der blendend weißen Jungfräulichkeit der Jungfrau Maria; später in dem starken, rot funkelnden Glauben
der Märtyrer und endlich in der purpurn aufleuchtenden
Beschauung, die Gott und den Nächsten mit der Glut des
Heiligen Geistes umfangen soll. Und so wird sie weiter-
schreiten bis zum Ende der Welt und wird nicht ablassen
von ihrer Mahnung...« (S. 296/97). Die drei anderen
Gestalten bedeuten die Gerechtigkeit, die Stärke (auf
dem Drachen) und die Heiligkeit (mit drei Häuptern,
»weil eine dreifache Würde ihren inneren Bestand vollendet«).

An diesen Ausführungen der mystischen Seherin wird
die enge Verknüpfung von Sapientia und Ekklesia als der
Braut deutlich, die zur Auswechselbarkeit beider Personifikationen führt. Die Weisheit ist hier entsprechend von
Spr 1,20; 8,22–31, Weish 8 und 9, Sirach 24,1–31 auch als
Gehilfin Gottes von Anbeginn der Welt geschildert, und
schließlich kommt die mystische Auffassung der Kirche
als Vereinigung der Menschenseele mit Gott zum Ausdruck, die bewirkt wird durch die Sapientia und den
Heiligen Geist, erreicht aber durch die Gewinnung der
Tugenden.

Die Präexistenz der Sapientia, die nach den angeführten
Textstellen von Anfang an bei Gott war und als »Werkmeister« die Schöpfung mitbewirkte, »ehe er etwas schuf«,
Spr 8,22 ff., 3,19 f., kommt auf zwei Miniaturen eines Missale aus St. Michael zu Hildesheim, um 1160, zum Ausdruck. Sie stehen zu Beginn eines durch die Typologie be-
reicherten Bildzyklus einander gegenüber: die Erschaffung der Welt (sechs radförmig angeordnete Medaillons,
in der Mitte die Erschaffung Evas; darunter die Austreibung aus dem Paradies und der Brudermord) und die Sapientia inmitten von alttestamentlichen Gestalten, *Abb.
173*. Auf der ersten Miniatur hält der Schöpferlogos – zwischen zwei Seraphim – mit beiden Händen seine Schöpfung. Auf der zweiten Miniatur hält die gekrönte Sapientia
(langes, gelbes Gewand, Mantel und Skapulier) den Himmelsbogen, über dem Christus erscheint[88], die weitgehend
erloschene Schrift auf dem Skapulier knüpft an Spr 8,30 an
und besagt: »Mit ihm habe ich die Welt erschaffen«. Ihr
zu Seiten stehen David, Spruchband aus Ps 132 (131),11:

»Ich will dir auf deinen Stuhl setzen die Frucht deines Leibes«, und Abraham, Spruchband 1 Mos 22,18: »Durch
deinen Samen werden alle Völker gesegnet sein.« Die vier
Propheten verheißen alle das Kommen des Messias und
Erlösers: Mal 3,1; 4 Mos 24,17 (Bileam); Daniel 9,24 und
vermutlich Jesaja mit dem auf seinem Spruchband so oft
wiederkehrenden Wort: »Ecce veniet Deus et homo«
(Siehe es wird kommen der Gottmensch). Dem Patriarchen Jakob unten in der Mitte ist das Wort hinzugefügt:
»Ich warte auf dein Heil«, 1 Mos 49,18, und dem Priester
Zacharias oberhalb von Jakob ein Wort aus seinem Lob-
gesang, Lk 1,78. Es stehen sich also auf zwei Bildseiten die
Schöpfung, die als göttliches Werk in der Form des Kreises
als vollendet, durch die beiden unteren Szenen aber schon
im Zustand der Erlösungsbedürftigkeit gesehen ist, und
die Verheißung des kommenden Erlösers mit der zentralen Gestalt der personifizierten göttlichen Weisheit gegenüber. Sie ist hier Sinnbild für den »Göttlichen Ratschluß«, der schon in der Schöpfung den Grund zur
Erlösung legte. Sie ist nicht nur die geliebte Tochter oder
das starke Weib von Urbeginn an, mit dem Gott die Welt
schuf, sondern auch die vorbestimmte Braut des Logos
und Erlösers, und als solche ist sie Urbild der Kirche. Da
die dem Bild inschriftlich eingefügten Prophetenworte alle
auf die kommende Menschwerdung des Erlösers bezogen
werden, klingt auch die mariologische Deutung der Weisheit mit an. Das der Sapientia hinzugefügte Wort betont
jedoch ihre Verbindung mit dem Schöpfer-Logos, mit
dem sie die Welt geschaffen hat[89].

Auf dem Titelbild einer Bible Historie des Guyart Desmoulins, um 1410, Brüssel, *vgl. Abb. 175*, ist die Verbindung von göttlichem Ratschluß und göttlicher Weisheit
zum Ausdruck gebracht. Der durch die drei Personen der
Trinität veranschaulichte Ratschluß geht einmal der Erschaffung der Engel voraus und zum anderen dem Sturz
des Luzifer. Die thronende gekrönte Weisheit nimmt das
erste Bildfeld ein, das an die beiden Konzilien der Trinität
angrenzt: Ihr Blick gilt dem stürzenden Luzifer. Auf ihrem Spruchband steht: »Ich bin von Anfang an und vor
der Welt erhöht.«

Die Titelminiatur einer Pariser Handschrift des ersten

---

88. Wiedergabe des Schöpfungsbildes siehe E. Guldan, Eva
und Maria, Graz–Köln, 1966, Abb. 24. Die Übersetzung der Beischriften haben wir von Gulda übernommen.

89. Die folgende dritte Bildseite der Handschrift stellt die
schon erwähnte Verkündigung an Maria mit den sieben Säulen
des Weisheitstempels dar.

Buches der Antiquitates Judaicae des Flavius Josephus[90], vom Ende des 12. Jh., *Abb. 174*, zeigt den Schöpfer-Logos in der Mittelachse der Buchseite stehend; fünf der sechs Schöpfungstage sind personifiziert, ihnen ist jeweils das Werk des Tages hinzugefügt. Der sechste Tag zeigt Adam und Eva. Der Schöpfer-Logos hält vor sich in einem Clipeus eine thronende nimbierte Frauengestalt mit erhobenen Händen. Sie blickt ebenso empor wie die Sapientia auf der Miniatur des Hildesheimer Missales. Die thronende Frau – ohne Krone und Attribute – ist auch hier die Personifikation der Weisheit und zugleich der nach Gottes Ratschluß schon bei der Schöpfung existenten Kirche. Sie ist durch ihre Haltung dem Schöpfer verbunden, der sie als erste schuf, und wird durch die diagonale Leiste sowohl mit der Erschaffung des Lichtes als auch mit der Geburt Evas in Beziehung gebracht, siehe unten zur Typologie.

In mehreren Schöpfungszyklen der französischen Bible Moralisée ist die Sapientia der Erschaffung des Lichtes zugeordnet und wird in den Beischriften Kirche (église) genannt. Auf der Miniatur des ersten Schöpfungstages einer Pariser Handschrift des 13./14. Jh., *Abb. 176*, gehen von dem vom Schöpfer-Logos erschaffenen Licht drei Strahlen zu zwei auf den Rädern stehenden Cherubim und zur Ekklesia-Sapientia, die ein mit dem Christogramm bezeichnetes Buch in der Hand hält. Außerdem verbindet ein Spruchband den Schöpfer mit Ekklesia. Unterhalb der Darstellung der Trennung von Wasser und Erde, auf der nächsten Seite, *Abb. 177*, steht sie allein in einem tabernakelähnlichen gotischen Gehäuse, das von Wasserwellen umspült wird, und hält Fahne und Kelch in Händen, die seit dem 9. Jh. häufig Attribute der Ekklesia sind. Auch hier verbindet ein Band, dessen Schrift nicht mehr zu lesen ist, den oberen Bildkreis mit dem unteren. Die ältere Handschrift in Wien (Cod 2554), um 1240, *Abb. 178* (Ausschnitt), stellt den ersten Tag der Schöpfungsgeschichte ganz ähnlich dar wie das Pariser Exemplar. Die Repräsentantin des Lichts ist gekrönt und hält mit beiden

Händen den Kelch. Dem zweiten Schöpfungstag ist hier als moralische Belehrung die Verspottung der Kirche und der Angriff auf sie zugeordnet. Im Codex 1179 in Wien, Mitte 13. Jh., *Abb 179*, tritt Ekklesia wiederum mit dem Kelch unter der Erschaffung des Lichts auf. Sie wendet sich einem Engel zu, der ihre Hand ergreift und zwei Sünder, Repräsentanten der Finsternis, abwehrt. Die Verspottungsszene ist dem zweiten Schöpfungstag zugeordnet, während dem dritten Tag die Darstellung eines Königs und eines Bischofs, mit einem geöffneten Buch vor Ekklesia stehend, und dem vierten sie, wie sie selbst zum Zeichen der wahren Lehre das Buch über ihr Haupt hält, beigegeben sind. An diesen Beispielen wird deutlich, wie im 13. Jh. die alttestamentliche Vorstellung der präexistenten Weisheit auf die Kirche übertragen wurde. War zuerst die Weisheit Typus der Kirche, so tritt nun die Kirche an ihre Stelle; die Weisheit wird im späten Mittelalter nicht mehr dargestellt. Zum Bild der Sapientia im 17. bis 18. Jh. siehe unten. Die Vorstellung der Präexistenz der Kirche ist nur aus dem Zusammenhang mit der alttestamentlichen Weisheitsgestalt zu verstehen.

Die Tugenden, durch die der Christ die Reinheit der Seele erlangt, die ihn befähigt, sich mit Christus zu vereinigen, spielen vor allem in der mystischen und moralisierenden Literatur (Jungfrauenspiegel[91]) eine große Rolle. Das seit der Psychomachie des Prudentius weitverbreitete Motiv des Kampfes der Tugenden gegen die Laster klingt als Sieg der Ekklesia über die Synagoge am deutlichsten an, wenn sie triumphierend auf der überwundenen Gegnerin steht, *vgl. Abb. 125*. Auf dem erwähnten, nur in einer Nachzeichnung erhaltenen Folcardusbrunnen der Abtei St. Maximin in Trier ist diese sieghafte Ekklesia einer Reihe von Tugenden eingefügt, die auf Lastern stehen. Auf einer allgemeinen Ebene manifestiert sich in unterschiedlicher Akzentuierung in jeder Ekklesia-Synagoge-Darstellung der Kampf und Sieg der Tugend über das Laster als Sieg des Glaubens gegen den Unglauben[92].

---

90. Flavius Josephus ist ein jüdischer Schriftsteller, der nach dem Scheitern des Aufstandes 66–70 in Rom lebte und hier die Geschichte seines Volkes von der Schöpfung bis zur Zeit des Kaisers Nero in 20 Büchern niederschrieb, die sehr häufig abgeschrieben wurden und bis in die Neuzeit Beachtung fanden.

91. E. S. Greenhill, Die geistigen Voraussetzungen der Bilderreihe des Speculum Virginum, Münster Westfalen 1962 (Beiträge

zur Geschichte der Philosophie und Theologie des Mittelalters. Bd. XXXIX Heft 2).

92. Siehe F. Ronig 1966, S. 303. – Zu dem Thema Tugenden und Laster allgemein siehe LCI, IV, Sp. 380–390 (M. Evans) und die dort angegebene Literatur. Es ist uns nicht möglich, das weite Feld der Tugenddarstellung geschlossen abzuhandeln.

Einer anderen Tradition gehört die Darstellung der sieben Tugenden an, die in Parallele zu den antiken sieben freien Künsten steht. Die Auseinandersetzung der Scholastik mit dem Neuplatonismus im 12. Jh. führt, vorwiegend in der Kathedralplastik, zur Einbeziehung der sieben freien Künste in größere heilsgeschichtliche Programme (siehe oben ein spätes Beispiel in Freiburg Br.). Unter Leitung der gelehrten Äbtissin Herrad von Landsberg ist im Hortus deliciarum im letzten Viertel des 12. Jh. eine Darstellung der sieben freien Künste entstanden, die die Verschmelzung antiker und christlicher Vorstellungen deutlich macht, *Abb. 180* (Nachzeichnung). Im mittleren Kreis thront die Philosophie; neben ihrer Krone ist sie als solche bezeichnet; über ihr sind drei kleine Köpfe: Ethik, Logik, Physik genannt. Auf dem Spruchband der königlichen Frau steht das Wort aus Sirach 1,1, so daß sich die Philosophie als göttliche Weisheit vorstellt. Rechts neben ihr heißt es, der Heilige Geist ist der Urheber der sieben freien Künste. Den Brüsten der Thronenden entspringen vier und drei Ströme, mit denen sie die freien Künste tränkt. Die Inschrift setzt die sieben Weisheitsströme mit den sieben freien Künsten gleich. In der Aufteilung wird das Trivium und Quadrivium deutlich, eine Grundordnung der Studienfächer, die auch für den Aufbau des Bildungswesens im christlichen Mittelalter Gültigkeit behielt. Unter der Philosophie sitzen Sokrates und Platon als vorchristliche Zeugen. Im äußeren Kreis stehen unter Bogenstellungen die sieben freien Künste nach den Kategorien, nach denen die göttliche Weisheit sie einteilt (Inschrift im inneren Kreis). Zum Trivium gehören Grammatik, Rhetorik, Dialektik; zum Quadrivium Musik, Arithmetik, Geometrie, Astronomie. Außerhalb des Kreises sitzen vier Poeten, die inspiriert werden, an Schreibpulten[93].

Die Theologie des Mittelalters kennt drei theologische Tugenden: Glaube (fides), Hoffnung (spes), Liebe (caritas) und vier Kardinaltugenden: Klugheit (prudentia), Mäßigkeit (temperantia), Stärke (fortitudo), Gerechtigkeit (justitia). Diese sind am häufigsten dargestellt und werden entweder dem Quadrivium, gebildet von den vier Evange-

listen oder ihren Symbolen, Propheten, vier Paradiesesströmen, eingefügt oder in der gleichen Anordnung wie diese in verschiedene Darstellungen aufgenommen, *vgl. Bd. 2, Abb. 446.* Sie sind auch Bestandteil der Darstellungen des mystischen Paradieses. Die göttliche Weisheit, die das Erbe der antiken Philosophie antritt, verschmilzt mit der Ekklesia, wie oben schon gezeigt wurde, und geht bei den Darstellungen des mystischen Paradieses vor allem in die Vorstellung der königlichen Braut Christi über. Doch auch ein Sondermotiv wie die »Ecclesia lactans« ist von der Philosophie, deren Brüsten die Ströme der Weisheit entspringen, mit angeregt worden. Im 15. Jh. kommt vereinzelt in volkstümlicher Graphik auch die Sapientia lactans vor, siehe unten.

Das apokalyptische Weib oder das von der Sonne umkleidete Weib (Mulier amicta sole) Apk 12

In der Einleitung wurde bereits kurz gesagt, daß das 12. Kapitel der Apokalypse des Johannes, die Ende des 1. Jahrhunderts in der Zeit der Christenverfolgung geschrieben wurde, als zentrale Aussage über die Kirche angesehen wurde[94]. Die Exegesen über dieses Kapitel variieren zwar, hält man sich aber an den dreiteiligen Aufbau des Textes, der als Material damals geläufige Bilder und Metaphern des Alten Testamentes und der jüdischen Literatur benutzt, so wird das »Weib« in der doppelten Sicht als ein Bild der himmlischen und irdischen Kirche deutlich[95]. Die Verschlüsselung der Aussagen und die Verschränkung verschiedener Ebenen in den drei ineinander gebauten Textteilen sind in keinem der anderen Kapitel so ausgeprägt wie hier, obgleich das ganze Buch in einem bestimmten Rhythmus von Himmelsvisionen und irdischem Geschehen verläuft. In der zwiefachen Erscheinungsweise dieser Frauengestalt – im höchsten Glanz der Gestirne als Zeichen am Himmel und in die Wüste fliehend, vom Drachen verfolgt (Vers 1 und 13 ff.) – spiegelt sich die jüdische und christliche zweipolige Auffassung von Israel-Kirche als Urbild und eschatologische Erwartung und als irdische

---

93. J. Walter, Herrad von Landsberg, Straßburg–Paris, o. J., S. 69.

94. Vgl. Bd. 5 »Die Apokalypse des Johannes«. Hier auch Literaturangaben.

95. Die oben Anm. 21 genannte diesem 12. Kapitel gewidmete Untersuchung von H. Gollinger setzt sich mit den vielfältigen Interpretationen auseinander. Wir entnehmen daraus einige Hinweise zur Deutung.

Existenzform, wie sie in allen Darstellungsgruppen zum Thema Kirche immer von neuen Ausgangspunkten her zum Ausdruck gebracht wird. Die Metapher »Wüste« ist vom Seher in Entsprechung zur Wüstenwanderung Israels im positiven Sinn als Ort der Bewahrung verwendet, Vers 14–16. Sie gehört zu dem eschatologischen Schema des Judentums, das beim Anbruch der Heilszeit eine neue Wüstenwanderung erwartet[96]. Mit der Figur der ewigen Kirche wird das Motiv der Geburt verknüpft. Die Wehen einer Gebärenden sind im Alten Testament und in der jüdischen Literatur (zum Beispiel äthiopische Henochapokalypse, I Q H III aus Qumran, 4 Esra) eine häufig wiederkehrende Metapher, die eine äußerste Not und eine Zeit der Drangsale Israels bezeichnet. Die Geburt nach den Wehen kann die Überwindung der Not oder den Anbruch einer neuen Zeit bedeuten. So wird in 4 Esra 9,38–10,50 die Geburt des Sohnes der Jerusalem-Zion ausdrücklich als Beginn einer neuen Zeit aufgefaßt. Jes 66,6ff. ist das Gebären Jerusalems – allerdings ohne Wehen – Symbol für eine Zeit der Entscheidung und des Gerichtes. (Vgl. Jes. 26,17f.; Hos 13,13; Mi 4,9f. und 5,1ff.) Auf das Gericht weist in Apk 12 auch die Aussage über den Sohn Vers 5 hin. Der eiserne Stab ist wie in Ps 2,9 ein Gerichtsmotiv. Im gleichen Zusammenhang steht die Entrückung des Sohnes zu Gott, die im jüdischen Verständnis der Zeit Jesu den Anbruch der messianischen Zeit meint. In der johanneischen Apokalypse bedeutet die Metapher »Geburt«: Aus der himmlischen Kirche tritt Christus hervor, um von Gottes Thron aus die Gerichte zu lenken und die erwartete Heilszeit herbeizuführen. Für die irdische Kirche ist Mutterschaft und Geburt im Sinne der Taufe als geistige Geburt zum Glauben zu verstehen.

Mit diesen bildhaften Aussagen über die Kirche sind drei andere über den Satan verflochten. Dem Himmelsweib tritt er in dem mythischen Urbild des Drachens gegenüber und will den Sohn verschlingen. Die Entrückung des Sohnes zu Gott – Anbruch der Heils- und Gerichtszeit – löst den Kampf der Engel gegen den Satan aus, und er wird durch Michael und seine Engel aus dem Himmel ausgestoßen, Vers 7–12. Auf Erden verfolgt der Feind Gottes die irdische Kirche 13–17 und streitet gegen ihre

Kinder, Vers 17. – Von der vollendeten Kirche spricht der Seher im Kapitel 19 und 21, siehe unten.

Die ekklesiologische Interpretation des 12. Kapitels der Apokalypse ist bis zum 14. Jh. vorherrschend, wenn sich auch der Unterschied der himmlischen und irdischen Gestalt verwischt. Die allmähliche gedankliche Verschmelzung ist verständlich, da sich die Metaphern Mutterschaft (Gebären des Sohnes Vers 5 und die »übrigen von ihrem Samen«, die von ihr Geborenen, Vers 17) und die der Bedrohung durch den Drachen auf beiden Ebenen wiederholen. Die Entrückung des Sohnes der himmlischen Kirche zu Gott kann in bezug auf Jesus oder auf den Getauften auch als Himmelfahrt Christi oder als Aufnahme der Gläubigen in den Himmel verstanden werden. Vom späten 12. Jh. an macht sich dann und wann der Einfluß einiger Theologen geltend, die in dem Bestreben, Maria in eine Relation zu Christus zu stellen, auch die himmlische Kirche, wie sie unter dem Bild des apokalyptischen Weibes auftritt, mit ihr in Verbindung bringen. Das führt bei der bildlichen Darstellung von Apk 12 gelegentlich zu einer Vermischung der Gestalttypen. Da die einzelnen Motive unterschiedlicher Herkunft sind und unter verschiedenen Aspekten gesehen werden können, variiert ihre Deutung.

Das Mittelalter hindurch überträgt die Apokalypse-Illustration[97] den Text wörtlich in das Bild. Die Monumentalkunst setzt durch die Auswahl der Visionen Akzente, während die Buchmalerei oft das ganze Buch illustriert. Von Kapitel 12 wird dargestellt: die Himmelsvision (das von der Sonne bekleidete Weib, der Drache und die Entrückung des Kindes; oft ist auch auf die Geburt Bezug genommen); der Kampf gegen den Satan mit seiner Ausstoßung aus dem Himmel; das Weib, das Flügel zur Flucht erhielt und in der Wüste vor dem Angriff des Drachens geschützt wird. Diese Bildteile können isoliert dargestellt oder zu einer Komposition zusammengefaßt sein. Vielfach ist solchen Gesamtbildern oder der Darstellung der 1. Vision oben die Illustration des letzten Verses von Kapitel 11 eingefügt, der mit den alttestamentlichen Metaphern zur Verdeutlichung einer Gottesepiphanie die Vision des himmlischen Weibes einleitet. Die Schilderung der angefochtenen Kirche des dritten Textteiles kann auch

96. G. v. Rad, Theologie des Alten Testaments I, S. 297, bezeichnet die Wüstenzeit als Typus und Urbild des künftigen Ge-

richts.

97. Zur Entwicklung der Apokalypse-Illustration siehe Bd. 5.

durch mehrere aneinandergereihte Szenen wiedergegeben sein (englisch-nordfranzösische Gruppe, 14. Jh.). Die Darstellung des Kampfes Michaels und seiner Engel gegen den Drachen (Satan, alte Schlange, Verkläger, Teufel) innerhalb der Apokalypseillustration ist zu unterscheiden von dem seit dem 9. Jh. nachzuweisenden Bildtypus des Drachentöters, der Michael als Sieger auf dem Drachen stehend oder ihn mit der Lanze durchbohrend zeigt. Er gehört in eine andere Typenreihe, wenngleich Apokalypse 12 ihn angeregt haben wird. Auch der Engelsturz (Luzifer), der oft im Zusammenhang der Schöpfungsdarstellung vorkommt, obwohl der biblische Text nicht von ihm spricht, geht auf eine andere Tradition zurück, siehe Bd. 5.

Die Apokalypsehandschrift aus St. Matthias in Trier, die wahrscheinlich vom Anfang des 9. Jh. stammt und somit die älteste der auf uns gekommenen ist, illustriert das 12. Kapitel der Offenbarung auf drei Seiten: die Zeichen am Himmel, *Abb. 182*; die Ausstoßung des Drachens aus dem Himmel, *Abb. 183*; das Weib mit den Flügeln und der Drache. Der Wasserstrom, den der Drache ausspeit, wird von der personifiziert dargestellten Erde verschlungen, *Abb. 184*. Jedesmal ist der nach oben blickende Seher mit dargestellt (auf Abb. 182 im unteren nicht abgebildeten Bildteil). Das Weib der 1. Vision ist, ebenso wie auf einer Miniatur der Handschrift von Valenciennes, Ende 9. Jh., *Abb. 181*, ohne Kind in Gebetshaltung (zweite Form) wiedergegeben. Auf der einen Darstellung ist ihr Nimbus von zwölf Sternen umgeben, und sie steht auf Sonne und Mond (durch Büsten personifiziert), auf der anderen trägt sie auf dem Haupt ein Strahlendiadem, und der große Kreis veranschaulicht die Sonne. Unter ihren Füßen befindet sich der gleichfalls personifizierte Mond, dessen Wandlung vom Vollmond zur Sichel mit veranschaulicht ist. Ihre Kleidung mit Gürtel und das Fehlen eines Schleiers ist typisch für die Ekklesiadarstellung[98].

Auffallend ist bei beiden Darstellungen nicht nur der Verzicht auf das Kind, sondern auch der Größenunterschied zwischen dem am Himmel erscheinenden Weib und dem in der Wüste, der genauso in anderen Hand-

schriftengruppen zu finden ist. Dadurch ist die Erscheinung von der irdischen Realität, die himmlische Kirche von der irdischen unterschieden.

Beide Handschriften geben den Drachen als Schlange wieder, dem Text entsprechend mit sieben Köpfen und zehn Hörnern, die allerdings jeweils verschieden angeordnet sind. Die Flügel der einen Schlange entstammen dem Vorstellungstypus des Drachens. Die erste Miniatur von Valenciennes verzichtet auf die Gegenüberstellung beider symbolischen Figuren. In der axialen Stellung des Weibes im oberen Bildteil wird sie als das himmlische Urbild der Kirche und als Verheißung des zukünftigen Sieges eindringlich vorgeführt. Auch bei der Darstellung der Flucht sind die Figuren übereinander angeordnet[99].

Das Kompositionsschema beider Bildmotive ist noch Anfang des 11. Jh. in den Darstellungen der Bamberger Apokalypse zu erkennen, *Abb. 192, 193*. Die Reichenauer Buchmalerei um die Jahrtausendwende steigert die die Bildfläche beherrschenden Figuren zu monumentalen Erscheinungen und kommt durch die geistige Intensität ihrer Ausdrucksgebärden dem Gehalt der visionären Bilder des Sehers besonders nahe. Die himmlische Frau ist nicht in Orantenhaltung wiedergegeben, da sie mit einer Hand das »Kind« – in einer völlig unnatürlichen Weise – hält, während sie mit der anderen die angriffslüsterne Schlange abwehrt. Das Kirchengebäude im Baustil der Zeit steht stellvertretend für die Entrückung des Kindes zu Gott. Der Miniaturist benutzte das Bild des letzten Verses aus dem vorhergehenden Kapitel, um mit dem geöffneten Tempel Gottes, in dem die »Lade seines Bundes« zu sehen ist, das Ziel der Erhöhung anzudeuten. Die Bundeslade, im salomonischen Tempel Stätte der Offenbarung Gottes und Thron seiner Herrlichkeit, ist Sinnbild für das erwählte Israel der Gnade, das im Himmel präfiguriert ist. Ihr entspricht in der christlichen Kirche der Altar der Eucharistie und das Kreuz[100]. Bei der Illustration dieser Vision ist die Lade im Tempel Zeichen für Gott, ebenso wie die aus den Wolken gereichte Hand auf anderen Darstellungen der Entrückung des Kindes. Bei der Darstellung der Flucht

---

98. Ekklesia unter dem Kreuz ist in der karolingischen Kunst allerdings nach dem Typus der antiken Matrone dargestellt worden. Von diesem Typus scheint die Figur in der Trierer Handschrift beeinflußt zu sein.

99. Vgl. Abb. LCI, 1, Sp. 146.

100. Vgl. die Gnadenstuhldarstellung von Peter Dell, Bd. 2, Abb. 539. S. 176.

fliegt das Weib wie in der Handschrift von Valenciennes über den Drachen hinweg, den Blick auf das Ziel gerichtet. Die Flucht in die Wüste ist dem Sinn des Textes nach kein Fliehen aus Angst vor dem Drachen, sondern eine Umschreibung der bedrohten Existenz der Kirche. Mit der Bewegung der Figur nimmt man auf dieser Miniatur vor allem die Kraftkonzentration in den großen Formen der Flügel, des Sonnenrads, der Hände und des schauenden Angesichts wahr. Sie sind Träger des Bildgehalts. Die Erde, ein parallel zur Figur liegendes Gebilde, verschlingt den Strom, den der Drache ausstößt. Er existiert für das Weib nicht. Das Sternendiadem, in der Form eines Sonnenrades, ist aus der ersten Vision übernommen[101]. Die Kleidung der irdischen Figur ist nicht die der himmlischen.

Der nur in Nachzeichnungen erhaltene Hortus Deliciarum der Herrad von Landsberg, 2. Hälfte 12. Jh., *Abb. 194*, gibt die Kirche als königliche Frau wieder. Sonne und Mond stehen in großen Kreisformen hinter ihr, ihre Krone ist mit zwölf Sternen geschmückt. Dieser Himmelskönigin, in der sich das Weib Gottes der eschatologischen Visionen und die gekrönte Braut Christi vereinen, sind die Entrückung des nackten Kindes, der Drache, dessen Giftstrom die Erde trinkt, und das blutlüsterne Tier aus dem Meer (13,1), das sein Schwert gegen »die da Gottes Gebote halten« hebt, in kleinem Format hinzugefügt.

Die ekklesiologische Deutung des apokalyptischen Weibes ist in der spanischen Handschriftengruppe aus der Zeit vom 10. bis zum frühen 13. Jh. erkennbar. Die Handschriften lassen sich in mehrere Gruppen gliedern, gehen jedoch alle auf den Apokalypsekommentar des letzten

Drittels des 8. Jh., den der Priestermönch Beatus von Liebana (Asturien) schrieb beziehungsweise aus älteren Kommentaren zusammenfügte, zurück. Er ist nicht mehr erhalten, muß aber reich bebildert gewesen sein[102]. In der Apokalypse von Gerona, gegen 975, *Abb. 189*, verbindet die Schlange in ausdrucksstarken Bewegungszügen die einzelnen über eine Doppelseite verteilten Bildmotive des Textes. Die zehn Hörner sind auf ihre sieben Häupter, die alle kugelförmige Kronen tragen, verteilt. Sie wendet drei Häupter dem mit der Sonne bekleideten (große Strahlenscheibe vor ihrem Leib) Weib am Sternenhimmel zu, drei den zum Kampf gegen sie antretenden Engeln und das siebte der Kirche mit den Flügeln, die in der Wüste sitzt. Auch hier ist die irdische Kirche kleiner wiedergegeben als die am Himmel erscheinende. Der Wasserstrom, den das siebte Schlangenhaupt erbricht, nimmt, bevor er das Weib erreicht, eine andere Richtung. Mit dem Schwanz reißt der Satan einen Teil der Sterne vom Firmament herab. Durch diesen Machtbeweis beraubt er Gott und zerstört einen Teil des Lichtes der Welt.

Die Entrückung des Kindes zu Gott, die in den karolingischen Handschriften fehlt, ist in den spanischen Beatuskommentaren immer mit dargestellt. Beatus sieht in diesem »Sohn der Kirche« den in der Kontemplation Büßenden, der sich Gott ganz zuwendet und in dieser Buße geistlich aufersteht und zu Gott entrafft oder erhoben wird[103]. Entweder führt ein Engel oder die Kirche den Knaben zu Gott.

Die auf eine Seite zusammengedrängte Darstellung der Handschrift von 1086 in der Kathedralbibliothek von Burgo de Osma, *Abb. 190*, zeigt die Frau, die den Knaben

101. Die zwölf Sterne sind Ausdruck der himmlischen Lichtfülle. Sie werden bei der kosmologischen Deutung auf die Sterne des Tierkreises bezogen, bei der ekklesiologischen auf die zwölf Propheten und die zwölf Apostel als die Vertreter der gesamten Kirche. Der Reichenauer Miniaturist zog die Licht-Attribute des Himmelsweibes zu einer Form zusammen.

102. Zu den Beatusapokalypsen siehe W. Neuß, Die Apokalypse des Heiligen Johannes in der altspanischen und altchristlichen Bibel-Illustration, Münster, Westf., 1931. Gerona S. 21 f., Burgo de Osma, S. 37 f., Lissabon, S. 47 f. Zu den Abweichungen der Illustrationen zu Kapitel 12 in den verschiedenen Handschriften S. 183–186. Das Kapitel ist in 19 von 21 illustrierten Beatuskommentaren dargestellt, die meisten Exemplare enthalten

eine einheitliche Komposition zu den drei Textteilen.

103. H. Sanders, Beati in Apocalypsin libri duodecim, in: Papers and Monographs of the American Academy in Rom, 7, 1930 464 f. In unserem Zusammenhang ist es nicht uninteressant, daß der Beatuskommentar am Anfang des 2. Buches einen Prolog über Ekklesia und Synagoge enthält, in dem erklärt wird, was sie sind und wodurch sie sich voneinander unterscheiden. Am Ende dieses Buches findet sich ein Abschnitt über die Arche als Typus der christlichen Kirche und der sieben kleinasiatischen Gemeinden, an die nach Apk 2 und 3 Christus durch Johannes Sendschreiben richtet. Vgl. H. Sanders, S. 102–158 und 255–263. Kurzer Hinweis bei Neuß, S. 7.

geleitet, mit den Flügeln. Sie trägt das gleiche Gewand wie das Sonnenweib, das mit schützend überkreuzten Händen das vom Drachen bedrohte Kind gegen seinen Leib drückt. Die Sonne und die zwölf Sterne ihrer Lichterkrone sind zeichenhaft über ihr angeordnet. Auf der Miniatur einer Handschrift aus dem ehemaligen Benediktinerkloster Lorvao (Nordportugal) im Archiv Torre de Tombo in Lissabon, 1189, *Abb. 191*, führt die Kirche, diesmal ohne Flügel, zwei bekleidete Knaben. Diese Figurengruppe ist wiederholt. Die Darstellung Gottes fehlt. Der Illuminator, der nicht wörtlich den biblischen Text, sondern seine Deutung illustrierte, legte den Akzent auf das Handeln der Kirche auf Erden. Die Kinder des Glaubens tragen ebenso wie die Mutter weiße Kleider, das Taufkleid oder das Gewand der Gerechten. Die Miniatur ist eines der wenigen Bildbeispiele, das die Schwangerschaft des am Himmel erschienenen Weibes (Vers 2) durch ihre auf die Brust und auf den Leib gelegten Hände andeutet, andere Illustrationen nehmen durch das von ihr gehaltene Kind (in der Regel unbekleidet) auf das Gebären Bezug. Zwei der Miniaturen ersetzen die Vertreibung des Satans aus dem Himmel durch das Gerichtsmotiv des Höllensturzes der Verdammten. Der mozarabische Stil der frühmittelalterlichen spanischen Malerei mit seiner an die Fläche gebundenen abstrakten Formstruktur und seiner orientalischen, nur von ornamentalem Empfinden ausgehenden Farbgebung ist ebenso wie die ottonische Kunst befähigt, den Gehalt der Visionen in adäquater Weise bildlich zu gestalten. Die für diese Gruppe späte Handschrift in Lissabon zählt allerdings nicht zu den künstlerisch guten Beispielen der spanischen Buchmalerei, ist aber ikonographisch und in der freien Zusammenfügung der überlieferten Motive interessant.

Die erste der drei Miniaturen zu Apk 12 im Liber floridus des Lambert von St. Omer (Original gegen 1100), Exemplar in Wolfenbüttel, Mitte oder 2. Hälfte des 12. Jh., illustriert Vers 1–5, *Abb. 186*. Das sonnenumkleidete Weib (die Sonne steht hinter ihr) sitzt hier und hält ein gewickeltes Kind im Arm. Dieser mütterliche Gestalttypus, der gelegentlich auch in der spanischen Gruppe der Beatuskommentare vorkommt, entspricht nicht dem urbildhaften Charakter der Vision, ist aber durch die Metapher »Geburt« verständlich. Bei der Entrückungsszene im oberen Bildteil ergreift die göttliche Hand, die neben dem Tempel mit der Bundeslade erscheint, den Sohn, der hier

nackt ist. Im Gegensatz zur Darstellung der geschichtlichen Geburt Jesu ist der Sohn des Himmelsweibes im frühen und hohen Mittelalter häufig (vereinzelt auch noch im 14. Jh.) unbekleidet dargestellt worden, sofern nicht Motive aus der Geburt Jesu in die Illustration von Apokalypse 12,1–5 übernommen wurden. Das Ergriffenwerden von der Hand Gottes ist für die Darstellung einer Entrückung oder Erhöhung zu Gott eine typische Metapher (vgl. die spätantike Form der Himmelfahrt Christi Bd. 3). Die Ausstoßung des Drachens aus dem Himmel auf der zweiten Miniatur, *Abb. 187*, ist von der isolierten Darstellung des Michaelkampfes beeinflußt. Sie wird durch die hinzugefügten kleinen Engel mit Lanzen und Schwertern mit dem Text in Einklang gebracht. Michaels Todesstoß in den Schlund des Drachens widerspricht der Ausstoßung, Vers 9 und 17. Die dritte Illustration, *Abb. 188*, zeigt dann den zornigen Drachen – ohne Machtattribute – auf Erden. (Vgl. die Personifikation der den Strom trinkenden Erde mit *Abb. 185*.) Ein Sondermotiv ist hier die Verleihung der Flügel. Die Illustration nimmt den oberen Teil der Seite ein, der untere zeigt aus Kapitel 13 die beiden Tiere, die aus dem Meer und aus der Erde aufsteigen.

Für die gleiche Zeit, in der der Apokalypsezyklus des Liber floridus in St. Omer entstand, ist ein Freskenzyklus in der Vorhalle der Abteikirche Saint-Savin-sur-Gartempe (Poitou) nachzuweisen. Auf die Darstellung der 5. Posaunenvision (9,1–12) folgt hier die des apokalyptischen Weibes, *Abb. 196*. Die kompositionelle Verdichtung der Figurationen führt zur Verschmelzung beider Gestalten. Ähnlich einer Marien-Majestas thront das apokalyptische Weib auf dem Globus, als Schemel dient ihr die schmale Mondsichel. Hinter ihrem großen Nimbus sind zwei aufsteigende Flügel zu sehen. Gelassen blickt sie auf den in angriffsbereiter Haltung wie gebannt neben ihr stehenden Drachen. Der Strom, den die Erde verschlingt, ist ihm nur attributhaft hinzugefügt. Der Sohn auf dem Schoß des Weibes wendet sich dem vom göttlichen Thron herabfliegenden Engel zu. Er wird von diesem mit beiden Händen ergriffen, während er selbst emporschreitet. Auch dieses Schreibmotiv ist aus dem spätantiken Himmelfahrtsbild übernommen. Wieweit aus der Aufnahme anderer Darstellungstypen auf eine bestimmte Interpretation geschlossen werden kann, ist ohne eingehende Untersuchung aller Einflüsse nicht zu beantworten. Sowohl den

Entrückungs- als auch den Verherrlichungstypus legt
die apokalyptische Vision selbst für die Darstellung
nahe.

In Italien sind mehrere monumentale eschatologische
Zyklen erhalten, wenn auch zum Teil stark beschädigt. Zu
den großartigsten Darstellungen von Apokalypse 12 gehört das Fresko an der Stirnlünette des Westwerks in der
Abteikirche S. Pietro al Monte bei Civate (Oberitalien),
kurz vor oder um 1100, *Abb. 200* (Ausschnitt). Der Akzent liegt auf der Ausstoßung des Drachens aus dem Himmel, die mit der Ankunft des Sohnes bei Gott verbunden
ist. Inmitten von zwei Engelgruppen, die mit ihren Spee-
ren den Drachen vertreiben, thront die Majestas Domini
(zum größten Teil zerstört). Rechts von der Mandorla
steht der Engel, der den »Geborenen« Gott darreicht, neben ihm Michael in ritterlicher Rüstung. Das Sonnenweib,
das geboren hat, ist links unten dargestellt. Für sie ist der
Typus der auf einer Kline liegenden Gottesmutter des byzantinischen Bildes der Geburt Christi übernommen. Die
Sonne steht über ihr, das Licht strömt auf die Frau herab,
ein Strahl trifft auch den Knaben. Dieser wird von einer
durch die Kline halb verdeckten Frau dem Drachen entge-
gengehalten. Er blickt ihn ohne Furcht an und hebt seine
Hände in der Gebetshaltung[105]. Es ist öfters gesagt worden, es sei auf diesem Fresko zum erstenmal in der Kunst
das Weib als Maria gedeutet worden. Der einzige Anhaltspunkt hierfür ist die Übernahme der ruhenden Haltung
des Weibes. Die Gestalt, die den Knaben hält, als Heb-
amme, also auch als Übernahme aus dem Geburtsbild zu
deuten, dafür liegt kein zwingender Anlaß vor. Der nackte
Knabe in der Bedrohung und seine Entrückung entsprechen der allgemeinen Auffassung dieser Zeit von Offenbarung 12, so daß wohl nur die schwer verständliche Metapher »Geburt« den Meister dieses Freskos veranlaßte,
für das Weib den Marientypus des östlichen Geburtsbildes
zu übernehmen, der auch weiterhin in Italien beibehalten
wird. Die Gestalt, die den Knaben hält, dürfte die Kirche
auf Erden sein und das Kind der Täufling. Stimmt diese
Deutung, so wäre mit einem Nebenmotiv innerhalb der
eschatologischen Satansausstoßung die allgemeine Auffassung der gebärenden Kirche wiedergegeben. Wie auch
im einzelnen die Gestalten zu deuten sein mögen, dieses

---

105. Eine gute Farbwiedergabe des ganzen Freskos siehe O.
Demus – H. Hirmer, Romanische Wandmalerei, Tf. II und III.

Fresko der Ausstoßung des Drachens gehört zu den ein-
prägsamsten künstlerischen Aussagen über die Endzeit.
Es liegt im Wesen der Wandmalerei, daß sie die Bildmotive
unabhängiger vom biblischen Text kombiniert, als dies bei
der Buchmalerei der Fall ist. Wieviel Spielraum zur Interpretation und der Gestaltgebung jedoch auch der Buchmalerei bleibt, sogar innerhalb einer zusammengehören-
den Handschriftengruppe, geht bereits aus den wenigen
Beispielen, die wir abbilden können, hervor.

Die Randminiaturen zum Text Apk 12 in einem oberitalienischen Neuen Testament der 1. Hälfte des 13. Jh. aus
Verona, Bibl. Vat., zeigen das Weib dreimal, *Abb. 199*. In
Gebetshaltung steht es, ausgezeichnet mit dem Sternen-
kranz, auf der Mondsichel. Die männliche Büste in der
großen Sonne vor ihrem Leib ist offensichtlich nicht mehr
wie im 9. Jh. die Büste zu seinen Füßen als Personifikation
der Sonne gedacht, *Abb. 183*, sondern hat die Züge des
Angesichts Christi übernommen. Der Glanz des Weibes
deutet demnach auf Christus-Sol und greift damit eine alte
Interpretation der Sonne, die die Ekklesia umkleidet, auf.
Der Orantengestus, vermutlich eine Übernahme aus dem
im 13. Jh. dem Abendland bekannten byzantinischen Typus der Maria orans (ohne Kind, siehe unten »Blachernio-
tissa«), kennzeichnet sie als betende Kirche. Doch bleibt
das apokalyptische Weib in der Konfrontation zum Drachen, der auf der anderen Seite des Textes steht, in der
Bildtradition. Die Geburt des Sohnes mit seiner Entrük-
kung ist isoliert dargestellt. Die Mutter reicht von ihrem
Lager aus den Sohn, der durch den Kreuznimbus als Christus gekennzeichnet ist, den aus den Himmelswolken her-
ausgreifenden göttlichen Händen. Unterhalb des Drachens ist die Kirche mit dem Symbol des göttlichen
Schutzes in die Wüste gehend wiedergegeben und am unteren Blattrand der Sieg über den Drachen (nicht mit abgebildet).

Die betende Kirche ist vom 13. Jh. an häufiger anzutreffen, und zwar in beiden Darstellungen. Das erste Fresko
des Giusto de Manabu, um 1380, im Baptisterium zu Padua zeigt die Frau mit dem Sternendiadem auf dem Ge-
burtslager in Orantenhaltung. Die Sonne schwebt vor ihrer Brust. Das nackte Kind liegt auf ihrem Schoß. Ein
Engel fliegt mit ausgestreckten Händen herab. Drei Viertel der Bildfläche nimmt der Drache ein, der mit sieben gekrönten Schlangenhäuptern die Mutter mit dem Kind be-
droht. Die Gestalt des zweiten Freskos hat die gleichen

Embleme und den Gebetsgestus wie die Frau des ersten Freskos, doch zusätzlich die Flügel. Sie steht auf dem Mond nur wenig über der Erde. Der ausgestoßene Drache wendet sich gegen die Kirche und wird von einem Mann mit einer turbanähnlichen Kopfbedeckung (Türke?) angebetet, während mehrere Engel mit dem Kreuzbanner in der Hand die übrigen Teufel aus dem Himmel vertreiben. Es geht auf beiden Fresken um die Kirche auf Erden. Das nackte Kind auf dem Schoß der Mutter ist Symbol der bei der Taufe erfahrenen individuellen geistlichen Wiedergeburt. Da sich die Darstellungen in einem Baptisterium befinden, liegt diese Auffassung nahe.

Die erläuternden Texte, die den Illustrationen zu Apokalypse 12 in der Bible moralisée (erste Exemplare gegen 1240) eingefügt sind, sprechen immer von der Kirche oder vom Weib. Auch bei anderen Darstellungen aus den verschiedensten Bereichen geht bis ins späte Mittelalter aus Inschriften oder Einzelmotiven die Vertrautheit mit der ekklesiologischen Deutung des apokalyptischen Weibes hervor, wenn auch beiden Gestalten allmählich häufiger Züge des Marienbildes gegeben werden. Bei der Entrückung des Sohnes sind die Bedeutungsakzente unterschiedlich gesetzt. Eine Miniatur im Liber matutinalis, zwischen 1206 und 1225 im bayerischen Kloster Scheyern angefertigt, *Abb. 197*, reduziert die Szenen auf die Symbolgestalten. Das Kind auf dem Arm der Mutter ist durch den Kreuznimbus als Christus gekennzeichnet. Seine Entrückung wird in der Abwendung von der Mutter und seinem Aufblicken zur Anschauung gebracht. Es erhält durch den erhobenen Blick, den Handgestus und die Schriftrolle Züge des Christus der Auferstehung, wie ihn eine gleichzeitige Darstellungsgruppe, die den Transitus hervorhebt, zeigt, *vgl. Bd. 3, Abb. 198.* (Transitus bedeutet Antritt der eschatologischen Herrschaft. Dieselbe Bedeutung hat der große Schritt und die Handergreifung beim spätantiken Himmelfahrtsbild.) Die Übernahme eines Madonnentypus für das apokalyptische Weib, das hier als Attribut nur die Flügel hat, läßt die Deutung der Frau als Maria-Ekklesia zu, auch wenn die Beschriftung der Bildseite keinen Anhaltspunkt dafür gibt. Der Gesamteindruck, den diese hoheitsvolle Gestalt in der Konfron-

tation zu dem herrischen Drachen vermittelt, ist der der zwar bedrohten, aber unverletztbaren Kirche[106]. Die Miniatur gehört zu einem dem Buch vorgehefteten Bildzyklus ohne Textbezug. Auf das apokalyptische Weib folgt ein weiteres Bild zu dem Themenkreis Kirche, *Abb. 198.* Der obere Bildteil zeigt die Darstellung der Himmelfahrt Christi, der als Sohn des apokalyptischen Weibes aufgefaßt ist. Im unteren Teil ist der apokalyptische Drache als Feind der Kirche durch die namentlich genannten Irrlehrer des Konzils von Nicaea konkretisiert; sie sind von seinem ausströmenden Qualm umgeben. Kaiser Konstantin, der das Konzil leitete, steht seitlich und weist auf die Irrlehrer. Fünf Bischöfe setzen ihre Stäbe auf den Drachen, eine Zeremonie ihres Sieges. Wir müssen es bei diesen Hinweisen auf diese singuläre Darstellung, die einer eingehenden Analyse bedarf, bewenden lassen.

Ausführliche Illustrationen zum dritten Teil des Textes zeigen Handschriften der nordfranzösisch-englischen Apokalypsengruppe des 13. und 14. Jh. In einem Exemplar, um 1230, Trinity College in Cambridge, *Abb. 203,* sind allein schon die Verse 13–17 in fünf Szenen verbildlicht. Der Angriff des monströsen Drachens und die Verleihung des Schutzes an die Kirche sind unmittelbar zueinander in Beziehung gesetzt und stehen in kausalem Zusammenhang. Als neue Szene ist nach der Flucht in die Wüste die Ernährung der Kirche, die eucharistisch gedeutet ist, aufgenommen. Darauf folgt der Streit des grotesk verbildlichten Drachen-Teufels mit denen, die zur Kirche gehören (»von ihrem Samen«) und Zeugen Jesu Christi sind. Auch die Teppiche von Angers, Ende 14. Jh., zeigen diesen Kampf gesondert – als sechste Szene zu Apk 12 –, *Abb. 202.* Die Kämpfer sind Volkstypen der Zeit.

Der Maler des Apokalypsealtars der Meister-Bertram-Werkstatt, Anfang 15. Jh., London, *vgl. Abb. in Bd. 5,* stellt die Ekklesia in der Wüste in ein Kirchengebäude, das ihr Schutz vor dem Drachen verleiht. Sie trägt die Embleme des apokalyptischen Weibes, ebenso wie Ekklesia auf der ersten der drei Darstellungen, wo sie das Kind, das ein mit Sternen geschmücktes Kleid anhat, dem Engel ent-

---

106. In dieser Handschrift wird die Überschneidung oder das Zusammenfließen der Ekklesia- und der Marienvorstellung noch an einer weiteren Miniatur deutlich. Auf Seite 25 r hält die thronende Maria ein Kirchenmodell in der Hand und übernimmt damit ein typisches Attribut der Ekklesia.

gegenhält. Den Gestalten der spätmittelalterlichen bür-
gerlichen Kunstepoche fehlt die Hoheit vorhergehender
Epochen. Es wird nun in der Regel das jugendliche Ma-
donnenbild übernommen. Innerhalb des apokalyptischen
Freskenzyklus in der Turmkapelle der Burg Karlstein
(Böhmen), 1357 vollendet, steht die Ekklesia-Maria mit
dem Kind auf dem Arm, angetan mit allen Lichtsymbolen
und den Flügeln in einem Baldachingehäuse. Der Drache
nimmt das nächste Bildfeld ein und steht nicht in direkter
Beziehung zu ihr. Der Baldachin kann wie das Kirchengebäude Sinnbild der Kirche sein. In seiner abgrenzenden
Wirkung mag sich die der Malerei des 14. Jh. innewoh-
nende Tendenz zum Andachtsbild äußern (Madonna auf
der Mondsichel). Der sog. Mühlenaltar der ehemaligen
Klosterkirche von Doberan (Mecklenburg), ein westfäli-
sches Werk aus dem 1. Viertel des 14. Jh., *Abb. 195*, zeigt
das unbekleidete Kind auf dem Arm der anmutigen, kost-
bar gekleideten Himmelskönigin, der in sehr betonter
Weise die astralen Zeichen der apokalyptischen Frau gegeben sind.

Die Illustrationen in den Bibeldrucken der Reformationszeit gehen wieder von dem Marientypus ab. Auf Dürers Holzschnitt, *vgl. Abb. in Bd. 5,* ist das Hauptthema
die Konfrontation von Ekklesia und monströsem Drachen, dessen Gestaltung in dieser Zeit wieder der Schilderung des Apokalyptikers entspricht. (Zur Deutung des
Tieres in der Reformationszeit siehe das Apokalypsekapi-
tel in Bd. 5.) Bei der Gestalt der Kirche, die auf der Mondsichel steht und von einer Strahlenglorie umgeben ist, fallen die demütige Haltung und der für diese Zeit allgemein
übliche Gebetsgestus, vor allem aber die großen Flügel
auf. Die Hervorhebung dieses Zeichens göttlichen Schutzes weist vermutlich auf die akute Bedrohung der Kirche
und des Glaubens hin. Die Entrückung des Kindes zu
Gott wird in der Form des mittelalterlichen Typus der
Elevation einer Seele gezeigt. Hans Burgkmair d. Ä. gibt
die Kirche der apokalyptischen Himmelserscheinung als
eine ältere starke Frau auf dem Vollmond stehend wieder,
Abb. 201 (Augsburger Druck des Neuen Testaments von
1523 bei Silvan Othmar).

Werden in Apokalypse-Bildfolgen dieser Zeit der »mulier sole amicta« die Züge Marias verliehen, so erhält umgekehrt das Marienbild Embleme des apokalyptischen
Weibes. Beides ist begründet in der theologischen Erweiterung der Marienvorstellung und der Volksfrömmig-
keit[107]. Doch kann ebenso die Braut Christi, *vgl. Abb.
253,* oder eine isolierte Ekklesiagestalt im 13. Jh. diese
Embleme erhalten. Auf einer Initialminiatur zu Ps 102
(101), 2f. eines Straßburger Psalters, Mitte 13. Jh., Mainz,
Abb. 204, steht die betende Kirche vor der großen Strah-
lensonne auf der Mondsichel. Vom Text des Psalms her
gesehen, ist sie die angefochtene Kirche, die zu Gott fleht.
Anders ausgedrückt: die Personifikation des Gebets der
angefochtenen Gemeinde. Siehe weitere Ausführungen
zur Interpretation Marias und zu der durch sie bedingten
Vermischung der Gestalttypen im 2. Teil.

Mater Ecclesia
Jes 54,1 ff.; 66,10–13; Gal 4,26–28

Paulus zieht im Galaterbrief zunächst die Söhne Saras, der
Freien, und Hagars, der Magd (vgl. 1 Mos 21,9–13), als
Vergleichsbilder für die unter dem Gesetz (Vers 24 Hagar
= Sinai) und die unter der Gnade stehende Gemeinde
heran. Er deutet dann aber Hagar als das irdische Jerusalem, den Mittelpunkt des jüdischen Volkes, und Sara, die
Freie, als das himmlische Jerusalem, deren Kinder die
Christen sind: »Aber das Jerusalem, das droben ist, das ist
die Freie; die ist unser aller Mutter. Denn es steht geschrieben (Jes 54,1 ff.): Sei fröhlich, du Unfruchtbare, die
du nicht gebierst! Und brich in Jubel aus, die du nicht
schwanger bist. Denn die Einsame hat viel mehr Kinder
als die, die den Mann hat!« Paulus knüpft damit ebenso
wie der Seher Johannes in Kapitel 12 an jüdische Vorstellungen an, wie sie Jes 54 und 60 und in außerbiblischen
Schriften zu finden sind. Während jedoch im jüdischen
Schrifttum das neue Jerusalem vom Himmel herab kommen und das alte erfüllen wird, ist Apk 3,12 und 21,2 ff.
das herabkommende Jerusalem in Gegensatz zum alten

---

107. Zu dem von dem apokalyptischen Weib abgeleiteten spätmittelalterlichen Marienbildtypus der Mondsichelmadonna und
dem im Barock sehr häufigen der Immaculata siehe unten. Wir
verweisen auch auf: E. M. Vetter, Mulier amicta sole, in: Münch-

ner Jahrbuch, 1958/59, S. 32–71. Vetter setzt sich u. a. mit dem
Aufsatz von L. Burger, Die Himmelskönigin der Apokalypse in
der Kunst des Mittelalters, in: Neue deutsche Forschung, II, Berlin 1937, auseinander.

gesetzt und ohne geographische Bindung der Beginn des neuen Äons. Paulus sieht diesen Gegensatz ebenso. Voraussetzung für das Herabkommen Jerusalems ist das Vorhandensein der Kirche im Himmel, die, wie oben schon gesagt, gleich der Weisheit – zwei Begriffe, die ineinander übergehen – als präexistent gesehen werden. Dieses obere Jerusalem ist unser aller geistige Mutter; das Erbe (1 Mos 21,10) der Mutter – der Freien – dürfen die antreten, die durch den Geist für Gott geboren wurden[108].

Für die bildliche Darstellung der Mater Ecclesia sind mehrere Ausgangspunkte zu beobachten. Im Bardo-Museum in Tunis befindet sich als Teil eines nordafrikanischen Fußbodenmosaiks des 4. Jh. aus Thabraca eine Grabplatte, die eine Kirche darstellt, vermutlich die des Ortes, *Abb. 205*. Zwischen den beiden Giebeln steht zum Gedächtnis an die Verstorbene eine Inschrift: »Ecclesia mater † Valentia in pace.« Man darf diese Inschrift, die sich auf eine Verstorbene namens Valentia bezieht, zusammen mit der Wiedergabe des Kirchengebäudes wohl so verstehen: Das Kirchengebäude symbolisiert die Kirche als die Mutter der Gläubigen. Diese leben nach ihrem Tod in Frieden.

Eine singuläre Darstellung der Ekklesia ist in einem Missale von Mont St. Michel, 11. Jh., New York, *Abb. 206*, zu finden. Die Miniatur der Initiale zum Fest der Unschuldigen Kindlein zeigt die gekrönte Ekklesia inmitten dieser ersten Blutzeugen. Als Mutter aller Gläubigen hält sie für diejenigen, die den Kampf auf Erden bestanden haben, die Krone des Lebens (Apk 2,10b) und die Palme des Sieges in erhobenen Händen. Die Bible moralisée zeigt die Kirche als Mutter, die ihre Kinder zur Taufe führt, vgl. dazu auch oben Illustrationen der Beatuskommentare zu Apok. 12.

In Verbindung mit der Figur der Kirche und dem Kirchengebäude tritt die Inschrift »Mater Ecclesia« in den süditalienischen illustrierten Exultet-Rollen auf, die der Zeit vom 10.–13. Jh. angehören. Sie enthalten Gesänge und Texte zur Osterliturgie, und zwar zunächst eine Sonderform der Vulgata, die Vetus Latina-Version. Mehrere der späteren Rollen schlossen sich dann an die allgemein übliche Form an. Im zweiten Teil der Osterfeiern beginnt die Darbringung und Weihe der Osterkerze mit einem Preislied, dem »Exultet«, das mit diesem Wort einsetzt: »Es juble der eng(e)lische Chor des Himmels, ... und zu des erhabenen Königs Sieg ertöne (erschalle) die Tuba des Heils. Es freue sich die Erde, überstrahlt vom (himmlischen) Licht und erleuchtet vom Glanz des ewigen Königs (der ewigen Herrschaft); nimm wahr über den ganzen Erdkreis, wie die Finsternis gewichen. Es freut sich (auch) die Mutter Kirche, geschmückt mit dem Glanze des großen (erhabenen) Lichts, es halle wider der Tempel (Halle) vom mächtigen Jubel des Volkes (von den starken Stimmen, vom Jubelgesang des Volkes) ...« Dieser Beginn des Gesangs ist in den meisten der Rollen, in seine einzelnen Teile aufgegliedert, illustriert[109]. Eine der ältesten Rollen aus San Vincenzo al Volturno, zwischen 981 und 987, Bibl. Vat. 9820, *Abb. 208*, zeigt Ekklesia mit ausgebreiteten Armen auf dem Dach einer Basilika auf dem Purpurkissen thronend. Die sie umgebenden brennenden Leuchter beziehen sich auf die Osterkerze, ihre Zwölfzahl wohl auf die Apostel und so auf die vollzählige himmlische Gemeinde. Die Tür des Kirchengebäudes ist weit geöffnet. Die große Gebärde der Figur empfindet der Betrachter als Einladung und machtvolle Selbstoffenbarung der Kirche. Ihr Haupt ist umleuchtet von einem großen Nimbus. Sie trägt das teils liturgische, teils fürstliche Gewand mit Gür-

---

108. Gal 4,22 ff. ist Epistel des Sonntags Lätare, des Tags der »Mutterfreude der Kirche«. – Siehe zum Text H. Schlier, Der Brief an die Galater, Göttingen, 1951, S. 154–161. Zum Verständnis der Vorstellung der mütterlichen Fruchtbarkeit der Kirche und ihrer mythologischen Wurzeln siehe H. Rahner, Symbole der Kirche. Die Ecclesiologie der Väter: Die gebärende Kirche, S. 140–161.

109. Literatur: Myrtilla Avery, The Exultet Rolls of South Italy, Bd. 2, Princeton 1936. RDK IV, Sp. 719–739 mit Literaturverzeichnis (H. W. Kruft). Hier die beiden Fassungen des Textes. Der Beginn ist bei beiden gleich. Unsere Übersetzung fußt auf dieser lateinischen Textwiedergabe. Eine Exultetrolle in Salerno,

M. Avery Pl 158, 10, zeigt statt der weiblichen Personifikation eine männliche alte Gestalt, die oft als Pontifex gedeutet wird. Es wird sich vermutlich um einen Bischof handeln, da das Purpurkissen als Herrschaftsattribut fehlt. Es ist in Band 2 von uns schon darauf hingewiesen worden, daß bei den Exultetrollen die im Verhältnis zum Bild auf dem Kopf stehende Schrift mit dem Abrollen der Rolle über einen Ambo, neben dem die Osterkerze stand, zusammenhängt. Während das Bild für die Gemeinde sichtbar war, sang der Kleriker den vor ihm liegenden Text. Die ältesten der 24 erhaltenen illustrierten Rollen geben Schrift und Bild in gleicher Richtung wieder.

tel und weiten Ärmeln, das mit kleinen Abwandlungen bei der Ekklesia- und der Sapientiagestalt allgemein vom 10.–12. Jh. üblich ist. (Zum Geschmeide *vgl. Abb. 98 und 99.*) Eine andere Rolle, 12. Jh. Bibl. Casanatense, *Abb. 207*, zeigt die personifizierte Kirche unter einer großen Kuppel zwischen acht Leuchtern stehend. Sie hat die gleiche Armhaltung wie die thronende Figur. Die Zahl der Leuchter ist vermutlich symbolisch als Zahl der Auferstehung zu deuten. In beiden Rollen ist unmittelbar unter der Ekklesia eine durch Kleidung und Gesten sehr unterschiedlich gekennzeichnete und nicht gegliederte Personengruppe – in der Mitte eine stark bewegte Königsfigur – dargestellt, von der es im Text heißt, daß der Tempel von ihren starken Stimmen widerhallt (Magnis populorum vocibus haec aula resultat). Beide Bildteile sind durch die seitlich durchlaufenden Säulen verbunden. Die als Mater Ecclesia inschriftlich bezeichnete mächtige Gestalt mit reichem Kopfschmuck und liturgischem Gewand steht in einer Rolle des 11. Jh., London, *Abb. 209*, unter dem mittleren Arkadenbogen, der zusammen mit den beiden niedrigeren Bögen (siehe auch die Überdachung) den Innenraum einer Basilika wiedergibt. Ihre ausgebreiteten Arme sind nur leicht abgewinkelt; ihre Hände umgreifen den Bogen, an dem zwei Hängelampen befestigt sind. Zu ihrer Rechten steht der Klerus, zu ihrer Linken das Volk (Beischriften), beide Gruppen in ehrfürchtiger Haltung. Die in mehreren Rollen getrennten Bildteile sind innerhalb des Kirchenraums verbunden. Dadurch ist für den Gehalt des Textes eine ihm adäquate Bildform gefunden.

In den meisten der Exultet-Rollen bezieht sich die Darstellung über dem Ekklesiabild auf die Aufforderung an die Erde, mit einzustimmen in die Freude. Zur Veranschaulichung der Erde werden antike Typen der Telluspersonifikationen übernommen.[110] Die Londoner Exultet-Rolle, *Abb. 209*, zeigt die Terra (Halbfigur) aus einem Hügel hervorwachsend vor dem mittleren der drei Bäume, dessen Krone auch ihre Krone ist. Ihre Armhaltung ist die gleiche wie die der Mater Ecclesia im unteren Bildfeld. Sie säugt eine Schlange und einen Stier – mythologische Symbole der Fruchtbarkeit. Die Bäume und Pflanzen sind ebenfalls Embleme der fruchtbaren Mutter Erde. In der

Rolle der Bibliothek Casanatense ist dieser Typus abgewandelt und nach dem Hymnustext erweitert. Die Gestalt der Terra lagert auf dem Erdboden und säugt den Stier und einen Hirsch. In der rechten Hand hält sie ein Füllhorn, die linke hebt sie gegen die Finsternis (inschriftlich bezeichnet). Dieser steht das Licht gegenüber. Von oben strahlt das himmlische Licht auf sie herab, wie es im Text heißt. Auch die ersten Worte des Exultet (Exultet iam angelica turba caelorum) sind mehrmals in einem eigenen Bildfeld dargestellt worden: die Engel mit der Tuba des Heils und der ewige König.

Ein weiterer Darstellungstypus für die Erde findet sich in einer Rolle in Bari, um 1000, unterhalb eines Bildes des Gottesdienstes. Vor einem Hügel steht die Erde inmitten von zwei Bäumen, die sie umfaßt, wie die Mater Ecclesia den Bogen der Kirchenarchitektur auf der Londoner Rolle. Sie ist prächtig gewandet und hat einen hohen pflanzlichen Kopfschmuck, der wie die Krone eines Baumes wirkt, dessen Stamm sie verdeckt. Zu ihren Füßen stehen verschiedene Tiere, die zu ihr aufblicken – mitgerufen zur Freude. Es kann hier nicht untersucht werden, ob lediglich der Anruf an die Erde im Osterhymnus die Übernahme der dem hohen Mittelalter bekannten antiken Personifikation und Fruchtbarkeitssymbolik veranlaßte oder ob bewußt die Mutter Erde der Mutter Kirche im typologischen Sinn gegenübergestellt wurde. Möglich ist auch, daß die Tellusdarstellung, die mit unterschiedlicher Bedeutung in vielen Bildzusammenhängen vorkommt, als eine kosmische Bildmetapher die Schöpfung meint oder die ganze Menschheit. Auf jeden Fall treten Tellus und Mater Ecclesia auf den Exultet-Rollen zum erstenmal gemeinsam ins Blickfeld. Auf den komplexen karolingischen Kreuzigungsdarstellungen kommen beide zwar auch vor, stehen aber nicht miteinander in Beziehung.

Die »Ecclesia lactans«, an deren Brüsten zwei Männer trinken, steht im Zusammenhang mit der personifizierten Philosphie, die die freien Künste nährt. Das Trinken der Milch der Philosophie ist ein von der Antike dem Mittelalter überlieferter Begriff, der noch dem späteren Mittelalter durch pseudoantike Schriften, die von Boethius (480–524) ausgehen, bekannt ist. Da im hohen Mittelalter

---

110. Zu Tellusdarstellungen siehe RDK V, Sp. 997–1104 (A. Wirth). Die Telluspersonifikation kommt in vielen Zusammenhängen vor, vgl. bei uns Band 1, Abb. 8; Band 2, Abb. 373, 374, 377, 382; Band 3, Abb. 671, 692; ferner in dem Kapitel Schöpfung, Bd. 6. Zur Erde-Eva-Typologie in bezug auf Maria siehe unten.

allgemein die Philosophie mit der göttlichen Weisheit in Parallele gesetzt wird und auf sie die sieben freien Künste bezogen werden, ist eine Übertragung des Lactansmotivs auf die Personifikation der göttlichen Weisheit und der mit ihr eng verknüpften Ekklesia verständlich. Es ist nicht auszuschließen, daß hinter dem Motiv, insbesondere bei der Mater Ecclesia, der Terratypus, der die Metapher »Mutter« (alma mater) zum Ausdruck bringt, steht. Die direkte Anknüpfung liegt aber doch wohl bei der Sapientia lactans. Als Beispiel für die Philosophia-Sapientia, die die ihr untergeordneten sieben freien Künste nährt – oder mit der Milch der göttlichen Weisheit tränkt –, bilden wir ein Einzelblatt der Salzburger Luithold-Gruppe, 2. Drittel 12. Jh., Sammlung Forrer Straßburg, ab[111], an dem deutlich wird, wie komplizierte abstrakte Begriffe, die in der Literatur anschaulich erläutert sind, in das Bild übertragen werden, *Abb. 210.* Es hat vielleicht im hohen Mittelalter auch schon den zweiten Typus der Sapientia lactans gegeben, der für die Ekklesia im 12. und 13. Jh. verwendet wurde. Bekannt sind davon nur einige Darstellungen des 15. Jh., was aber nicht ausschließt, daß in älteren Handschriften noch weitere gefunden werden können[112].

Sinn des Bildes von der säugenden Ekklesia ist es, die Kirche als Vermittlerin der christlichen Lehre zu zeigen[113]. In der Regel sind zwei trinkende Männer dargestellt. Sie können als Mose und Paulus charakterisiert sein und das Alte und das Neue Testament vertreten (vgl. oben Mystische Mühle), wie auf einer Miniatur des Codex 48 der Bibliothek des Stiftes Engelberg (Schweiz), Mitte 12. Jh., *Abb. 211.* Die sitzende Ekklesia trägt Mitra und Stola, Mose den spitzen Judenhut, Paulus den für ihn typischen langen Bart. Auf einem Glasfenster in Bourges hält Ekklesia über den trinkenden Männern in ausgebreiteten Händen die Kronen der Verheißung bereit. Der Kompositionstypus ist im 12./13. Jh. mehrmals mit dem ihm formal verwandten Segen Jakobs, *vgl. Bd. 2, Abb. 423,* zusammen dargestellt worden. Dieses alttestamentliche Motiv

gehört nicht nur zur Kreuztypologie (gekreuzte Arme des Erzvaters), sondern wird auch ekklesiologisch gedeutet, da Manasse das jüdische und Ephraim das heidnische Volk vertritt. Den Hauptsegen erhielt Ephraim. Durch seinen Kreuzestod wird Christus an die Stelle des alten erwählten Volkes ein neues setzen. Diese Deutung, die auf den Barnabasbrief (um 100–140) Kap. 13, Vers 4 zurückgeht und beide typologische Deutungen verbindet, veranlaßte Abt Suger, den Jakobssegen in das oben erwähnte typologische Fenster von St. Denis aufzunehmen. An den Sturzkonsolen des Hauptportals der Kathedrale von Genua korrespondieren der Jakobssegen und die Ecclesia lactans mit Petrus und Paulus, die als solche gekennzeichnet sind. Im Chor der Kathedrale von Vézelay ist an einem Schlußstein ebenfalls dieser älteste Ecclesia-lactans-Typus zu finden. Es gibt auch Beispiele, die Vertreter des Klerus und des Laienvolkes an den Brüsten der Ekklesia zeigen.

In einer der pseudoantiken Handschriften der sogenannten Fulgentius-Metaforalis-Gruppe des 14./15. Jh. (Bibl. Vat. Palat. Lat. 1066, Blatt 235; Anfang 15. Jh.) kehrt der gleiche Lactanstypus für die Sapientia wieder. Auf einer Seite sind im Anschluß an eine Darstellung der Justitia »die dreierlei Weisen, auf die die Athener die Weisheit darstellten«, zu sehen. Die letzte Darstellung zeigt die gekrönte Sapientia, in einem Hermelinmantel thronend. Sie legt ihre Arme um zwei vor ihr kniende gleich gestaltete Männer, die an ihren Brüsten trinken und sich einander die Hand reichen. Unmittelbar daneben ist die lehrende Sapientia (Spr 8,1-7; für die »predigende« Stadt Jerusalem vgl. Jes 40,9) unter dem Eingang eines Kirchengebäudes dargestellt. Die Inschriften gehen auf antike literarische Fragmente zurück, die aber hier mit der Darstellung einer alttestamentlichen Aussage über die Weisheit verbunden sind[114]. Die Weisheit wiederum verbindet die Exegese, wie oben schon des öfteren gesagt wurde, mit der Kirche. Auch das bei der Darstellung des Weisheitsengels zitierte Wort Spr 9,1 wird auf die von der

---

111. Publiziert von G. Swarzenski, Salzburger Malerei, S. 94, Abb. 392.

112. Zu der säugenden Philosophie-Weisheit des 15. und 16. Jh. und den literarischen Quellen hierfür siehe L. Möller, Nährmutter Weisheit, in: Deutsche Vierteljahresschrift für Literatur- und Geisteswissenschaft, (Tübingen) 24, 1950, Heft 3, S. 347–359.

113. Honorius v. Autun, Expos. in Cant. Cant. 1, 1–2, Pl. 172,

361: »Die Brüste der Ecclesia sind die beiden Testamente, aus denen die Unkundigen die Milch der Lehre in sich aufnehmen, wie die Kinder Milch aus den Brüsten der Mutter saugen.« Honorius greift damit ein Wort Augustins von der Mutter Kirche auf; dieser spricht allerdings von der »Milch der Sakramente«: MPL 35, 1998.

114. Siehe L. Möller, Abb. 2, zu den Inschriften S. 249f.

Kirche angebotene Speise (Sakrament) gedeutet. Bei diesen Verknüpfungen ist die spätere Übernahme dieses speziellen Motivs der Ecclesia lactans für die Darstellung der Sapientia ebenso möglich wie die umgekehrte Entwicklung. Die Frage der Priorität muß offen bleiben, bis ältere Beispiele für die Sapientia lactans bekannt werden.

In Italien hat seit der 2. Hälfte des 13. Jh. unter dem Einfluß der Tugenddarstellungen in der französischen Kathedralplastik die sitzende und stehende Figur der Ecclesia lactans in der Caritas proximi (Nächsten-, insbesondere mütterliche Liebe) eine Parallele. Niccolo Pisano hatte die Umwandlung der französischen Caritas-Misericordia zu einer Mutterfigur der Caritas proximi schon an der Baptisteriumskanzel zu Pisa vollzogen[115]. Sein Sohn Giovanni verwandte die Sitzfigur mit zwei trinkenden Kindern innerhalb des Stützenwerks der Domkanzel zu Pisa an dem Sockel, der die Figuren der drei theologischen Tugenden trägt (1302–1312). Auf ihm sind in Nischen die sieben freien Künste dargestellt (Hochrelief), die Grammatik als Lactans[116]. In unserem Zusammenhang ist aus dem theologisch und ikonographisch höchst interessanten Stützenwerk der Pisaner Domkanzel die stehende Figur der zwei Kinder säugenden Ekklesia, die über den vier Kardinaltugenden aufragt, wichtig, *Abb. 213*. Die Jesajastelle 66,10ff., die das Heil des neuen Jerusalem weissagt, mag eine solche Darstellung inspiriert haben: »Freuet euch über Jerusalem ..., denn dafür sollt ihr säugen und euch ergötzen an der Fülle der Herrlichkeit ... Ihr sollt auf dem Arm getragen werden, und auf den Knien wird man euch freundlich halten.« Der ganze Bedeutungsgehalt dieser Mater-Ecclesia-Figur erschließt sich aber erst, wenn man sie im Zusammenhang der vier Tugenden, die den sie tragenden Sockel bilden, und der drei benachbarten theologischen Tugenden sieht; vor allem jedoch in bezug zu

der Christusfigur mit der Waage in der Hand, *Abb. 212*. Christus steht über den vier Evangelisten, die den Sockel eines dritten figuralen Pfeilers bilden. Aufgrund des Gesamtprogrammes ist Ekklesia die Braut Christi; zugleich aber für die in Christus Getauften die Mutter, die die Kinder der bräutlichen Gemeinschaft nährt. Christus hält außer dem Gerichtszeichen noch ein Spruchband mit dem typologisch-messianischen 12. Vers des 85. (84.) Psalms, der ergänzt durch den 11. Vers auf die Inkarnation des Logos und die Erlösung der Menschheit hinweist[117].

Eine Sonderform der Ecclesia lactans des 12. und 13. Jh. ist eine weibliche stehende Figur, die einem nackten Kind auf ihrem Arm die Brust anbietet[118]. Sie trägt offene Haarflechten, ein Gewand mit weiten Ärmeln und einem lang herabhängenden und dadurch betonten Gürtel. Diese Merkmale der Kleidung sind für die Darstellung der Kirche im hohen Mittelalter allgemein verbreitet, siehe oben. Nur der bis auf die Schultern reichende Schleier geht auf das Marienbild zurück. Sie hält auf dem linken Arm ein verhältnismäßig großes, unbekleidetes Kind, welches seine Hand auf die von der Mutter dargereichte Brust legt, den Blick aber zur Seite wendet, als erkenne es etwas. Das Kind der Gottesmutter ist in dieser Zeit niemals nackt dargestellt, wohl aber das des gebärenden Weibes der Apokalypse, siehe oben. Es handelt sich bei diesem Lactanstypus sicher nicht um eine Mariengestalt. Ein Steinrelief des 12. Jh. aus der Gangolfstraße in Metz, heute im Privatbesitz in USA, *Abb. 216*, zeigt diese Figur in einer flachen Nische stehend. An der oberen Schräge der Nische befinden sich Blätter und Fruchtkolben, die vermutlich nicht nur Schmuck sind, sondern als Fruchtbarkeitssymbole im übertragenen Sinn auf geistige Früchte verweisen. Ob die heute isolierte Figur einst Teil einer Bildkomposition war, die eine spezielle Deutung des Muttermotivs er

115. H. v. Einem, Das Stützengeschoß der Pisaner Domkanzel, Köln und Opladen 1962 (Arbeitsgemeinschaft für Forschung des Landes Nordrhein-Westfalen, H. 106); E. Guldan 1966, S. 39.

116. Ein Schüler Giovannis, Tino di Camaino, schuf eine sitzende Caritas proximi für das ehemalige Tympanon der Nordtür des Florentiner Baptisteriums, heute im Museum Bandine, Fiesole.

117. H. v. Einem legt in der erwähnten höchst aufschlußreichen Studie bei der Deutung des Programms dem Wort des Schriftbandes in der Hand Christi besondere Bedeutung bei. Wir

müssen es uns versagen, zum tieferen Verständnis dieser Mater-Sponsa-Ecclesia-Gestalt auf das Gesamtprogramm des Stützenwerkes einzugehen, und verweisen deshalb noch einmal auf diese Studie.

118. J. A. Schmoll, gen. Eisenwerth, Sion – Apokalyptisches Weib – Ecclesia Lactans, in: Miscellanea pro Arte, LXVI, 1965, Düsseldorf; ferner N. Müller-Dietrich, Die romanische Skulptur in Lothringen, München–Berlin 1967; K. Bauch, Die Madonna aus St. Gangolf, in: Zschr. f. Kunstwissenschaften XXIV, H. 1/4, 1970.

geben würde, läßt sich nicht mehr sagen[119]. Die Gestalt kehrt im Sturz des romanischen Tympanon wieder, das der im 19. Jh. neu erbauten Kirche in Pompièrre (Südlothringen) eingefügt wurde, und ist hier dem Einzug in Jerusalem zugeordnet. Im Tympanon sind als Hauptszenen die Anbetung der Könige und darüber die Flucht nach Ägypten wiedergegeben, vgl. Gesamtwerk Bd. 2, Abb. 46. Diesen Szenen ist der Majestascharakter eigen. Das Ziel des triumphalen Einzugs ist die Stadt Jerusalem, auf deren vielschichtige Bedeutung schon häufig hingewiesen wurde. Ob als Gebäude, Stadtarchitektur oder himmlisches Jerusalem veranschaulicht, ist Jerusalem immer zugleich die Tempelstadt der Juden und Sinnbild der Tochter Zion (filia Sion) als des von Gott von Anfang an erwählten Volkes, das in der Apokalypse unter dem Bild des neuen Jerusalem, der »Nova Ecclesia«, von Gott aus dem Himmel herabfährt, »bereit als eine geschmückte Braut«, Apk 21,2. In Anlehnung an die antiken Stadtpersonifikationen kann beim Einzug in Jerusalem die Stadt in Gestalt einer Frau auftreten, vgl. Bd. 2, Abb. 32, so wie Ägypten bei der Flucht, vgl. Bd. 1, S. 129 und Abb. 315. Ist nun der Stadtarchitektur, dem Ziel des Einzugs, eine durch Format, repräsentative Haltung und Isolierung hervorgehobene Frauengestalt, die ihrem Kind die Brust reicht, zugeordnet, wie das am Tympanon in Pompièrre der Fall ist, Abb. 215, liegt es nahe, in ihr nicht eine Stadtpersonifikation im antiken Sinn, sondern eine komplexe Personifikation der Mater Ecclesia zu erkennen. Neben dem irdischen Jerusalem stehend, personifiziert diese Mutterfigur das neue Gottesvolk. Als Nova Ecclesia ist sie zugleich Mater, die dem Kind geistige Speise reicht, und Braut Christi, die mit dem von ihr Geborenen (Taufe) den Herrn erwartet.

Eine ihrem Ursprung nach wohl ältere Formulierung dieser Mater Ecclesia ist auf dem spätromanischen Einzugsrelief neben dem Südportal der ehemaligen Schloßkirche in Ainau bei Ingolstadt, erste Hälfte 13. Jh., zu fin-

den, Abb. 214. Ekklesia hält das nackte Kind in einer ähnlichen Weise vor sich wie in der Bamberger Apokalypse das Weib, vgl. Abb. 192. Die andere Hand hebt sie grüßend den Ankommenden entgegen. An die Stelle der Stadtarchitektur ist hier ein Kirchengebäude (einheimische Kirche?) getreten, das der Ekklesiafigur so unmittelbar zugeordnet ist, daß Gestalt und Architektur eine Einheit bilden. Bei keiner dieser Varianten der Mater-Ecclesia-Figur ist eine über Jahrhunderte zu verfolgende Bildtradition zu beobachten, obwohl der Begriff der Mutter Kirche verbreitet und auch die geistigen Wurzeln samt dem Lactans- und Brüstemotiv literarisch bekannt waren. Zur Lactans auf Löwenkonsole oder Drachen stehend und zur Maria lactans siehe unten. Für die letzten Ausläufer der Philosophia lactans, die bis in die satirischen graphischen Kampfblätter der Reformation und Gegenreformation reichen und ihr Ende in der Darstellung der »Mater Häresie«, deren Gift Calvin und Luther trinken, finden, siehe die angegebene Literatur.

Eva-Ekklesia-Typologie

Neben der verbreiteten Eva-Maria-Typologie, die, schon von den Kirchenvätern angesprochen, vom späten 12. Jh. an in der theologischen Exegese und in der Kunst eine große Rolle spielt, geht ein schmaler Strang der Eva-Ekklesia-Typologie einher, die sich konsequent aus der Gegenüberstellung von Adam–Christus ergibt (vgl. Band 2, S. 142–145). Voraussetzung ist die Präexistenz der Kirche, eine Vorstellung, die, wie oben schon gesagt, auf dem Gedanken der Präexistenz Zions und der der göttlichen Weisheit des alttestamentlichen Schrifttums fußt. Diese Vorstellungen führen zu zwei Bildformulierungen; einmal die Gegenüberstellung der Geburt Evas aus Adam und der Geburt der Ekklesia aus Christus. Daraus folgt die Ge-

119. N. Müller-Dietrich versucht S. 103–119 eine Hypothese, die die Ekklesiafigur einem ehemaligen Portal als Gegenpol zu einer Synagogefigur zuweist. In Entsprechung zur Mater-Ecclesia wäre die Synagoge alt und mit entblößten erschlafften Brüsten als das verfluchte Jerusalem dargestellt gewesen (Hos 9,14 »... mach unfruchtbar ihren Leib, vertrockne ihre Brüste!« Vgl. auch Klagelieder 4,3–4). Ferner sieht er die Ekklesiafigur im typologischen Zusammenhang zur Eva-Terra. Siehe zu unserem letzten Abschnitt die Ausführungen von J. A. Schmoll, gen. Eisenwerth. K.

Bauch will in der Metzer Figur eine Episode der Nikolauslegende sehen. Das Kind, das sich von der mütterlichen Brust abwendet, deutet er auf den kleinen Nikolaus, der immer am Freitag die Brust der Mutter verweigert haben soll. Wenn die Nikolauslegende in Lothringen auch im 12. Jh. verbreitet war, so ist die Mutterfigur im Zusammenhang der Reliefdarstellung m. E. doch als Ekklesia zu sehen. Für Pompierre läßt Bauch diese Deutung auch gelten, doch nimmt er eine mißverstandene Übernahme des Nikolausmotivs an.

genüberstellung der Zuführung Adams und Evas und der Vermählung von Christus und Ekklesia. Zum anderen: die oben erwähnte Prophezeiung beim Fluch Gottes nach dem Sündenfall, 1 Mos 3,15, eine Stelle, die die Möglichkeit gibt, in dem Weib, das der Schlange den Kopf zertritt, Ekklesia zu sehen. Diese Gedankenlinie, bei der Ekklesia und Sapientia sich berühren, überschneidet sich mit der Eva-Maria-Typologie.

Die Geburt und Vermählung der Ekklesia. Das nur von der Mystik her zu begreifende Motiv des Speerstoßes der Ekklesia-Sponsa-Caritas, das in der Bildgruppe der »Kreuzigung Christi durch die Tugenden« seinen bildkünstlerischen Niederschlag fand *(vgl. Bd. 2, Abb. 450–454, S. 149–152)*, steht in enger Beziehung zu dem um die gleiche Zeit entstandenen Thema der Geburt der Ekklesia aus der Seitenwunde Christi. Dieses Darstellungsmotiv beschränkt sich auf die Bible Moralisée, die auf dem Prinzip der typologischen Interpretation aufgebaut ist. Deshalb kommt hier in der Auffassung der Kirche zu dem in der Todeswunde des Gekreuzigten gründenden sakramentalen Aspekt der typologische hinzu. Die Interpretation des Lanzenstiches als Geburtsstunde der Kirche ist in der abendländischen Theologie alt. Von Tertullian und Augustin (de Civ. XV und XXII) ging diese Vorstellung über Alcuin und Hrabanus Maurus in die Glossa ordinaria des Anselm von Laon ein, die durch ihre Popularität weithin die Frömmigkeit und Kunst des 13. und 14. Jh. beeinflußten. Auf die Geburt der Ekklesia ist Ende des 12. Jh. in einem Kreuzigungsbild nur durch eine Beischrift hingewiesen, die sich auf die Gegenüberstellung der Geburt Evas aus der Seite Adams und der der Kirche aus der Seitenwunde Christi, des zweiten Adam, bezieht. In der Regel wurde der Lanzenstoß in dieser Zeit noch rein eucharistisch gedeutet[120]. In den zwei schon herangezogenen Exemplaren der Bible moralisée der Österr. Nat. Bibl. in Wien, Cod. 1170 und 2254, und in dem Codex 270b der Bodleian Library in Oxford, die zu den ältesten erhaltenen und künstlerisch wertvollsten dieser Handschriften-

gruppe gehören, ist dann gegen Mitte des 13. Jh. die Darstellung der Geburt der Ekklesia der zweiten Bildseite des Schöpfungszyklus eingefügt und in unmittelbare Beziehung zur Erschaffung Evas gesetzt worden. Wir bilden aus dem Oxforder Codex die rechte Hälfte von fol. 6r, *Abb. 217,* und aus dem Wiener Codex 1179 nur einen Ausschnitt der zweiten Seite mit Schöpfungsdarstellungen ab, *Abb. 218.* Aus dem Pariser Codex, lat. 11560, ebenfalls vor Mitte des 13. Jh., geben wir nur die untere Hälfte der Seite wieder, *Abb. 220.* In dieser Handschrift steht jedoch die Geburt der Kirche nicht innerhalb des Schöpfungszyklus, sondern erst auf fol. 186 neben dem Pfingstbild. In den Schöpfungszyklen nimmt der Schöpfer-Logos Eva aus der Seite des schlafenden Adam. Darunter ist dargestellt, wie Christus, als der präexistente Logos, die gekrönte Ekklesia mit dem Kelch in der Hand aus der Seitenwunde des am Kreuz schlafenden zweiten Adam als Bräutigam in Empfang nimmt. Im erläuternden Text sind die Gnadengaben der Ekklesia erwähnt, die die Darstellung des Wiener Codex 1179 durch zwölf Tauben, die ihr Haupt umgeben, veranschaulicht. Die Assistenzfiguren vertreten gegenüber dieser mystisch-symbolischen Ekklesiafigur die reale Kirche. Im Oxforder Codex ist die Anlehnung an die Vorlage eines Kreuzigungsbildes so eng, daß nicht nur Sonne und Mond über dem Kreuzarm, sondern auch Maria und Johannes mit dem Trauergestus unter dem Kreuz stehen.

Im Pariser Codex sind die Medaillons mit den Darstellungen von Pfingsten, der biblisch historischen Szene der Stiftung der Kirche und der symbolischen Geburt der Ekklesia aus dem Blut Christi unterhalb von zwei Motiven aus der Gottesvision Hes 1 gesetzt: Der Prophet schaut die vier Wesen des göttlichen Thronwagens, die in mannigfacher Weise in die Kunst eingegangen sind, und daneben vier sich übergreifende Ringe. Unter diesen sind aus der gleichen Vision die Räder zu verstehen, auf denen die Cherubim stehen. Hier sind sie allerdings zu einem Sinnbild der Einheit der Heilsgeschichte des Alten und Neuen Testaments, der »Rota in medio rotae« verselbständigt[121].

120. Zwiefaltener Psalterium Cod. brev. 98 der Landesbibliothek Stuttgart. Vgl. Guldan 1966, S. 46ff.

121. Siehe F. Röhrig, Rota in medio rotae, Klosterneuburg, 1965, 7ff. Es handelt sich bei der so bezeichneten österreichischen Handschriftengruppe um eine Kurzfassung der Biblia pauperum,

die um 1300 hergestellt und Concordantiae veteris et nuovi testamenti betitelt ist. H. M. Thomas, Zur kulturgeschichtlichen Einordnung der Armenbibel mit Speculum humanae salvationis, in: Arch. f. Kulturgesch. L II, 1970, S. 192–225. Bei uns siehe zu diesen typologischen Handschriften ausführlicher Bd. 6.

Die Darstellung der Räder im Zusammenhang der Cherubim, der vier Wesen und der Gottesvision ist viel älter *(vgl. Bd. 3 Abb. 667, 668)*, den typologischen Sinn erhalten sie jedoch erst mit dem Aufleben der Typologie im 11./12. Jh., *vgl. Abb. 147.* Die Gegenüberstellung von Erschaffung Evas und Geburt Ekklesias, die auf dieser Darstellung nicht von Christus empfangen wird, ist erweitert durch die Taufe eines Kindes und durch Mose mit den Gesetzestafeln. Ekklesia hält den Kelch unmittelbar über dem Täufling. So sind die beiden Sakramente der Kirche dem Gesetz Mose gegenübergestellt. Die Beischrift, die sich an eine Predigt Gregors d. Gr. anschließt[122], lautet: »Das Rad im Rade versinnbildlicht das Neue Testament, das im Alten Testament enthalten ist. Was anderes bedeutet es, daß Eva geformt ward, als Adam schlief, wenn nicht dies, daß die Heilige Kirche, als der Herr am Kreuz (den Tod) litt, aus seinem Blute geschaffen wurde«.[123] In einer Handschrift um 1390, Paris, *Abb. 219,* ist dieses Bildmotiv etwas abgewandelt: Neben dem Taufstein steht das Gotteslamm, das zum Kreuz emporblickt. Ihm gegenüber wird ein Lamm geschlachtet, so daß zu Mose mit dem Gesetz anstelle der Erschaffung Evas das alttestamentliche durch Christi Tod aufgehobene Opfer tritt.

Diese Darstellungen der Eva-Ekklesia-Typologie gehören nicht unmittelbar zu der großen Bildgruppe der Braut-Bräutigam-Darstellung, wenn sie auch nicht ohne die damit verbundenen Vorstellungen zu denken sind. Die Typologie ist innerhalb der Schöpfungsdarstellung konsequent weitergeführt, wenn sich an die Geburt der Ekklesia die Vermählung oder das Verlöbnis Christi mit seiner Kirche anschließt und der Zuführung von Adam und Eva gegenübergestellt wird. Diese Szene bedeutet die Stiftung der ehelichen Gemeinschaft durch Gott. Die Vereinigung von Christus und seiner Kirche enthält die Heilsverheißung, die den Menschen nach dem Sündenfall zuteil wird.

In einer Pariser Bibel des 13./14. Jh., *Abb. 221,* zeigt die letzte Bildseite des Schöpfungszyklus unterhalb der Zuführung von Adam und Eva, wie der Schöpfer-Logos zu Ekklesia tritt, die vor einem ihr attributhaft zugehörigen Kirchengebäude steht, und ihr einen Ring als Zeichen der

Gemeinschaft reicht. Zugleich legt er seine Hand auf ihre Schulter.

Anders ist es bei der Darstellung der Oxforder Bible moralisée, *Abb. 217,* und der Wiener Handschrift 1179. Hier besiegelt der Kelch die Verbindung beider, die sich die Hände reichen und einander zuneigen. Die Gottesmutter mit dem Kind daneben und der beigefügte Text erläutern die Eheschließung. Die Beischrift besagt, daß die zwischen Adam und Eva von Gott gestiftete Ehe auf Jesus Christus hinweist, der sich im Schoß der seligen Jungfrau mit der Heiligen Kirche ehelich verband. Der Gedanke, Maria sei das Brautgemach, in dem sich der göttliche Logos mit der Kirche verbindet (vgl. Bd. 1, S. 61 und das Kapitel Maria unten), ist älter als die sich im späten Mittelalter durchsetzende Vorstellung, Maria sei die Braut Christi.

Das Motiv der Vermählung ist am Schluß der Schöpfungsgeschichte des Pariser Codex fr. 166, um 1410–1415, deren erste 24 Bildseiten der Werkstatt der Brüder von Limburg entstammen, gedanklich weiter entwickelt, *Abb. 223.* Das Kind auf dem Schoß Marias reicht der Ekklesia, die unter einem Baldachin steht, den Brautring[124]. Die Ringübergabe und ihre Segnung gehört zu den Zeremonien der kirchlichen Trauung und ist Ausdruck der unlöslichen Gemeinschaft. Nicht die Vermählung, aber der Bezug der Ekklesia zur Geburt Christi klingt in der gleichen Bibel fol. 46 bei der Anbetung des Kindes durch den Herzog von Burgund an, die unterhalb von Mose und Josua angebracht ist, *Abb. 222.* Dieses Bildpaar will die Einheit von Gesetz und Gnade zum Ausdruck bringen. Die Inschrift bei der alttestamentlichen Szene bezieht sich auf die Übertragung des Amtes von Mose auf Josua, 5 Mos 31,10f., der Text neben dem unteren Bild auf den göttlichen Ratschluß, nach dem auf die Erfüllung des Gesetzes ein neues Gesetz folgt, wenn Gott seinen Sohn sendet, geboren aus der Jungfrau. Ekklesia, die dem Bild der Anbetung des Kindes eingefügt ist, hält die Tafeln des neuen Gesetzes in der Hand. Der Pariser Codex 167, um 1390, *Abb. 224,* zeigt Ekklesia und Synagoge am Lager Marias stehend, Ekklesia nimmt das Kind, das wie ein kleiner Erwachsener wiedergegeben ist, auf den Arm und wird von

---

122. Hom. in Ezechielem Liber I hom. 6. 15. MPL 76, 835.
123. Übersetzung von Guldan, 1966, S. 48.
124. Motivgeschichtlich ist in dieser Bildkomposition die kurz

vorher entstandene Vermählung der Katharina mit dem Jesusknaben auf die der Ekklesia übertragen worden.

ihm gesegnet. Die blinde Synagoge läßt die Gesetzestafeln fallen und wendet sich ab.

Das Weib, das der Schlange den Kopf zertritt, 1 Mos 3,15 (Protevangelium). Älter als diese typologischen Handschriften ist ein Traktat, der um 1170–1185 entstand und den Titel »De laudibus sanctae crucis« (Lob des heiligen Kreuzes) trägt[125]. Wenn sich dieser Titel auch an ein Anfang 9. Jh. verfaßtes Gedicht des Hrabanus Maurus[126] anlehnt, so handelt es sich doch um einen eigenständigen Traktat mit zwölf originalen Federzeichnungen, die dem Text vorgebunden sind[127]. Es geht in der ganzen Schrift um das Aufleuchten des Kreuzes und um dessen Lobpreis bis zur Zeit der Gnade. Die erste Bildseite, *Abb. 225* (Ausschnitt), beginnt mit der Entdeckung des Sündenfalls. Die Frage Gottes: »Adam ubi es?« findet im Traktat eine längere Erläuterung, die sich auf die ständig gegenwärtige Frage an den sündigen Menschen, der von Gott gesucht wird, bezieht. Daneben steht eine wörtliche Illustration zum Protevangelium nach dem Vulgatatext: »Ich will Feindschaft setzen zwischen dir und dem Weibe ... Dieselbe wird dir den Kopf zertreten und du wirst sie in die Ferse stechen«, 1 Mos 3,15. Während Gott den Fluch ausspricht, setzt das Weib den Kreuzstab auf den Kopf der Schlange, die sich vom Baum herabwindet. Die Erfüllung der im Fluch enthaltenen Verheißung ist in diesem Weib präfiguriert. Aufgrund der verschiedenen Deutungen des Vulgata-Textes durchkreuzen sich die Eva-Ekklesia- und die Eva-Maria-Typologie[128]. Ende des 12. Jh. neigt die Exegese dazu, in der Frau nicht die Kirche, sondern die geweissagte Jungfrau, die den Erlöser gebären wird, zu sehen. Diese Jungfrau, Jes 7,14, von Propheten als »Zeichen« dem König Ahas gegeben, wurde schon früh mit Maria identifiziert. Auf der Regensburger Federzeichnung ist wahrscheinlich das Weib, das der Schlange den Kopf zertreten wird, als die Jungfrau aufgefaßt, obwohl der Kreuzstab das Attribut der Ekklesia und nicht der Maria ist. Eindeutig handelt es sich bei der Frauengestalt des mittleren Bildstreifens um Ekklesia, nicht nur wegen

ihrer Kleidung und der Krone, sondern auch aufgrund der beigefügten Inschrift, die sie als »forma ecclesia« bezeichnet, als Bild der Kirche, die seit Adams Fall durch die Väter und andere Glaubende die irrenden Menschen zur Buße ruft. Sie steht an der Schwelle zwischen Schöpfungsparadies und irdischer Welt als Inbegriff der Heilsverheißung und -verwirklichung. Auf der Darstellung hält sie das Lebensbaum-Kreuz als Gnadenzeichen vor sich. Auf der anderen Seite steht Eva und weist auf den Baum des Todes. Adam, der in der Entscheidung zwischen der aus ihm geschaffenen Eva und der »neuen Eva« steht, blickt zu seinem Weib zurück, während er auf Ekklesia mit dem Kreuz zugeht und damit den Weg einschlägt, auf den (nach der Beischrift) Ekklesia die Menschen immer wieder zurückruft. An diese allegorische Darstellung der Bildmitte schließen das Opfer Kains und Abels und der Brudermord an (nicht mit abgebildet). Die Beischriften erläutern und aktualisieren die biblischen Szenen: »Bei seinem Opfer und Tod bedeutet Abel den leidenden Christus. Was Abel ist, das ist bildlich gesprochen das Lamm. Kain aber typisiert die ruchlosen Juden, die ihren eigenen Bruder auf dem Kalvarienberg umbringen wie Kain den Abel auf dem Felde.« Die Kalkmalerei aus der Kirche in Spentrup, *Abb. 116, 117,* die oben in die Gruppe der das Lamm tötenden Synagoge eingereiht wurde, ist für die Darstellung der die Schlange niedertretenden Ekklesia von besonderer Wichtigkeit. Im Gegensatz zur Gottesmutter über der Schlange oder dem Drachen sind für Ekklesia nur wenige Beispiele mit dem Motiv des Fußtritts erhalten. Der Gehalt der Gegenüberstellung von Synagoge und Ekklesia ist auf dem Bild des Triumphbogens durch den Hinweis auf die Heilsverheißung nach dem Sündenfall erweitert. Ein direkter typologischer Bezug zu Eva oder dem Sündenfall, wie bei *Abb. 225,* liegt hier nicht vor, so daß nicht ganz deutlich wird, ob die Darstellung im Zusammenhang der Eva-Ekklesia-Typologie zu sehen ist, ob das Motiv der Feindüberwindung allgemein auf den Sieg der Ekklesia hinweist oder ob es von der Darstellung des sieghaften Christus auf Ekklesia im Sinne der Stellvertretung über-

125. Die Handschrift wird auch Dialogus inter Magister et descipulum de cruce Christi genannt, worin der lehrhafte Charakter des Traktats zum Ausdruck kommt. Vgl. Bd. 2, Abb. 449 und S. 149 f.

126. MPL 107, 133–294.

127. A. Boeckler, Die Regensburg-Prüfeninger Buchmalerei des 12. und 13. Jh., München 1924, 33 ff., 96 f; Guldan 1966, 178. Übersetzung der Beischriften nach Boeckler.

128. Siehe Guldan, 1966, S. 90–92 und bei uns unten Kapitel Maria.

tragen worden ist. Bei einer Darstellung des thronenden Christus und der neben ihm stehenden Ekklesia in einer Boethiushandschrift, 1120–1150, *Abb. 231*, scheint eine solche Übertragung vorzuliegen. Ekklesia tritt nicht auf den Drachen sondern auf den personifizierten Feind, eine kleine nackte Gestalt. Diese kommt ebenso bei Darstellungen des sieghaften Christus vor, des stehenden oder sitzenden, siehe S. 72 und vgl. Bd. 3. Übereinstimmend ist bei diesen drei Ekklesia-Darstellungen der Bezug zur Erlösung durch Christi Kreuzestod. Auf der zuletzt genannten hält Ekklesia das Opferlamm auf dem Buch mit den sieben Siegeln; die Mitte der Wandmalerei bildet das Lamm, das die Synagoge verwundet (siehe dazu oben); die Ekklesia mit dem Lebensbaum-Kreuz der Illustration im »Lob des Kreuzes« steht im unmittelbaren Zusammenhang mit dem Sündenfall und der Verheißung.

In den Armenbibeln ist für die typologische Szene ein eigenes Bildschema gefunden worden. Das Weib, das der Schlange den Kopf zertritt, ist zusammen mit Gideons Vlies im Sinne der alttestamentlichen Präfigurationen der neutestamentlichen Darstellung in der Mitte, der Verkündigung an Maria, zugeordnet. Dabei gibt das Weib aus dem Baum des Paradieses der Schlange den Fußtritt. In der Handschrift des Chorherrenstiftes St. Florian (Oberösterreich), fol. 1, um 1310, *Abb. 226* oben, ist das Weib im Baum durch keine Attribute gekennzeichnet. Die Beischrift lautet: »Schaden erleidet die Schlange vom Mädchen, das frei ist vom Schaden.« Der Titulus besagt, daß sich 1 Mos 3,15 bei der Verkündigung an Maria erfüllt habe. Die Biblia pauperum von St. Florian, die dem verschollenen Urexemplar der österreichischen Gruppe am nächsten kommt, stimmt in der Formulierung der Bildmotive mit dem etwas späteren Exemplar der Wiener Nationalbibliothek Cod. 1197 überein[129]. Doch weicht die entsprechende Illustration des Wolfenbütteler Exemplars insofern ab, als die Verfluchung und die Verheißung illustriert sind. Der Schöpfer, der den Fluch spricht, steht

neben dem Baum und weist auf die Frau in ihm, die sich Gott zuwendet. In der bayerischen Gruppe der Armenbibeln ist nur der Fluch wiedergegeben: Gott erscheint selbst im Baum und flucht der Schlange. Aus diesen Beispielen wird ersichtlich, wie die unsichere Interpretation des Protevangeliums sich zu der mariologischen entwickelt.

Die Geburt der Ekklesia ist in den Armenbibeln nicht dargestellt, doch kommt der typologische Bezug der Erschaffung Evas zur Ekklesia in der Typologie der Seitenwunde Christi zum Ausdruck. Bei ihrer Darstellung in dem eben erwähnten Wolfenbütteler Exemplar um 1340–1350 in Wolfenbüttel, *Abb. 227*, stehen nebeneinander: die Erschaffung Evas, Ekklesia (auf dem Tetramorph) und Synagoge (auf dem Bock) unter dem Kreuz; Moses schlägt das Quellwasser aus dem Felsen, das als Wasser des Heils gedeutet und deshalb auch dem Lanzenstich typologisch zugeordnet wurde. Der Lanzenstich des Longinus ist hier nicht dargestellt, dafür ist aber durch Ekklesia, die den Kelch emporhebt und das Blut des Erlösers aus zwei Wunden sammelt, seine Heilswirkung symbolisiert. Es können auch Ekklesia und Synagoge durch Longinus und Stephan ersetzt werden, so daß dann dem Lanzenstich, der vom 13. Jh. an ekklesiologisch gedeutet wird, die Erschaffung Evas und das Quellwunder gegenübergestellt sein können, wie in der Biblia pauperum von St. Florian[130].

Das späte Mittelalter kennt noch eine andere Form der Gegenüberstellung, die mit der oben erwähnten Baumallegorie verbunden ist. Wir haben S. 67 das älteste Beispiel von 1420 genannt und verweisen an dieser Stelle auf das Titelblatt des Missale, gegen 1481, das Bernhard von Rohr, Erzbischof von Salzburg, Berthold Furtmeyr in Auftrag gab; es befindet sich heute in der Bayer. Staatsbibliothek, München. Einer Paradieseslandschaft ist unter dem neuen Lebensbaum die gekrönte Ekklesia der Eva gegenübergestellt. Während Ekklesia von der rechten Seite des Baumes

129. Faksimiledruck: Die Wiener Biblia pauperum mit Erläuterungen von F. Unterkircher, G. Schmidt, J. Stummvoll, Graz–Wien–Köln 1962.

130. Die hier erwähnten, aber nicht abgebildeten Darstellungen siehe bei Guldan, Abb. 34, 48 und 49, 33. Zu den Armenbibeln allgemein siehe H. Cornell, Biblia pauperum, Stockholm 1925. G. Schmidt, Die Armenbibeln des 14. Jh., Graz–Köln 1959.

Die Armenbibeln (Biblia pauperum) sind eine vom Beginn des 13. bis zum 15. Jh. in Süddeutschland verbreitete Gruppe typologischer Handschriften, die vom Leben Jesu ausgeht und entsprechend den liturgischen Lesungen jeder neutestamentlichen Szene zwei oder vier Propheten und zwei alttestamentliche Szenen im Sinne der Präfiguration hinzufügt. Bei den Texten halten sie sich an Prophetenworte und kirchliche Lesungen.

das himmlische Brot pflückt und den andächtig Knienden reicht, nimmt Eva die Früchte des Verderbens vom Baum und gibt sie denen, auf die der Tod lauert. Der schlafende Adam unter dem Baum und die Schlange erinnern an den Sündenfall; darauf bezieht sich auch das Spruchband Adams. Die Früchte und Blüten des Baumes sind überall die gleichen, aber ihm ist rechts ein Kruzifix und links ein Totenschädel eingefügt[131].

Braut-Bräutigam (Sponsa-Sponsus)[132]

Die Vorstellung eines symbolischen Braut-Bräutigam-Verhältnisses zwischen Christus und seiner Kirche oder der einzelnen Seele des sich zu Christus Bekennenden, die im hohen Mittelalter in der Kunst sichtbaren Ausdruck findet, geht, wie oben schon ausgeführt, auf das frühe Christentum zurück. Sie ist schon im Alten Testament im Verständnis der Verbindung zwischen Gott und Israel vorgebildet und fußt vor allem auf der mystisch-allegorischen Deutung des Hohenliedes, vgl. die Bemerkungen zur Interpretation der alttestamentlichen Stellen, S. 42 f. Israel ist von seiner Erwählung an Eigentum Gottes. Diese Bindung hat ihre Analogie in der Auffassung des Judentums und der Antike überhaupt, daß die Frau Eigentum des Mannes ist. In der christlichen Mystik liegt bei der Brautsymbolik der Akzent auf der Liebesgemeinschaft, die als »Unio mystica« aufgefaßt wird. Aufgrund des bildhaften Analogiedenkens allegorischer Exegese geben im Mittelalter diejenigen Stellen des Alten Testaments, die

vom Verhältnis eines Königs zu seiner Braut sprechen und die Schönheit und Herrlichkeit der Braut rühmen, wie z. B. Ps 45 (44), oder auch Stellen wie Hes 16,1–13, die den Schmuck Jerusalems nach seiner Verwerfung schildern, Anregungen für die bildliche Darstellung der Braut. Die vornehme Kleidung, Schmuck und Krone, die Ekklesia in den bildlichen Darstellungen allgemein trägt, gehen nicht auf die Vorstellung einer triumphierenden mächtigen Kirche zurück, sondern auf solche Texte, genauso wie für die Darstellung der Synagoge in der Gegenüberstellung zur Kirche in alttestamentlichen Stellen die einzelnen Motive vorgegeben sind. Neben Jerusalem oder Israel kann auch aufgrund von Weish 8,2 die Sapientia als Braut aufgefaßt sein.

Als eine Präfiguration für die Braut-Bräutigam-Symbolik gilt die Begegnung der Königin von Saba mit Salomo, in der sich Weisheit, Königtum und Gemeinschaft äußern (vgl. u. a. Paulinus von Nola, 4. Jh., MPL 61,20 f.). Das königliche Paar kann in der christlichen Kunst in verschiedenen Bildgruppen auf die Vereinigung von Christus und Ekklesia hinweisen und auch stellvertretend für den Gedanken der Vereinigung beider und ihrer zukünftigen Herrschaft stehen. Es kommt vor, daß die Königin von Saba, durch ihr Spruchband als Braut des Hohenliedes aufgefaßt, die Embleme der Ekklesia übernimmt und neben Salomo thronend den Kelch emporhebt, so auf einer Miniatur der Handschrift »De fide« des Ambrosius vom Ende des 11. Jh. in Alaçon. Sind König und Königin dem Bild der Geburt (vgl. Bd. 1, Abb. 173; König mit Spruch Jer 31,3 und Königin mit Hl 1,1)[133] oder der Taufe Christi

131. Abbildung siehe bei Guldan, 1966, farbiges Titelblatt. Guldan behandelt diese Darstellungsgruppe unter dem Aspekt der Eva-Maria-Typologie, wozu ihr mehrschichtiger Gehalt berechtigt. In dieser Zeit nimmt Maria weithin die Stelle der Ekklesia ein. Von der Bedeutung, die die Baumallegorie in dieser Zeit hat, und der Funktion der Gnadenspendung her gesehen neigen wir mehr dazu, in der Gestalt die Kirche und somit eine späte Form der Eva-Ekklesia-Typologie zu sehen. Siehe dazu auch Teil 2.

132. RDK II, 1110–1124 (O. Gilles), LCI, I 318–324 (O. Gilles). O. Casel, Die Kirche als Braut Christi nach Schrift, Väterlehre und Liturgie, Mainz 1961. J. A. Endres, Das Jakobus-Portal in Regensburg und Honorius von Augustodunensis, Kempten 1903. R. Strobel, Das Nordportal der Schottenkirche St. Jakob in Regensburg, in: Zschr. f. Kunstwiss. XVIII, H. 1/2, 1964, S. 1–23.

Endres geht bei der Erläuterung des Bildprogramms dieses Portals vom Hohenlied und seinen mittelalterlichen Kommentatoren aus, während Strobel den eschatologischen Charakter des Programms betont und Parallelen zu der Dichtung »Ludus de Antichristo« zieht. Da beide Autoren ausführlich auf mittelalterliche Literatur eingehen, nennen wir sie, ohne selbst dieses Portal zu behandeln. Die Stellen des Honorius von Autun, die für die Braut-Bräutigam-Symbolik wichtig sind, siehe MPL 172 Sp. 290, 352, 354 ff., 379, 386, 398, 436, 479, 590, 1014 ff., 1063, 1166.

133. Sie sind verknüpft mit den Personifikationen von Wahrheit und Gerechtigkeit, die Ps 85 (84),11 f., illustrieren, eine Stelle, die auf die Inkarnation gedeutet wird. Die weibliche Figur in edlem Gewand neben dem Lager der Maria deuteten wir im 1. Bd. als Ekklesia. F. Ronig hat inzwischen überzeugend nachgewiesen, daß sie als erythräische Sibylle zu verstehen ist: Ein fehlendes

(vgl. Bd. 1, Abb. 374) eingefügt, so verweisen sie auf die Vereinigung des Logos mit der Menschheit; im Pfingstbild, *vgl. Abb. 44,* auf die Gemeinschaft der Kirche mit dem Heiligen Geist[134]. In typologischen Handschriften vom 13. Jh. an, gelegentlich auch an Tympanonreliefs, treten außerdem die alttestamentlichen Paare David und Bathseba, Ahasver und Esther als Vorbilder oder Ersatzdarstellungen für Christus und seine Kirche auf.

Die Bezeichnung Christi als Bräutigam und der Gedanke seiner endzeitlichen Vereinigung mit der Kirche ist auch im Neuen Testament zu finden, obwohl sich diese Schriftquellen nur wenig in dem Braut-Bräutigam-Bild niederschlagen. Der Bräutigam der Parabel von den Zehn Jungfrauen ist der zum Gericht wiederkommende Herr, Mt 25. Die klugen, die bereit sind, gehen mit ihm hinein zur Hochzeit, Vers 10, die törichten finden die Türe verschlossen. Es ist oben schon aufgezeigt worden, daß in der Portalplastik Ekklesia in bezug zu den fünf klugen Jungfrauen oder als deren Führerin dargestellt worden ist. Umgekehrt ist die Synagoge den törichten zugeordnet. Ein Kapitel aus dem Kreuzgang von Saint Etienne in Toulouse, um 1120, heute im Museum, *Abb. 228,* verbindet das Gerichtsgleichnis mit der zur Rechten Christi thronenden Ekklesia. Die Motive, mit denen die Gemeinschaft beider im Brautbild ausgedrückt werden, fehlen hier. Christus wendet sich mit einer Krone in der Hand (nach Apk 2,10 die Krone des Lebens) den klugen Jungfrauen zu, die (auf der anderen Seite des Kapitels) auf ihn zuschreiten. Hinter Ekklesia steht das für die törichten Jungfrauen verschlossene Tor. In der Regel wird das Gleichnis, sofern es sich nicht um eine Textillustration handelt, im Zusammenhang des letzten Gerichtes dargestellt (siehe Bd. 5, Kapitel Jüngstes Gericht).

Zwei Visionen der Apokalypse sehen die Vereinigung von Christus und seiner Kirche am Ende der irdischen Zeit in dem Bild der Hochzeit. 19,7–9 verkündet, daß die Hochzeit des Lammes gekommen ist und sein Weib sich

bereitet hat. Es ist mit reiner, schöner Leinwand angetan. Dargestellt wurde diese Hochzeit des Lammes fast ausschließlich im Zusammenhang von Apokalypse-Zyklen, vgl. Bd. 5. Doch schließt das Credo von Joinville (Exemplar in Leningrad), um 1250, *Abb. 230,* mit einem Bild dieser zukünftigen Hochzeit, über dem zu lesen ist: »Ewiges Leben, Amen.« Die sechs gekrönten Jungfrauen vertreten diejenigen, von denen der Engel Vers 9 sagt: »Selig sind, die zum Abendmahl des Lammes berufen sind.« (Vgl. auch Lk 22,29f.) In dieser Handschrift sind den Bildern zu den einzelnen Sätzen des Apostolischen Glaubensbekenntnisses erläuternde Darstellungen gegenübergestellt, der Hochzeit des Lammes das Gleichnis von den zehn Jungfrauen.

Bei der Darstellung der Verehrung des Lammes, wofür die Textgrundlage Apokalypse 7,6ff. und 14,9ff. bildet, ist schon in karolingischer und ottonischer Zeit die Ekklesia in eine unmittelbare Beziehung zum Lamm gesetzt worden. Diese Darstellungen kommen vor allem in Sakramentaren bei den Texten zum Allerheiligenfest vor. Die Unio mystica der Ekklesia-Sponsa und des Lammes verbindet sich in dieser Zuordnung mit der »Communio Sanctorum«. Möglicherweise können Miniaturen, wie die eines Fuldaer Sakramentars zwischen 975 und 980, Göttingen, *vgl. Bd. 2, Abb. 400,* die das Lamm und Ekklesia mit dem zu ihm emporgehobenen Kelch übereinander in die Mittelachse setzt, als Hochzeit des Lammes gedeutet werden.

Auch in der Sponsa-Sponsus-Darstellung kann auf die Hochzeit des Lammes hingewiesen sein. So steht in der schon erwähnten Initiale »O« einer angelsächsischen Boethiushandschrift[135], zwischen 1120 und 1150, Cambridge, *Abb. 231,* Ekklesia neben dem thronenden Christus und hält das Lamm auf dem versiegelten Buch in einem Medaillon vor sich. Sie tritt mit einem Fuß auf den Kopf des besiegten Feindes. Er ist in seinem Aufblicken der Teufelsgestalt vieler Höllenfahrtsdarstellungen ähn-

---

Blatt der Handschrift Nr. 142/124 des Trierer Domschatzes, in: Arch. f. mittelrhein. Kirchengesch., 13. Bd., 1961. Alle drei von uns genannten Beispiele des Königspaares als Typus gehören dem niedersächsischen Kunstkreis an, in dem diese Typologie sehr beliebt ist.

134. In der äthiopischen Kunst haben Salomo und die Königin von Saba keine typologische, sondern eine genealogische Funk-

tion. Sie sollen die Rechtmäßigkeit des Kaiserhauses, das sich auf Salomo zurückführt, hervorheben.

135. Boethius (um 480–524), ein römischer Philosoph und Staatsmann, war durch seine Schriften ein wichtiger Vermittler antiker Kultur an das Mittelalter (Consolatio philosophiae und theologische Schriften). Ohne den hier illustrierten Text des Boethius zu kennen, läßt sich das Bild nicht mit Sicherheit deuten.

lich. Vielleicht steht er für die Schlange des Paradieses, und Ecclesia-Sponsa wäre zugleich als das Weib, das der Schlange den Kopf zertritt, 1 Mos 3,15, zu begreifen, oder Ekklesia tritt stellvertretend für Christus den Satan nieder, siehe oben. Daß es sich um die Sponsa handelt, geht aus dem Sicheinanderzuneigen beider Figuren hervor. Mit den im Sinne der Antike personifizierten astralen Zeichen könnte vielleicht der Gedanke aus dem 2. Clemensbrief 14,1, die Kirche sei vor Sonne und Mond geschaffen, aufgegriffen sein.

In Apk 21,1.2.9 sieht Johannes einen neuen Himmel und eine neue Erde, nachdem die erste Schöpfung vergangen ist. Von Gott fährt das neue Jerusalem – die präexistente Gottesstadt – herab »wie eine ihrem Mann geschmückte Braut«. Auch dieser Text weist auf die Vollendung der vor aller Zeit gestifteten Kirche und ihrer endzeitlichen Gemeinschaft mit Christus. In der ewigen Stadt, wie sie Apk 21,9–27 schildert, findet die Himmelsvorstellung ihren umfassendsten anschaulichen Ausdruck. Die Metapher Stadt ist Vers 9.10 gleichgesetzt mit der Braut. Die Darstellung zu Apk 21 der Bible Moralisée, um 1230, New York, zeigt unterhalb des Medaillons mit dem Bild des neuen Jerusalems, Christus und seine Braut, *Abb. 229*. Wie auf den meisten Darstellungen der Ekklesia dieser Handschriftengruppe hält die Braut auch auf diesem eschatologischen Thronbild den Kelch in der Hand. Wie oben ausgeführt fügt die Bible moralisée dem typologischen Schöpfungszyklus die Darstellung der Geburt der Ekklesia aus dem Blut des Erlösers ein, *vgl. Abb. 217, 218*. Diese Vorstellung ist von alters her eng verknüpft mit der Braut-Bräutigam-Mystik, wie aus einem Brief des Bischofs Quodvoultdeus von Karthago, 5. Jh., hervorgeht: »Juble, juble, o Kirche, du Braut! Hätte nicht Christus sein Leiden erduldet, wärest du nicht aus ihm geboren worden ... o erhabenes Mysterium dieses Bräutigams, dieser Braut!«[136] Das Verlöbnis Christi mit der Braut ist in diesen Schöpfungszyklen durch die Zuführung von Adam und Eva präfiguriert, *vgl. Abb. 217*. Diese ist das Urbild der von Gott gestifteten Ehe, die in Eph 5,25–33 zur Verdeutlichung für das Geheimnis der Gemeinschaft von Christus und seiner Gemeinde verwendet wird. (Vgl. zur Braut-Bräutigam-Symbolik auch Mt 9,15 und 2 Kor 11,2.) Aufgrund dieser verschiedenen biblischen Quellen und ihrer mannigfachen Interpretationen von Origenes (Kommentar zum Hl) bis zu den mittelalterlichen Mysti-

kern Bernhard von Clairvaux (Kommentar und 86 Predigten zum Hl), Mechthild von Magdeburg (Fließendes Licht), Hildegard von Bingen (Scivias)[137], Heinrich Seuse (Büchlein der göttlichen Weisheit) und durch den mehrbändigen Kommentar zum Hl des Honorius von Autun, der durch seinen rationalen Symbolismus und die erzählfreudige Detailschilderung große Verbreitung fand, äußert sich die Braut-Bräutigam-Symbolik in der Kunst vielfältig. Auch in das Bild der Ekklesia und Synagoge ist oft der Brautgedanke aufgenommen, *Abb. 123*, und die Mater Ecclesia kann als Braut in Beziehung zu Christus stehen, *Abb. 212 und 213*. Zum Brautgedanken in der »Wurzel Jesse« und im »Thron Salomos« siehe unten Kapitel Maria.

Das Braut-Bräutigam-Bild im engeren Sinn ist unter zwei Aspekten zu sehen: einmal dem der liebenden Vereinigung der Braut mit dem Bräutigam, die auf die allegorische Deutung des Hl zurückgeht, zum andern dem der Inthronisation der Ecclesia-Sponsa zur ewigen Mitherrschaft, die auch als Hochzeit des Lammes aufgefaßt wird. Hierin laufen die verschiedenen Fäden der theologischen und populären Interpretation alt- und neutestamentlicher Texte zusammen. Bei dem repräsentativen Thronbild ist die Braut die »Ecclesia-Imperatrix« im neuen Äon. Daneben stehen Varianten der Hauptgruppen und singuläre Sondermotive.

Die liebende Vereinigung. Die erste Gruppe ist weitgehend an die Buchmalerei gebunden. Die Miniaturen sind entweder in Bibelhandschriften dem Text des Hohenliedes oder dem Kommentar des Honorius Augustodunensis vorangestellt beziehungsweise eingefügt. Das Erscheinungsbild der königlichen Braut der Eingangsminiatur zum Hohenlied in der Frowinbibel, Kloster Engelberg (Schweiz, Kanton Unterwalden), Mitte 12. Jh., *Abb. 233*, ist weniger von der Poesie des Hohenliedes als von dem im Alten Testament entworfenen Bild der Tochter Zion oder der königlichen Braut geprägt. Ps 45 (44),10: »Die Braut steht zu deiner Rechten in eitel köstlichem Gold.« Während hier die Verbindung der hoheitsvollen Gestalten nur dadurch, daß sie sich die Hände reichen, ausgedrückt wird, sind auf der nächsten Seite in der Initiale »O« zu Be-

136. H. Rahner, Mater Ekklesia, Köln Einsiedeln 1964, S. 49.
137. Ergänze Domini: = Wisse die Wege (d. h. Wegweisung) zum Herrn der Welt.

ginn des Textes – »Er küsse mich mit dem Kusse seines Mundes« – zwei Liebende dargestellt, die sich umfangen, *Abb. 234.* Zeigt die Eingangsminiatur die Vereinigung von Christus und seiner Kirche, so verweist die Initiale auf die liebende Gemeinschaft von Christus und der Einzelseele.

Eine weit ältere Darstellung zum Anfang des Hohenliedes befindet sich in der Bibel von St. Vaast in Arras, um 1030, *Abb. 232.* Obwohl die Form des Rundbildes gewählt ist, handelt es sich nicht um die Initiale »O«. Das Bild steht über dem Text. Offenbar gab es damals für die Illustrationen zum Hl 1,1 noch keinen Bildtypus, der die Vereinigung von Christus und der Kirche durch Gesten ausdrückt. Er läßt sich nur bis in die 1. Hälfte des 12. Jh. zurückverfolgen und wird erst unter dem Einfluß bernhardinischer Mystik entstanden sein. Christus thront auf dieser Illustration, um 1030, unnahbar über dem Globus innerhalb einer Stadtarchitektur, die Frauengestalt steht außerhalb. Sie hebt grüßend ihre Hand und neigt sich dem Thronenden zu. Alle Attribute der Ekklesia und Braut fehlen. Dennoch läßt sich die Frau aus dem Zusammenhang mit dem Text nur als Sponsa deuten. Dem Typus nach könnte sie auch Maria sein, doch ist diese Interpretation in dieser frühen Zeit kaum möglich. Sie wurde zwar vereinzelt in Marienhymnen schon vor dem 11. Jh. als Braut gefeiert, aber erst im 12. und 13. Jh. tritt diese Deutung im theologischen Schrifttum häufiger auf, siehe oben. Ebenso ist die Deutung der Braut als der erlösten Menschheit, die bei Honorius vorkommt, hier noch kaum möglich, *siehe Abb. 260.* Die zwölf Tierkreiszeichen zeigen den Wandel der Zeit und die von Gott gesetzte Ordnung an – hier vielleicht das Ende der irdischen Zeit.

Das Motiv der Umarmung wird vom 12. Jh. an als Ausdruck für die Unio Mystica typisch, gleich ob die Figuren stehen, sitzen oder als Halbfiguren wiedergegeben sind. So zeigt schon in der 1. Hälfte des 12. Jh. die Initiale »O« eines Matutinale aus Ellwangen, heute Stuttgart, das Brautpaar mit der Bezeichnung »sponsa« und »sponsus« in der Umarmung, *Abb. 235;* die eines Bedakommentars (MPL 91. Beda 673–735), 12. Jh., Cambridge, fügt dem Text entsprechend den Kuß hinzu, *Abb. 236.* In einer Bibel aus St. Bertin 12./13. Jh. hat die Braut die Attribute, die der Ekklesia bei der Gegenüberstellung zur Synagoge beigegeben sind: Krone, Kreuzstab mit Fahne und Kirchenmodell, *Abb. 238;* ebenso trägt sie das Banner auf der Darstellung zum Hohenlied in der Heisterbacher Bibel

um 124c, *Abb. 239.* Um ein Sondermotiv handelt es sich, wenn Christus die Augen der Sponsa berührt wie auf der Miniatur einer Initiale »D« in einer oberrheinischen Psalterhandschrift, um 1235, Würzburg, *Abb. 240;* oder wenn die Braut allein mit zwei offenen Schriftrollen in Händen neben einem Turm steht und eine Taube zu ihrem Ohr fliegt, wie es die Initiale »O« zum Hl in einer Bibelhandschrift der 2. Hälfte 12. Jh., Paris, zeigt, *Abb. 237.* Hoheslied 2,12–14 spricht der Bräutigam die Braut als Taube an, die unter anderem auch ein Sinnbild für die Seele ist. Die Vorstellung »Turm der Kirche« geht auf den »Hirten des Hermas« des 2. Jh. zurück. Er schildert sieben personifizierte Tugenden, die im Kreis um den Turm der Kirche stehen (Sim. III, 7,2). Diese Vorstellung hat auch Hildegard von Bingen in ihren Visionen aufgenommen, *siehe oben Abb. 181.* Der Turm steht hier im Zusammenhang des neuen Tempels als des Gegenstücks zum salomonischen. An ihm wird noch gebaut (vgl. 1 Petr 2,5).

Unter den Darstellungen des zukünftigen Gottesgerichtes und des neuen Reiches im Hortus Deliciarum der Herrad von Landsberg, 2. Hälfte 12. Jh., (Nachzeichnungen), befindet sich eine Federzeichnung, die den Umarmungsgestus verwendet, um in Anlehnung an Apk 7,17 und 21,4 zu zeigen, wie Christus alle Tränen der Gerechten trocknen wird, *Abb. 242,* Ausschnitt. Der Gerechte ist die Gemeinde oder eine einzelne Seele, »angetan mit weißen Kleidern« und die Palme des Sieges in Händen haltend. Eine Palme steht als Baum des Paradieses neben der Gruppe. In der gleichen Handschrift, *Abb. 241,* bedeutet die Krönung der Sponsa, die von Aposteln Christus zugeführt wird, die Darreichung der »Krone des Lebens«, Apk 2,10, die all denjenigen verheißen ist, die »bis an den Tod getreu« sind. Mit der Krönung erhebt Christus, der hier selbst die Krone trägt, die Seele des Gerechten zu sich; sie ist gleichbedeutend mit der Unio Mystica. Die Brautkrönung kommt im Hohenlied nicht vor, aber Honorius spricht in seinem Kommentar mehrmals davon. Sie ist nach dem Typus der Marienkrönung nur in dem Freskenzyklus der Bischofskapelle in Göß (Steiermark), 1282–1285, dessen Darstellungen die Brautsymbolik zugrunde liegt, zu finden.

Eine andere Bildgruppe, die sich bis etwa 1150 zurückverfolgen läßt, also parallel zu dem Bräutigam-Braut-Bild entstand oder von ihm beeinflußt wurde, ist die »Christus-Johannesgruppe« (Johannesminne)[138]. In ihr ist im gleichen Sinn die mystische Vereinigung bildlich zum Ausdruck gebracht wie im Sponsus-Sponsa-Bild. Wenn die Christus-Johannes-Gruppe auch vom Abendmahls-bild abgeleitet ist (Johannes ruht an der Brust des Herrn, siehe Bd. 2, S. 42, Bd. 3, S. 77 u. 113), so wird sie doch schon früh verselbständigt. Zunächst wurde sie in der Buchmalerei als Autorenbild dem Johannes-Evangelium, der Apokalypse oder den Johannesbriefen vorangestellt und erhält dann von 1300 an als plastisches Andachtsbild Bedeutung. Wie beim Bräutigam-Braut-Bild sind auch bei der Johannesminne unterschiedliche Varianten anzutref-fen, die Sitzgruppe überwiegt. Als Beispiel der Buchmale-rei, bei dem das Ruhen des Johannes an den Ursprung des Motivs erinnert, bilden wir eine ausgeschnittene Initiale »Q« vom Ende des 12. Jh., Oberrhein, ab, die sich in der Sammlung Robert von Hirsch, Basel, befindet, *Abb. 243.* Die Handschrift der Orationen des Anselm von Canter-bury der Stiftsbibliothek Admont, Mitte 12. Jh., enthält eine Miniatur zu einem Johannesgebet, die nebeneinander den Abschied des Johannes von seiner bekümmerten Frau und die Umarmung des Jüngers durch Christus zeigt, *Abb. 244.* Der Hymnustext auf dem Rahmen bezieht sich auf eine Legende, die erzählt, daß Johannes seine Frau verlassen habe, um am Herzen Jesu zu ruhen (Wentzel). Der irdischen Liebe ist die himmlische der mystischen Vereinigung mit Christus gegenübergestellt. Auf einer französischen Federzeichnung in einem »Johanneslob«, um 1350, Leningrad, *Abb. 245,* kehrt die Darstellung des Abschieds noch einmal wieder. Johannes trägt dabei die Siegespalme, als Zeichen der Überwindung der irdischen Liebe. Daneben steht Christus und führt dem Jünger Ek-klesia als die geistige Braut zu. Diese Szenenverbindung macht die Parallele und gedankliche Beziehung der Chri-stus-Johannes- und der Bräutigam-Braut-Gruppe deut-lich. In den plastischen Bildwerken, die in den Klöstern der Andacht dienten, findet das Geborgensein in der Ge-meinschaft mit Christus die innigste Beseeltheit und einen künstlerischen Höhepunkt: Holzplastik, 1320–1330, des

Meisters Heinrich von Konstanz, Berlin-Dahlem, *Abb. 246.*

Die Darstellung der Braut als »Ecclesia imperatrix« ist von dem Bild des in Herrlichkeit thronenden Christus abge-leitet und reicht in die zweite Hälfte des 10. Jh. zurück. In diesem Thronbild ist der vorherrschende Gedanke: Christus hat die erwählte Braut auf seinen Thron erhoben, um mit ihr für ewig seine Herrlichkeit und Herrschaft zu teilen. Mit dem repräsentativen Thronbild kann die »Prä-sentation der Braut« verbunden sein. Im Sakramentar von Petershausen, um 980–985 von dem Mönch Anno ge-schrieben (Heidelberg Univ. Bibl.), sind auf zwei Seiten der thronende Christus und die thronende Braut einander gegenübergestellt, *Abb. 247, 248.* Beide sitzen vor einer kranzartigen Gloriole auf dem Thron und halten das Buch in der linken Hand. Der Thron der Braut ist im Gegensatz zu dem Christi ein lehnenloser Kasten. Doch trägt die nimbierte Ecclesia imperatrix Krone, Geschmeide und ei-nen reich verzierten Umhang. In der rechten Hand hält sie ein kurzes, zepterartiges Stabkreuz. Durch ihre Wendung zur Seite ist eine Beziehung zu Christus hergestellt. Anno, der etwa zehn Jahre vorher den Gerocodex (Darmstadt Ld.bibl.) illuminierte, verwandte für die thronende Chri-stusgestalt in beiden Handschriften ein karolingisches Vorbild (vgl. Bd. 3, Abb. 641), das er vereinfachte. Aus dieser Übernahme erklärt sich die frontale Haltung Chri-sti, die jede Verbindung zur Braut vermissen läßt, und der unterschiedliche Thron. Diese Miniaturen liegen aller-dings noch vor der populären Ausdeutung des Hohenlie-des des Honorius und der mystischen Frömmigkeit Bern-hards.

Die in der Himmelsburg thronende Ecclesia imperatrix des Freskos im Gewölbe des Hauptchors der Klosterkir-che in Prüfening bei Regensburg, zwischen 1130 und 1140, *Abb. 249,* ist durch die Inschrift im Kreis als Braut inter-pretiert: »Von Edelsteinen ihrer Tugend leuchtet die im-merwährende Jungfrau, dem Bräutigam eng verbunden, herrscht sie mit dem Bräutigam in Ewigkeit.« Die Braut

---

138. H. Wentzel, Ikonographische Voraussetzungen der Chri-stus-Johannes-Gruppe und des Sponsa-Sponsus-Bildes des Ho-henliedes, in: Heilige Kunst, Stuttgart 1952 (Jb. d. Kunstvereins der Diözese Rottenburg). Ders. RDK, III, Sp. 658–669). Ders.,

Unbekannte Christus-Johannes-Gruppen, in: Zs. f. Kunstwiss. 13, 1959, S. 155 ff.; ders., Die Christus-Johannes-Gruppen des 14. Jh., Stuttgart 1960. R. Hausherr, Christus-Johannes-Gruppe in der Bible moralisée, in: Zs. f. Kunstgesch. 27, 1964, S. 133–152.

steht für die Menschheit, die Christus erwählt und erhoben hat. Die große Gloriole vor einem breiten Kreuz ist Zeichen der Vollendung und zugleich des Anbruchs eines neuen Äons. Der Globus in ihrer Hand entspricht in seiner Mehrfarbigkeit der Gloriole. Das Stabkreuz mit dem Siegesbanner ist das gleiche, das die Ekklesia unter dem Kreuz schon auf karolingischen Elfenbeintafeln trägt und das später zum Signum des auferstandenen Christus wird, doch auch weiter Siegeszeichen der Ekklesia bleibt. Hier hält es die gekrönte, thronende Braut in Händen: Symbole irdischer Macht verweisen auf die ewige Herrschaft mit Christus. Die vier Wesen über den Türmen der Himmelsstadt – Herrlichkeitssymbole der Majestas Domini – wenden sich der Braut zu. Im Erscheinungsbild der Thronenden klingt die ewige Weisheit an, die gleich der Ekklesia als Braut Christi aufgefaßt wird; in der Inschrift die Ideenverbindung Ekklesia – Sponsa – Maria. Über der zur Mitherrschaft bestimmten Braut ist in der Archivolte des Gewölbes die segnende Hand Gottes zu sehen; in den zu beiden Seiten anschließenden Feldern als Halbfiguren die drei theologischen und die drei mönchischen Tugenden: Fides, Spes, Caritas; Castitas, Mansuetudo, Continentia (Keuschheit, Milde oder Sanftmut, Enthaltsamkeit). Sie haben keine Attribute, sind aber namentlich benannt. (Die Namen sind bei der Restaurierung vertauscht worden.) Der Betrachter des Chorraums sieht die Thronende im Gewölbe nicht isoliert, wie sie auf der Abbildung zu sein scheint, denn auf der Nord- und Südwand des Chores stehen in drei Reihen übereinander: Propheten, Märtyrer, Bekenner, alle mit der Siegespalme in der Hand. Die noch lesbaren Texte ihrer Spruchbänder enthalten Sätze des ambrosianischen Lobgesangs: »Te Deum laudamus«. Die hier genannten Gott preisenden Chöre sind den Darstellungen der Vollendung und des Neuen Himmels eingefügt worden. Der in Prüfening an den Seitenwänden fehlende Chor der Apostel war wahrscheinlich in der ursprünglichen Apsis dargestellt, die im 17. Jh. umgebaut wurde. Dort war an zentraler Stelle vermutlich auch ein Christusbild, das mit dem Bild der Braut im Gewölbe korrespondierte. Auf weiteren Schriftbändern werden die übrigen Sätze des Tedeum zu lesen gewesen sein, auch der Satz, der sich auf die Kirche bezieht: »Dich bekennt über den ganzen Erdkreis hin die heilige Kirche.« Dieses Bild der thronenden Kirche ist wohl nicht ohne Einfluß des älteren Typus der kaiserlichen Maria zu den-

ken, der in Rom entstand und als eine römische Sondergruppe auf das frühe Mittelalter beschränkt blieb. Die Mariengestalt des Freskos der Krypta von S. Maria in Insula, in Vincenzo al Volturno (damals bedeutende Abtei im südlichen Langobardenstaat Benevent), 826–843, die statt des Kindes ein offenes Buch im Schoß hält (Sinnbild der Weisheit oder des Logos), ist den späteren Darstellungen der Ecclesia imperatrix so ähnlich, daß man in ihr eine frühe monumentale Darstellung der Kirche sehen möchte. Allerdings fehlen die Herrschaftsattribute der Kirche, und die bruchstückhafte Inschrift bezieht sich mehr auf Maria als auf die Braut. Es ist nicht bekannt, ob die karolingische und die ottonische Kunst monumentale Darstellungen der Kirche hatte; die älteste erhaltene – Prüfening – entstammt der Zeit nach dem Investiturstreit, der mit dem Wormser Konkordat 1122 seinen Abschluß fand. Aufgrund dieser Auseinandersetzungen zwischen Papst und König (Sacerdotium und Regnum) ist eine weitere Darstellung im Chor der Prüfeninger Kirche interessant. Am nördlichen Vierungspfeiler ist die gregorianische Zweischwertertheorie dargestellt: Petrus verleiht als Statthalter Christi die höchste geistliche und weltliche Gewalt – symbolisiert durch zwei gleiche Schwerter – an Papst und König. Bei der Investitur sind Ring und Stab bzw. Zepter üblich[139]. Die anderen Darstellungen der Pfeilerflächen sind, soweit erkennbar, ohne Bedeutung für die Gesamtkomposition.

Verwandt ist dem Prüfeninger Bild der himmlischen Braut die noch prächtiger gekleidete Thronende in der himmlischen Stadt eines Evangelistars, Salzburger oder Passauer Provenienz, 3. Viertel des 12. Jh., *Abb. 250*. Das brennende Ölgefäß in ihrer erhobenen Hand ist nach Hl 1,2 Zeichen der Liebe und dürfte sich auch auf die Lampen der klugen Jungfrauen beziehen.

Das Apsismosaik von S. Maria in Trastevere, Rom, das unter Innozenz II zwischen 1135 und 1140 entstand, *Abb. 252*, steht in der Tradition frühchristlicher Repräsentationsbilder in den Apsiden, die die Heilserwartung der Kirche zum Ausdruck bringen (vgl. Bd. 3, Teil 2). In der Motivwahl für die Hauptdarstellung schließt es sich an mittelalterliche Bildgedanken an. Im Zentrum der Komposition thront Christus, über ihm erscheint das frühchristliche Symbol der Hand Gottes mit dem Siegeskranz.

---

139. Abbildung siehe bei O. Demus, Wandmalerei, Tf. 205, vgl. auch die eine der Seitenwände, Abb. 50, S. 188a.

Im stilisierten Himmelszelt darüber steht ein Kreuz, und auf dem Triumphbogen umgeben die Leuchter der ersten Christusoffenbarung der Johannesapokalypse ein Kreuz mit den apokalyptischen Buchstaben Alpha und Omega. Das alles sind Motive der Apsiskompositionen seit dem 6. Jh., ebenso die Thronassistenten und der Lämmerfries. Der mittelalterlichen Ikonographie gehört jedoch die neben Christus thronende Ekklesia an, die die Krone trägt und mit einem Brokatgewand bekleidet ist. Christus legt den Arm um seine zu sich auf den Thron erhöhte Braut. Auf dem Buch in seiner Linken ist zu lesen: »Komm, du meine Erwählte, ich will in dir meinen Thron errichten«, ein Wort, das an die Vorstellung Marias als Thron des Herrn anschließt, die bildlich vor allem im »Thron Salomos« ihren Ausdruck findet. Dem Wort widerspricht der Umarmungsgestus; doch besagt die Antwort der Braut auf ihrem Schriftband, die Hl 2,6 zitiert: »Seine Linke liegt unter meinem Haupt, und seine Rechte wird mich umarmen.« Der römische Mosaizist übernimmt hier in eine traditionelle Apsiskomposition das nördlich der Alpen schon verbreitete Bildthema der Ecclesia-Sponsa als Synthronos Christi. Wenn in dieser Darstellung auch die Ideenverbindung von Kirche–Braut–Maria hineinspielt, so unterscheidet sich doch der Bildtypus der Ecclesia imperatrix in seinen theologischen Ansätzen von der Marienkrönung, die Maria als Synthronos zeigt. Die Krönung ist die Folge der Aufnahme Marias in den Himmel; die Braut Gottes ist von Anfang an die Gekrönte. Deshalb wird ihre Krönung nicht dargestellt. Das Bild der eschatologischen Kirche ist die gekrönte Braut im neuen Äon[140].

In der Grabkapelle des Magdeburger Doms sind zwei königliche Sitzfiguren aufgestellt, die um 1240 datiert werden, *Abb. 251*. Ihre Deutung ist durch das Fehlen jeglicher Anhaltspunkte für die originale Aufstellung erschwert[141]. Heute gilt das Herrscherpaar, in dem man frü-

her Otto I. und seine Gemahlin Edith erkennen wollte, als eine Braut-Bräutigam-Darstellung in der Form eines Herrscherpaares, die durch die alttestamentlichen Vorbilder (König Salomo und Königin von Saba) angeregt wurden. Die Braut hält sehr demonstrativ ein großes offenes Buch in der einen Hand und weist mit der anderen darauf; der Bräutigam hält in der Linken ein Zepter (abgebrochen) und in der Rechten eine runde Schale mit apfelähnlichen Gegenständen, die als Granatäpfel – ein Zeichen der Liebe – gedeutet wurden. In der Pflanzensymbolik gelten sie außerdem als Sinnbild der Auferstehung und Früchte der Ewigkeit. Hl 4,13 heißt es: »Deine Gewächse sind wie ein Lustgarten von Granatäpfeln mit edlen Früchten.«

Innerhalb einer mit den Magdeburger Figuren gleichzeitigen Deckenmalerei des Braunschweiger Domes, 1230–1240, ist einem nach der Apokalypse konzipierten Verherrlichungsprogramm im südlichen Querschiff das eschatologische Brautbild eingefügt, *Abb. 253*. Die gekrönte Braut, die wie Christus ein Zepter in der linken Hand hält, nimmt mit dem Mond unter ihren Füßen, der zwölffachen Sternenglorie und der von der ganzen Gestalt ausstrahlenden Sonne die Embleme des Apokalyptischen Weibes an. Das liegt bei einem apokalyptischen Bildprogramm nahe, zumal das Sonnenweib bis zum späten Mittelalter als Ekklesia gedeutet wird, siehe oben. Ihre Identifizierung mit der Ekklesia-Sponsa auf einer deutschen Buchmalerei, 2. Hälfte 13. Jh., New York, geht noch einen Schritt weiter, *Abb. 254*. Mit dem thronenden Christus inmitten der Sonne vor ihrem Leib klingt die »Geburt des Sohnes«, der das Gericht übernehmen wird, an. Es ist hier offenbar nicht ein Hinweis auf Christus Sol gegeben, sondern auf Christus Justitiae. Kelch und Banner in den Händen der Sonnenbraut sind aus der Ekklesia-Ikonographie übernommen. Auffallend ist, daß sie als die wahrhaft Herrschende in frontaler Ansicht erscheint und Christus,

140. Zur mariologischen Interpretation der Braut siehe unten. Zu diesem Mosaik: G. A. Wellen, Sponsa Christi, Het Absismozaik van de Santa Maria in Trastevere te Rom en het Hoog lied, in: Feestbundel F. van der Meer, Amsterdam–Brüssel 1966, S. 148–159. Unterhalb des Thronbildes befindet sich ein sehr viel späterer Marienzyklus, um 1290–1300, der sich unter anderem durch die Tatsache, daß es sich um eine Maria geweihte Kirche handelt, erklären läßt. Die Beziehung zur Hauptdarstellung ist eine so lockere, daß von diesem Zyklus aus die Braut nicht als

Maria gedeutet werden kann, wie es versucht wurde.

141. L. Burger, Die apokalyptische Maria in dem unvollendet gebliebenen Figurenzyklus des Magdeburger Domportals, in: Ztschr. d. Dt. Vereins f. Kunstwiss., 4, 1937, S. 16ff. Die Verf. gibt einen Rekonstruktionsversuch, der die Figuren einem Portal einfügt. O. Gillen, Christus und die Sponsa in der Heilig-Grab-Kapelle des Magdeburger Doms, in: Die Christl. Kunst 33, 1937, S. 202ff.

etwas kleiner als die Braut, sich ihr zuwendet. Da in der 2. Hälfte des 13. Jh. die Grenzen der Differenzierung der symbolischen Gestalten durchlässig geworden sind und sich Bedeutungsschichten überlagern, ist es nicht auszuschließen, in dieser bräutlichen Kirche auch Maria als Schoß der Weisheit zu sehen.

Ekklesia-Sponsa als Führerin der Gläubigen. Zwei ottonische Miniaturen vom Ende des 10. Jh. einer Bamberger Handschrift zeigen Ekklesia in dieser Funktion, *Abb. 255, 256.* Da sie einem Kommentar zum Hohenlied vorangestellt sind, darf man in der zu Christus führenden Ekklesia die Braut sehen. Die erste Miniatur zeigt in einer spiralförmigen Aufwärtsbewegung den von Ekklesia geführten Zug der Gläubigen, der bei dem Taufbrunnen seinen Anfang nimmt. Sein Ziel ist das Kreuz auf Golgatha als der Berg des Heils. Ekklesia, mit Kreuzstab und golden verziertem Gewand, reicht der ersten der geistlichen Jungfrauen an der Spitze des Zuges den Kelch und weist zugleich auf den Kruzifixus. Die Farben hellen sich von den ersten Gestalten, die der von Petrus vollzogenen Taufe harren, nach oben immer mehr auf. Das Kreuz in der Höhe leuchtet in Gold. Die Verwandlung der Gläubigen auf dem Weg zum Kreuz, von dem ihre Heilserwartung die Verheißung empfängt, vollendet sich bei der Aufnahme in die Herrlichkeit, die auf dem gegenüberstehenden Bild dargestellt ist. Hier führt die Kirche als Braut des im Glanz thronenden Christus die Gläubigen, die sie mitbringt in diese Herrlichkeit. Ein Engel weist sie zu dem zwischen den Seraphim auf dem Sternendiskus Thronenden. Der Kreis des Buchstabens »O« zu Beginn des Hohenliedes – wie auf manch anderer Darstellung Zeichen des Himmels, der Vollkommenheit und Ewigkeit – bildet die Gloriole für Christus. Vertreter der neun Engelchöre sind ihm zugeordnet.

Die Braut Christi in der himmlischen Stadt. Eine illustrierte Augustinushandschrift der Schule von Canterbury, kurz nach 1100, zeigt auf dem Titelblatt eine in unserem Zusammenhang wichtige Darstellung des Gottesstaates, *Abb. 258.* Für Augustin ist die »Civitas Dei« die Gesamtheit der demütigen, Gott gehorsamen Schöpfung, zu der die Kirche auf Erden und die himmlische Welt der Engel und vollendeten Gerechten gehören. Im Mittelalter konnte aus diesem Entwurf ein politisches Programm

werden: der Kampf um die Verwirklichung des Gottesreiches auf Erden. Die Civitas Dei konnte aber auch mit dem himmlischen Jerusalem gleichgesetzt werden, wie es auf diesem Lehrbild aus dem Umkreis Anselms geschieht. Im Zentrum der die Bildfläche gliedernden Stadtarchitektur thront Ekklesia im himmlischen Jerusalem. In der Mitte unten steht der Cherub mit dem flammenden Schwert vor dem geöffneten Paradiesestor und lädt zum Eintritt ein. Das offene Tor und die vier Paradiesesströme, die als Ströme des Heils gelten, ergänzen die Symbolik des ewigen Jerusalem. Ekklesia ist reich gekleidet und geschmückt, sie hält das offene Buch und das Blütenzepter wie auf vielen anderen Darstellungen in Händen. Zu Seiten der Braut sitzen zwei geistliche Jungfrauen mit Siegespalmen. Unter Rundbögen schließen sich beiderseits vier Propheten, an die offene Paradiesespforte je drei Märtyrer oder Bekenner mit Siegespalmen und Büchern an. In der oberen Zone ist der himmlische Jubel durch sechs Engel mit Musikinstrumenten veranschaulicht, und darunter sitzen die zwölf Apostel, jeder auf gesondertem Thron. An höchster Stelle thront Christus, wie Ekklesia das Blütenzepter in der linken Hand. Mit der rechten segnet er die neue Schöpfung. Die Verbindung von Christus und Ekklesia ist durch die axiale Zuordnung erreicht.

Eine Federzeichnung im Hortus Deliciarum, 2. H. 12. Jh., *Abb. 257* (Nachzeichnung), stellt die Kirche mit den »Söhnen und Töchtern Jerusalems«, mit denen sie zusammen auf die Ankunft des Bräutigams wartet, dar. Noch wird im Auftrag des Königs der Civitas Dei gegen den Herrscher des Regnum terrenum gekämpft (De civ. Dei 17,20). Die gekrönte Gestalt unter der offenen Tür ist David, der sich auf Ps 100 (99),4 bezieht: »Gehet zu seinen Toren ein mit Danksagen.« Die trauernde Gestalt auf der anderen Seite ist Jesaja in bezug auf Jes 1,4: »O weh, des sündigen Volkes, des Volkes von großer Missetat.« Der klagende Jesaja und die kämpfenden Engel, aber auch die wartende Haltung aller, von den Laien und bärtigen Einsiedlern bis zum König und den Bischöfen, verdeutlichen die Civitas Dei, die im Sinne von Augustin zugleich als Kirche auf Erden und himmlische Welt (Apostel und Evangelisten) aufgefaßt ist. Keiner hat schon die Siegespalme.

In der 2. Hälfte des 12. Jh. läßt sich dann bei monumentalen Himmelsdarstellungen die im Anschluß an Apk 19,7 von Honorius geschilderte himmlische Hochzeit erkennen. »Dann wird er, nachdem die Feinde besiegt worden sind und er die Braut zu sich erhöht hat, in seiner Herrlichkeit thronen.«[142] In der Oberkirche von Schwarzrheindorf sind in den vier Gewölbezwickeln der Ostkappe Reste einer Deckenmalerei zu diesem Thema erhalten. Die um das Lamm versammelten Scharen deutet das Spruchband der Ekklesia-Sponsa mit dem Wort Apk 19,7 als diejenigen, die zur himmlischen Hochzeit geladen sind[143]. Diesen gehören die Propheten und Patriarchen, die Apostel und die 24 Ältesten, Märtyrer, Bischöfe, Bekenner, Mönche und die geistlichen Jungfrauen an. Sie sind nach Honorius die Brautzeugen, die von den geistlichen Jungfrauen angeführt werden. Im Hortus Deliciarum lautet die Beischrift zu der entsprechenden Szene: »Glücklich sind die, die zum Mahl der Bräute des Lammes gerufen sind.«

Im Nonnenchor des Klosters Wienhausen, der im Obergeschoß an eine ältere Pfarrkirche angebaut wurde, sind die gesamten Wandmalereien von etwa 1322 erhalten, wenn auch bei Restaurationen teilweise etwas übermalt[144]. An der Stelle, an der sich der Nonnenchor zur Kirche hin öffnet, befindet sich im Joch, in vier Bildfelder gegliedert, die Darstellung des himmlischen Jerusalem, die als Hochzeit des Lammes mit der Sponsa-Ekklesia gedeutet werden kann. Die Gemeinschaft aller Geladenen mit Christus, die in vielen Gruppen zwischen den Architekturmetaphern versammelt sind, ist das Ziel und die Vollendung der Heilsgeschichte, die von der Schöpfung an auf den Wänden und in den Gewölben des Raumes dargestellt ist. Der Schlußstein im östlichen Gewölbejoch trägt das Bild des Lammes. Im letzten der vier Felder thront die Majestas Domini, links davor befindet sich die Thronszene, *Abb. 259*. Braut und Bräutigam, die beide Kronen und den gleichen sternenbesetzten Mantel tragen, wenden sich einander zu.

Die Malerei im Joch des Ostchors der Klosterkirche zu

Wienhausen steht am Ende der Darstellungen, die von Honorius von Autun angeregt wurden, jedoch auch am Ende der Bildgeschichte der Braut-Bräutigam-Darstellung des Mittelalters in ihren verschiedenen Ausprägungen. Seit dem 13. Jh. ist in zunehmendem Maße in der bildlichen Darstellung zu beobachten, wie aufgrund der marianischen Exegese die Gestalt Marias alle mit Ekklesia, Sponsa, apokalyptischem und dem die Schlange tretenden Weib verbundenen Gedanken und ihre Embleme auf sich vereinigt. So steht auch das Thronbild im Nonnenchor von Wienhausen in Parallele zu der in dieser Zeit weit verbreiteten Darstellung der Inthronisation oder Krönung Marias, die als Sponsa-Ekklesia aufgefaßt ist, siehe unten Teil 2.

In der Barockmalerei ist die häufige Darstellung des Empfangs der Braut im Himmel im Zusammenhang des Triumphes Marias zu sehen, siehe Teil 2. Daß der Mystik des 16./17. Jh. die alte Vorstellung der Vereinigung der individuellen Seele mit ihrem Bräutigam erneut wichtig war (z. B. »Geistlicher Gesang« des Johannes vom Kreuz, 1577/78 in Toledo geschrieben), sei nur am Rande vermerkt. Noch im 18. Jh. kam es zu vereinzelten Darstellungen, die diesem mystischen Vorstellungskreis entstammten, vgl. unten *Abb. 268*.

Sondermotive nach dem Kommentar des Honorius von Autun. In den Erläuterungen zum Hohenlied deutet Honorius die Braut auch als die Menschheit und führt mehrere Personifikationen für sie ein. Noch im 12. Jh. wurden sie in Handschriften dieses Kommentars der Salzburger Malschule, von denen mehrere Exemplare erhalten sind, entsprechend dem Text bildlich wiedergegeben[145]. Auf dem schon erwähnten Titelblatt des Münchner Exemplars (Clm. 4550), das aus dem Kloster Benediktbeuren stammt, ist der geprägte Bildtypus des thronenden Brautpaars in-

142. MPL 172, 1166, vgl. außerdem 354ff., 379, 386, 436, 479.
143. Siehe zu dieser Wandmalerei P. Clemen, Die romanische Monumentalmalerei in den Rheinlanden, Düsseldorf 1916, S. 351ff.
144. Siehe W. Michler, Die Wand- und Gewölbemalerei im Nonnenchor des ehemaligen Zisterzienserinnenklosters Wienhausen, Diss. (Maschschr.) Göttingen, 1967; Druck Wienhausen 1969.

145. G. Swarzenski, Die Salzburger Malerei, Leipzig 1908 bzw. 1913, S. 94ff., 162, Abb. 400 und 402; K. Künstle, Ikonographie der christlichen Kunst, Freiburg 1928, I, S. 318; RDK I, Sp. 638–641 Aminadab. Von den salzburgischen Handschriften sind in der Bayerischen Staatsbibliothek München: Clm 4550, 5118, 18125; in der Österr. Nationalbibl. Wien Cod. 942. Eine weitere in der Bibliothek in Lambach und St. Florian.

sofern abgewandelt, als Christus die linke Hand durch ein Fenster der Thronarchitektur hinausstreckt und an die Wange einer Frau legt, die die Menschheit verkörpert. Auffallend ist, daß in einer Darstellung des himmlischen Brautpaares mit der blutenden Handwunde Christi eindringlich auf die Erlösung durch den Opfertod verwiesen wird. Darin äußert sich einer der Grundgedanken des Kommentars: Christus vereinigt sich mit der nach Erlösung verlangenden Menschheit durch seine Annahme der menschlichen Natur. Schon den 1. Vers des Hl: »Er küsse mich mit dem Kusse deines Mundes« deutet Honorius als Ausdruck für die höchste menschliche Sehnsucht nach Erlösung. Deshalb tritt in seinen Ausführungen neben die Vorstellung der auf dem Thron erhöhten und gekrönten Ekklesia-Sponsa die der ganzen Menschheit, die aufgrund der Menschwerdung Christi und seines Opfertodes zur Hochzeit geladen ist und sich mit Gott vereinigen wird. Die Federzeichnung mit den Zitaten illustriert wörtlich einen Abschnitt des Kommentars: »Der in der Glorie des Himmels thronende Bräutigam Christus streckt seine Hand durch das Fenster, da er die Herrlichkeit seines himmlischen Reiches verlassend, sich der Mühe dieses Erdenlebens unterzog und seinen Feinden Vergebung der Sünden und das Himmelreich predigte ... Er erlöste ferner durch seinen Tod am Kreuz die Menschheit vom ewigen Tod, so daß es für sie keinen höheren Ruhm mehr gibt als die Liebe Christi. Im Jenseits, in Gottes Umarmung findet der Wunsch der Menschenseele nach dem Friedenskuß seine endgültige Erfüllung«[146], *Abb. 260*.

Die Menschheit wird bei Honorius im Laufe seines Kommentars (2., 3., 4. Bd.) in drei Gruppen gegliedert, jede ist durch eine Braut personifiziert. Für die vor dem Gericht sich bekehrenden Juden tritt Sunamith oder Sulamith auf, genannt nach ihrer Heimat Sumen im Gebiet der Israeliten (vgl. die überaus schöne Abisag von Sumen vor David, 1 Kön. 1,3). Hl 7,1 (6,12) ist die Braut, deren Schönheit im 6. und 7. Kapitel gepriesen wird und nach der sich der Bräutigam sehnt, Sulamith genannt. Die Federzeichnung, *Abb. 261*, zeigt sie mit dem Banner der Ekklesia, wie sie im Wagen des Priesters Abinadab oder Ammindab (Vulgata), Inschrift auf den unteren Rädern, fährt. In dessen Haus blieb nach 1 Sam 7,1 und 2 Sam 6,3 die Bundeslade, nachdem sie die Philister zurückgebracht

146. Übersetzung J. A. Endres, S. 34.

hatten, bis sie nach zwanzig Jahren von dort in den Tempel nach Jerusalem auf einem neuen Wagen überführt wurde, den die Söhne Abinadabs, Usa und Ahjo, zogen. Da diese Rückkehr der Bundeslade in der Geschichte des Volkes Israel ein besonderes Ereignis war, blieb der Name Abinadab mit dem Wagen, der vom hohen Mittelalter an als Sinnbild der Kirche gilt, verbunden. Genetisch steht der Ezechielsche Gotteswagen, den die vier Wesen (viergestaltige Cherubim) tragen, in Beziehung zu dem Wagen der Bundeslade, da die Vision des Propheten im Exil von der Bundeslade im Allerheiligsten des Salomonischen Tempels, dem Thron Gottes, ausgeht (siehe Bd. 3, S. 185 und 239). Bei Honorius wird dieser »neue« Wagen des Abinadab, auf dem die Bundeslade gefahren wird, zum Triumphwagen der Braut, die die bekehrte Judenschaft verkörpert. Er ist hier der Wagen der Kirche, als dessen Räder die Evangelistensymbole fungieren (Umdeutung der vier Wesen des Gotteswagens) und der vom Priester Abinadab geführt wird. Zu beiden Seiten der Pferde sind auf der Federzeichnung je drei Köpfe von Propheten und Aposteln zu sehen. Beim selben Bildmotiv in einer der anderen Salzburger Handschriften führen die Apostel an Stelle Abinadabs das Gefährt. Dabei wird zwar die typologische Bedeutung des Wagens abgeschwächt, aber die Missionsfahrt durch alle Welt verdeutlicht. Gefolgt wird der Wagen von Juden. Die trauernde Sonne rechts oben bedeutet den Okzident, wo die Sonne untergeht. Es ist möglich, daß den Anstoß zu diesem Wagen im Hohenlied-Kommentar des Honorius der schwer verständliche Satz Hl 6,12 (11) gab: »Ich wußte nicht, daß meine Seele mich gesetzt hatte zu den Wagen Ammi-nadibs«, doch ist er damals schon ein bekanntes Symbol. Auf einem der von Abt Suger inspirierten Chorfenster, um 1140, der Kathedrale von St. Denis mit deutenden Inschriften zu den Bildmotiven, vgl. oben Seite 56, kommt die »Quadriga des Aminadab« (wieder eine etwas andere Schreibweise) als Zeichen des Alten Bundes vor. Auf der Bundeslade steht das Kreuz Christi, dargeboten von Gott. Sie ist dadurch gewandelt zur »arca crucis« (vgl. Bd. 2, Seite 135 und 176). Suger von St. Denis ist Zeitgenosse des Honorius von Autun. Schon Rupert von Deutz hat Anfang des 12. Jh. den Wagen des Abinadab als Wagen der Kirche gedeutet: »Der neue Wagen, auf dem die Arche des Bundes des Herrn gefahren wird, ist das neue Evangelium Christi, wodurch die Auferstehung, wie vorausgesagt ist, in der ganzen Welt bekannt wird. Die vier Räder sind die Evangelisten.«[147] (Vgl. das Tier mit den vier Köpfen, auf dem Ekklesia reitet, das ebenfalls seit dem 12. Jh. vorkommt, *Abb. 111 und 113.*) Es ist also um die gleiche Zeit von verschiedenen Ausgangspunkten aus der Wagen des Abinadab in den christlichen Symbolschatz eingeführt worden und blieb als Wagen der Kirche erhalten. Eine typologische Darstellung der Wiener Bible Moralisée, um 1240, *Abb. 263,* stellt den mit Getreide beladenen Wagen des Jakob bei der Rückkehr von Ägypten der von den vier Evangelisten-symbolen getragenen Bundeslade, auf der das offene Evangelienbuch steht, gegenüber. (Vgl. auch die Bundes-symbolik in Band 6.) Dante greift das Bild des Triumph-wagens »currus ecclesiae« am Schluß der Wanderung durch das Purgatorium auf[148]. Durch seinen Einfluß auf die italienische Malerei der Renaissance wird der Wagen erneut dargestellt; in der Zeit der Gegenreformation ist er ein beliebtes Motiv, um den Triumph der katholischen Kirche zu veranschaulichen, *siehe unten Abb. 269, 270.*

Die zweite Braut ist nach Honorius die Filia Babylonis, *Abb. 262,* München Clm 4550. Sie ist gekrönt, hält eine gefüllte Schale in der Hand und reitet auf einem Kamel, das von drei Philosophen geführt wird. Honorius sagt vom Heidentum, daß es auf Kamelen reite, weil es von den Philosophen gelehrt werde. Es folgen drei Apostel und drei Märtyrer. Die Sonne in der Mitte oben bedeutet den Süden. Die Filia Babylonis, im Gespräch mit einem der Philosophen, ist die allegorische Gestalt für das bekehrte Heidentum.

Die dritte Braut, Mandragora, *Abb. 264,* vertritt die übrigen ungläubigen Menschen, welche sich erst nach dem Untergang des Antichrist zu Christus bekehren[149]. Sie steht auf der Darstellung unbekleidet und ohne Kopf in der Mitte. Christus setzt ihr ein goldenes Haupt auf, das

dem seinen völlig entspricht. Unten liegt der gekrönte Kopf des gestürzten Antichrist. Mit dem geflügelten Kopf des Windgottes ist der Norden veranschaulicht. Diese drei Himmelsrichtungen auf den Illustrationen verweisen auf die Ausbreitung des christlichen Glaubens mit dem Ziel, alle Menschen zur himmlischen Hochzeit zu führen. Obwohl der Kommentar des Honorius viel gelesen wurde, sind diese von ihm geschilderten verschiedenen Bräute doch nur in der Salzburgischen Schule vom späten 12. Jh. bis gegen 1300 dargestellt worden, vereinzelt gibt es auch noch im 14. Jh. Kopien davon.

Die Vulneratio (Verwundung) Christi durch die Sponsa-Ekklesia. Für die Darstellung der Kreuzigung Christi durch die Tugenden ist dieses Motiv typisch (vgl. Bd. 2, S. 149–152 und *Abb. 452, 453, 454*). Wir haben bei der Behandlung dieses Themas schon gesagt, daß neben den Tugenden auch die Sponsa-Ekklesia durch die Verwundung des Gekreuzigten den Heilsquell öffnet – eine Vorstellung, die nur in der Mystik des 12. und 13. Jh. aufkommen konnte, ebenso wie die Geburt der Ekklesia aus dem Blut Christi. Nach den Hohenlied-Kommentatoren hat Christus den Opfertod aus Liebe zu seiner Braut, der Kirche, erlitten. Da diese durch den Tod des Erlösers zu der seligen Vereinigung mit dem Bräutigam kommt, siehe oben, führt sie selbst die Lanze gegen ihn. In dem schon erwähnten Freskenzyklus von 1282–1285 in der sog. Bischofskapelle des ehem. Benediktinerinnenstiftes in Göss (Steiermark)[150] ist die Vulneratio durch die Braut (Inschrift) der zentrale Bildgedanke, *Abb. 265.* Die Beischrift ist Hl 4,9 entnommen: »Du hast mir das Herz verwundet, meine Schwester, liebe Braut.« Auch das Bild der Sponsa-Ekklesia, die Christus am Kreuz umarmt, gehört in diesen Vorstellungsbereich, *Bd. 2, Abb. 447*[151]. In Göss steht dem

---

147. MPL 167, 1162.

148. Purgatorium 29,26–27; vgl. E. Guldan, 1966, S. 118; mit Literaturangaben.

149. Die Mandragora (Alraune) ist eine lange Wurzel, die in zwei menschenähnlichen Beinen endet; daraus erklärt sich die kopflose Figur. Sie galt von alters her als Zauberwurzel und das Leben fördernde Heilpflanze. Als solche wurde in ihr ein Sinnbild der Ankunft Christi gesehen. Sie wurde aber auch mit dem sündigen Adam in Beziehung gesetzt. Durch den Erlösungstod Christi, des Wurzelgräbers, blüht die Wurzel auf; ihre verwandelnde

Kraft bezieht sich dann auf die Erlösung und Vollendung Adams. Siehe ausführlich H. Rahner, Die seelenheilende Blume Moly und Mandragora, in: Eranos-Jb. 12, 1945, 117–239. Auch RAC I, 307–310 (K. Schneider).

150. E. Andorfer, Die Wandmalerei des 13. Jh. in Göß, in: Festschrift für H. Eggers, Graz 1933, S. 34 ff. Siehe auch O. Demus, Wandmalerei 5, 215; vgl. hier auch Krems Abb. 248 und S. 214.

151. Richtigstellung zu den Bildunterschriften in Band 2, Abb. 447. Ekklesia ist irrtümlich als Caritas bezeichnet. Kleidung,

Vulneratio-Bild auf der Südwand die Begegnung des Auferstandenen mit Thomas auf der Nordwand gegenüber. In diesem Jünger wird in der Frömmigkeit des 13./14. Jh. nicht in erster Linie der Zweifler gesehen, sondern derjenige, der in Gottes Liebe wandelt und »sein Anschauen inniglich begehrt« (vgl. Bd. 3, S. 112f.). Die Frömmigkeit der Mystik rückt beide Szenen eng zusammen. Außerdem ist an der Südwand die Braut noch zweimal mit der Beischrift »mea sponsa« dargestellt. Neben der Vulneratio, durch ein Fenster von ihr getrennt, befindet sich die Krönung der Braut, die, wie oben schon gesagt, im Hohenlied nicht vorkommt, aber bei Honorius im Zusammenhang der himmlischen Hochzeit nach dem Gericht erwähnt wird. Mechthild von Magdeburg verlegt (Fließendes Licht VII) sogar die Krönung Christi auf diesen Zeitpunkt: »Die ganze Herrlichkeit Christi wird erst nach dem Jüngsten Tag offenbar, er erhält dann vom Vater eine Krone und mit ihm diejenigen, die zur ewigen Hochzeitsfeier gekommen sind.« Es kann nicht übersehen werden, daß mit der Krönung der Braut und einer an der Nordwand dargestellten Verkündigung der Geburt Marias an Joachim und Anna mariologische Gedanken im Zusammenhang dieses Bildzyklus zum Hohenlied anklingen. Die Frömmigkeit dieser Zeit führt zu einer »Marienminne«, die aus der mariologischen Deutung des Hohenliedes hervorgeht, jedoch in vielfältiger Weise in Literatur und Kunst ihren Niederschlag findet. Sie verdrängt um 1300 die Darstellung der Sponsa-Ekklesia.

Zwei Darstellungen aus Hildegards Scivias. Wir schließen das Kapitel mit zwei Illustrationen aus dem Rupertsberger Codex »Scivias (sc. Domini)« (Wegweisung zum Herrn der Welt) der Hildegard von Bingen, 2. Hälfte 12. Jh., ab und lassen dabei Hildegard selbst zu Wort kommen. Die Synagoge, *Abb. 266*, hält eine kleine Mosefigur an ihrem Herzen und Abraham (Messer) mit mehreren Propheten im Schoß. Ein anderes Bild zeigt oben die Ekklesia mit dem Kelch am Kreuz und noch einmal unten am Altar kniend, auf den das Blut Christi vom Kreuz herabfließt, *Abb. 267*. In den kleinen Medaillons sind Geburt, Grablegung, Auferstehung, Himmelfahrt dargestellt. Der Text zur Vision II, Bild 6, lautet auszugsweise[152]: »Es ist die

Synagoge, die Mutter der Inkarnation des Sohnes Gottes. Von ihrem Entstehen an – in ihren ersten Söhnen – bis zu ihrer vollen Entfaltung sah sie die geheimen Pläne Gottes in schattenhafter Erkenntnis voraus, aber sie konnte sie nicht vollkommen auftun. Sie selbst war ja nicht das leuchtende Morgenrot, das sie deutlich verkündete, sondern sie erschaute es staunend von ferne, wie es im Hohenliede von ihm heißt: ›Wer ist die, die dort heraufsteigt aus der Wüste, von Wonne überströmend und auf ihren Geliebten gestützt?‹ (Hl 8,5). Das heißt: Wer ist die neue Braut, die, erfüllt von guten Werken, aus der Wüste der Heidenvölker heraufsteigt, der Völker, die die Gesetzesvorschriften der göttlichen Weisheit verlassen und Götzen anbeten? Wer ist die, die zu himmlischem Verlangen sich erhebt, überfließend von Wonne durch die Gaben des Heiligen Geistes, lechzend vor Eifer und sich stützend auf ihren Bräutigam, den Sohn Gottes? Diese ist es – die Kirche –, die, vom Sohn des Allerhöchsten ausgestattet, in herrlichen Tugenden erblüht und überfließende Nahrung findet an den Bächen der Schrift ... So bewunderte die Synagoge die neue Braut, die Kirche, weil sie einsah, daß sie selbst nicht von gleichen Tugendkräften umschirmt sei. Denn Engelschutz umgibt die Kirche, damit der Teufel sie nicht zerstöre und niederreiße, aber die Synagoge ward von Gott verlassen ... Im Herzen der Gestalt steht Abraham, denn der Anfang der Beschneidung in der Synagoge war er. In ihrer Brust Moses, denn er legte das göttliche Gesetz in die Herzen der Menschen. Und in ihrem Schoße – in der ihr anvertrauten Gottesordnung – die Propheten, denen die Schau in die göttlichen Vorschriften gegeben war. Sie alle weisen ihre Kennzeichen auf und schauen voll Bewunderung auf die Schönheit der neuen Braut ... Danach sah ich, wie die bisher geschaute weibliche Gestalt gleich einem Lichtglanz schnell aus dem ewigen Ratschlusse hervorging und durch göttliche Macht dem Sohne Gottes, der am Kreuze hing, zugeführt wurde. Ganz überströmt von dem Blute der Seitenwunde wurde sie durch den Willen des himmlischen Vaters dem Sohne Gottes selig vermählt und empfing als kostbare Hochzeitsgabe sein heiliges Fleisch und Blut. Darauf hörte ich, wie eine Stimme vom Himmel zu Ihm sprach: ›Diese, mein Sohn, sei Dir Braut zur Wiederherstellung meines

Krone und Zärtlichkeitsgeste sind typisch für Sponsa. Abb. 499 soll 449 heißen; auch ist die Handschrift nicht aus Donaueschin-

gen wie 451, sondern salzburgisch und befindet sich in München.

152. Nach M. Böckeler, Liber Scivias.

Volkes! Sie soll ihm Mutter sein. Den Seelen schenke sie das Leben durch die erlösende Wiedergeburt aus dem Geiste und dem Wasser.‹ Da erstarkte die Gestalt zur Fülle ihrer Kräfte, und nun erschien eine Art Altar, zu dem sie häufig hinzutrat. Immer wieder schaute sie mit tiefer Ehrfurcht auf ihre Brautgabe ... Wie die Braut sich dem Bräutigam im Dienste der Unterwürfigkeit und des Gehorsams hingibt und von Ihm im Bunde der Liebe die Gabe der Fruchtbarkeit empfängt, wie sie die Kinder in das ihnen zustehende Erbe einführt, so ist die Kirche dem Sohne Gottes im Dienste der Demut und Liebe vereint. Sie empfängt von Ihm die Kraft zur Wiedergeburt aus dem Geiste und dem Wasser zur Erlösung der Seelen und zur Wiederherstellung des Lebens. Sie geleitet ihre Kinder zur himmlischen Heimat.

Deshalb empfängt sie auch als kostbare Hochzeitsgabe sein heiliges Fleisch und Blut. Denn der eingeborene Sohn Gottes reicht den Gläubigen, die zugleich die Kirche und die Kinder der Kirche sind, in [verborgen] leuchtender Herrlichkeit sein Fleisch und Blut, auf daß sie durch Ihn das Leben besitzen in der heiligen Stadt Gottes. Denn Er, der selber das Leben ist, opferte Sich zur Erlösung des Menschengeschlechtes im Todesleiden auf dem Altar des Kreuzes. Zugleich erwählte Er sich, wie du durch die Stimme aus den himmlischen Geheimnissen in wahrhaftiger Kundgebung vernommen hast, als Braut die Kirche, damit sie zur Wiederherstellung des Heiles die Mutter aller Gläubigen werde.«

Die Darstellung der triumphierenden Kirche in der Gegenreformation

Die Druckgraphik war im 16. und 17. Jh. für die miteinander streitenden Religionsparteien ein beliebtes propagandistisches Mittel zur Verbreitung der eigenen Lehre. Dabei wurde an polemischer Verunglimpfung der Gegenseite nicht gespart. Zielscheibe der Angriffe war bei den Reformatoren weithin das Papsttum. Oft sind vom Mittelalter her bekannte Bildmotive umgedeutet worden, wie zum

153. Siehe Abbildungen dieser drei Holzschnitte Nr. 178, 140 und 161 im Katalog der Ausstellung 1967 in Berlin: Von der freyheyt eynes Christenmenschen. Hier noch viele Beispiele der allgemein verständlichen polemischen Illustrationen, mit denen

Beispiel der schon erwähnte Gnadenbrunnen, *vgl. Abb. 150*, und die Hostienmühle, deren »Mehl« auf einem Züricher Holzschnitt von 1521 von Luther zu Bibeln verbacken wird, die der Papst und seine Kleriker verschmähen. Das Brot des Himmels und das göttliche Wort sind auch auf einem 1562 in Regensburg erschienenen Flugblatt in populärer Weise gleichgesetzt: Gott Vater, auf dessen Hand »verbum« steht, reicht durch Christus den ihn umringenden Menschen das Brot des Lebens. Mit dem Holzschnitt »Gottes Klage über seinen Weinberg« von Erhard Schön, 1532, der, von Joh 15,1 ausgehend, zu einem Text von Hans Sachs Gott als Gärtner im Weinberg darstellt, wird das Papsttum verhöhnt[153]. Ein Prediger ruft der Gemeinde zu: »Selig sind, die das Wort Gottes hören und es behalten (Lk 11,28) und auch darnach tun.« Er weist auf den im Weinstock gekreuzigten Christus. Von da fließt der »Strom des Lebens« zum Weingarten. Hier verbrennen kleine Engel dürres Holz. Gott reißt die vertrockneten Bäume, in denen Requisiten des katholischen Kultes hängen, aus. Ein Mönch gießt einen der dürren Bäume, der Papst versucht, einen anderen, in dessen Krone Maria sitzt, durch einen Zaun zu schützen. Cranach stellt auf einem Gemälde, Lutherhalle, Wittenberg, dem verwüsteten katholischen Weinberg den geordneten der evangelischen Kirche gegenüber; vgl. zu dem Thema auch einen Holzschnitt Cranachs d. J., 1639. Es ist kein Zufall, daß der Weinberg Gottes als Sinnbild der Kirche gewählt wird, denn im Alten Testament wird Israel – Typus der christlichen Kirche – mit einem Weinberg verglichen, Jes 5,1–7; Jer 12,10; Joel 1,6f.; Ps 80 (79),9–16; Hl 2,15; 8,11. Das Gleichnis von den Weingärtnern, Mt 21,33 ff., verweist auf das messianische Reich, das mit Christus anhebt.

Luthers Ablehnung des Papsttums ging so weit, daß er den Papst mit dem Antichrist gleichsetzte (vgl. Bd. 5 Apokalypse) und als die zwei Hauptfeinde die Türken und den Papst anprangerte. 1542 predigte Luther mehrmals gegen den Koran. Ein Gebet Luthers »wider die Türken« ist als Anhang in den Neudruck des Kleinen Katechismus 1543 bei Schirlentz, Wittenberg, und das Kinderlied »Wider die zwei Erzfeinde Christi und seiner Kirche« (Papst und

Papsttum, katholischer Gottesdienst, Mönchtum und Ablaßhandel angegriffen wurden, z. B. der Holzschnitt von Cranach d. J. Nr. 136.

Türken) vom selben Jahr an in die Neudrucke bei Valentin Bapst, Leipzig, aufgenommen worden. Die Beispiele der Graphik, die im Dienste der Auseinandersetzung der Konfessionen stehen, könnten beliebig vermehrt werden. Im 17. Jh. fanden auf katholischer Seite, vor allem in den Niederlanden, einem Zentrum der Gegenreformation, graphische Blätter Verbreitung, die den Sieg der personifizierten katholischen Kirche über die Andersgläubigen – Reformatoren und Mohammedaner – durch das alte Motiv des Fußtritts zeigen, wie zum Beispiel ein aus dem Kreis der Jesuiten stammender Titelkupferstich von Lommelin, Antwerpen, 1683. Die Kirche, identisch mit dem rechten Glauben und der gültigen Lehre, hält einen Schild, auf dem der Titel des Buches steht: »Triumph der christlichen Lehre oder der Große Katechismus mit ausführlicher Erklärung der Hauptstücke und einer kurzen Widerlegung des Katechismus der Calvinisten.« Einen Fuß setzt Ekklesia auf den geöffneten Katechismus, der neben Calvin am Boden liegt, den anderen auf Mohammed[154]. Ähnliche Darstellungen der Figur der Kirche oder des Glaubens sind auch in der kirchlichen Ausstattungsplastik zu finden (Knipping, Abb. 104). In evangelischen Kirchen fungiert dagegen Mose manchmal als Kanzelträger (Otterndorf, Niederelbe).

In der Monumentalkunst, vor allem der Deckenmalerei, sind im 17. und 18. Jh. repräsentative Darstellungen des Triumphes der römisch-katholischen Kirche weit verbreitet. In dem Anspruch, mit dem das Bild der trium-

phierenden Kirche in der Gegenreformation auftritt, äußert sich nicht mehr polemischer Glaubensstreit, sondern das neue Selbstbewußtsein der durch das Tridentiner Konzil (1545–1563) reformierten katholischen Kirche und der Repräsentationswille des wieder erstarkten Papsttums. Außerdem kommt das sophianische Programm, das im Zentrum der doctrina christiana dieser Zeit steht, in der Malerei zum Ausdruck. Für diese Bildprogramme sind verschiedene Aspekte wichtig: Der Sieg über die Häresie; der Triumph der Eucharistie; die erfolgreich vollzogene Weltmission; die Apotheose der Heiligen als Demonstration des Glaubenssieges; die neue Ära der universalen Wissenschaften, die dem Weltbild der Gegenreformation eingeordnet sind. Die Darstellungen des Triumphs der katholischen Kirche sind in der Deckenmalerei in den Himmel versetzt (Wolken, verklärendes Licht, Gott oder der Trinität zugeordnet). Dadurch wird die Repräsentation kirchlicher Macht auf Erden bestätigt, der es letztlich um den Sieg des Glaubens geht[155]. Die Attribute der Ekklesia sind in dieser Epoche der Kelch oder die Monstranz als Hüterin der Eucharistie; das Kreuz als Zeichen des Sieges; die Papstinsignien (Tiara, Kreuz mit drei Querbalken, Doppelschlüssel und liturgische Gewänder) als Zeichen der Macht; der Thron oder die Karosse als Zeichen des Triumphes; das Buch als Zeichen der Lehre oder der empfangenen Offenbarung. Oft ist ihr ein Rundbau, der auf einem Felsen (Sinnbild der Kirche, vgl. Mt 16,18) steht, zugeordnet. Das Buch mit den sieben Siegeln, auf dem das

154. Siehe B. Knipping, De iconografie van de contrareformatie in de Nederlanden, Bd. 2, Abb. 102. Hilversum 1940 (Bd. 1, 1939). Die Personifikationen von Kirche und Glauben gehen in dieser Zeit ineinander über. In der Kunst Italiens und Frankreichs übernahm Fides schon zu Beginn des 15. Jh. die Attribute der Ekklesia: Kelch, Buch, Kreuz, Kirchenmodell, gelegentlich auch die Gesetzestafeln der Synagoge, um die Einheit der Glaubensgrundlage aufzuzeigen. Dem Text des Prudentius entsprechend wird Fides nicht nur in Illustrationen der Psychomachie, sondern auch in der Kathedralplastik im 13. Jh. triumphierend über dem Heidentum und dem Unglauben dargestellt und hat dabei schon den Kelch als Attribut. An die Stelle des Heidentums treten in der Gegenreformation die Häretiker, oft portraitmäßig gekennzeichnet, als die besiegten Feinde.

155. Vgl. oben den anderen Ausgangspunkt und Gehalt des mittelalterlichen Bildes der thronenden »Ecclesia imperatrix«, oft auch triumphans genannt. Sie ist von der Majestas Domini abge-

leitet und bedeutet im eschatologischen Sinn »Braut Christi«, die an der Erhöhung des Herrn teilhat. Ohne den Rahmen dieser Arbeit zu sprengen, ist es nicht möglich, ausführlich auf die religiösen Grundlagen und die Vielfalt der Strömungen des 17. und 18. Jh. sowie auf die komplexe Thematik der Barockmalerei genauer einzugehen. Wir beschränken uns auf Beispiele der Darstellung der Kirche und der göttlichen Weisheit, vor allem aus dem süddeutschen und österreichischen Raum. Zur allgemeinen Orientierung nennen wir folgende Literatur: W. Mrazek, Ikonologie der barocken Deckenmalerei, Wien, 1953. H. Tintelnot, Die barocke Deckenmalerei in Deutschland, vor allem das Kapitel zu den Programmen, S. 261 ff., München 1951. H. Bauer, Zum ikonologischen Stil der süddeutschen Rokokokirche, in: Münchner Jb. XII, 1961, S. 218–240. Neben Monographien zu einzelnen Meistern oder Kirchen sind oft auch die kleinen Kirchenführer, die Schnell und Steiner, München oder die Ortsgemeinden herausgeben, aufschlußreich.

Lamm liegt, ist nach Cäsare Ripa Sinnbild der Weisheit[156].
Ist mit diesem apokalyptischen Lamm die Darstellung der
Monstranz im Blutstrahlenkranz verbunden, so ist insbesondere die Verherrlichung der Eucharistie gemeint. Sowohl der personifizierten Kirche als auch der Weisheit ist
häufig die Taube oder das Licht des Heiligen Geistes zugeordnet. Als Sonne dargestellt ist das Licht nicht nur als
Weisheit und Erleuchtung, sondern häufig als Offenbarwerden der Trinität zu interpretieren. Auf einem Fresko
von W. A. Heindl in Pfarrkirchen ist inmitten der
Sonne, vom Licht fast ganz aufgesogen, die Trinität
zu erkennen[157]. Das Licht als ontologische Aussage
kommt der Sapientia in höherem Maße zu als der Ekklesia.

Da der Triumph der Kirche im 17./18. Jh. vor allem Sieg
über die Häresie bedeutet, ist diesen Programmen sehr
häufig die Besiegung der Feinde durch Michael eingefügt.
Dabei kann ein Gigant die Häresie und den Unglauben
verkörpern. Die Langhausfresken von S. Ignazio in Rom,
1691–1699 von Andrea Pozzo gemalt, gelten der Verherrlichung des Titelheiligen. Auf dem Hauptfresko fällt, von
Christus ausgehend, ein Lichtstrahl auf Ignatius, der ver-
vielfältigt von ihm aus weitergeht zu den personifizierten
Erdteilen, die einen gefesselten Giganten mit Füßen treten. Doch kann, wie schon gesagt, auch die allegorische
Gestalt der Kirche oder des Glaubens die Häresie und den
Unglauben stürzen wie am Ignatiusaltar (Skulpturen-
gruppe) in Il Jesu, Rom, 1695–1696, von P. Legros. Die
eine der stürzenden Gestalten ist hier als alte Frau mit ent-
blößtem Oberkörper dargestellt, die sich die Haare rauft
und dabei entsetzt und fragend zu Ekklesia aufblickt. Alle
diese Kennzeichen deuten auf die verworfene Synagoge;

doch werden sie in dieser Zeit auf die Gestalt des Unglaubens übertragen.

Die Einbeziehung der vier Erdteile (Australien fehlt
noch) als Repräsentanten der Weltmission in verschiedene
Bildprogramme (vgl. die Pfingstdarstellung in Ottobeuren, *Abb. 84, 85* und Seite 35) ist nicht allein Ausdruck
der universalen kirchlichen Macht, sondern birgt auch den
Triumph über die Bekehrung von Ketzern und die Rück-
gewinnung von protestantischen Gebieten in sich. Da die
Personifikationen als huldigende Welt aufgefaßt sind,
steigern sie außerdem die Verherrlichung Gottes (Trinität,
Christus als Erlöser, Ekklesia, Sapientia und Maria. Die
Huldigung Marias durch die Erdteile ist ein spezifisch je-
suitisches Bildthema). Die Verherrlichung der Eucharistie
klingt in der Darstellung der Ekklesia dann an, wenn dieser der Kelch oder die Monstranz nicht nur attributhaft
beigegeben sind, sondern sie von ihr triumphierend hoch-
gehalten werden[158].

In den theologisch-allegorischen Bildprogrammen der
Barock- und Rokokomalerei kann die triumphierende
Kirche in Bezug zur Trinität, zu den Tugenden und Heiligen, zu den vier Evangelisten und den vier großen abendländischen Kirchenvätern (Hieronymus, Ambrosius, Augustin, Gregor) und den vier Erdteilen stehen. Oft ist sie
kaum von Maria zu unterscheiden, die im 18. Jh. als Immaculata auch in der Abwehr der Häresie dargestellt wird,
siehe Kapitel Maria[159].

Diese wenigen Hinweise mögen zeigen, wie vielschich-
tig und beherrschend das Thema »Kirche« in der Kunst
des Katholizismus dieser Epoche ist. Da wir keine großen
Bildprogramme durch Abbildungen verdeutlichen können, müssen wir uns auf einige übersichtliche Beispiele

156. Ripa ist Verfasser des ersten allegorischen Handbuches für
Künstler, das von 1593 an in allen Sprachen immer wieder neu
aufgelegt wurde und noch 1764, auf fünf Bände erweitert, herauskam. Es war neben einigen anderen Kompendien und den damals
fast durchweg allegorischen Predigten die Hauptquelle für mehrere Künstlergenerationen, die sehr genaue Anweisungen bis in
die Details der Attribute etc. gab; siehe E. Mandowsky, Untersuchungen zur Ikonologie des Cäsare Ripa, Diss., Hamburg 1934.
Die Verbindlichkeit der Kompendien behinderte die Eigenlei-
stung der begabten Künstler nicht, zumal innerhalb der gegebenen Ordnung und der Einzelanweisungen von theologischer Seite
immer wieder für einen speziellen Raum neue Bildprogramme
aufgestellt wurden, deren Gehalte mit der Raumform in Einklang

zu bringen waren.

157. Vgl. E. Guldan, Wolfgang Andreas Heindl, Wien–München, 1970, Abb. 108.

158. Siehe zu dem von uns nicht gesondert behandelten
Thema: I. Habig-Bappert, Die Eucharistie im Barock, Diss.,
Münster.

159. Als Beispiel hierfür sei auf dem 1639 aufgestellten Sockel
der Mariensäule in München, Marienplatz, hingewiesen. Hier
sind vier Putten im Kampf gegen Ketzerei, Pest, Krieg und Hun-
gersnot dargestellt; nach neuester Forschung von G. Petel. Die
Säule wurde zum Dank für die Erhaltung der Stadt in der Schwe-
denzeit errichtet.

beschränken, um das Fortleben der Gestalt der Kirche in ihrer Auffächerung im Zusammenhang der im 17. und 18. Jh. wirksamen Tendenzen wenigstens anzudeuten.

Im Anschluß an den letzten Abschnitt zur Brautsymbolik sei zunächst auf die Darstellung der Vermählung Christi mit einer Seele, die der individuellen Mystik des Barock entspricht, hingewiesen. Auf einem Deckenfresko der Kapelle des ehemaligen Klosters Maria Rosengarten, gegen 1717 (1763 erneuert), in Bad Wurzach (Ober-Schwaben) schwebt Christus auf Wolken zu einer auf Erden knienden Frau herab, *Abb. 268.* Er reicht ihr einen Ring, während er auf seine Seitenwunde weist. Die Frau deutet auf ihr Herz, das sie dem himmlischen Bräutigam schenkt. Das spätmittelalterliche Thema der Ringüberreichung an Ekklesia ist hier ins Individuelle abgewandelt, die Liebesmystik mit der Leidensmystik verbunden. Christus erscheint in dieser Epoche bei allen Darstellungen der Trinität und des Triumphes als der von den Todeswunden gezeichnete Erlöser. Auf einem Wandbild von Thomas Scheffer von 1742 der Marienkapelle in Augsburg-Haunstetten ist es der personifizierte Heilige Geist, dessen Haupt von sieben Flammen (sieben Geistgaben) umgeben sind, der den Ring der Braut reicht (RDK V, Sp. 493, Abb. 96).

Der Triumphzug im antiken Stil, wobei der Gefeierte in einer prunkhaften Karosse fährt, ist ein bevorzugtes Thema der italienischen Renaissancemalerei und Dichtung[160]. Dieser Topos der Verherrlichung wurde in Darstellungen der Kirche oder des Glaubens übernommen, doch war der christlichen Kunst der Wagen als Thronwagen Gottes (vgl. Bd. 2 Majestas Domini), als Wagen des Abinabad (Bundeslade) und Gefährt der Sponsa-Ekklesia nicht fremd, vgl. oben. Auch als Pathosformel der Barockmalerei wird der Wagen von den vier Evangelistensymbolen bewegt, deren naturalistische Formgebung allerdings ihre ursprüngliche symbolische Aussagekraft zurückdrängt. Angeregt durch Savonarolas Schrift »Triumphus crucis«, die im 2. Kapitel ein Bild des triumphierenden Christus mit großem Gefolge entwirft, zeichnete

Tizian um 1510 die Vorlagen für fünf Holzschnitte »Trionfo della Fede«. Der Zug, in dem Christus auf dem von Adler, Löwe, Stier und Mensch gezogenen Wagen fährt, wird angeführt von Adam und Eva, an die sich Patriarchen, Propheten und Sibyllen anschließen. Dem Wagen folgen Märtyrer, Geistliche, palmentragende Jungfrauen; vgl. oben die Hochzeitsgäste S. 101 f. Dieses Triumphthema wurde im 17. Jh. mit gegenreformatorischer Tendenz als Triumph der römisch-katholischen Kirche aufgegriffen[161]. Rubens erhält 1625 von der Tochter Philipps II., Isabella Clara Eugenia, den Auftrag, für die Fronleichnamsprozession Gobelins zu entwerfen, die unter der Bezeichnung »Triumph der Eucharistie« bekannt sind und sich im Dom zu Köln befinden. Drei der Teppiche stellen den Triumphwagen dar: 1. mit Fides Catholica, 2. mit Amor Divinus, 3. mit Ecclesia triumphans. Das Gefolge ist auf zwei weitere Teppiche verteilt[162].

Älter als die Teppiche von Rubens ist der Gemäldezyklus »Der Triumph der katholischen Kirche« des niederländischen Malers Otto van Veen, 1580–1585, München. Das eine Gemälde, *Abb. 269,* zeigt das Wort und die Kirche Gottes auf einem einfachen Wagen fahrend. Das »Wort Gottes« (Unterschrift) ist durch Christus personifiziert; das Schwert bedeutet nach Eph 6,17 und Hebr 4,12 »Wort Gottes«. Ekklesia, gekrönt, hält auf ihrem Schoß, von Christus dargereicht, eine Tafel und eine Rolle, die durch Inschriften als Sermo und Epistola bezeichnet sind. Sie ist hier Hüterin des Evangeliums und der Lehre (Schrift). Der Engel (Matthäus)[163] schreitet, die Leine über der Schulter haltend, dem Zug voran, während der Adler seiner natürlichen Lebensform entsprechend fliegt. Wie die anderen »Zugtiere« ist er mit einer Leine an der Wagendeichsel angebunden. Stier und Löwe haben in dieser naturalistischen Wiedergabe keine Flügel. Vier Apostel – in Entsprechung zu den vier Evangelisten – begleiten den Wagen: Petrus mit den Schlüsseln, Paulus mit dem Schwert und einem Schriftblatt, Jakobus d. J. mit Pilgerstab und -hut und Jakobus d. Ä., erkennbar am Typus.

Reicher ist das Gefolge auf dem letzten Gemälde des

160. E. Müller-Bochat, Der allegorische Triumphzug, Krefeld 1957.

161. Müller-Bochat nennt als literarisches Beispiel dafür die Dichtung von Lope de Vega, »Triumphos Divinos«, 1625.

162. Victor H. Elbern, Die Rubensteppiche des Kölner Doms.

Triumph der Eucharistie, in: Kölner Domblatt 1955.

163. Das Symbol für Matthäus war ursprünglich der Mensch. Da diese vier Symbole als Geistwesen in der Kunst Flügel erhielten, wurde allmählich der Mensch zum Engel umgedeutet.

Zyklus, *Abb. 270.* Der Wagen wird hier von Pferden ge-zogen. Voran geht die menschliche Vernunft, die Gott er-kennt. Darüber hält ein Putto eine Inschrift, die besagt, daß die Vernunft jeden Menschen, der auf diese Welt kommt, erleuchtet. Die nächste Figur ist wieder das per-sonifizierte Wort Gottes mit dem Schwert, das aus dem Munde hervorgeht. Darauf folgt die Kirche mit sermo und epistola. Der kleine Engel hält eine Schrifttafel: »Verge-bens nennt der Gott seinen Vater, der die Kirche nicht als seine Mutter anerkennt.« Auf dem Wagen fährt die allego-rische Figur des Glaubens. Das Wort neben ihrem Haupt »durch dich lebe ich« bezieht sich auf den Kruzifixus. Ihr zugeordnet ist Abraham, umschriftlich als »Vater des Glaubens« bezeichnet und durch die Opferung Isaaks im Sinne eines Attributs auch als solcher charakterisiert. Auf der anderen Seite der Fides sitzt eine Gestalt, in der die Caritas und die Mater ecclesia vereint sind. Sie wendet sich dem Kreuz zu. Das Schriftband des Putto über ihr besagt: »So sehr hat Gott die Welt geliebt, daß er seinen eingebo-renen Sohn hingab.« Dem Wagen folgt eine Anzahl durch die unterschiedliche Kleidung zum Teil als Vertreter fremder Völker gekennzeichneter Männer, unter denen Vertreter der bekehrten Völker zu verstehen sind. Der Engel über ihnen hält ein Schriftband, dessen Text sich an Joh 15,13 anlehnt. Beide Bilder übersetzen das mittelal-terliche Motiv des Wagens der Kirche in die allegorische Bildsprache der Zeit und lassen ihn durch die Landschaft der Heimat fahren. Der Akzent liegt beim Bekenntnis zur Kirche und ihrem Auftrag zur Mission.

Anders ist die Formgebung des gleichen Gehaltes bei den nur geringfügig voneinander abweichenden Decken-fresken, die Franz Martin Kuen 1753 im Chor der Pfarr-kirche zu Fischach (Augsburg) und im gleichen Jahr Joh. Baptist Enderle, der eine Zeitlang bei Kuen gearbeitet hatte, für die Pfarrkirche in Kirchdorf (Mindelheim) und 1754 noch einmal als Hauptfresko im Chor der Kirche in Herbertshofen (Mertingen) malten. In Kirchdorf, *Abb. 271*, ist die Verherrlichung des Altarsakraments und der Kirche als der Hüterin des Sakraments dargestellt. In den Wolken der oberen Bildzone sitzt Ekklesia in einem prunkhaften Thronwagen, der von den vier Evangelisten-

symbolen nicht eigentlich gezogen, sondern getragen wird, so daß der Akzent auf dem Thron liegt[164]. Die Rücklehne des Throns ziert die Tiara mit den gekreuzten Schlüsseln. Die Strahlen, die von der über dem Haupt der Kirche schwebenden Taube des Heiligen Geistes ausgehen und auf die Fülle des an der Kirche wirkenden Geistes ver-weisen, überschneiden sich mit den Strahlen der Mon-stranz, die von Ekklesia in der rechten Hand erhoben wird. Mit der anderen umfaßt sie das Kreuz. Ein Putto seitlich des Wagens hält ihr das offene Buch – das Evange-lium – entgegen. In die Mitte dieser Diagonale, die Wort und Sakrament bilden, ist die Kirche gestellt. Zugeordnet sind ihr in der zweiten Bildzone ein Rundbau auf einem großen Felsen und vier die Weltteile allegorisierende Fi-guren: auf der obersten Stufe der Weltkugel zugewandt Europa, hinter ihr Asien, Amerika, Afrika. Verkörpert der von Licht umflossene Rundbau auf dem Felsen die Recht-fertigung des Anspruchs des Papsttums, so die Erdteile die weltumspannende Macht der Kirche. Ausgestoßen wer-den aus diesem Machtbereich die Irrlehrer. Getroffen von dem Blitzstrahl, der von der Hostie in der Monstranz aus-geht, stürzen drei Männer die Stufen hinab. Die Zeittracht (Halskrausen) und die Bücher weisen sie als Vertreter der Reformation aus, vgl. oben den Hinweis auf den Antwer-pener Kupferstich. Die Besiegten sind auf einem Fresko von Luigi Gentile in der Kirche Santa Maria di Monserrato zu Rom inschriftlich bezeichnet als Mohammed, Luther und Pelagius – britischer Mönch um 400, der den Begriff »Erbsünde« bestritt und die Meinung vertrat, jeder könne aus eigener Kraft selig werden, sofern er die sündigen Ge-wohnheiten überwinde. Die drei Figuren sind hier auch durch die Kleidung unterschieden. Bei Enderle fehlt die namentliche Bezeichnung. In den vier Kartuschen ergän-zen die Frömmigkeit in Gestalt einer betenden Frau und die drei theologischen Tugenden mit Attributen die Hauptdarstellung: Glaube (Flügel), Hoffnung (Anker), Liebe (Herz).

Auf einem Fresko von Maulbertsch, 1776–1777, in der Pfarrkirche von Dyje (ČSSR), ehemals Mühlfrau, *Abb. 272*, ist das alte Motiv des kämpfenden Michael aufge-nommen, der unterstützt wird durch einen kleinen Engel

---

164. Der Adler ist vermutlich der Ausbesserung einer schad-haften Stelle zum Opfer gefallen. Siehe Carl Ludwig Dasser, Joh. Baptist Enderle (1725–1798). Ein schwäbischer Maler des Ro-koko, Weißenborn 1970, S. 15 ff. Abbildungen der beiden ande-ren genannten Fresken siehe daselbst Nr. 6 und 14.

mit brennender Fackel. Michaels Waffe ist nicht wie auf allen mittelalterlichen Darstellungen die Lanze, er hält vielmehr Feuer als Zeichen des Gerichts in der Hand. Der eine der Besiegten hat Fledermausflügel und blickt zu Michael auf. Mit ihm ist wohl der gestürzte Engel Luzifer, der sein wollte wie Gott, gemeint. Zusammen mit ihm stürzt ein Gigant, der, wie schon auf dem erwähnten Fresko von Pozzo in S. Ignazio, Rom, den Unglauben verkörpert. Die über einen Felsen in lichten Wolken sitzende Ekklesia trägt ein liturgisches Gewand über ihrem weißen Kleid und den grünen Schleier der Hoffnung auf dem Haupt. Ihre Attribute sind: das Evangelium, der Kelch, das Passionskreuz, die Schlüssel des Himmels und der Hölle (Papstinsignie, bezieht sich auf Binde- und Lösegewalt) und die Flamme des Geistes. Engel zu beiden Seiten halten das Papstkreuz und die Tiara. Vor einer strahlenden Sonne liegt auf einer sich aufgipfelnden Wolke das Lamm auf dem versiegelten Buch – Sinnbild der Weisheit und Erkenntnis. W. A. Heindl fügt auf einem Fresko im Gewölbe des Altarraumes der Pfarrkirche in Hartkirchen (Bez. Eferding, Österr.), 1751–1752, *Abb. 273*, dem Triumph der Kirche und der Verehrung der Eucharistie die Enthüllung des Wappenschildes des ersten Märtyrers Stephanus hinzu. Am Schild sind die Steine, die auf seinen Tod weisen, angebracht (vgl. Apg 7,54ff.). Zur Rechten der Ekklesia kämpfen Engel mit Papstkreuz, Schlüssel und Kerze (Symbol des Glaubens) wider die Verworfenen, die zusammen mit Tieren in die Tiefe stürzen. Die Kirche ist hier nicht nur als die triumphierende, sondern zugleich als die kämpfende und leidende gezeigt[165].

In der äußeren Zone des Kuppelfreskos der Klosterkirche zu Weingarten, C. D. Asam, 1718–1720, *Abb. 274* (Hauptansicht), das einen »Allerheiligenhimmel« in zahllosen Figuren entfaltet, thront Ekklesia unterhalb der Trinität. Die Taube befindet sich in der Laterne. Das durch diese Laterne einfallende Oberlicht erfordert für das Kuppelfresko eine Ringkomposition, deren äußere Zone auf den Gesimsrand der Kuppelschale bezogen ist. Dieser

Lichteinfall von oben bedeutet im übertragenen Sinn eine Öffnung zur überirdischen Sphäre und das Einströmen göttlicher Kräfte, deren Träger das Licht ist. Die Kuppel wird nicht nur erhellt, sondern optisch entmaterialisiert und dadurch der Raumabschluß aufgehoben. Deshalb werden nur Themen, die sich ideell außerhalb der irdischen Sphäre vollziehen, in der Kuppel dargestellt. Die Macht der Kirche wird hier nicht nur durch die Attribute – die Tiara trägt sie auf ihrem Haupt –, sondern ebenso durch ihre Stellung in der Gesamtkomposition demonstriert. Da das Kuppelfresko eine betonte Hauptansicht hat, ist der Standort für den Betrachter fixiert. Von diesem aus sieht er die thronende Kirche in der Hauptachse zusammen mit Gott-Vater. Die zwei Frauengestalten über dem Gesims rechts von Ekklesia sind Glaube und Hoffnung, links von ihr die Liebe, die durch die Kinder als Caritas proximi (Nächstenliebe) gekennzeichnet ist. Die Kinder als Attribut der Caritas kommen im 14. Jh. auf[166].

Der göttlichen Trinität zunächst steht Maria. Der Mariologie der Zeit entsprechend trägt sie als Immaculata die Sternengloriole und erhält von Christus die Krone der Himmelskönigin dargeboten. Gabriel und Joseph an beiden Seiten der Immaculata tragen Lilien als Sinnbild der reinen Jungfräulichkeit Marias in Händen. Ihr gegenüber sitzt Johannes der Täufer, dazwischen sind singende Engel und Putzen mit den Leidenswerkzeugen dargestellt. Hinter dem Täufer steht Petrus mit dem Netz (allegorisches Motiv für Kirche, Mt 4,19). An ihn schließen sich die Apostel an. Darüber sind die vier abendländischen Kirchenväter zu erkennen. Im übrigen ist der Raum der Kuppel mit Heiligenfiguren gefüllt. In diese Gesamtschau von Himmel und Kirche sind auch die Gestalten der Vierungswände beziehungsweise -pfeiler einbezogen. Nimmt man die Fresken des Chors noch hinzu, die von der Vierung aus zu sehen sind: Pfingsten, vier Kirchenväter in den Zwickeln und seitlich die personifizierten sieben Gaben des Heiligen Geistes, so entfaltet sich vor dem Betrachter – obwohl die vielschichtige Ikonographie das Wirken der

---

165. Siehe E. Guldan, W. A. Heindl, 1970, S. 63–66.

166. Giotto hat in der Sockelzone der Arenakapelle in Padua in einem Tugend- und Lasterzyklus der Caritas noch die beiden älteren Attribute der Liebe gegeben, das Herz, das auf die Liebe zu Gott, und die Fruchtschale, die auf die Liebe zu den Menschen verweist. Die Renaissance bildet, wohl angeregt durch die antike

Tellusdarstellung, den Muttertypus mit mehreren Kindern, der den Akzent von der Liebe zu Gott auf die Nächstenliebe verschiebt. Als theologische Tugend ist die Caritas in ihrem doppelten Bezug gemeint. Vgl. oben den Abschnitt zu »Mater Ecclesiae«.

Trinität hervorhebt – eine Darstellung der Verherrlichung der Kirche, wie sie in diesem Ausmaß nicht oft zu finden ist. Den Sieg über die Irrlehrer und Ketzer noch besonders darzustellen, ist hier überflüssig.

Nur selten werden die kämpfende und die siegende Kirche einander gegenübergestellt wie in Schwabmühlhausen (Kreis Schwabmünchen). Das Hauptfresko im Chor, 1759 von J. Baptist Enderle, zeigt Maria als »Rosenkranzkönigin« und »Maria vom Siege«; gemeint ist der 1571 errungene Sieg über die Türken bei der Seeschlacht von Lepanto, der auf die Hilfe Marias zurückgeführt wird. Auf dem Fresko fährt Maria durch ein Triumphtor in einer prächtigen Karosse, die von den vier Weltteilen in Form von kostümierten Putten gezogen wird. Teufel und Tod sind an das Tor geschmiedet. In den Kartuschen zu beiden Seiten des Hauptbildes sieht man die kämpfende Kirche in Rüstung, den Teufel zu ihren Füßen, und die siegende Kirche mit der Palme und einem Kranz aus Rosen, der sich auf den Kranz bezieht, den nach der Legende einst Maria Dominicus stiftete und den Papst Pius V. beim Gebet während der Schlacht von Lepanto in Händen gehalten haben soll; zu ihren Füßen der überwundene Tod mit Sense und Stundenglas, im Hintergrund das Gotteslamm[167]. Anspielungen auf diesen Sieg über die Türken sind mehrfach in den Bildprogrammen der Zeit zu finden.

Die Gestalt der Sapientia ist im 17./18. Jh. weniger in Parallele zur Kirche gesehen worden, auch wenn der Darstellungstypus der triumphierenden Weisheit weitgehend mit dem der thronenden Kirche übereinstimmt, als im Zusammenhang der universalen Wissenschaft: christliche und antike Lehre, Glaube (Vernunft) und Wissenschaft. Die Thematik zielt entweder auf das Bündnis oder die Harmonie von Religion und Wissenschaft (Fresko von P. Troger im Stiegenhaus des Marmortrakts in Altenberg, Niederösterreich) oder auf das dienende Verhältnis der Wissenschaft gegenüber dem Christentum ab. Die mittelalterliche Antithese Alter Bund und Neuer Bund ist nicht aufgegeben; der Alte Bund wird in einem ähnlichen Verhältnis wie die Antike zur christlichen Lehre und damit zur Kirche gesehen. Da seit der Renaissance die Antike in eine ideelle Relation zur christlichen Thematik gesetzt wurde, mehren sich in der folgenden Zeit mythologische Gestalten, Motive, Attribute und Symbole in der christli-

chen Kunst, die im Bezug zur sieghaften christlichen Lehre umgedeutet und ihr dienstbar gemacht werden. Es wiederholt sich auf einer sehr viel breiteren Basis als in der Scholastik die Begegnung von Antike und Christentum. Sie äußert sich nun auch in dem, allerdings in verschiedenen Graden auftretenden antikisierenden Stil. Bei dieser Antithese von Wissenschaft und Glaube oder Religion nimmt die göttliche Weisheit eine übergeordnete Stelle ein. Sie ist das Licht, in dem sich Gott der menschlichen Erkenntnis und dem Glauben offenbart, das Licht, das wider alle Finsternis steht, identisch mit dem Heiligen Geist. In keiner Epoche ist das Licht in solchem Maße Gegenstand der Malerei gewesen wie im Spätbarock und Rokoko. In der Renaissance und im Humanismus erhielt das Weisheitsthema neue Impulse durch die Beschäftigung mit den Wissenschaften. Die Vorliebe, Universitätskirchen der göttlichen Weisheit zu weihen, ist schon erwähnt worden. Im Barock ist die Glorifizierung der Weisheit und der Sieg des Lichtes über die Finsternis als Sieg des Glaubens über den Unglauben zum Programm der Gegenreformation geworden. In Klosterbibliotheken wurde das Weisheitsthema besonders häufig entfaltet, doch ist es auch in große Bildprogramme innerhalb von Kirchen aufgenommen worden.

Wenn Andrea Sacchi, 1629–1638 im Palazzo Barberini, Rom, *Abb. 276*, die thronende Weisheit Gottes (La divina sapientia), assistiert von Tugenden, als Bildgegenstand wählte und sie im Stil der Antike wiedergab, so griff er damit ein mittelalterliches Bildthema auf, das allerdings auch damals an antike Vorläufer anknüpfte. Der Stil der Malerei und die Attribute aus der Mythologie, die Sacchi den allegorischen Figuren gibt, dürfen nicht übersehen lassen, daß sich der Maler vorwiegend an alttestamentliche Quellen hält, insbesondere an die Kapitel 7 und 8 des Buches der Weisheit, die die Vortrefflichkeit und die Eigenschaften der göttlichen Weisheit schildern. Gekrönt und nimbiert thront die personifizierte Weisheit im himmlischen Licht über der Welt (Globus) und hält in der linken Hand einen Spiegel: »Denn sie ist ein Glanz des ewigen Lichts und ein unbefleckter Spiegel der göttlichen Kraft«, Weish 7,25. Mit dem Zepter in der rechten Hand berührt sie ein vom Sonnenglanz umgebenes Auge, das in dieser Zeit häufig als Symbol Gottes verwendet wird. Das Sonnenantlitz vor ihrer Brust weist auf das sonnenumkleidete Weib von Apk 12 hin. Das Motiv macht einerseits das Ineinanderaufge-

167. Siehe Abb. 50 und S. 31 bei C. L. Dasser, 1970.

hen der Symbolgestalten und andererseits die Bevorzugung aller Lichtsymbole deutlich. Auch das strahlende Auge gehört zu diesen. Die Löwen auf der Thronstufe beziehen sich auf den salomonischen Thron, der immer als Sitz der göttlichen Weisheit verstanden wurde. Gleich Tugenden sind die Eigenschaften der Weisheit personifiziert, doch stimmen die Figuren nicht alle mit den üblichen sieben Tugenden oder den sieben Gaben des Heiligen Geistes überein. An Hand der Attribute, die zum Teil der Antike entstammen, sind sie rechts vom Thron wie folgt zu deuten: der Adel mit der Krone der Ariadne, vgl. Weish 8,3; die »Ewigkeit« mit der Schlange, die ihren eigenen Schwanz verschlingt; die »Gerechtigkeit« mit der Waage, vgl. Weish 9,7; die »Stärke«, die sich der Gerechtigkeit zuwendet, Weish 8,7, mit der Keule des Herkules, der seit der Frührenaissance (Pisano) in der christlichen Allegorie erneut als figurales Sinnbild der Kraft und des Sieges und in Bezug zu Christus dargestellt wird; die »Beredsamkeit« oder Dichtkunst mit der Leier, vgl. Weish 8,12; die »Göttlichkeit« mit dem Triangelum, Zeichen der Trinität; die »Wohltätigkeit« mit der reifen Ähre der Ceres als Sinnbild segensreicher Tätigkeit, vgl. Weish 7,22. Auf der Thronstufe sitzt die »Seelenreinheit«, vgl. Weish 7,25 f., mit dem weißen Schleier, in der einen Hand das Kreuz, in der anderen einen Altar; neben ihr die »Unschuld«, vgl. Weish 7,22, mit dem Schwan des animicandor, der weißen Seele. Darunter sitzen die »Einsicht« beziehungsweise »Erkenntnis« mit dem Adler (vgl. Bd. 3) und die himmlische »Schönheit«, vgl. Weish 7,29; 8,2 und andere Stellen, vor allem Hl, mit dem Haar der Bernice als Sinnbild des Sieges über die irdische Eitelkeit. Die beiden auf Wolken heraneilenden Jünglinge bringen die Menschen in den Bannkreis der göttlichen Weisheit. Der Reiter auf dem Löwen entflammt die Starken und Mächtigen mit einem goldenen Wurfspieß für die Weisheit; der andere Jüngling treibt einen Hasen, hier als Sinnbild der Furchtsamen und Unentschlossenen zu deuten, der Weisheit zu[168].

Von den fünf Fresken der Stiftsbibliothek in Zwettel (Österreich), 1732–1733 von Paul Troger, deren Gesamtthema der Kampf und Sieg des »Herkules Christianus«

ist[169], zeigt das erste die Divina sapientia, die das Buch mit dem Lamm in einer Hand emporhält und in der anderen die Taube im Clipeus, *Abb. 275*. Sie ist identisch mit der Ecclesia militans in der geistlichen Waffenrüstung als Vermittlerin der wahren Gotteserkenntnis. Eph 6,14–17 nennt diese Rüstung: »Schild des Glaubens; Helm des Heils; Schwert des Geistes, welches ist das Wort Gottes.« Dieses ist nicht als Schwert dargestellt, sondern durch das Lamm auf dem Buch des Heils. An der Kleidung der Sapientia-Ekklesia fällt der breite Gürtel auf, der sich auf »umgürtet mit der Wahrheit« bezieht. Dieser Offenbarung der wahren Gotteserkenntnis gegenüber beugt sich die Synagoge trauernd. Es geht hier nicht um die Rivalität, wie sie das Mittelalter darstellte, sondern um die Einbeziehung des Judentums als einer Religion göttlichen Ursprungs in den geistigen Herrschaftsbereich der Kirche.

In diesen Zusammenhang gehört auch das in dieser Zeit singuläre Motiv der Entschleierung der Synagoge durch den Papst, das ein Entwurf von J. Anwanders für ein Deckenbild zeigt. Die Entschleierung der Trinität vor den Heiligen durch die personifizierte christliche Religion (Glauben, Kirche), befindet sich innerhalb des Zentralkuppelfreskos der Abteikirche zu Neresheim, von Martin Knoller zwischen 1769 und 1775 gemalt. Die schwebende weibliche Gestalt hebt mit der einen Hand den Kelch empor und ergreift mit der anderen den Schleier, der die göttlichen Geheimnisse verhüllte. Ein Engel reicht ihr die Tiara auf dem Evangelienbuch. Der dieser Darstellung zugrunde liegende Gedanke ist: Nur die christliche Religion vermag die letzten göttlichen Geheimnisse zu offenbaren.

Mit der Aufklärung treten im letzten Viertel des 18. Jh. in der deutschen Malerei des Rokoko die Allegorien zurück und werden durch historische Figuren oder Szenen ersetzt. Von Maulpertsch liegt ein ausführliches schriftliches Konzept für das von ihm 1778 in Klosterbruck gemalte Bibliotheksfresko »Die Offenbarung der göttlichen Weisheit« vor, das er »Historische Erklärung« nennt. Der Titel läßt einen geistigen Wandel gegenüber früheren Kompendien zur Malerei und schriftlich niedergelegten

---

168. Zu dieser Interpretation siehe H. Posse, Der römische Maler Andreas Sacchi, Leipzig 1925.

169. Herkules zählt – ebenso wie Plato – schon im Mittelalter zu den antiken Typen, die auf Christus hinweisen. Er ist am Stüt-

zenwerk der Pisaner Domkanzel mit dargestellt, siehe oben. Vgl. die Ausführungen zu Herkules in dem oben genannten Aufsatz von H. von Einem und der dort angegebenen Literatur.

Programmen erkennen. Zwar sind die Fresken zerstört, doch ist in den Augsburger Kunstsammlungen ein Ölbild erhalten, *Abb. 278,* das mit hoher Wahrscheinlichkeit als Entwurf dieses Freskos und nicht als spätere Kopie gelten kann[170]. Auffallend ist der Gegensatz zwischen der Dunkelheit am Rand der Längsseiten der rechteckigen Bildfläche und der ausgedehnten Lichtfülle der Mitte. Auf den Schmalseiten stehen sich, umfaßt von einer Rotunde, Figuren des Alten und Neuen Bundes gegenüber. Nach der Abbildung oben: Noah, der Gerechte mit dem Ölzweig in der Hand, sitzt auf einem Felsen und blickt zur Mitte; hinter ihm die Arche. Etwas tiefer sitzt Abraham, der Vater des Glaubens, und umfängt seinen Sohn; vor ihm kniet noch ein Jüngling. Salomo, die lichte Gestalt mit der Krone ihm gegenüber, verkörpert die irdische Weisheit; er hebt redend und lehrend die Hand und hält ein geöffnetes Buch auf den Knien. Hinter ihm sitzt auf einer Bank der kriegerische Josua als Inbegriff der Stärke. Neben ihm kniet König David, Harfe spielend; ein offenes Buch, das ihn als Dichter der Psalmen ausweist, liegt zu seinen Füßen. Die so charakterisierten Personen sind nicht nur Vertreter des Alten Bundes – das sind insbesondere Mose und der Hohepriester Aaron, die darüber an einem Altar vor der Bundeslade sitzen –, sondern treten als biblisch-geschichtliche Personen einer Epoche an die Stelle der allegorischen Figuren. Das auf dem Altar stehende Buch, das Mose hält, ist das Geschichtsbuch des Volkes Israel. Über dieser Gruppe hält ein Engel die Thora. Auf der gegenüberliegenden Seite verkündet Paulus auf dem Areopag in Athen am Altar des unbekannten Gottes das Evangelium, in dem sich Gott durch seinen Sohn offenbart. Darunter sind das die Predigt hörende Volk und die Kirchenväter Gregor, Augustin, Hieronymus und Ambrosius, die die Kirche verkörpern, zu sehen. Über diesen historischen Gestalten thront im Licht die allegorische Figur der Ekklesia mit den drei Attributen: Kelch, Kreuz, Evangelium.

An den Längsseiten sind zwei unterschiedlichen Landschaften (nach Bushart Ägypten und Italien) mythologische Gestalten eingefügt. In bezug zu Noah mit dem Ölzweig steht Deukalion, Sohn des Prometheus, mit seiner Frau bei der Erschaffung der neuen Menschheit nach der Sintflut. Anschließend: Bukephalos, selbst im Licht, tritt

dem im Dunkeln liegenden Kentauren entgegen. Alexander der Große kommt zu Diogenes, der mit seinen Büchern im Faß sitzt. Die Gestalten der gegenüberliegenden Seite sind griechische Philosophen, die Vertreter der Wissenschaft; auf einige von ihnen fällt Licht. Zusammen mit dem die Gesetzestafeln demonstrierenden Engel und der Ekklesia bilden vier in Wolken schwebende allegorische Figuren einen flachen Bogen in der Lichtsphäre: Caritas mit zwei Kindern; ein Jüngling mit der Leier, der durch sein Spiel das Entgegengesetzte (Verstimmte) zusammenbringt; die Frau neben einer Säule allegorisiert die Tugend der Stärke und Standhaftigkeit, und ein Engel mit Lanze und Pfeil will die Mittel, mit denen die Menschen auf Abwege gebracht werden sollen, zerstören (nach Bushart bzw. der Beschreibung des Malers).

Über diesen allegorischen Figuren thront im Zentrum, vom Licht beinahe aufgesogen, die ewige Weisheit. Das Licht als geistige Erleuchtung und Offenbarung Gottes ist hier Bildgegenstand. Um dieses Zentrum der Gotteserkenntnis ist der sich stufenweise entfaltende geschichtliche Weg des menschlichen Geistes aufgezeigt, der von der Mythologie zur Philosophie der Antike und zum Gottesvolk des Alten Bundes führt und im Evangelium mündet. Die Veranschaulichung geschieht durch historische Gestalten, wird jedoch auch durch das künstlerische Mittel, die Steigerung des Lichtes von Stufe zu Stufe und zur Mitte sinnfällig.

Auf zwei der in ihrer Gesamtausstattung erhaltenen Klosterbibliotheken des süddeutschen Raumes, die beide dem Entwurf von Maulbertsch vorangehen und in Malerei und Plastik umfassende, für die Mitte des Jahrhunderts typische Programme vor Augen führen, sei noch hingewiesen. Die Bibliothek des ehemaligen großen Benediktinerklosters in Wiblingen bei Ulm ist noch im Stil des Rokoko 1744 von Franz Martin Kuen aus dem nahegelegenen Weißenborn ausgemalt, während für die künstlerische Ausstattung der Kirche 1778–1780 der kurtrierische Hofmaler Januarius Zick die Stilmittel des Klassizismus aufgriff. Das Bildprogramm der Bibliothek verbindet schon historische und mythologische Szenen mit allegorischen Figuren, um das universale Weltbild zu verdeutlichen, das auf die göttliche Weisheit bezogen ist. Sie thront umgeben

---

170. B. Bushart, Die Offenbarung der göttlichen Weisheit – zur Augsburger Bildskizze des Franz Anton Maulbertsch, in: Alte und moderne Kunst, 16. Jahrgang 1971, Nr. 115. Wir schließen uns seiner Beschreibung an.

von Engeln, die Bücher halten, im Zentrum der Decken-malerei. Auf den Längsseiten stehen sich die heidnischen und die christlichen Wissenschaften gegenüber. Die heidnischen sind durch Alexander und Diogenes und den Parnaß gekennzeichnet, auf dem Pegasus mit den neun Musen, die Apoll anführt, ruht. Daneben ist dargestellt, wie Kaiser Augustus Ovid wegen seiner Schmähschriften in die Verbannung schickt. Dieser Szene steht auf der anderen Seite die Aussendung der Missionare nach England durch Papst Gregor gegenüber und dem Parnaß mit den Musen das apokalyptische Lamm auf dem Berg, an dessen Hang sich die sieben Gaben des Heiligen Geistes gruppieren: unterhalb von ihnen Glaube und Hoffnung. Der Begegnung von Alexander und Diogenes entspricht die Übergabe des Klosters durch die Stifter an den ersten Abt (1093). Die antithetischen Darstellungen der Schmalseiten sind der Sündenfall, auf den der Blick beim Betreten des Raumes fällt, und gegenüber die Missionare, die das Evangelium dem Volk predigen. Ergänzt wird das Programm noch durch die vier Kirchenväter, acht theologische Lehrer des Mittelalters und die vier Kardinaltugenden (Klugheit mit Schlange und Spiegel; Mäßigkeit, die einen Krug ausschüttet – bedeutet Verzicht auf Überfluß –, Gerechtigkeit mit Schwert und Waage; Starkmut mit Löwe, Säule und Helm). Als plastische, lebensgroße Figuren, die auf Sockeln zwischen den die Galerien und Balkone tragenden Säulen stehen, treten noch vier klösterliche Tugenden (Gehorsam, Weltverachtung, Glaubenswissenschaft und Gebet) und vier weltliche Wissenschaften (Mathematik, Naturwissenschaft, Jurisprudenz, Geschichte) hinzu.

Im Bibliothekssaal des ehemaligen Klosters in Schussenried (Oberschwaben), wo als Maler Franz Georg Hermann 1756–1757 tätig war, ist das Weltbild, das sich auf Antike, Judentum und christliches Mittelalter aufbaut, durch die Einfügung vieler historischer Personen beträchtlich erweitert und gipfelt wieder in der Verherrlichung der göttlichen Weisheit. Alle Gruppen oder Szenen sind durch Inschriften, die zum größten Teil auf Schriftworte zurückgehen, erläutert. Im Zentrum der eliptischen Flachkuppel steht das apokalyptische Lamm auf dem Buch mit den sieben Siegeln, das die göttlichen Ratschlüsse enthält. Von ihm strahlt nach allen Seiten Licht aus. Etwas entfernt davon befindet sich die ihm huldigende große Schar der Auserwählten aus allen Stämmen und Völkern, die durch eine Inschrift in dem von einem

Engel getragenen Buch als die »12000 Signati« gedeutet werden, vgl. Apk 14. Daneben schwebt ein Engel mit dem Buch des Lebens, nach dem der Richtspruch fallen wird. Ebenso verweist der Engel mit der Tuba auf die Wiederkunft Christi. In dem Lamm offenbart sich der auf die zukünftige Vollendung bezogene geheime Sinn der Göttlichen Weisheit. Die Gottesmutter, von Engeln und als Marienverehrern bekannten Ordensgeistlichen umgeben, ist den Auserwählten auf der anderen Seite der Ovalkuppel gegenübergestellt. Sie ist, obwohl Königin des Himmels, im Bildzusammenhang als »Sedes sapientiae« zu verstehen und verweist auf die Inkarnation der Göttlichen Weisheit (Logos), die den Weg zur Vollendung öffnet. Zwei der Mittelgruppenbilder an den Längsseiten gelten wiederum der Weisheit und fügen Alten und Neuen Bund zur Einheit; das dritte, wie in Wiblingen im Osten gelegen, zeigt Golgatha. Die das Kreuz deutende Inschrift lautet: »Verbum in carne abbreviatum in cruce extensum in coeli immensum.« (Das Wort (Logos = Weisheit) ist Fleisch geworden, unscheinbar klein, am Kreuzesstamm ausgespannt, im Himmel unermeßlich groß.) Zur Linken des Kreuzes stehen Vertreter des Neuen (Apostel, aber auch Franz von Assisi) und zur Rechten die des Alten Bundes (im Hintergrund Mose mit den Gesetzestafeln und der ehernen Schlange. Sie gehört ebenso wie Abraham mit dem vor ihm knienden, zum Tod bereiten Isaak zu den alttestamentlichen Präfigurationen des Opfertodes Christi). Das nördliche Seitenbild zeigt Salomo auf dem Thron mit den Löwen als den weisen Richter, der im Streit um das Kind die wahre Mutter erkennt (Urteil Salomos 1 Kön 3,16–23) und die lebenden von den künstlichen Blumen zu unterscheiden vermag, indem er das Fenster öffnen läßt, so daß die hereinfliegenden Bienen sich auf die echten Blumen setzen. Das beigefügte Wort aus Ps 51 (50) 8: »Die geheimen und verborgenen Dinge hast Du mir offenbart«, ist auf Salomo, den Typus der Weisheit, bezogen.

Auf der gegenüberstehenden Seite steht der Tempel der Weisheit, ein offener Rundbau mit sieben Säulen, *Abb. 277*. In seiner Mitte thront die Weisheit, die ein Dreieck, das Sinnbild der Trinität, emporhält. Über ihr sendet die Taube des Heiligen Geistes sieben Strahlen zu den personifizierten sieben Gaben des Geistes aus, deren höchste die göttliche Weisheit ist.

Die Attribute der Gaben entstammen der antiken Tugenddarstellung, der Gehalt dieses Bildes ist von dieser losgelöst. Die Wissenschaft, links unterhalb der Weisheit sitzend, hält eine Pergamentrolle in Händen, deren Text am Gleichnis des zu- und abnehmenden Mondes auf den ständigen Wandel verweist. Die Stärke ist mit dem Löwenfell bekleidet und hat nach der Simsongeschichte (Ri 15,14–20) einen Kinnbacken in der Rechten, aus dem eine Quelle sprudelt. Im Vordergrund kniet die Frömmigkeit und schwingt ein Weihrauchfaß. Die Gabe des Rates hält zwei Spiegel in der Hand, in denen sie sich vorn und hinten betrachtet. Die Gottesfurcht über ihr blickt hinter einer Säule scheu hervor. Neben ihr hockt eine Frau, die durch einen Brennspiegel die Strahlen der Sonne in das Auge eines jungen Adlers lenkt. Es ist die Gabe des Verstandes, die, vom übernatürlichen Licht erleuchtet, sich gleich dem Adler zu den Geheimnissen Gottes erheben kann. Die Inschrift aus Joh 14,16 bezieht sich auf den Heiligen Geist: »Der wird euch alles lehren.« Das vierte Mittelgruppenbild zeigt die Audienz des Marchtaler Abtes Nikolaus Wirieth beim Sonnenkönig, die 1686 in Versailles stattgefunden hatte. Der Abt, ein berühmter Direktor des Reichsprälatenkollegiums in Schwaben, galt damals als zweiter Salomo. Auch dieser dem Kloster wichtige historische Vorgang ist einbezogen in das Bildprogramm der göttlichen Weisheit.

Zwischen diesen Mittelgruppenbildern sind durch je eine schwebende und eine stehende Gruppe die acht Wissenschaften in ihrer sakralen und profanen Prägung dargestellt. So ist die Geschichte aufgeteilt in Kirchengeschichte, deren Vertreter an die alttestamentlichen Gestalten rechts vom Kreuz anschließen, und in Weltgeschichte ihr gegenüber. Alle Disziplinen (Geographie, Heilkunde, Seelenheilkunde, Rechtswissenschaft, Philosophie, Dichtkunst und Beredsamkeit) werden durch historische Personen veranschaulicht. Durch die Auswahl der Persönlichkeiten, werden Akzente gesetzt, die unter anderem auch die Einheit der christlichen und profanen Wissenschaft verdeutlichen sollen. So ist zum Beispiel der Repräsentant der Beredsamkeit Gregor d. Gr. Im Hintergrund steht das Lamm auf dem Berg, dem die vier Ströme entquellen, die als die unerschöpfliche Weisheit der vier Evangelien gedeutet werden. Auf die antiken Redner weisen in der Szenerie der Bordrand eines Schiffes, der sich

auf die mit Schiffsschnäbeln geschmückten römischen Rednertribünen bezieht, und die Folianten mit Titeln der Gerichtsreden von Marcus Tullius Cicero. Die zusammenfassende Inschrift ist Weish 8,12 entnommen: »Wenn ich rede, werden sie aufmerken.« Die Gruppe der Philosophen wird von dem Verfasser des »Büchleins der ewigen Weisheit«, Heinrich Seuse (1295–1366), angeführt. Ihm folgen Albertus Magnus und Thomas von Aquin. Unter dem sog. Kategorienbaum sind Aristoteles, Sokrates und Diogenes im Faß, Walafried Strabo und der Spätscholastiker Franz Suarez zu erkennen. Die deutende Beischrift, die für alle Disziplinen gelten könnte, lautet: »Gott hat die Welt ihrer Erforschung überlassen.« Nur die Dichtkunst ist allein durch mythologische Gestalten veranschaulicht. Das Weltbild wird durch die vier Künste (Architektur, Malerei, Musik und Bildhauerei), die vier Elemente, die die Natur vertreten, und die vier Kardinaltugenden vervollständigt[171].

Eine in der künstlerischen Gestaltung bemerkenswerte und thematisch einmalige Ergänzung zu diesem groß angelegten Bildprogramm gibt zwölf Jahre später Fidel Sporer mit den Alabasterstuckfiguren in der untersten Zone des Raumes, die er 1764–1766 arbeitete. In ihm kommt die gegenreformatorische Abwehr aller Irrgläubigen zu Wort. Zwischen acht im einzelnen nicht charakterisierten Figuren der Kirchenlehrer stehen acht Puttenpaare, die sich durch knappe Hinweise als Häresien zu erkennen geben. Sie vertreten den Machiavellismus, den Gallikanismus und die Staatskirche; die Hussiten (ein Knabe trinkt aus dem Kelch, ein anderer leert ihn aus); Nestorianer oder Arianer; Mohammedaner (eine Putte mit Turban tritt die Bibel mit Füßen, die andere hat das Schwert gezogen); französische Aufklärer und Enzyklopädisten, die die Offenbarung leugneten (spöttisch lachende Gruppe mit dem Schurzfell der Freimaurer); Lutheraner und Calvinisten (zwei Knaben mit Halskrausen und großen Bibeln, der eine im Predigerhabit, der andere unbekleidet); die Leugner der Trinität (ein Junge rupft einer Taube die Federn aus); den Materialismus oder einen Schüler des Epikur.

In dem Gesamtprogramm der Malerei dieser und manch anderer Bibliothek wird deutlich, wie die verschiedensten Gedanken, die im Laufe der Darstellungsgeschichte der

171. Über die Anbringung dieser Gruppen und ihre Verbildlichung im einzelnen und noch einige weitere Darstellungen siehe

den Führer durch die Bibliothek von A. Kasper, der zur Entschlüsselung des Programms im Detail unentbehrlich ist.

Ekklesia und der Weisheit Gestalt annahmen, sich am Ende der Verherrlichung der göttlichen Weisheit unterordnen. Von all den von uns behandelten Symbolfiguren ist die Weisheit in der Kunst die älteste und in ihrem Bedeutungsgehalt die vielschichtigste. In dieser letzten Epoche verweist sie, ob personifiziert oder als apokalyptisches Lamm im Lichtglanz dargestellt, auf die Offenbarung des geheimnisvollen Sinnes der Heilgeschichte und auf ihre Vollendung.

Der Katechismus

Bemerkungen zur Entstehung der Katechismusillustration

Der Katechismus in Buchform, der die Grundzüge der christlichen Lehre in Hauptstücke zusammenfaßt und mit Erläuterungen für die Glaubensunterweisung den Laien darbietet, kommt nach einzelnen Vorformen erst in der Reformationszeit auf. Offenbar geht der Brauch, ein solches Buch Katechismus zu nennen, auf Äußerungen Luthers aus den Jahren 1525 und 1526 (in der »Deutschen Messe«) zurück. Doch auch die Illustration der Erläuterungen geschah, ebenso wie die der Bibeldrucke, nicht ohne Luthers Zustimmung.

Die Katechismusillustration vom 3. Jahrzehnt des 16. Jh. an fällt in die Zeit des Buchdrucks, in der sich nach der Anfangsepoche der Inkunabel- und frühen Buchdrucke durch die technische Vervielfältigung und die nun mögliche und geforderte Massenproduktion künstlerisch Verfallserscheinungen zeigen. Die Informationsverbreitung durch das Bild, in der Regel als Begleitung von Texten, steht dabei im Vordergrund, vgl. oben schon einige Beispiele. Es entwickelt sich hierfür ein Illustrationsstil, dem die Verständlichkeit des Gegenstandes wichtiger ist als seine Deutung durch die Mittel der Gestaltung. Das Schneiden der Bildentwürfe bleibt meistens der Werkstatt überlassen, und aus rein praktischen Gründen werden die Holzstöcke später oft wieder verwendet (auch für ganz andere Bücher) oder nachgeschnitten bzw. Drucke seitenverkehrt kopiert. Diese handwerkliche Produktion führt – von guten Einzelleistungen abgesehen – zum Verlust von künstlerischer Qualität, die hingenommen, vielleicht auch gar nicht empfunden wird, weil die der Druckgraphik in dieser Zeit der gesteigerten Auseinandersetzung auf breiter Ebene gestellte Aufgabe in der Belehrung des Volkes liegt. Die Aufgabe des Bildes und die Ikonographie ist in der Kunst der Reformation eine so andere als im Mittelalter, daß wir die für diese Epoche typischen künstlerischen Äußerungen unter dem Gesichtspunkt der Lehre in das vielschichtige Kapitel zur bildlichen Darstellung der Kirche einbeziehen und die Vorläufer im Mittelalter aufzeigen.

Ursprünglich war »Katechismus« eine Bezeichnung für den Glaubensunterricht, der den Taufbewerbern erteilt wurde. Manche für diesen Zweck formulierte Lehr- und Bekenntnisformeln finden sich schon im Neuen Testament, die ebenso wie das Vaterunser und das Credo nach seiner Formulierung in die mündliche Unterweisung aufgenommen wurden. Diese beiden Kernstücke sind in karolingischer Zeit nicht nur im missionarischen Taufunterricht, sondern dann und wann auch im Gottesdienst behandelt worden. Ein singuläres Beispiel der bildlichen Darstellung in einer liturgischen Handschrift ist am Schluß des Utrechtpsalters, um 830, Hofschule von Reims, erhalten. Auf einer Seite ist mit Text oben das Vaterunser als Gebet des Herrn mit den Aposteln und darunter das Apostolicum in zwölf biblischen Szenen dargestellt, *Abb. 327.* In dem Münchner Cod. lat. ms. 14410 aus dem Kloster St. Emmeram, Regensburg, 1. Viertel 9. Jh., sind als Anhang zwei Erklärungen der Taufriten (1. von Maxentius von Aquileja, 2. anonym), einige Bußpredigten und sechs zusammenhängende Ansprachen an Heiden in der Art einer Missionskatechese mit der Überschrift »Ratio de catechizandis rudibus« eingefügt. Die erste der Reden lehnt sich an eine gleichnamige Schrift Augustins an.

Da dieser karolingische Kodex auch noch eine Tugend-
lehre in einem »Sermo de pace et concordia« und eine Lasterlehre von Johannes Cassianus, um 400, dem ägyptischen Serapion in den Mund gelegt, einschließt, läßt sich
schon für diese Zeit die Tendenz erkennen, den Tauf- und
den Beichtunterricht zu verbinden[1]. Dabei handelt es sich
freilich nicht um eine verpflichtende Form: Nach dem
Abschluß der Missionszeit war noch während des ganzen
Mittelalters die kirchliche Unterweisung nicht einheitlich
geregelt.

Die Scholastik kombiniert die verschiedenen katechetischen Lehrsätze zu einem soteriologischen System, wobei
sie sich gern der Zahlenspekulation bediente und die älteren Septenare (Siebenergruppen) erweiterte[2]: Als Fürbitte
gegen die sieben Hauptsünden (sie entsprechen den Lastern: Stolz, Neid, Zorn, Geiz, Trägheit, Völlerei, Un-
zucht) gelten die sieben Bitten des Vaterunsers; als Heil-
mittel gegen sie erhält der Mensch die sieben Gaben des
Heiligen Geistes, die in ihm die sieben Tugenden bewirken[3]. Diese wiederum befähigen den Menschen zum
Empfang der sieben Seligkeiten. Heilsordnungen in dieser
Art fanden u. a. im 12. Jh. ihren Niederschlag im »Speculum Virginum« und in ähnlichen illuminierten moralisierenden Schriften. Den Septenaren wurden im 12. Jh. die
sieben Sakramente und die sieben Werke der Barmherzigkeit eingefügt, die nun auch dem Stoff der kirchlichen Unterweisung zugerechnet werden konnten[4]. Mit der Re-

form der Bettelorden stieg außerdem das Interesse an der
Volksbelehrung durch Predigtreihen. Als sich nach dem 4.
Lateran-Konzil (1215) die neue Beichtpraxis, nach der jeder Katholik verpflichtet war, wenigstens einmal jährlich
alle Sünden zu beichten und satisfaktorische Werke zu leisten, allmählich durchsetzte, wurde auf die Unterweisung
zur Beichtvorbereitung besonderer Wert gelegt, Leitfaden
hierfür waren die Gebote. Das »Speculum ecclesiae« des
Erzbischofs Edmund von Canterbury (gest. 1246) bezieht
schon den Dekalog in den Katechismusstoff ein. Mit dem
Aufkommen der Blockbücher und vor allem des Buchdrucks war die Verbreitung von Traktaten möglich, die
wohl Stücke der mittelalterlichen Unterweisung aufnahmen, aber doch etwas Neues auf diesem Gebiet darstellten. Diese Schriften in einheimischer Sprache und häufig
mit volkstümlichen schlichten Holzschnitten ausgestattet
reichten vom kurzen Merkvers zu einem Bild bis zu er-
baulichen und lehrhaft-moralisierenden Ausführungen.
Viele zielten im Hinblick auf die Beichte vor allem auf die
Erkenntnis der Sünden ab, und es entstand als besondere
Gruppe der »Beichtspiegel«[5].

Da aber Beichtvorschriften auch die Kenntnis der
Hauptstücke verlangten, rückte im 15. Jh. die Lehre
allgemein stärker in den Blickpunkt. Ebenso wirksam für
die Volksaufklärung waren die schon erwähnten
Predigtreihen, in denen, oft von Universitätslehrern,
die Gebote, die Todsünden, die Buße, die Gaben des

1. Siehe bei J. M. Heer, Ein karolingischer Missionskatechis-
mus, Freiburg 1911, in: Biblische und patristische Forschung,
Heft 1; ferner: F. Cohrs, Katechismen und Katechismusunter-
richt, in: Prot. Realenzyklopädie, 3. Aufl., Bd. 10, S. 135–164;
zum frühen Mittelalter S. 136.

2. Eines der Hauptwerke hierzu: Hugo v. St. Victor, gest.
1141: Opusculum de quinque septinis. – Siehe zu folgendem: B.
I. Kilström, Den Katekatiska undervisningen i Sverige under me-
deltiden, in: Bibliotheca theologiae practicae 8, Lund 1958, mit
deutscher Zusammenfassung.

3. Für die Tugenden liegen im Mittelalter sehr verschiedene
Schemata vor, je nachdem, in welchem Zusammenhang sie stehen.
Sie können u. a von den Seligpreisungen (Bergpredigt) abgeleitet
oder als Gegenstücke zu den Lastern zusammengestellt sein.

4. Mt 25, 35 f. kann man im Zusammenhang eines Gerichts-
gleichnisses »sechs Werke der Barmherzigkeit« genannt finden.
Diese werden seit dem hohen Mittelalter oft im Zusammenhang
des Jüngsten Gerichtes dargestellt, siehe Bd. 5. Als siebtes Werk

ist diesen in Anlehnung an Tobias 1, 20 (»Die Hungrigen speiste
er, die Nackten kleidete er, die Erschlagenen und Toten begrub
er sogleich«) das Begraben der Toten angefügt worden, so daß in
spätmittelalterlichen Traktaten sieben Werke genannt werden.

5. Einige Beispiele: Altbayerischer Beichtspiegel, 1. Hälfte 15.
Jh. (München, SB clm 632); Geiler von Kaysersbergs Beichtbüchlein (Wie man sich halten sol bei einem sterbenden Menschen), Basel 1482; »Großer Seelentrost«, niederdeutsches Er-
bauungsbuch 15. Jh. Hg. von M. Schmitt, Köln 1959; »Büchlein,
das da heißt der Seletrost«, bei A. Sorg, 1478, Augsburg (Origi-
naldrucke München SB. und Nürnberg GNM.); Spiegel der
christlichen walfart, 1509, Straßburg (Originaldruck München
SB.). Ein Blockbuchband, 1455–1458, der Heidelberger Universitätsbibliothek enthält in drei Teilen den Dekalog, das Credo und
die sieben Todsünden, Cod. Pal. Germ. 438. Marcus von Lindau,
die Zehngebote und das Paternoster, bei Grüninger Straßburg
1516. Die Himmelsstraß, Das Seelengärtlein usw.

Heiligen Geistes, das Credo, die Eucharistie etc. behandelt wurden[6].

Die Reformation knüpft zunächst für die Formulierung einzelner Stücke des Katechismus an vorgegebene Ansätze an[7]. Luther hatte schon als Priester in Predigten die Gebote und das Vaterunser ausgelegt und beim Anhören der Beichte Erfahrungen für die praktischen Erfordernisse der Glaubensunterweisung gesammelt. Die Aufgabe des kirchlichen Neuaufbaus seit etwa 1525 zwang dazu, feste Formen für die Unterweisung der Gemeinde zu entwickeln. Dafür konnte Luther nun auch volkspädagogische Impulse des Humanismus mit aufnehmen. Die beiden 1529 niedergeschriebenen Katechismen Luthers gingen aus Predigtreihen hervor, mit denen er 1516/1517 schon begonnen hatte, zunächst über die Zehn Gebote, dann über das Vaterunser und das Credo. An diese Predigtreihen über die alte Trilogie, die weiterhin in Wittenberg in regelmäßigen Abständen jährlich wiederholt wurden, schlossen sich 1525 auch Predigten über die Taufe und das Abendmahl an, mit denen Bugenhagen begann. Es ging den Reformatoren dabei nicht darum, neue Glaubenssätze zu formulieren, sondern um eine Verlebendigung und Klärung der Glaubensgrundlage der Gemeinde. Einen kurzen Auszug aus der ersten Predigtreihe über die Gebote gab Luther 1518 in lateinischer Sprache heraus (WA I, 248 ff.), vermutlich auch eine deutsche Ausgabe, die aber verschollen ist. 1520 erschien in Basel bei Adam Petri eine deutsche Übersetzung dieser Gebote-Auslegung von Sebastian Müller: »Der Zehen Gebot ein nützliche Erklärung«. Die Ausgabe enthält einen Titelholzschnitt mit der Übergabe der Gesetzestafeln auf dem Berg Sinai an Mose,

dem Tanz des Volkes Israel um das Goldene Kalb mit Josua, *Abb. 282*, (Berlin, Kunstbibliothek). Die Tendenz zur Darstellung biblischer Geschichten in Verbindung mit den Geboten wird hier schon sichtbar. 1519 gab Luther die Erklärungen zum Vaterunser heraus, und 1520 verband er diese beiden Veröffentlichungen mit einer Auslegung des Glaubens (Credo), die zusammen unter dem Titel »Eine kurze Form der zehn Gebote, des Glaubens, des Vaterunsers« erschienen, abgekürzt die »Kurze Form« genannt (WA VII, 194 ff.). 1522 kam dann Luthers Betbüchlein (»Eine einfältige christliche Form und Spiegel, die Sünden zu erkennen und zu beten«) heraus. Mit diesen Veröffentlichungen, die große Verbreitung fanden, lagen die ersten Vorarbeiten für den Katechismus in Buchform vor, dessen endgültige Niederschrift in zehn Jahren heranreifte. Sofern diese frühen Drucke Holzschnitte enthielten, schlossen sie sich an Gebotsillustrationen des späten Mittelalters an, siehe unten.

Etwas früher als Luther hat Melanchthon, veranlaßt durch seine pädagogische und visitatorische Arbeit, die Herausgabe eines Katechismus begonnen und 1527 die Gebote und das Vaterunser in zwei Tafeldrucken herausgebracht. Diese plakatähnlichen Tafeldrucke, auch Haustafel oder »Zeddel« genannt, die kurze Auslegungen enthielten, bildeten einen Übergang zum Buchdruck. Ein Tafeldruck mit acht Darstellungen von L. Cranach d. Ä. zu den Vaterunser-Auslegungen von Melanchthon ist von Max Geisberg in Dresden zerschnitten aufgefunden worden. Die Gebote, mit Holzschnitten von Cranach, sind ebenfalls in einem Tafeldruck zur selben Zeit herausgekommen[8].

6. Joh. Geffken befaßte sich zum erstenmal mit katechetischen Texten in der Zeit von 1380 bis 1520, doch erschien nur der erste Teil zu den Geboten: Der Bilderkatechismus des 15. Jh. Bd. 1, Leipzig 1855. Darauf fußen spätere Untersuchungen. Vgl. eine neue Arbeit: E. Weidenkiller, Untersuchung zur deutschsprachigen Katechismus-Literatur des späten Mittelalters, nach den Handschriften der Bayer. Staatsbibl., in: Münchner Texte, Untersuchung zur deutschen Literatur des Mittelalters, Bd. 10, München 1965.

7. RGG 3. Aufl., III, 1179–1186 (H. W. Surkau).

8. Zu der Zuschreibung der Texte an Melanchthon siehe F. Cohrs in: Suppl. Melanchth. 5 Abtg. I S. XXVIf., CXIII ff. und CXXXIII(I). Zu dem zerschnittenen Tafeldruck siehe M. Geisberg in: Burlington Magazine, Bd. XLIII, August 1923. Geisberg

bringt in: Der deutsche Einblattholzschnitt in der ersten Hälfte des 16. Jh., München 1930, Bilderkatalog S. 113, Nr. 613 und 614, die acht Holzschnitte zum Vaterunser, erwähnt aber keine zu den Geboten. Siehe auch F. M. H. Hollstein, German Engravings, Etchings and Woodants, Amsterdam, Bd. VI, S. 43. Vgl. dazu aber H. Zimmermann, Vom deutschen Holzschnitt der Reformationszeit, in: Archiv für Reformationsgeschichte, Jg. 23, Heft 1/2, 1926, S. 108 ff.; Dies. Lutherische Katechismus-Illustrationen, in: Der Katechismus D. Martin Luthers, Eine Festschrift zu seinem Jubiläum 1529–1929, Berlin 1929, S. 50 und E. Grüneisen, Grundlegendes für die Bilder in Luthers Katechismen, in: Luther Jb. 1938, S. 1–44. Weimar. Dieser Aufsatz ist ein Teil einer Dissertation, Halle 1937, die verschollen ist.

Von Erasmus von Rotterdam, der sich 1521–1528 in Basel aufhielt, sich aber nie Luther oder Zwingli anschloß, kamen schon Ende 1523 in Basel bei Froben Auslegungen zum Vaterunser mit Metallstichen von Hans Holbein d. J. heraus. Die Illustrationen von Holbein und Cranach begründen die neue Katechismus-Illustration des 16. Jh. (Ab 1530 erscheinen auch katholische Katechismen, der des Jesuiten Petrus Canisius ist der bekannteste.)

1529 gab Luther bei zwei Wittenberger Druckereien (Georg Rhau und Nickel Schirlentz) in zeitlich kurzen Abständen mehrere Ausgaben des Großen und des Kleinen Katechismus heraus. Der Große Katechismus (»Deudsch Catechismus«) ist für Theologen als Handreichung für die Christenlehre bestimmt; der Kleine (Enchiridion) ist, obwohl er vom zweiten Druck an den Titel »Der Kleine Catechismus für die gemeinen Pfarrherrn und Prediger« trägt, als eine kurze Fassung für die Unterweisung in der Schule und in der Familie durch den Hausvater und die Taufpaten gedacht. Er ist in der Frage- und Antwortform durchgeführt und erschien vermutlich noch kurz vor dem Großen Katechismus in zwei Serien in Tafel- oder Plakatform; davon ist allerdings kein Exemplar erhalten. Beide Katechismen enthalten in ihrer endgültigen Form folgende Hauptstücke: Die zehn Gebote, Der Glaube mit drei Artikeln, Das Vaterunser, Das Sakrament der heiligen Taufe, Das Sakrament des Altars. Die Gebote gehören nicht nur heilsgeschichtlich vor das Christusbekenntnis, sondern enthalten als »Gesetz« auch Gottes bleibenden Forderungswillen, an dem der Mensch immer wieder scheitert. Gerade dem Sünder gilt das »Evangelium« der folgenden Hauptstücke. In der zweiten Auflage des Großen Katechismus 1529 bei Rhau ist eine »Kurze Vermahnung zur Beichte« aufgenommen; ein entsprechender Abschnitt findet sich im Kleinen Katechismus, seit 1531 zwischen Taufe und Altarsakrament eingeordnet. Später ist er oft zu einem eigenen Hauptstück »Vom Amt der Schlüssel und von der Buße« ausgebaut worden.

Der Kleine Katechismus enthält schon in der ersten Ausgabe außerdem noch ein Trau- und Taufbüchlein, den Morgen- und Abendsegen und Gebete beziehungsweise Lieder in einem Anhang. Während die ersten Drucke des Großen Katechismus bei Rhau nicht illustriert sind und nur einen Titelholzschnitt des zwischen den Schächern gekreuzigten Christus vom Meister der Jakobsleiter (nach Lemberger) aufweisen, enthält ein späterer, ebenfalls noch 1529 bei Rhau in Wittenberg gedruckt, vierundzwanzig Holzschnitte[9]. Noch im selben Jahr kommt es in Wittenberg und Magdeburg zu Auflagen des Großen Katechismus in niederdeutscher Mundart und zu einer Übersetzung ins Lateinische, die in Marburg erschien. Auch der Kleine Katechismus, den Luther bei Schierlentz in Wittenberg 1529 herausbrachte, hat in den verschiedenen Auflagen, sofern sie illustriert sind, zwanzig bis vierundzwanzig Holzschnitte. Die lateinischen und die zweisprachigen Ausgaben sind in der Regel nicht illustriert.

Diese Nachdrucke im ersten Erscheinungsjahr in verschiedenen Städten zeigen, wie stark das Bedürfnis nach einer Zusammenfassung der Glaubensgrundlage und Lehre in den evangelischen Gemeinden war. Es kam weiterhin laufend zu Neuauflagen von Luthers Originalausgabe und zu Bearbeitungen durch andere Theologen. Im Lauf der Zeit erfuhr Luthers Kleiner Katechismus häufige Überarbeitungen des Wortlauts und dem jeweiligen Zeitgeschmack entsprechende Zusätze. Doch konnte er bis ins 20. Jh. seine führende Stellung in der kirchlichen Unterweisung der lutherischen Kirchen behaupten, für die er zu den grundlegenden Bekenntnisschriften gehört. Sein einfaches, auf die Rechtfertigungslehre gegründetes Schema, das die Überwucherung durch kirchliche Vorschriften abgestreift hatte, machte den Kleinen Katechismus zum allseits bekannten Volksbuch. Eine annähernd vergleichbare Wirksamkeit erreichte nur der »Heidelberger Katechismus« für die deutschsprachigen reformierten Gemeinden[10].

---

9. Siehe die Verzeichnisse zu den Nachdrucken und Bearbeitungen des Großen Katechismus: WA 30, 1, 499 ff. und J. Benzing, Lutherbibliographie, Baden-Baden 1966, Nr. 2548–2588, des Kleinen Katechismus: WA 30, 1, 666 ff. und J. Benzing 2589–2633. Wir können nur von den von uns durchgesehenen 80–100 Drucken ausgehen, deren Standort und Signatur wir angeben, ohne Parallelexemplare zu nennen.

10. Zu den Katechismen von Erasmus, Joh. Brenz für Schwäbisch Hall 1535, den »Kürtzer Katechismus« für Straßburg von Martin Bucer (Butzer) 1537 und andere mehr siehe E.-W. Kohls, Evangelische Katechismen der Reformationszeit vor und neben Luthers Kleinem Katechismus, Gütersloh 1971.

Die Zehn Gebote – Der Dekalog[11]
2 Mos 20,1–17, 5 Mos 5,6–18 (21)

Die Übergabe des Gesetzes an Mose auf dem Berg Sinai gehört zu den ältesten Bildmotiven der christlichen Kunst. Sie wurde als göttliche Epiphanie, als alttestamentlicher Typus in verschiedenen Gegenüberstellungen, als Illustration zum Text 2 Mos 20[12] und schließlich auch im Zusammenhang der Katechismusillustration dargestellt. Hier jedoch ist das Gestz nicht im jüdisch-alttestamentlichen Sinne als Heilsweg, sondern als für den Christen bleibend gültige ethische Norm verstanden.

Die die alttestamentliche Forderung verschärfende Interpretation der Gebote, die Jesus in der Bergpredigt gab, und die Beispiele christlichen Verhaltens, die sich u. a. in Mt 25,34–36 finden, wurden für das Ethos der Christen bestimmend. Als besonderes Lehrstück scheint der Dekalog im Gegensatz zu Credo und Vaterunser im frühen und hohen Mittelalter nicht behandelt und in der Kunst auch nicht dargestellt worden zu sein. In unserem Zusammenhang ist die oben erwähnte seltene Darstellung der Übergabe des Gesetzes in der Form von zehn Spruchbändern an die Israeliten (nicht an Mose auf dem Sinai) beachtenswert, die in einem Blockbuch, 1330–1340, als Antitypus und Präfiguration der Ausgießung des Heiligen Geistes zugeordnet ist, *vgl. Abb. 50.* Diese Verbindung macht das Verhältnis des Christen zu den Geboten deutlich. An die Stelle des Gesetzes tritt die Gabe des Geistes; zugleich ist die Erfüllung der Gebote, das heißt des göttlichen Willens, Frucht des Geistes.

Im späten Mittelalter rückten die Zehn Gebote im Zusammenhang der Beichtpraxis stärker ins Blickfeld, da sie zur Erkenntnis der eigenen Sünden empfohlen wurden. Um 1370 setzten die Dekalogerklärungen in Vers- und Dialogform, ohne an frühere Unterweisungen anzuknüpfen, mit dem Beichttraktat des Franziskaners Marcus (Marquardt) von Weida (Lindau) ein. Selbständige Bildzyklen sind vom Ende des 14. Jh. bekannt. Sie wurden neben den Hauptsünden, die im 15. Jh. noch katechetisches Lehrstück waren, in der didaktischen Kunst, die die Volksbelehrung unterstützte, vor allem als Beichtspiegel dargestellt. Die Reihenfolge der Gebote fünf bis sieben,

die das Leben, die Ehe und den Besitz schützen, wird manchmal vertauscht. Weil das 2. Gebot des Dekalogs »Du sollst dir kein Bildnis machen ...« im Mittelalter herausgenommen wurde, teilte man das 10. Gebot, um wieder auf die Zahl zehn zu kommen. Bezüglich der Reihenfolge kommt es zu zwei Traditionen. Im Mittelalter wird allgemein das Verbot, die Ehefrau des Nächsten zu begehren, vorangestellt, so daß sich das 10. Gebot auf den Besitz bezieht. Luther hat dagegen das Begehren nach dem Haus vorgezogen, vgl. die Abbildungen.

In der Wand- und Glasmalerei, vereinzelt auch in der Plastik, sind eine Reihe von Dekalogdarstellungen erhalten: Freskenreste in der Marienkirche in Lemgo gegen 1400; Fenster in St. Georg, Schlettstadt (Sélestat), Rose in der Vorhalle, 2. Hälfte 14. Jh., und in der Pfarrkirche zu Thann um 1422, beide Elsaß; Fragmente eines Fensters 1440–1446 aus der Karmeliterkirche in Boppard, Köln, Schnütgemuseum und in der Burell-Collection zu Glasgow; der 2. Hälfte des 15. Jh. gehören an die schlecht erhaltenen Chorgestühlbilder der Pfarrkirche in Friedberg (Hessen), ein Wandbild in St. Jodok zu Landshut, um 1466, ein Freskenzyklus im Schiff der Kirche zu Zierenberg (Hessen), 1476–1483, der neben den Geboten auch das Credo (Apostelfiguren) und das Jüngste Gericht umfaßt. Ein umfangreicher Zyklus, an den sich auch das Gericht anschließt, befindet sich in der Kirche in Nonnberg (Niederbayern), 3. Viertel 15. Jh. Für Österreich sind zu nennen die Malerei an der Außenwand der Kirche in Werschling (Kärnten) von 1516 und der Dekalogzyklus der 1. Hälfte des 16. Jh. in Frankenmarkt, (Ob. Östr.). In der Kirche zu Muttenz bei Basel waren unterhalb eines noch erhaltenen Credozyklus (Apostelfiguren) von 1507 in kleinerem Format die Zehn Gebote dargestellt, die 1880 einer Renovierung zum Opfer fielen. Außerdem sind in mehreren Kirchen Schwedens Kalkmalereien bekannt geworden. Doch auch in den evangelischen Kirchen sind Monumentaldarstellungen zum Katechismus zu finden. So enthält zum Beispiel die 1543 vollendete Schloßkapelle Ottheinrichs in Neuburg a. d. Donau – ältester bekannter Sakralbau der Reformation (Torgau 1544) – einen von Hans Bocksberger d. Ä. gemalten Zyklus, der in ein größeres Bildprogramm Mose mit den Tafeln der Zehn Ge-

---

11. RGG, 3. Aufl., II, 1531f. (F. Lau). LCI, 4, Sp. 564–569 (M. Lechner).

12. Vgl. Stichwortverzeichnisse der anderen Bände, ausführlich Bd. V.

bote und typologische Darstellungen der Taufe und des Abendmahls einbezieht. Der gesamte Bildschmuck läßt Ottheinrichs religiöse Auseinandersetzung und Hinwendung zur neuen Lehre erkennen. Von besonderem Interesse sind auch die Freskenzyklen der heute evangelisch-reformierten Kirche in Sonneborn (Kreis Lemgo) von 1564. Sie stellen alle fünf Hauptstücke des Katechismus dar, wurden aber schon zu Beginn des 17. Jh. nach der Einführung des reformierten Bekenntnisses in Lippe übermalt und erst in jüngerer Zeit wieder aufgedeckt. Durch eine 1965 vorgenommene Restaurierung der evangelischen Kirche von Rottenacker (Kreis Ehingen a. d. Donau) ist auch aus dem 18. Jh. ein kompendienartiges Bildprogramm zum Katechismus bekannt geworden, das noch durch einen allegorischen Bildzyklus zu den Seligpreisungen (Mt 5,3–10) ergänzt ist. Martin Klauflügel und Johann Michael Frey malten 1767 die Apostel mit den entsprechenden Sätzen des Credos an die Kirchenwände; die Bilder zum Vaterunser und den Geboten schmücken die Emporen, letztere sind heute nicht mehr alle eingebaut[13]. Den Werken der Monumentalkunst sind vermutlich Gebotstafeln, graphische Einzelblätter (Holz- und Metallschnitte) mit bildlichen Darstellungen und illustrierte Traktate vorausgegangen, auch wenn davon vor 1400 kaum Beispiele erhalten sind. In einigen Fällen konnte der Einfluß der Druckgraphik auf Wandbilder der 2. Hälfte des 15. Jh. nachgewiesen werden. Die Bildzyklen der evangelischen Kirchen des 16. Jhs. stehen in Beziehung zur Katechismusillustration, was durch Einzeluntersuchungen bestätigt wurde. Da die Wandmalerei meist schlecht erhalten ist, geben wir davon keine Abbildungen.

In dem berühmten Sch'ma Israel, dem Morgengebet: »Höre Israel«, das den Israeliten die Beachtung des Dekalogs ans Herz legt, 5 Mos 6,4–9, heißt es: »... du sollst sie (diese Worte) deinen Kindern einschärfen ... und sollst sie über deines Hauses Pfosten schreiben und an die Tore.« Dieser Forderung kam nicht nur das orthodoxe Judentum nach, sie hat sich gelegentlich auch im Kirchenbau durch die Aufstellung von Gebotstafeln am Eingang der Kirche oder an den Innen- oder Außenwänden in der Nähe des Eingangs niedergeschlagen. Sie dienten als Mahnung zur Beichte und der Förderung des moralischen Verhaltens. Die beschrifteten Marmortafeln von W. Kaltenberger, 1521–1522, in der Vorhalle von St. Zeno in Bad Reichenhall, auf denen die Gebote, das Credo und das Vaterunser zu lesen sind, geben noch eine Vorstellung dieser Tafeln. Die erste zeigt über den beiden Gebotstafeln Gott (Halbfigur), dessen Haupt von Strahlen umgeben ist. Mit dem Beginn des Druckverfahrens wurden die Gebotstafeln in Verbindung mit der Gottes- oder Mosegestalt auf graphische Blätter übertragen. Die Akzente können verschieden gesetzt sein, sie liegen entweder bei den Tafeln, bei Mose oder bei der Gesetzesübergabe auf dem Sinai. Auf einem Schrotblatt, 1450–1460, Graphische Sammlung München, *Abb. 279*, stehen großformatig in der Mitte die Gebotstafeln, die Mose mit ausgebreiteten Händen über sich hält. Darüber erscheint Christus (Brustbild) im flammenden Busch[14]. Hier handelt es sich um eine Repräsentation der Gebote im Sinne der Katechismusbelehrung, die an die Szene der Gesetzesübergabe an Mose nur lose anknüpft. Deshalb ist es möglich, das Motiv des brennenden Dornbuschs, das aus der Berufung des Moses stammt, an die

13. Siehe zu Lemgo: D. Kluge, Gotische Wandmalerei in Westfalen von 1290–1530, Münster in Westf. 1959, S. 165f. Zu Zierenberg: H. Kramm, Jb. der Denkmalspflege Kassel II (o. J.), S. 119. Zu Muttenz: E. Murbach, Die Zehn Gebote als Wandbild, in: Unsere Kunstdenkmäler XX, Bern 1969, Sp. 225–230. Zu dem bedeutendsten bekannten Freskenzyklus der vorreformatorischen Zeit in Nonnberg (Niederbayern): M. Lechner, Zur Ikonographie der Zehngebot-Fresken in Nonnberg, in: Ostbayr. Grenzmarken, II, 1969 (Passau), S. 313–339 mit Denkmälerübersicht einschließlich der Inschriften und ausführlichen Literaturangaben. Zu den Darstellungen Schwedens: B. I. Kilström, On tiv guds bud i medeltida Bildtradition, in: Fornvännen 44, 1949, S. 310–329. Ders. Den Katekatiska undervisningen ... 1958, Kap. 4. Zur Schloßkapelle von Neuburg: E. Steingräber, Die freige-

legte Deckenmalerei in Neuburg a. d. Donau, in: Deutsche Kunst und Denkmalpflege, 1952, S. 127–132. Zu Sonneborn: H. Claussen, Wandmalerei aus lutherischer Zeit in der Pfarrkirche zu Sonneborn, in: Westfalen 41, Münster i. W. 1963, S. 354–381. Zu Rottenacker: R. Lieske, Protestantische Frömmigkeit im Spiegel der kirchlichen Kunst des Herzogtums Württemberg, München–Berlin 1973, S. 68–70. Es werden hier S. 60–68 noch andere Beispiele aufgeführt, auch ein Credozyklus (Steinreliefs), der sich ehemals am Blockaltar der 1560 vollendeten Hofkapelle des Stuttgarter Schlosses befand.

14. Es ist in vorausgehenden Bänden schon mehrmals auf die christologische Deutung der alttestamentlichen Gotteserscheinungen im Mittelalter hingewiesen worden.

Stelle des Berges Sinai zu setzen. Es geht hier nicht im heilsgeschichtlichen Sinn um das Gesetz des Alten Bundes, auch nicht um eine Textillustration, sondern um die Hervorhebung des göttlichen Ursprungs der Gebote. Die Illustrationen der zehn Gebote und der Strafen für deren Übertretung sind auf diesem Blatt in Medaillons als Nebenmotive der Hauptdarstellung zugeordnet, siehe unten.

Auf einem deutschen Einblatt-Holzschnitt, 1465–1480, London BM., tritt die Mosefigur im priesterlichen Gewand beherrschend inmitten der beiden Bildgruppen auf, mit denen sie durch zwanzig Schriftbänder verbunden ist, *Abb. 280.* Die Tafeln, die Mose hochhebt, sind verhältnismäßig klein. Dagegen erinnert das Eingangsbild zum Dekalogzyklus in den Drucken des Großen Katechismus bei Steiner, Augsburg, von 1530ff. an den Brauch, bewegliche Gebotstafeln aufzustellen, *Abb. 281.* Auf das Titelblatt der Basler Ausgabe von Luthers »Der zehn Gebote nützliche Erklärung«, 1520, die keine Illustrationen zu den einzelnen Geboten enthält, ist schon hingewiesen worden, *Abb. 282.* Bei Einzeldarstellungen der Gebote gibt die Illustration zum 1. Gebot Motive, die sich auf diese Doppelszene beziehen, hier steht sie als Titelblatt für alle Gebote und ihre Übertretungen. Des öfteren ist die Gesetzesübergabe klein in einem Landschaftshintergrund über dem szenisch dargestellten Gebotszyklus zu sehen, wie auf der Danziger Tafel, *Abb. 292,* oder oberhalb der großen Gebotstafeln auf einem Votivbild von 1548 des Malers Ludger tom Ring d. Ä. in der Liebfrauenkirche zu Münster (Westfalen).

Die Darstellung der einzelnen Gebote. Für die bildliche Illustration der einzelnen Gebote, die primär in der Druckgraphik (Einzel- und Buchdruck) hervortritt, gibt es bezüglich der Themenwahl mehrere Möglichkeiten:

a) Es werden im moralisch-didaktischen Sinn Beispiele des täglichen Lebens gewählt, mit denen entweder die Befolgung oder die Übertretung des Gebotes sinnfällig veranschaulicht wird. Dabei überwiegen die Übertretungen (»... du sollst nicht«). b) Ausführliche Bildfolgen stellen Befolgung und Übertretung jeweils nebeneinander. c) Beide Darstellungsschemata können durch die Hinzufügung der Bestrafung eine Erweiterung auf zwanzig bzw.

dreißig Bildfelder erfahren (Nonnberg). d) An die Stelle der profanen Exempla treten biblische Szenen, wobei die Bevorzugung des Alten Testaments auffällt. e) Profane und biblische Beispiele werden gemischt; dabei hat immer eine Gruppe den Vorrang. f) Einige Holzschnitte vom Ende des 15. Jh. (Fürstenbergsche Sammlungen in Donaueschingen und Pariser Nationalbibliothek) geben, ähnlich wie viele Arma-Darstellungen der Zeit (vgl. Bd. 2), nur realistische Abbreviaturen profaner Szenen zu den einzelnen Geboten.

Illustrationen des 15. Jh. wählen fast durchweg profane Beispiele und ergänzen diese nur selten durch biblische. Eine Ausnahme bildet das Triptychonfragment, 1410–1420, in Hannover, *Abb. 296,* dessen erhaltene Mitteltafel nur biblische Beispiele gibt, siehe unten. Im Zyklus der 2. südlichen Seitenkapelle von St. Jodok zu Landshut überwiegen die biblischen die profanen Szenen. Hier ist über den Geboten die Sinaiszene in größerem Format dargestellt, und ihr sind Josua, Aaron und vier Israeliten eingefügt.

Ein Münchner Einzelblattdruck, zwischen 1460 und 1480, illustriert alle Gebote ohne erläuternde Texte auf einer Seite und fügt den Übertretungen eine kleine Teufelsgestalt ein, *Abb. 283.* Die Thematik ist für das 15. Jh. typisch. 1. Gebot: eine häufig wiederkehrende Doppelszene, die von der Gesetzesübergabe am Sinai abgeleitet, jedoch profaniert oder verallgemeinert ist. In einem Wolkenkranz erscheint Gott mit den beiden Tafeln; Mose, an den Hörnern[15] zu erkennen, kniet auf der Erde neben einem Berg und hebt anbetend die Hände. Er übernimmt hier die Rolle derjenigen, die Gott den Herrn anbeten. Daneben steht auf einer Säule ein Teufels- oder Götzenbild mit einer Fahne, dem sich drei Kniende zuwenden. Diese Verehrung des »falschen Gottes« lehnt sich an den Tanz der Israeliten um das Goldene Kalb an; es gibt Beispiele mit dem Kalb auf der Säule. 2. Zwei Spieler (Würfel und Karten) zanken sich, wobei einer den Mund des anderen, den der Teufel am Schopf packt, zuhält. Das Kruzifix verdeutlicht, daß dieser Mann beim Kruzifix einen Meineid geschworen und so den Namen Gottes mißbraucht hat. Das Schwören beim Leiden Christi ist schon im 14. Jh. eine bekannte Eidesformel. Eine Mahnung, die

15. Das hebräische Wort Qeren in 2 Mos 34,29 übersetzt die Septuaginta mit »Strahlen«, die Vulgata mit »Hörnern«. So wird

das Leuchten des Angesichtes Moses bei der Begegnung mit Gott im Mittelalter durch zwei Hörner veranschaulicht.

häufig mit dem 2. Gebot verbunden ist, lautet: »Du sollst
nicht schwören bei unserem Gott, bei der Marter Gottes,
bei dem Tod Gottes, bei dem Leichnam Gottes.« Statt des
Kruzifixes wird bei diesem Gebot manchmal eine Kirche
dargestellt, gegen die ein Mann lästernd die Hand hebt. 3.
Durch Arbeit wird der Feiertag entheiligt: statt der Arbeit
kommt auch ein Tanzvergnügen vor. Positiv wird dies
Gebot oft durch die Feier des Meßopfers oder auch durch
eine Predigt dargestellt. 4. Der Sohn ehrt den Vater, indem
er ihm die Füße wäscht, die Tochter kämmt der Mutter die
Haare. 5. Bei einem Duell bricht einer der Fechter zusammen. 6. Ein jugendlicher Taschendieb bestiehlt einen
Mann. 7. Ein Galan liebkost eine durch die Tracht
(Haube) als verheiratet gekennzeichnete Frau. 8. Vor dem
Richter bezichtigt ein Zeuge durch Meineid einen Unschuldigen einer strafwürdigen Tat. 9. Ein eleganter Jüngling tritt an eine verheiratete Frau heran. 10. Ein unrechter
Handel, bei dem der Mann, auf den der Teufel zuspringt,
der Betrüger ist, der fremdes Gut begehrt. Der Teufel, der
nach dem Übertreter greift, hat die gleiche Gestalt wie der
Götze, der auf dem ersten Bildfeld angebetet wird. Beim
4. Gebot fehlt er, da nur die Befolgung dargestellt ist.

Im allgemeinen sind den Illustrationen die Texte der
Gebote in lateinischer oder deutscher Sprache, oft mit
Angabe der Bibelstelle, und Belehrungen in Prosa oder
Versform (hoch- oder niederdeutsch) innerhalb der Bildkompositionen oder auf Spruchbändern hinzugefügt. Der
Heidelberger Dekalog, ein koloriertes Blockbuch,
1455–1458, stellt jeweils eine Szene unterhalb des Gebots-
textes und eines Merkverses dar und fügt ihr einen mahnenden Engel und einen Teufel mit einem Spruchband,
dessen Vers zur Übertretung des Gebots verführt, ein[16].
Die Illustration des ersten Gebotes, *Abb. 284*, zeigt Gott
in der Mandorla thronend. Vor ihm kniet ein Mann, der
vom Engel betreut wird. Der Teufel versucht, sich zwischen die beiden zu schieben, und will ihn vom Gebet ab-
bringen, »... überlaß es den Mönchen und Pfaffen«. 2. Ein
Mann schwört vor einem Kruzifix. Das 3. Gebot ist eine
Doppelszene, *Abb. 286*, die die Predigt eines Mönches vor
andächtigen Hörern und spielende und trinkende Männer
zeigt. Der Engel hält den mahnenden Vers: »Du sollst den

Sonntag feiern, Gott wird dich dafür belohnen.« Über
dem Teufel ist zu lesen: »Spielt und trinkt, laßt es euch
wohl sein, es kommt doch, wie es kommen soll.« 4. Eh-
rung der Eltern mit spottendem Teufel. 5. Ein Räuber er-
sticht einen Pilger im Wald, wobei der Teufel den Stoß
vollführt. 6. Der Dieb will einen Rock stehlen, der Teufel
verweist ihn auf die offene Geldtruhe. (6. und 7. Gebot
sind vertauscht.) 7. Ein Mann reicht einer Frau, der der
Teufel zuflüstert: »Tu seinen Willen, man sieht es nicht«,
einen Ring. 8. Zwei bärtige Männer belasten vor dem
Richter eine Frau, deren Nimbus auf Susanne hinweist.
Doch ist die alttestamentliche Geschichte ins Allgemeine
abgewandelt. 9. Eine junge Frau wendet sich von ihrem älteren Mann ab und einem Jüngling zu, *Abb. 287*. Oben:
»Begehre nicht deines Nächsten Weib, sonst wirst du ver-
lieren Seele und Leib.« Der Teufel sagt: »Dein Mann ist
alt und kalt, nimm diesen, der ist besserer Gestalt.« 10. Ein
Hirte hütet seine Herde, der Teufel führt einen Lands-
knecht mit diebischen Absichten herbei. Die Befolgung
wird also beim 1. und 4. Gebot, die Übertretung beim 2.
und 5. bis 10. gezeigt, und nur beim 3. sind ein positives
und ein negatives Beispiel nebeneinandergestellt. Die
Verse des Heidelberger Dekalogs sind im 15. Jh. verbreitet. Sie finden sich nicht nur in der Druckgraphik wieder,
sondern zum Beispiel auch auf der Danziger Gebotstafel,
um 1480, und auf schwedischer Kalkmalerei.

Der Dekalogzyklus im »Büchlein, das da heißt der Seele
Trost«, 1478 bei A. Sorg in Augsburg gedruckt, fügt jeder
Befolgung des Gebots die Gestalt Gottes im Himmel
(Halbfigur mit Wolken) hinzu; bei den Übertretungen
greift der Teufel aktiv ein. Positive und negative Beispiele,
Einzel- und Doppelszenen wechseln. Auf der Illustration
zum 1. Gebot, *Abb. 285*, zeigt Mose einer knienden
Gruppe die Gebotstafeln; von einer Säule, der die Betenden den Rücken zuwenden, stürzt das geborstene Götzenbild herab. Beim 2. Gebot, *Abb. 288*, knien wieder Betende, hier mit dem Rücken zu Spielern, von denen einer
beim Namen Gottes schwört. Dem 4. Gebot, *Abb. 289*,
ist eine Darstellung der Verehrung der Eltern durch zwei
kniende kleine Kinder beigegeben, ein Motiv, das Hans
Baldung später wieder aufnimmt, wobei er die Kinder je-

---

16. P. Kristeller, Drei Blockbücher der Heidelberger Universitätsbibliothek, Publikation der Graphischen Gesellschaft, Heft
IV, 1907. Ferner: Die Zehn Gebote, Faksimile eines Blockbuches,

kommentiert von Wilfried Werner, Dietikon–Zürich 1971. Siehe
hier die Übersetzung aller Verse.

doch als Jugendliche zeigt. Die anderen Holzschnitte bringen die üblichen Szenen; das 3. Gebot eine Messefeier; beim Duell zum 5. Gebot ist wieder eine betende Gruppe eingefügt, möglicherweise sind es die Frauen der sich Bekämpfenden. Als Varianten können noch folgende Szenen vorkommen. Das Glasfenster der Pfarrkirche in Thann veranschaulicht beim 4. Gebot die Übertretung: Ein Greis wird von seinem Sohn geschlagen, und eine auffallend gekleidete Dirne verläßt die Mutter. Beim 5. Gebot wird neben eine Rauferei ein Mann und eine Frau, die einen Verwundeten führen, gestellt. Das Fenster in St. Georg in Schlettstadt (Sélestat), um 1400, gibt als Beispiel für die Entheiligung des Sonntags den Holzsammler nach 4 Mos 15,32 ff., ein biblisches Motiv, das erst in den Katechismusdrucken des 16. Jh. häufig wird (vielleicht in Schlettstadt eine spätere Ergänzung).

In der Tradition des 15. Jh. mit profanen Beispielen steht noch die Holzschnittfolge zum Dekalog von 1516, die Hans Baldung, gen. Grien, für ein Traktat »Die zehn Gebote und das Paternoster« schuf, das von dem schon erwähnten Bruder Marcus von der Weide verfaßt ist. Vor diesem Druck bei Grüninger in Straßburg ist das Buch schon 1483 ohne Illustrationen in Venedig erschienen. Baldung hat nur die Gebote illustriert und das Bild so weitgehend verselbständigt, daß kein Text dem Bild eingefügt ist. Als Beispiele geben wir die Holzschnitte zum 6. Gebot, das im Mittelalter »Du sollst nicht unkeusch sein« heißt, *Abb. 290*, und zum 7. Gebot, *Abb. 291*[17]. Der Zyklus ist sehr oft kopiert worden, manchmal läßt sich das Original kaum noch erkennen[18].

Sechs Holzreliefs von 1524 der Schule des Veit Stoß im Bayerischen Nationalmuseum, München, zeigen nach der Gesetzesübergabe am Sinai profane Szenen. Einige Tafeln kombinieren zwei Gebotsdarstellungen. L. Cranach d. Ä. schließt sich bei der Gebotstafel, die er im Auftrag des Rates 1516 für den Rathaussaal in Wittenberg malte (heute dort in der Lutherhalle), »um bei der Rechtsprechung an die von Gott gegebenen Gebote zu erinnern«, an die profane mittelalterliche Motivwahl an, doch gerade er wird

1527 in Zusammenarbeit mit Melanchthon die neue Epoche der Katechismusillustration einleiten, die sich ganz auf biblische Szenen stützt.

Die Erweiterung auf zwanzig Szenen durch die konsequente Darstellung von Erfüllung und Übertretung für alle Gebote bereichert den Motivschatz, ohne eine neue ideelle Grundlage zu geben. Ein Hauptwerk für dieses Darstellungsschema ist die Zehn-Gebote-Tafel eines von der niederländischen Malerei beeinflußten nordwestdeutschen Meisters, um 1480, in der Danziger Marienkirche[19], *Abb. 292*. Die mittlere Senkrechte und die waagerechten Schriftleisten grenzen die Bildfelder für die Doppelszenen der einzelnen Gebote ab. Innen- und Landschaftsräume wechseln und sind vom Thema bestimmt. Dem Bildmotiv der Befolgung ist ein Engel mit dem Text des Gebotes und dem der Übertretung der Teufel eingefügt, dessen Schriftbänder fast die gleichen Verse wie im Heidelberger Blockbuch tragen. In der Lünette oben sind links die Anbetung Gottes und die Verehrung des Götzenbildes dargestellt. Dazwischen steht eine Gestalt mit priesterlicher Kopfbinde, die sich noch nicht zwischen den Gruppen entschieden hat. Neu ist gegenüber vorhergehenden Illustrierungen die auf Erden stehende Christusgestalt (Salvator mundi) anstelle Gottes im Himmel. Mit den Darstellungen der Gesetzesübergabe auf dem Sinai und des Moses, der im Begriff ist, die Gebotstafeln beim Anblick des Tanzes um das Goldene Kalb zu zerschmettern – beide Szenen dem in die Tiefe führenden Landschaftshintergrund in kleinem Format eingefügt –, dringt das biblische Thema als Erzählung ein. Angeklungen ist es mit der Mosegestalt und den Gesetzestafeln oder auch mit dem Kalb statt des Götzenbildes auf der Säule schon vorher. Zum 2. Gebot ist neben der Gruppe, die vom Engel vermahnt wird, die Lästerung durch den Eid auf ein Kruzifix, das auf dem Tisch liegt, dargestellt. Auf der großen Tafel, von links nach rechts ablesbar, sind die weiteren Gebote illustriert: eine Predigt im Freien und eine Spiel- und Zechgruppe in der Wirtsstube. Kinder bedienen ihre Eltern bei Tisch, daneben beschimpfen und schlagen sie sie. Ein junger Mann

17. O. Hagen, Hans Baldungs Rosenkranz/Seelengärtlein/ Zehn Gebote/Zwölf Apostel, München 1928, S. 43 ff., Abb. 63–72.

18. E.-W. Kohls hält die Illustrationen von Bucers »Kürtzer Catechismus« von 1537 auch für Holzschnitte von Hans Baldung. Sie dürften aber nur aus dem Umkreis Baldungs stammen und gehen offensichtlich auf mehrere Einflüsse zurück. Siehe Basler Theol. Zschr. 23, 1967, S. 267–284.

19. W. Drost, Die Marienkirche in Danzig und ihre Kunstschätze, Stuttgart 1963, S. 96 ff.

geleitet eine Pilgergruppe – ein Überfall. Eine vom Engel geführte Gruppe (Fortsetzung der Landschaft) – Diebe stehlen aus Schatztruhen (6. und 7. Gebot vertauscht). Dann folgen eine Trauungsszene, daneben zwei Liebespaare. Ein Engel drängt mehrere Männer zur Seite, während eine Frau mit zwei falschen Zeugen vor dem Richter steht. Auf der nächsten Szene ist dargestellt, wie sich eine elegant gekleidete Frau dem Haus eines Vornehmen zuwendet. Sie wird von dem aus dem Fenster blickenden Mann und dem sein Gewissen beschwichtigenden Teufel erwartet, von den Dienern vor dem Haus zum Eintritt aufgefordert.

Für die Darstellung der irdischen Strafen, die dem einfachen oder erweiterten Schema hinzugefügt sein können, werden Abbreviaturen der ägyptischen Plagen genommen, 2 Mos 7,15–12,30. Die hier geschilderten Strafen für die Ägypter stehen biblisch in keinem Zusammenhang mit den Geboten, doch geht diese Konkordanz auf Augustin (De Civitate Dei XVI, 43) zurück. Dieses erweiterte Darstellungsschema ist schon gegen 1400 in der Marienkirche zu Lemgo zu finden und tritt im Laufe des 15. Jh. oft auf. Auf diesem Fresko ist die gleiche große Mosegestalt zwischen Schriftbändern und den kleinen Darstellungen der Gebote und der ägyptischen Plagen zu beiden Seiten zu sehen wie auf dem erwähnten Einzelblatt in London, *Abb. 280*. Möglicherweise gab es diesen Bildtypus bei der durch die Bestrafung erweiterten Gebotsdarstellung häufiger, als heute zu überblicken ist. Die Monumentalisierung des Mose fände dann ihre Erklärung auch in der durch ihn herbeigeführten Verhängung der Plagen über Ägypten. Sieht man die Gebote und die Plagen als Strafe für diejenigen, die Gott ungehorsam sind, zusammen, so ist Mose der Übermittler der Gebote und der Strafen – beides auf unmittelbare Weisung Gottes. Auf dem ebenfalls schon erwähnten Schrotblatt, *Abb. 279*, sind um Mose mit den großen Tafeln kleine Rundbilder angeordnet, die die Gebotsübertretungen und die zehn Plagen in der biblischen Reihenfolge einander gegenüberstellen. Zugeordnet sind: 1. der Anbetung des Götzenbildes der Blutregen (2 Mos 7,17ff.); 2. dem vor einer Kirche lästernden oder schwörenden Mann die Froschplage (2 Mos 7,26ff.); 3. einem ar-

beitenden Bauern die Käfer, die das Getreide auffressen (2 Mos 8,16ff.); 4. dem Sohn, der seine Eltern beschimpft, die Stechmückenplage (2 Mos 8,12ff.); 5. dem Mord das große Viehsterben (2 Mos 9,1–3); 6. dem Ehebruch ein an Blattern Erkrankter vor dem Arzt (2 Mos 9,8–11); 7. dem Taschendieb der Hagelschlag, der die Ernte zerstört (2 Mos 9,18–26); 8. Dem Meineidigen vor dem Richter der Heuschreckenschwarm (2 Mos 10,12–15); 9. dem Mönch, der eine junge Frau umarmt, und dem Liebespärchen im Haus der Einbruch der Finsternis (2 Mos 10,21–23); 10. dem Kaufmann mit Geldsack, der zu Wucherpreis verkauft, drei Tote der Erstgeburt (2 Mos 12,12–14). In dem Buch der christlichen Wallfahrt, 1508 bei Knoblauch in Straßburg gedruckt, sind die Szenen eng aneinander gerückt und nur durch eine Säule getrennt, über der Gott erscheint: Beispiel daraus das 7. Gebot und der Hagelschlag, *Abb. 293*.

Aus einem sehr großen oberrheinischen Formschnitt, um 1475, London, ist ein Ausschnitt des 7. und 10. Gebotes mit Hagelschlag und Tod der Erstgeburt abgebildet, *Abb. 295*. Zweizeilige deutsche Verse erläutern den Bezug zwischen den Übertretungen und den irdischen Strafen, die in der Zuordnung dem Münchner Schrotblatt entsprechen. Jedem Gebotsbild ist Mose mit den Tafeln eingefügt, der jeweils auf das betreffende Gebot weist[20]. Eine zusammenklappbare Tafel, 1520–1530, in der Georgskirche in Dinkelsbühl zeigt fortlaufend in 5 Reihen zu je 4 Darstellungen im Wechsel ein Gebot und eine Plage. In der bayerischen Wandmalerei ist die auf dreißig Szenen erweiterte Bildgruppe im Freskenzyklus, 3. Viertel 15. Jh., in der Kirche zu Nonnberg (Niederbayern) so weit erhalten, daß sie rekonstruiert werden kann. Den Bildern sind in Entsprechung zu den Beichtspiegeln Texte hinzugefügt. Auf die zehn Dreiergruppen, die auf zwei Bildfelder in Tafelform verteilt sind, folgt die Darstellung des Jüngsten Gerichts. Bei den Befolgungen treten hier manche Motive auf, die in der üblichen Bildtradition nicht vorkommen. So arbeitet zum Beispiel eine Frau am Spinnrocken, während ihr Mann Holz spaltet, ein großer Holzstoß ist im Hintergrund zu sehen. Diese Motive zum 7. Gebot besagen, daß fleißige Arbeit vor der Versuchung zu stehlen schützt. Das

---

20. Abbildung des ganzen Blattes in: W. L. Schreiber, Die Meister der Metallschneidekunst neben einem nach Schulen ge-ordneten Katalog ihrer Arbeiten, Straßburg 1926. Studien zur dt. Kunstgesch., Heft 241, Heft 2757.

fünfte Gebot ist durch zwei vor einem Altar kniende Frauen, die für ihre sich bekämpfenden Männer beten, verbildlicht[21].

Das einzige erhaltene Werk des 15. Jh., das bei der Illustrierung der Gebote nur auf biblischen Beispielen, und zwar auf alttestamentlichen, fußt und die zweite Tradition der Reihenfolge des 9. und 10. Gebotes aufweist, ist die Mitteltafel des Triptychons in Hannover, 1410–1420, dessen Seitenflügel verloren sind, *Abb. 296*. Ob es sich hierbei um einen singulären Fall oder um eine schon im 15. Jh. begründete Tradition handelt, für die keine anderen Beispiele erhalten sind, muß offen bleiben. In den Schnittpunkten der die Einzelszenen rahmenden Leisten sind die Büsten der zwölf Propheten angebracht. Über jeder Bildszene hält Gott ein Schriftband mit dem lateinischen Text eines der Gebote. Erhalten sind auf der Mitteltafel oben das zweite bis vierte und darunter das siebte bis neunte Gebot; die anderen waren auf den verlorenen Flügeln dargestellt[22]. Das Bild zum zweiten Gebot zeigt, wie Saul Jonathan verurteilt, weil er den beim Namen Gottes geleisteten Eid gebrochen haben soll, 1 Sam 14,44. Beim dritten Gebot knien David, Josias, Ezechiel und Melchisedek vor einem Altar mit der Bundeslade. Zum vierten Gebot: Tobias nimmt die Unterweisung seines Vaters an. Zum siebten Gebot: Josua läßt den Dieb Achan steinigen, Jos 7,25; auf einem zweiten Schriftband Jos 7,19–26. Zum achten Gebot: Susanna vor ihrem Richter, Daniel entlarvt die beiden Alten als Verleumder, Dan 13,49–59. Zum neunten Gebot: Ahab fordert den Weinberg Naboths, 1 Kön 21,6.

Für Melanchthons oben erwähnten Gebotstafeldruck von 1527 hat Lucas Cranach d. Ä. zehn Holzschnitte mit Szenen aus dem Alten Testament angefertigt, deren Themen genau mit den von Melanchthon zur Erläuterung der Gebote herangezogenen biblischen Beispielen des Alten Testaments übereinstimmen. Georg Rhau verwandte die Druckstöcke für die 1529 erschienene illustrierte Ausgabe

des Großen Katechismus Luthers wieder. Diesen Drucken, die die Vermahnung zur Beichte schon enthalten, sind insgesamt vierundzwanzig Illustrationen eingefügt. Dazu gehören auch Kopien der Vaterunserdarstellungen Cranachs zum Tafeldruck Melanchthons. 1528 wollte Rhau für eine Buchausgabe des Katechismus Melanchthons diese Holzschnitte wieder verwenden, doch sind offenbar davon nur drei Druckbogen mit den Illustrationen zu den ersten drei Geboten angefertigt worden, da Melanchthon die Arbeit damals abbrach[23]. Die drei ersten Gebotsillustrationen des Großen Katechismus stimmen genau mit denen der erhaltenen Druckbögen von 1528 überein. Die anderen Holzschnitte schließen sich im Format, dem zeichnerischen Stil und in der Konzentration auf die wesentliche Aussage der alttestamentlichen Geschichten an sie an. Der Zyklus der Tafeldrucke ist wieder in Melanchthons Katechismusausgabe von 1549 mit einer Änderung, die der neuen Auslegung entspricht, aufgenommen[24].

Die Bindung der Illustration an die Auslegungen Melanchthons führt bei Cranach zu einer weitgehenden Loslösung von der spätmittelalterlichen Bildtradition, doch liegt auch hier eine Mischung von Beispielen der Erfüllung und der Übertretung vor. Für die Bildfolge Cranachs, die wir nach dem Druck des »Deutsch Catechismus« von 1529 in Wolfenbüttel (HAB 1164 60 Theol. [2]) bringen, *Abb. 297 bis 306*, ist folgendes bemerkenswert:

Erstes Gebot: Melanchthon bezieht die geforderte Gottesfurcht auf das Volk Israel und seine Geschichte, zu deren Hauptereignissen die Gebotsübergabe an Mose gehört. Gott erscheint auf dem Cranachschen Holzschnitt im Feuer auf dem Sinai. Mit dem Dornbusch daneben ist an die Tradition des 15. Jh. angeknüpft. Statt der Verehrung eines Götzenbildes fügt Cranach den Tanz des Volkes um das goldene Kalb hinzu, der eine Grundsituation des Gott widerstrebenden Menschen aufzeigt.

Zweites Gebot: Melanchthon zieht 3 Mos 24,10–16 die

21. Zur Thematik von Nonnberg und auch einigen anderen von uns nicht behandelten Werken siehe M. Lechner, 1969.

22. Wir nennen die Bildmotive nach dem Katalog I der Gemälde alter Meister der niedersächsischen Landesgalerie, Hannover, 1954, Nr. 196, S. 93f. (Bearb. Gert v. d. Osten).

23. Suppl. Mel. V, S. 28.

24. Zu der Verwendung der Originalstöcke siehe E. Zimmer-

mann, 1926, S. 110ff. Den geringen Größenunterschied der Bildfolge zu der des Vaterunsers auf den ersten Tafeldrucken erklärt sie mit der unterschiedlichen Anzahl der Gebote und der Bitten, die auf gleichgroßen Tafeln acht beziehungsweise zehn bildliche Darstellungen erforderten. Siehe auch E. Grüneisen, 1938, S. 28ff.

Steinigung eines Mannes, der Gott lästerte, heran. »Laß ihn die ganze Gemeinde steinigen ... Wer seinem Gott flucht, der soll seine Sünde tragen.« Ist beim ersten Gebot die Übertretung, so beim zweiten die Strafe dargestellt.

Drittes Gebot: Eine Doppelszene schildert die Erfüllung der Heiligung des Sonntags – »Gottes Wort lehren und hören« – und die Übertretung an dem Beispiel des Holzsammlers am Sabbat, 4 Mos 15,32–36. Cranach begnügt sich mit dem Hinweis auf diese Gestalt und stellt nicht wie beim zweiten Gebot die Bestrafung des Ungehorsams dar, da Melanchthon darauf hinweist, daß Enthaltung von aller Arbeit am Sabbat, die das Gesetz den Juden vorschreibt, für die Christen nicht im strengen Sinn verpflichtend ist. Doch soll man sich nicht durch Arbeit vom Gottesdienst abhalten lassen. Offensichtlich stand auf dem Bild vor der jetzigen Öffnung der Mauer ein Kruzifix, auf das der Prediger hinwies, wie auf vielen späteren Darstellungen des evangelischen Gottesdienstes. Es mag beschädigt gewesen und deshalb entfernt worden sein. Die Enden des Lendentuches sind noch zu sehen, bei späteren Kopien fehlen sie[25].

Viertes Gebot: Die Forderung, die Eltern (nach der Auslegung auch die Obrigkeit) zu ehren, wird an dem Verhalten der drei Söhne Noahs ihrem Vater gegenüber demonstriert, 1 Mos 9,20–27. Mit abgewandtem Gesicht bedecken Sem und Japhet den trunkenen Vater, während Ham auf Noah hinweist. Fluch und Segen des Vaters machen die Folgen der Übertretung und der Erfüllung des Gebotes deutlich. Cranach hat sich bei der bekannten Geschichte an die reformatorische Bildformulierung des Speculums und der Bibelillustration gehalten.

Fünftes Gebot: Melanchthon erweitert in seiner Erläuterung das Verbot des Totschlags auf Neid, Haß, Zorn und nennt als Beispiel Kain und Abel. Bei diesem aus alttestamentlichen Bildzyklen ebenfalls bekannten Darstellungsmotiv wählt Cranach zur Illustration des Gebotes nur den Totschlag am Bruder und zeigt im Hintergrund den aufsteigenden Rauch des Opfers Abels, Zeichen der Annahme durch Gott, und den niedergehenden des Opfers Kains, Zeichen der Verweigerung Gottes, die bei Kain Zorn und Neid wider den Bruder auslöste.

Sechstes Gebot: In der Erklärung geht Melanchthon

von der Forderung eines keuschen Lebens aus und warnt dann: »Gott straffte Unkeuschheit hart, auch an seinem liebsten diener David.« Damit ist auf Davids Ehebruch mit Bathseba, 2 Sam 11, angespielt. Im 12. Kapitel folgt die Bußpredigt Nathans. Beide Szenen sind in der Kunst bekannt. Cranach wählte, wie schon vorher für ein Gemälde und für einen Holzschnitt in der Ausgabe des Alten Testaments der Bibelübersetzung von Luther, 1524, den Augenblick, wie David (Krone und Harfe) auf dem Dach seines Hauses steht und von da aus eine Frau sieht, die er um ihrer Schönheit willen begehrt. Bathseba, in der Zeittracht des Bürgermädchens, ist neben einem sie vor den Blicken anderer schützenden Busch dargestellt, eine Magd wäscht ihr die Füße. Die Badeszene ist vermieden. Cranach hat auch hier wieder beide Pole des Gebotes veranschaulicht.

Siebtes Gebot: Melanchthon weist in seiner Auslegung auf die Strafe hin, die Gott über das Volk Israel wegen Achans Diebstahl verhängt, Jos 7. Die Geschichte ist ziemlich unbekannt und in der Bibelillustration vorher nicht zu finden. Dargestellt ist Achan, wie er in seinem Zelt den gestohlenen babylonischen Mantel vergräbt. Im Hintergrund berät das Volk, nachdem Josua die Unglücksbotschaft überbracht worden war, über die Ursache, die zum Unglück im Kampf um Jericho führte.

Achtes Gebot: Als Beispiel für das falsche Zeugnis erwähnt Melanchthon die bekannte Geschichte der Verleumdung Susannas, Dan 13,49–59. Als Illustration zeigt Cranach die beiden alten Männer, wie sie die von ihnen bedrängte Susanna vor dem Volk verklagen, und verzichtet auf die Gerichtsszene mit Daniel.

Neuntes Gebot: Obwohl es sich gegen das Begehren nach dem Hab und Gut des anderen wendet, wird es von Melanchthon vor allem als gegen den Geiz gerichtet ausgelegt. Er deutet die der Exegese und Bibelillustration fremde Geschichte von Laban und Jakob, 1 Mos 30,25 ff., die vor der Heimkehr Jakobs ihre Herden trennen, wobei Jakob durch einen Trick die seinige vergrößerte, nicht als Begehren nach fremdem Gut, sondern als Strafe gegen den geizigen Laban. Er argumentiert, Jakob habe dem Schwiegervater zwanzig Jahre ohne gerechte Entlohnung gedient; nun wurde er dazu bestimmt, Laban zu strafen, 31,4 ff. Die Illustration zeigt die kleine gefleckte Herde Jakobs und die große Labans an der Tränke. Jakob schält einen Stab, um ihn in die Tränke zu legen und so durch einen

---

25. H. Zimmermann, 1926, S. 110, Anm. 2. Vgl. Abb. in Suppl. Mel. V, 1, S. 428 und WA 30, 1, S. 143.

Farbwechsel des Fells der Schafe Labans diese an sich zu bringen.

Zehntes Gebot: Als Beispiel für die Befolgung des Gebots weist Melanchthon auf die Keuschheit des Joseph hin, der sich der begehrlichen Frau Potiphars entzieht, 1 Mos 39,7–12. Dargestellt ist der Augenblick, wie sie nach Josephs Mantel greift, den er ihr überläßt, um zu fliehen. Dieser Ausschnitt aus der Josephsgeschichte, die insgesamt in der typologischen Exegese des Alten Testaments eine große Rolle spielt, zeigt an den zwei Figuren die Übertretung und die Befolgung des Gebots.

Gegenüber der Gebots-Illustration des späten Mittelalters, die sich beinahe ausschließlich der Beispiele des profanen Lebens bedient und nur die Bestrafung der Übertretung des öfteren an den ägyptischen Plagen exemplifiziert, treten durch die Erläuterungen der Reformatoren bei der durch sie angeregten Illustration neue Bildmotive auf. Das Verständnis der Gebote wird aus dem rein moralischen Bereich herausgeführt und durch die biblischen Beispiele, an denen Gottes Führung und sein Gericht deutlich werden, vertieft. Von einem nur moralischen Verständnis her gesehen, ließen sich die Szenen zum 4., 6., 8., 9., 10. Gebot nicht rechtfertigen. Neben Mose, den Übermittler der Gebote, treten durch diese biblische Erläuterung nun auch andere Typen des Alten Testaments, die in ihrer Gesamtgeschichte auf Christus hinweisen. Selbst wenn die Darstellung göttliche Strafe oder den Gnadenerweis nicht mit verbildlicht, so enthält sie doch prägnant wiedergegebene Ausschnitte aus der Geschichte der einzelnen Gestalten, die zur Interpretation des betreffenden Gebotes dienen können. Am siebten und neunten Gebot wird deutlich, wie selbständig in der Reformation die überkommene typologische Auslegung des Alten Testamentes fortgeführt wird und bis dahin fremde Szenen einbezogen werden. Achan aus Jos 7 trat allerdings schon einmal hundert Jahre früher auf der Gebotstafel in Hannover auf, war also doch wohl für die Illustration des siebten Gebotes nicht ganz unbekannt. In der Illustration der Bibeldrucke ist Achan erst 1537 in die Ausgabe bei Lufft aufgenommen.

Die Übernahme der auf Melanchthons Auslegungen abgestimmten Bildreihen für die Katechismen Luthers ist aus mancherlei Gründen verständlich. Die Holzstöcke lagen vor, und es war damals gar nicht ungewöhnlich, Buchschmuck in Drucke anderer Autoren zu übernehmen. Cranach war Anhänger Luthers und, in Wittenberg

lebend, in ständigem Kontakt mit ihm. Erstaunlich ist nur, daß die alttestamentliche Thematik von den ersten Drucken an für sehr lange Zeit mit der Illustration der Katechismen Luthers verbunden blieb, obwohl Luther zur Erläuterung gar keine biblischen Beispiele heranzog. Selbst Neufassungen der Illustrationen durch andere Künstler und sogar die katholischen Katechismen hielten sich an die gegebene Thematik und wichen vielfach nur zögernd vom Vorbild ab. Denselben Gebotezyklus (mit dem beschädigten Druckstock zum dritten Gebot) enthalten noch die Drucke des Großen Katechismus von 1530 (Wolfenbüttel, HAB, Li 5530 [59,1175]), von 1531 ein koloriertes Exemplar in Nürnberg GNM (RL 3345), von 1538 (München SB, HRef. 94 und Nürnberg GNM, Rl. 3347g), alle bei Rhau gedruckt. Dagegen handelt es sich zwar um die gleiche Thematik, aber zum Teil um etwas veränderte Nachschnitte, deren Qualität schlechter ist als die Originale in den Rhauschen Drucken von 1532 (Nürnberg GMN RL 3346) und 1535 (Göttingen, UB.)

Für den Kleinen Katechismus, der bei Nickel Schirlentz in Wittenberg erschien, sind die Holzstöcke kopiert worden; von 1529 ist lediglich ein stark beschädigtes Exemplar mit zwei Holzschnitten erhalten (Nürnberg GNM, Rl. 3342). Man kann nur von den späteren Nachdrucken bei Schirlentz auf den Originaldruck schließen. Erhalten ist von 1529 ein bei Joh. Andreas Endter in Nürnberg gedruckter Kleiner Katechismus (Nürnberg GNM, Rl. 3369), dessen Illustrationen von den Wittenbergern abweichen, wenn auch die biblischen Geschichten beibehalten sind. So fehlt zum Beispiel beim ersten Gebot der Tanz ums Goldene Kalb, beim achten der Bezug auf die List Jakobs, da lediglich das Gespräch zwischen Laban und Jakob und ein paar Tiere der Herde dargestellt sind. Auch im Druck der Erstausgabe des Kleinen Katechismus bei Jobst Gutknecht, Nürnberg, von 1529–1530 ist die Illustration selbständig, die äußerste Vereinfachung geschah vermutlich im Hinblick auf den Kinderunterricht.

In den nächsten Jahren gibt Schirlentz mehrere illustrierte Neuauflagen heraus, 1531 (Oxford), 1535 (Wolfenbüttel A 140b, 8° Helmstedt 2), 1536 (ehem. Thorn, Faksimiledruck, eingeleitet von O. Albrecht, Halle 1905), 1537 (München SB Asc 2926). Die Illustrationen stimmen bei diesen Drucken weitgehend überein. Gegenüber den Cranach-Holzschnitten sind sie verkleinert, da auf der Bildseite auch Text steht, etwas vereinfacht und vergröbert, außerdem seitenverkehrt, sie sind nach den Drucken und nicht nach den Holzstöcken kopiert worden. Nur in dem Druck von 1531 sind die Illustrationen ganzseitig; der Text des Gebots steht auf der gegenüberstehenden Seite. Letzteres ist auch bei dem Druck 1536 der Fall, doch steht über dem Bild die biblische Textangabe »Diese Figur ist genommen ...« Das Wolfenbüttler Exemplar von 1535 verzichtet auf die Angabe der Bibelstelle, setzt aber den Text des Gebotes mit der Antwort unter das Bild: drittes, fünftes Gebot, *Abb. 307, 308.* Als Vorlage dienten wahrscheinlich nicht der Große Katechismus, sondern die Tafeldrucke, denn die drei auf die Gebote folgenden Darstellungen (Christus am Kreuz, Taufhandlung und Abendmahl) stimmen nicht mit dem Großen Katechismus überein. Die Tafeldrucke bringen diese Teile des Katechismus noch nicht. Sind sie als Vorlage benutzt worden, mußten diese drei Bildkompositionen neu geschaffen werden. Vorlagen für sie sind bisher unbekannt[26].

Die Thematik der Wittenberger Illustrationen wird auch von Druckereien anderer Städte übernommen, doch entfernen sich bei der häufigen Neuherstellung der Bildstöcke und der Einschaltung selbständiger Zeichner die Bildkompositionen immer mehr von den ursprünglichen Vorbildern. Die Illustration der niederdeutschen Ausgabe des Großen Katechismus bei Michael Lotter (Lother) in Magdeburg von 1534 (Wolfenbüttel HAB, Li 5412) gibt, ebenso wie die des Kleinen Katechismus von 1534 ff. (München SB., H. Reform 94), die Vorbilder seitenverkehrt wieder, außerdem liegen im Detail Unterschiede vor. Auf einigen Holzschnitten im Kleinen Katechismus ist die Signatur HB zu finden, die sich auf Hans Brosamer beziehen dürfte (Zimmermann). Doch sind sie im Vergleich zu seinen späteren Illustrationen von 1553 künstlerisch von geringem Wert. Die Bildreihe des älteren Drucks bei Lotter ist etwas besser, *Abb. 310.* Freier in der Umbildung sind die Illustrationen im Großen Katechismus des Nürnberger Drucks von 1531 bei Hieronymus Formschneider, die Erhard Schön zugeschrieben werden (Landeskirchliches Archiv Nürnberg). Zum Beispiel ist die Szenerie beim zweiten Gebot sehr vereinfacht, aber die

Steinigung mehr hervorgehoben, *Abb. 309,* und beim achten ist auf die Susannengeschichte verzichtet und auf eine profane Szene ausgewichen.

In Augsburg hat Heinrich Steiner die für Luthers Gebetbüchlein 1523 von Hans Weiditz geschaffenen kleinen Druckstöcke zu den Geboten für die Drucke des Großen Katechismus von 1530 (München UB, Luth. 98) und 1533 (Nürnberg GNM. RL. 3347) wieder verwandt. Sie schließen sich an die profanen Motive des 15. Jh. an und fügen unter jedem Gebotsbild die betreffende ägyptische Plage hinzu. Bei den Übertretungen schwebt ein drachenähnliches Teufelswesen über den Sündern. Die Gebote werden eingeleitet durch die Mosegestalt mit großen Gebotstafeln, *Abb. 281;* der kleine Holzschnitt daneben zeigt zum ersten Gebot die Übergabe des Gesetzes an Mose und die Verehrung des Götzenbildes. Die Reihenfolge des 9. und 10. Gebotes entspricht der bei Luther: Zuerst ist ein unrechter Handel und dann das Begehren nach der Frau eines andern Mannes dargestellt, *Abb. 294.* Noch für den Kleinen Katechismus von 1542 (Wolfenbüttel, HAB 1222, 8 Theol. 1) und für den Großen von 1557 (München SB. Catech. 608) verwendet Valentin Otmar in Augsburg für die Gebote Druckstöcke mit profanen Szenen, 4. Gebot *Abb. 311.* Über der Diebstahlsszene zum 7. Gebot ist jedoch die alttestamentliche Bibelstelle angegeben, die zu der Illustration Cranachs gehört. Augsburg gehörte schon im 15. Jh. zu den Städten mit blühendem Druckgewerbe, so daß aus dieser Zeit Druckstöcke vorhanden waren, die wieder benutzt werden konnten.

Um 1540 kommt die Tendenz zu einer ausführlicheren Schilderung der biblischen Geschichten auf. Das trifft zunächst vor allem für die Drucke des Kleinen Katechismus bei Valentin Bapst in Leipzig zu: 1544, Stuttgart LB.; 1545, Nürnberg GNM (Rl. 3349 g) und Oxford Bodl.; 1547, Berlin Kunstbibliothek; 1549, München SB. (Catech. 434). Die Seiten sind bei diesen Drucken mit Schmuckleisten gerahmt. Die Illustrationen des von Joachim Nörlein bearbeiteten Enchiridion von 1560 bei Bapst (Wolfenbüttel, HAB, 949. 6 Theol. 1) sind Nachbildungen der älteren, doch fehlen die Schmuckleisten. In

---

26. Weitere Drucke bis Luthers Tod von 1539, 1540, 1542, 1543 sind bei Benzing, S. 305, noch angegeben, von uns aber nicht durchgesehen. Zu einigen Künstlern, die gleichfalls für die Bibelillustration tätig waren, siehe H. Zimmermann, Beiträge zur Bibelillustration des 16. Jh., in: Studien zur Kunstgesch., H. 226, 1924. G. Lemberger, Meister der Jakobsleiter, die Monogrammisten AH (aneinandergestellt), HB = H. Brosamer.

dieser Gruppe ist z. B. der ersten Illustration als dritte Szene das Zerschmettern der Gebotstafeln eingefügt, dem Brudermord im Hintergrund das Opfer. Dabei steht Abel betend neben dem Altar mit der emporlodernden Flamme, Kain zornig neben seinem verweigerten Opfer. Die Illustration zum siebten Gebot zeigt Achan nicht nur beim Vergraben des gestohlenen Mantels in seinem Zelt, sondern auch beim Verhör im Hintergrund neben der Darstellung seiner Steinigung. Im Kleinen Katechismus, der 1581 in Nürnberg bei v. Berg Erben erschien (München SB. Catech. 444), ist dann das Opfer die Hauptszene geworden; im Hintergrund sind der Brudermord und die Verfluchung Kains dargestellt. Im letzten Viertel des 16. Jh. hält man sich auch in Wittenberg nicht mehr an Vorlagen der Cranachwerkstatt (Wolfenbüttel HAB 166. 3 Qu. H. 3). Dagegen ist man in abgelegenen Gebieten manchmal bemüht, sich an die Vorbilder der Lutherzeit anzugleichen, wie am Holzschnitt zum dritten Gebot im slowenischen Katechismus von 1580, *Abb. 312*, deutlich wird[27].

Frankfurt am Main gehört zu den Städten, die sich früh zur Reformation bekannten. Christian Egenolph siedelte 1530 mit seinem Verlag von Straßburg nach Frankfurt über. Er druckte, kurz bevor Luthers Vollbibel 1534 in Wittenberg herauskam, eine Lutherbibel und 1537 biblische Geschichten mit kurzen Texten und Illustrationen[28]. Später verlegte er eine Reihe von Katechismen, 1550 eine lateinische Ausgabe der Bearbeitung des Lüneburger Predigers Joh. Spangenberg (Frankfurt UB.). Für den ersten Bibeldruck des Verlags übernahm Egenolph kleine Holzschnitte von Hans Sebald Beham und seiner Werkstatt, von denen einige dann auch für diesen von Spangenberg bearbeiteten Katechismus und ab 1552 für mehrere Ausgaben einer lateinischen Katechismusauslegung des Lüneburger Rektors Lukas Lossius verwandt wurden[29]. Der erste Druck dieser Bearbeitung von 1552 trägt den Titel »Obiectiones in Catechismum puerorum ...« (Münster

UB, G3, 706), die weiteren von 1553 (München SB, Catech. 414), von 1557 (Catech. 418) an: »Catechismus, hoc est christianae Doctrinae Methodus item Obiectiones ...« Da es sich bei den Illustrationen vielfach um ältere Entwürfe Behams für Geschichten des Alten Testaments in einem Bibeldruck handelt, stimmt wohl die Themenwahl mit der traditionellen Katechismusillustration weitgehend überein, aber nicht die Bildformulierung, die des öfteren aus dem Bibeltext Motive auswählt, die nicht prägnant den Gehalt des Gebotes treffen. Vor den Geboten ist in dieser Gruppe isoliert die Darreichung der Tafeln an den auf der Erde knienden Mose dargestellt. Darauf folgt Mose, wie er die Tafel angesichts des Tanzes um das Goldene Kalb zerbricht. Die Illustration zum 2. Gebot verbindet verschiedene Bildtraditionen, *Abb. 313*. Zwei Landsknechte (Schwert und Trommel) würfeln vor einem Kruzifix, und von zwei Kaufleuten (Truhe, auch geschnürter Stoffballen kommt vor) hebt einer zu seiner Aussage die Hand. Im Hintergrund ist das Motiv Cranachs für dieses Gebot, die Steinigung des Lästerers, dargestellt. Die Doppeldarstellung Spieler – Steinigung des Lästerers kommt von Mitte des 16. Jh. an öfters vor, da der Spieler damals allgemein als Lästerer galt. Beham hat auf dem Titelblatt zu der 1530 in Nürnberg gedruckten Bibel unter der Überschrift »Ecclesia antichristi« neben anderen Lastern auch Kartenspieler dargestellt. Die dritte Illustration bildet die traditionelle Doppelszene nur um. Die vierte ersetzt den Weinstock, der Noah als Weingärtner ausweist und seine Trunkenheit motiviert, durch ein Zelt. Die fünfte weicht vom Bibeltext insofern ab, als sie die Brüder beiderseits eines Opferaltars, dessen Flammen emporsteigen, zeigt, so daß der Mord nicht motiviert wird. Beim Totschlag ist Abel nackt, Kain trägt ein gebauschtes Manteltuch. In dem Druck von 1554 (Münster) ist zum sechsten Gebot die Flucht Josephs vor der Frau Potiphars dargestellt, in anderen übernimmt Beham Bathseba, doch ohne Begleiterinnen. Sie ist wie schon in der Illustration der Bibel von

27. Die Reformation in Kärnten ist bis 1526 zurückzuverfolgen (Villach). Doch schon Ende des 16. Jh. betrieb der Bischof von Bamberg, der Beziehungen zu Kärnten hatte, die Rekatholisierung, die sich Anfang des 17. Jh. durchsetzte. Siehe O. Sokransky, Agoritschach, Geschichte einer Protestantischen Gemeinde im gemischtsprachigen Südkärnten, Klagenfurt 1960 (Landesmuseum).

28. Da die Übersetzung der Apokryphen von Luther noch nicht erschienen war, nahm Egenolph für seinen Bibeldruck die von

Leo Jud, Zürich. Siehe Ph. Schmidt, Illustration der Lutherbibel 1522–1700, Basel 1962, S. 175.

29. Beham hat schon 1526 für die Ausgabe des Neuen Testaments in Nürnberg bei Hans Hergot kleine Illustrationen geliefert. Er bevorzugt für seine Bibelillustrationen das kleine Format und knüpft vielfach an vorreformatorische Illustrationen an. Dadurch sind die für die Katechismen verwandten Holzschnitte von ihm nicht typisch für die exegetischen Absichten des Buchschmucks der Reformation.

1534 unbekleidet (Renaissanceeinfluß), blickt aber nicht zu David auf. Das 7. Gebot bringt nichts Neues. Dagegen schildert das achte, *Abb. 314,* den prächtigen Garten, in dem Susanna von den lüsternen Alten überrascht wird. Im Hintergrund vervollständigen die Gerichtsszene vor einer Palastarchitektur und die Steinigung der Alten in der Landschaft, beide in kleinem Format dargestellt, die Geschichte der Susanna, deren Keuschheit durch Daniel offenbar wurde. Das letzte Bild zeigt dann Laban und Jakob mit ihren Herden.

Bei Hermann Gülfferich in Frankfurt kam 1553, also nach Luthers Tod, eine Prachtausgabe des Enchiridion heraus, deren Illustrationen von Hans Brosamer (HB signiert) den Cranachschen näherstehen als die des Umkreises von Beham (Göttingen UB. Theol. thet. I, 392/17, vgl. auch Wolfenbüttel HAB 404. II Theol. [2].). Dieser Zeichner hat vorher in Wittenberg (Bibelausgabe bei Lufft 1548) und in Magdeburg bei Hans Walther und Michael Lotter Katechismen illustriert und führte, nachdem er viel kopiert und Vorlagen abgewandelt hatte, nun sein reifstes Werk auf dem Gebiet der Katechismusillustration für einen Frankfurter Verlag aus. Der Cranachtradition verpflichtet, bereicherte er aber die Szenerie und dramatisierte manchmal den Vorgang durch größere Volksgruppen. Am selbständigsten formuliert er die Anklage Susannas, die er nicht vor dem Volk zeigt, wie Cranach es gemäß dem Text tat, sondern vor einem Richter, der in der Nische einer Palastarchitektur sitzt. Neben ihm steht der Knabe Daniel, der nach dem Text die Lügen der Alten durchschaute und beide durch getrennte Verhöre überführte. Von den Anklägern hebt einer die Hand zum Meineid und bekräftigt das falsche Zeugnis[30].

1579 erschien in Frankfurt bei einem dritten Verleger, Tetzelbach, ein Katechismus (Göttingen UB., 4° Bibl. Uffenbach 477), dessen Illustrator sich beim Gebotszyklus (nicht beim Vaterunser) thematisch noch an die überlieferten Szenen hält, sie jedoch völlig selbständig gestaltet und neue Motive aus dem Bibeltext aufnimmt. Künstlerisch liegt für die Katechismusillustration eine ganz neue Handschrift vor. Die Bilder sind nicht signiert; *Abb. 315*

und *316* zeigen das 4. und 5. Gebot. Die ungewöhnliche, kleine ovale Form mit einer schmückenden Umrahmung ist in Frankfurter Bibeldrucken noch einmal zu finden. Der Züricher Bildschneider Jost Amman hat zunächst die von Johann Bocksperger aus Salzburg entworfenen Zeichnungen für eine Bibelausgabe geschnitten, die 1564 bei Raben, Feyerabend und Hauen Erben in Frankfurt herauskam. Jost Amman begann 1580 mit einer eigenen Bildreihe zur Genesis, die zu den eigenwilligsten und besten Leistungen der Bibelillustration des späten 16. Jh. gehört und in den Bibeln von Feyerabend 1583 und 1589 erschien. Nicht so kraftvoll, aber sehr lebendig erzählend sind frühere Arbeiten von ihm: kleine ovale Holzschnitte zum Alten Testament, die Feyerabend in mehrere Bibelausgaben von 1571 bis 1593 aufnahm. Format, Umrahmung, zeichnerischer Stil und die dem Bibeltext sehr nahe kommende Erzählung machen es wahrscheinlich, daß die Katechismusillustrationen, die 1579 ebenfalls in Frankfurt, wenn auch bei einem anderen Verleger herauskamen, von Amman oder aus seinem nächsten Umkreis stammen. Zudem fällt hier noch eine besondere Übereinstimmung auf: Beim fünften Gebot ist Gott bei der Verfluchung Kains nicht figürlich dargestellt, sondern durch das erst Anfang des 16. Jh. in christlichen Darstellungen aufgekommene Tetragramm, das hebräische Namenszeichen für Jahwe, symbolisiert. Luther stand der Darstellung der Gottesfigur völlig unbefangen gegenüber, doch mehrten sich in der 2. Hälfte des 16. Jh. die Stimmen, die die Figur durch das Namenszeichen ersetzt sehen wollten. Beim Schöpfungsbild zum ersten Glaubensartikel ist allerdings auch in dieser Bildfolge Gott figürlich dargestellt. Der 1580 begonnenen Genesis-Holzschnittzyklus von Amman bringt die ganze Paradiesesgeschichte auf dem Titelblatt des Drucks von 1583; hier ist Gott in den Wolken thronend zu sehen. Bei dem Einzelbild zur Erschaffung Evas aber senkt sich das Tetragramm von einem Licht- und Wolkenkreis umgeben zu der noch im Schlaf befangenen Eva herab. In der gleichen Szene der älteren Ovalbilder ist schon die amorphe Gottesgestalt durch eine ovale Lichtform, noch ohne Tetragramm, ersetzt, die sich ebenfalls auf die Erde zu Eva senkt[31]. Die Verfluchung

---

30. Sämtliche Illustrationen Brosamers in diesem Katechismus sind abgebildet bei K. Knocke, D. M. Luthers Kleiner Katechismus, Halle 1904, S. 129 ff; irrtümlich Beham zugeschrieben. Außerdem in der Reformationsfestschrift, Berlin 1929.

31. Siehe Ph. Schmitt, Basel 1962, Abb. 188, 189 und 194; andere Ovalbilder der Reihe im Bibeldruck von 1571, Abb.

Kains ist nicht die einzige Szene in dem Katechismus von 1579, in der das Namenszeichen an Stelle der Gestalt Gottes steht. Im letzten Teil zum Vaterunser finden sich Darstellungen, die Jesus die Jünger lehrend zeigen, wobei er zum Vater im Himmel weist, der durch das Tetragramm in den Wolken symbolisiert ist. Die Bibelkenntnis Ammans zeigt sich bei den Katechismusbildern nicht nur bei der Darstellung der ganzen Geschichte Kains, sondern auch in der Noahszene zum 4. Gebot, denn mit der Arche auf dem Berg und dem Regenbogen über dem trunkenen Noah und seinen Söhnen ist auf den wichtigsten Teil der Geschichte Noahs hingewiesen.

Der »Kürtzer Katechismus«, den 1537 Martin Bucer in Straßburg herausgab (Göttingen 8°. Theol. thet. I 380/17), weist einige Besonderheiten auf und ist von einem eigenwilligen, oberdeutschen, vermutlich Straßburger Meister mit Holzschnitten ausgestattet[32]. Bucer war maßgebend am Aufbau der Gemeinden in Straßburg beteiligt, die zu Zwingli tendierten, versuchte aber theologisch zwischen Luther und den oberdeutschen Reformatoren zu vermitteln. Sein Katechismus weicht von dem Luthers ab. Er beginnt mit dem Credo und schließt mit den Geboten. Bei diesen fällt auf, daß er sich nicht an die lutherische Tradition, sondern an 2 Mos 20 hält und deshalb das Bildnisverbot aufnimmt. Auch zieht er das im Mittelalter getrennte 10. Gebot wieder zusammen. Die Illustrationen werden dieser anderen Anordnung gerecht. Beim 1. Gebot steht ein Bild der Berufung Mose (2 Mos 3), *Abb. 317.* Der einleitende Satz zum Dekalog legt diese Berufung nahe, denn Gott gibt sich im brennenden Dornbusch als der Gott zu erkennen, der Mose aus Ägypten führen will. Für das Bildnisverbot ist aus der Gesetzesübergabe am Sinai der Zorn Moses über die Anbetung des Goldenen Kalbes dargestellt, *Abb. 318.* Der Tanz bildet nur die Hintergrundszene. Mose, alle überragend, hält ergrimmt die Tafeln empor. Das Volk steht um ein loderndes Feuer, in dem das Götzenbild verbrannte, 3 Mos 32,19f. Die Illustrationen

der nächsten Gebote entsprechen den biblischen Themen der Cranachtraditionen, sind aber frei umgebildet. Nirgends sonst ist die Steinigung des Lästerers so brutal vor Augen geführt. Anstelle der Achangeschichte steht wie bei Hans Baldung der Diebstahl aus der Truhe. Bei dem falschen Zeugnis der Ankläger zum 8. Gebot ist die Vernehmung Susannas dadurch, daß die Szene in einen Wald verlegt ist und die Personen in der Tracht der Zeit auftreten, so verallgemeinert, daß nur die jugendliche Gestalt neben der Angeklagten auf Daniel und damit auf die biblische Geschichte verweist. Die letzte Darstellung verbindet auf originelle Weise das 9. und 10. Gebot, *Abb. 319.* Das Bett der Frau des Potiphar, die nach Josephs Mantel greift, ist, auf einigen Stufen erhöht, in ein Dorf mit Fachwerkhäusern gestellt; die Rinder verweisen auf die Labangeschichte, die nicht dargestellt ist[33].

Die Differenzierung der kirchlichen Einstellung zum Bild und die Stilentwicklung der Kunst beeinflussen auch die Katechismusillustrationen. So tritt im 17. und 18. Jh. die Tendenz, an die Stelle der klaren biblischen Aussage die Allegorie zu setzen, hervor. Das gilt auch für den katholischen Bereich, den wir für das 16. Jh. ausklammerten, da in dieser Epoche für die Katechismusillustration der Schwerpunkt bei der evangelischen Kirche liegt. Die Abhängigkeit des katholischen Katechismus von der evangelischen Tradition wird an einem bei Franciscus Behem in St. Victor bei Mainz 1542 gedruckten »Catechismus ecclesiae« deutlich. (Ein Druck von 1553 in Nürnberg, GNM. Rl. 3352.) Auch hier findet sich das Prinzip der Frage und Antwort, und für die Gebote und das Vaterunser sind die in den evangelischen Katechismen üblichen biblischen Beispiele gewählt, die ausführlich veranschaulicht werden. Der Text des Titelblattes lautet: Christliche Unterweisung und gegründter Bericht / nach warer evangelischer und catholischer lehr / über die fürnembste Stucke unsers hailigen allgemeinen Christenglaubens.

Wir schließen diesen Abschnitt mit zwei Holzschnitten

195-198. Schmitt hält es für möglich, daß die ersten sechs etwas größeren Ovalbilder dieses Bibeldrucks von Tobias Stimmer stammen, so daß nicht Amman, sondern Stimmer als erster in den Frankfurter Bibeldrucken die amorphe Gottesdarstellung aufgab und Amman ihm darin folgte und das Tetragramm der Lichtform einfügte.

32. Göttingen, U. B. Theol. thet. I, 380/17. Es liegt nahe, daß

der Fertiger der Holzschnitte mit Hans Baldung in Verbindung stand, zum mindesten seine Arbeiten kannte. Aber die in Anm. 18 erwähnte Zuschreibung an Baldung ist nicht überzeugend. Diese Meinung wurde von der Baldung-Forscherin Consuela Oldenbourg bestätigt.

33. Lit. Angaben siehe Anm. 18. Hier sind alle Holzschnitte abgebildet.

zum 1. Gebot und zur 1. Bitte des Vaterunsers eines Enchiridion, um 1660 gedruckt bei Endter in Nürnberg (Ldk. Archiv, Nürnberg), *Abb. 320, 321,* und mit zwei Kupferstichen zum 1. und 6. Gebot aus einer Bildfolge von Martin Engelbrecht, 1. Hälfte 18. Jh., Städt. Kunstsammlungen Augsburg, *Abb. 322, 323.* Bemerkenswert ist hierbei, daß selbst bei diesen beiden allegorischen Darstellungen, die Glaube und Liebe unter dem Kreuz und den niedergetretenen falschen Gott beziehungsweise die Keuschheit und den überwundenen Amor mit dem zerbrochenen Liebespfeil personifiziert zeigen, im Hintergrund in kleinem Format die traditionellen biblischen Szenen wiedergegeben sind.

Diese Übersicht, die auf der Überprüfung von ca. 80 Katechismen beruht, zeigt für die Gebote-Illustration folgenden Tatbestand: Die von Luther autorisierten Holzschnitte Cranachs gelten in ihrer Thematik über das 16. Jh. hinaus als verpflichtend. Je entfernter die Verlage vom Einflußgebiet Wittenbergs sind und je mehr der zeitliche Abstand der Neudrucke zu den Erstdrucken zunimmt, desto mehr wird die Treffsicherheit der Aussage der Vorbilder durch eine Erzählfreudigkeit zurückgedrängt, die mit den sich verbreitenden Bibelillustrationen zusammenhängt. Da dabei gerade die Geschichten des Alten Testaments häufig und ausführlich illustriert werden, stehen viele Anregungen für die Gebote-Illustration zur Verfügung. Daneben wirken noch lange die profanen Beispiele des späten Mittelalters nach, weil von einzelnen Verlegern oder Druckereien zunächst noch vorhandene Bildstöcke benutzt wurden. Die formale Qualität ist unterschiedlich, manchmal ist sie auf Kinder abgestellt. Ergänzungen einzelner beschädigter Bildstöcke und Kopien der Bildfolgen, die nach Drucken geschnitten sind und so das Vorbild seitenverkehrt wiedergeben, bleiben ebenso wie die Übertragung der Vorbilder in ein anderes Format meistens im rein handwerklichen Bereich. Je mehr aber erfahrene Bildschneider mit eigenen Intentionen für die Katechismusillustration herangezogen werden, desto mannigfaltiger wird die Gestaltung der jedoch weithin gleichbleibenden Bildgegenstände. Der Illustrationsstil der Meister des 16. Jh., die sich der Sache der Reformation zur Verfügung stellten, hat sich an der gestellten pädagogischen Aufgabe gebildet und ist abhängig von den Auftragsbedingungen. Wie eingangs schon gesagt, steht die künstlerische Qualität bei dieser zweckbedingten Kunst nicht im Vordergrund. Interessant ist aber, in welchem Ausmaß sich die Reformation der Anschauung bedient und in welcher Weise sie aus dem Motivschatz der mittelalterlichen Kunst aufgrund einer neuen lehrhaften Interpretation auswählt, Akzente setzt und neue Bildgegenstände konzipiert. Obwohl die Druckgraphik an gleiche Texte und an eine Tradition – vor allem solange Luther lebte – gebunden ist, entsteht doch eine beachtliche Vielfalt. Wir bedauern, daß es technisch unmöglich ist, mehr Illustrationen zum Vergleich abbilden zu können. Die weiteren Ausführungen zu den anderen Hauptstücken ergänzen den bei den Geboten aufgezeigten Umfang der Katechismusillustrationen.

Das Glaubensbekenntnis – Credo (Symbolum)

Der Begriff Symbol bedeutet nach antikem Denken ursprünglich wohl Erkennungszeichen, Losungswort. Er wurde seit dem ausgehenden 4. Jh. im Westen für das altchristliche Taufbekenntnis, das Symbolum Apostolicum, gebraucht. Die Annahme, die zwölf Apostel hätten jeweils einen Satz beigetragen, läßt sich seit dem 4. Jh. belegen[34]. Diese Legende soll den apostolischen Ursprung des von der Kirche gebrauchten Taufbekenntnisses aufzeigen und gibt damit zugleich gerade dieser Fassung des Symbols einen besonderen Rang. Das gilt es zu beachten, wenn wir nach der Darstellung des Credo im Bild fragen. In Aufnahme und Popularisierung einer schon im Mittelalter anzutreffenden Schrift hat vor allem die lutherische Reformation die »drei Hauptsymbole oder Bekenntnisse des Glaubens Christi in der Kirche einträchtig gebraucht« (lateinisch »Symbola catholica sive oecumenica«) herausgestellt (Concordienformel 1580). Sie verstand darunter das sogenannte »Apostolicum«, das sogenannte »Nicaenum« und das sogenannte »Athanasium«. Tatsächlich oekumenisch im Sinne verpflichtender Geltung in der ganzen Christenheit war damals und ist im Grunde auch heute noch das Nicaenum.

Das »Apostolische Glaubensbekenntnis« ist aus der in der römischen Kirche im 4. Jh. im Wortlaut verbindlich gewordenen Zusammenfassung des christlichen Glaubens

---

34. Ambrosius von Mailand, Explanatio symboli; Rufin aus Aquileja, Kommentar in symb. apostolorum; Pseudo-Augustin, Sermo 240 und 241 (MPL 39, 2188–2191).

entstanden, wie sie zum Abschluß des Katechumenats von den Taufbewerbern gelernt und öffentlich bekannt wurde. Diese Lehrformel stammt ihrerseits aus dem dreiteiligen Taufbekenntnis zu Vater, Sohn und Heiligem Geist, wie es sich seit dem 2. Jh. in noch wechselnden Formulierungen im lateinischen Kirchengebiet entwickelt hatte. Nördlich der Alpen ist diese römische Formel festgehalten und erweitert worden. Im karolingischen Reich nahm sie dann die uns geläufige Gestalt an und wurde schließlich von den ottonischen und sächsischen Kaisern wieder nach Rom zurückgebracht. Sie blieb liturgisch mit der Taufe verbunden und wurde gerade als »Apostolisches Glaubensbekenntnis« im Mittelalter gern der kirchlichen Unterweisung zugrunde gelegt. Daran knüpfen auch die Katechismen Luthers an.

Gemäß der genannten Ursprungslegende wird es im Mittelalter in zwölf Sätze gegliedert; erst die Katechismen Luthers stellen die Einteilung in drei Artikel wieder her, jetzt »von der Schöpfung«, »von der Erlösung«, »von der Heiligung« genannt, während die römisch-katholische Kirche bei der Zwölfteilung bleibt. Im 19. Jh. wurde das Apostolicum in den evangelischen Gebieten als Glaubensbekenntnis in den Hauptgottesdienst übernommen, zuerst in der preußischen Agende von 1822, gerade weil es durch Tauforderung und Katechismus den Gemeinden bekannt war. Heute kann es in derselben Weise auch im römisch-katholischen Meßgottesdienst deutschsprachig verwandt werden.

Das »Nicaenische Glaubensbekenntnis« geht auf das erste oekumenische Konzil in Nicäa 325 zurück; abschließend ist der Wortlaut aber erst im Umkreis des Konzils von Konstantinopel 381 fixiert worden. Daher wird es auch Nicaeno-Constantinopolitanum genannt. Es wurde danach zum Taufbekenntnis der orthodoxen Kirche. Seit dem 6. Jh. wird es im Osten und von Spanien aus auch im Westen in den Meßgottesdienst nach den Lesungen bzw. nach dem »großen Einzug« aufgenommen. Mit im Osten und Westen nur an einer Stelle differierendem Wortlaut (»filioque«) ist das Nicaenum bis heute das eigentliche Meßcredo. Das gilt ursprünglich auch für die Lutherische Reformation.

Das »Athanasianische Symbol« ist trotz seines Namens westlichen Ursprungs. Vor 500 in Gallien entstanden, wurde es in karolingischer Zeit in Psalterhandschriften aufgenommen und seitdem auch im monastischen Stundengebet für die Prim am Sonntag verwendet. So kam es im 16. Jh. auch in der anglikanischen Reformation in den Morgengottesdienst des Common Prayer Book. Heute wird es nur noch ganz selten liturgisch verwandt.

Es kann daher nicht überraschen, daß es Darstellungen des Apostolicums nur im Westen gibt; die des Nicaenums ist höchst selten. Im Osten mag das Nicaenum im Zyklus der Konzilsbilder mit gemeint sein. Erst aus der Zeit um 1700 ist eine russische Ikone, auf deren Rahmen der kirchenslawische Text des Nicaenum geschrieben ist, bekannt (Recklinghausen, Ikonenmuseum, Kat. Nr. 181).

Die abendländische Darstellung[35] des apostolischen Symbols dient im 12. und 13. Jh. noch nicht der Unterweisung. Zwei Grundformen treten in der Kunst hervor: 1. Den zwölf Aposteln werden die 12 Sätze des Credo zugeordnet, so daß sie als Träger des Bekenntnisses auftreten. 2. Die einzelnen Sätze werden im Literalsinn durch die betreffende biblische Szene dargestellt. Diese Formen können kombiniert werden. Die erste Form kommt vom hohen Mittelalter an vor, der Schwerpunkt liegt im 14./15. Jh. Die Sätze können auf Schriftbändern, gelegentlich auch auf oder in geöffneten Büchern, die die Apostel in Händen halten, stehen oder in einer anderen Form ihnen zugeordnet sein. Die Verbindung der Sätze mit den einzelnen Aposteln variiert; im 13. Jh. kommt es allmählich zu einer festen Ordnung[36]. Der Psalter Heinrichs des Löwen, um 1175, stellt jeweils im Bogenfeld der zwölf Kanonseiten einen der Apostel dar, der auf ein Schriftband weist. Zugeordnet sind Tugenden beziehungsweise Laster in der Art, wie sie in Handschriften der Psychomachie des Prudentius vorgebildet sind: *Abb. 324* zeigt die zwölfte Kanontafel mit den Textangaben am Schluß des Lukas- und Johannesevangeliums und darüber den zuletzt in die Gemeinschaft der Jünger eingetretenen Matthias (Apg 1,26) mit dem Schluß des Credos: »... und ein ewiges Leben. Amen.« Zum Einflußgebiet der Welfenherzöge gehörte auch der zerstörte romanische Freskenzyklus der Kirche in Gandersheim, der das Credo in der ersten Darstellungsform zeigte. Von vier Schmelzplättchen

35. LCI, I, Sp. 461–463 (H. W. van Oos).
36. Siehe C. F. Bühler, The apostels and the Creed, in Speculum 28, 1953, S. 335 und J. D. Gordon, The articles of the Creed and the apostles, in Speculum 40, 1965, S. 634–640.

(Christus und drei Aposteln) mit den Credo-Sätzen, wohl Ende 12. Jh., befinden sich drei im Städtischen Museum zu Bamberg und eines im Kestner-Museum zu Hannover. Sie stammen von einem verschollenen Werk, das vielleicht wie der Eilbertus-Tragaltar einst zum Welfenschatz gehörte[37]. Eine Erweiterung erfährt diese Darstellungsform durch die Hinzufügung von zwölf Propheten mit Weissagungen, die sich auf die Sätze des Credos beziehen. Die Propheten sind im Sinne der Typologie zu verstehen und verknüpfen das Credo mit der ganzen Heilsgeschichte. Zunächst mag der Akzent wie bei den Apostel- und Prophetenreihen, die in der Glas- und Wandmalerei und in der Skulptur des hohen Mittelalters häufig sind, auf der Einheit von Altem und Neuem Testament liegen. Je mehr die Darstellung des Credo an Bedeutung gewinnt, beziehen sich die alttestamentlichen Schriftworte direkt auf das Credo, so daß die Prophetenfiguren die Apostel als die Träger des Bekenntnisses präfigurieren. Auf dem Deckel des Eilbertus-Tragaltars, 1150–1160, Kölner Meister, Berlin, *vgl. Bd. 3, Abb. 720* und *S. 248*, halten die zwölf Apostel, die um den thronenden Christus angeordnet sind, vor sich große Schriftbänder mit den Credosätzen. Oberhalb jedes Apostels steht der Name, dem das Wort »dixit« hinzugefügt ist. Über die Seitenwände des Kastens verteilt stehen zwölf Propheten, jedoch auch fünf andere alttestamentliche Gestalten, alle mit Schriftbändern, die sich aber nicht direkt auf das Credo beziehen[38]. Diese Erweiterung des Prophetenkreises legt nahe, daß es sich bei der Zuordnung von Propheten und Aposteln noch um die Concordia veteris et novi Testamenti (siehe oben) und nicht um die Präfiguration des Glaubensbekenntnisses handelt, obwohl eine der Inschriften sich darauf beziehen mag: »Voll des Glaubens bezeugen alle zwölf Väter (Apostel), daß die Prophezeiungen nicht erfunden sind.« Auf dem Deckel befinden sich auf den beiden äußeren Seiten acht Szenen des Lebens Jesu, die, wenn sie sich auch nicht ganz mit den Sätzen des zweiten Credoteils decken, doch

insgesamt dem christologischen Bekenntnis entsprechen.

Am Elisabethschrein in Marburg, zwischen 1236–1247, *vgl. Bd. 3, Abb. 650* und *S. 229*, steht der betreffende Satz des Credo über den unter spitzbogigen Arkaden sitzenden Aposteln, die hier Bücher in Händen halten. Aufschlußreich ist hier die Beziehung zwischen der Darstellung und dem Bildträger. An Reliquienkästen bedeutet das Credo: Der Glaube, den das Bekenntnis formuliert, öffnet dem Verstorbenen die Türe zur Seligkeit. Der thronende Christus ist in diesem Zusammenhang der Träger der reparatio vitae[39].

Unter den Fenstern der Stadtpfarrkirche St. Dionys in Esslingen befindet sich ein Credo-Tugendzyklus, um 1300. Jedem Apostel ist eine personifizierte Tugend zugeordnet. Man darf annehmen, daß es häufiger solche Fenster gegeben hat, da der Zusammenhang von Glauben und Erlangung von Tugenden einer der bestimmenden Züge der Frömmigkeit dieser Zeit war. Bei Tugendzyklen kommt es vor, daß Fides ein Schriftband mit dem Anfang des Glaubensbekenntnisses in der Hand hält. Giotto gibt dieser Gestalt in der Arenakapelle zu Padua in die andere Hand den Kreuzesstab, mit dem sie ein Götzenbild zerstößt.

In der Monumentalkunst des späten Mittelalters kommen die zwölf Apostel mit den Credosätzen, allein oder mit den Propheten, häufiger vor. Ein hervorragendes Beispiel bietet der Chor der ehemaligen Klosterkirche in Blaubeuren bei Ulm aus den letzten Jahren des 15. Jh. Lebensgroße Apostelfiguren aus Stein mit den betreffenden Credosätzen auf ihren Schriftbändern stehen an den Wänden. Zu ihnen in Verbindung gesetzt sind die an den Konsolen kauernden zwölf Propheten mit Spruchbändern und die zwölf Patriarchen (Söhne des Jakob) an den Ansätzen der Gewölbe darüber. Auf die häufige Zuordnung eines Gebotezyklus zu den Apostelfiguren ist oben schon hingewiesen worden, ebenso auf die Einbeziehung eines Apostels und eines Propheten in die Darstellung der ein-

37. Abbildungen siehe O. v. Falke, R. Schmidt und G. Swarzenski, Der Welfenschatz, Frankfurt 1930.

38. Die Hinzufügung weiterer Figuren (David, Melchisedeck, Bileam, Salomo und Jakob) zu den zwölf Propheten ist nach O. von Falke für den Braunschweiger Kunstkreis auch an anderer Stelle nachweisbar. Die Schriftstellen der Propheten siehe bei v. Falke.

39. Zu dem Credo im Bildprogramm des Elisabethschreines siehe E. Dinkler-von Schubert, Der Schrein der heiligen Elisabeth zu Marburg, Marburg 1964, S. 69 ff., zum Eilbertustragaltar und Heribertschrein S. 74 ff. Zum Eilbertusschrein siehe auch G. Swarzenski, Aus dem Kunstkreis Heinrich des Löwen, in: Städeljb. VII/VIII 1932, S. 342 ff.

zelnen Gebote. Auf einem westfälischen Tafelbild des 14. Jh., das eine Abwandlung des salomonischen Thrones bringt, halten die auf den Thronstufen sitzenden zwölf Löwen, denen die Namen der Apostel beigeschrieben sind, Schriftbänder mit Credosätzen, *vgl. Bd. 1, Abb. 51, S. 35.* Es ist die bisher einzige bekannte Darstellung der Einbeziehung der Credosätze in den Thron Salomos. Die Deutung der Löwen auf die Apostel ist im 14. Jh. allgemein bekannt.

Die Legende, die Apostel hätten das Credo zu Pfingsten formuliert, schlägt sich in Stundenbüchern in einigen Darstellungen nieder. Zum Beispiel zeigt eine Miniatur in dem Stundenbuch »La somme le Roi«, 1295, Paris, *Abb. 325,* die Taube des Heiligen Geistes auf die versammelten Apostel herabfahren, die alle auf die Anfangsworte des Credo in einem geöffneten Buch weisen. Man gewinnt hier den Eindruck, es handle sich um eine gemeinsame Diskussion, vielleicht auch um die Formulierung des Textes. Im Stundenbuch des Herzogs von Savoien, um 1430, Paris, *Abb. 326,* ist zu dem Text der Pfingstsequenz und Oration dargestellt, wie von der Taube ausgehende Schriftbänder mit den Sätzen des Credo von den Aposteln ergriffen werden. Der Akzent liegt bei der Inspiration jedes einzelnen der Gemeinschaft.

Die zweite Bildform der Darstellung des Apostolikums mit biblischen Szenen ist auf der letzten Seite im Utrechtpsalter, um 830, *Abb. 327,* als einziges Beispiel des frühen und hohen Mittelalters zu finden. Sie steht zusammen mit der ebenso singulären Darstellung des Vaterunsers. Das Credo ist im Sinne der Psalmillustration behandelt, so daß die einzelnen Sätze des Apostolikums im Literalsinn ins Bild übertragen sind. Vom zeichnerischen Stil her zu urteilen, sind die Vorlagen, die das Scriptorium in Reims für die Bildformeln benützt hat, in der spätantiken Kunst zu suchen. Es können aber auch am Schluß des Psalters Bildmotive aus den vorhergehenden Darstellungen und anderen karolingischen Handschriften entnommen und zusammengesetzt worden sein. Die ablesbare Reihenfolge stimmt nicht ganz mit der des Credotextes überein, da die Einzeldarstellungen aus formalen Gründen auf drei Bildzonen verteilt sind. Den ersten Artikel repräsentiert die auf dem Globus thronende Gottesgestalt in der Mandorla. Ein Hinweis auf den Akt der Schöpfung fehlt. Der Blick Gottes geht nach rechts, wo Maria mit dem Kind auf dem Arm hinter einer erhöhten Trogkrippe steht. Von rechts

oben fährt die Taube herab. Die Verbindung von Trinität und Inkarnation kommt dann und wann in der Buchmalerei vor. Hier steht sie für den ersten Satz und den Anfang des zweiten Teils. Der Akzent liegt auf der Wesenseinheit des vom Heiligen Geist empfangenen und von der Jungfrau geborenen Sohnes mit dem Vater. Diese Aussage des Nicaeno-Konstantinopolitanums ist hier in einer bildlichen Kurzformel übernommen. Sechs Engel beten den Vater und den Sohn an. Die zweite, einer Landschaft eingefügte Bildzone beginnt mit den Illustrationen zu: »... gelitten unter Pontius Pilatus, gekreuzigt und gestorben.« Die an den trauernden Johannes unter dem Kreuz anschließende Gestalt dürfte ein Prophet sein. (Für diese Szene an anderen Stellen der gleichen Handschrift *vgl. Bd. 2, Abb. 357–359.*) Der Baum (Lebenszeichen) hinter dem Propheten führt den Blick abwärts zu dem Grabbau, vor dem der Engel den drei Frauen die Auferstehung verkündet (vgl. aus der gleichen Handschrift *Bd. 3, Abb. 16*). An den Satz »... am dritten Tag auferstanden von den Toten«, den dieses Auferstehungsbild veranschaulicht, schließt sich an: »... aufgefahren gen Himmel.« Die Darstellung befindet sich oben, und zwar nach dem karolingischen Bildtypus, der den schwebenden Christus bei der Rückkehr zum Vater zeigt, *vgl. Bd. 3, Abb. 469.* Die Illustration des Satzes »... niedergefahren zur Hölle«, die nach dem Ablauf der Geschehnisse und dem Credotext ihren Platz vor der Auferstehung und Himmelfahrt hätte, ist ganz außen an den Rand und an die tiefste Stelle der Bildkomposition gerückt (*vgl. zum Typus Bd. 3, Abb. 16 links,* wo allerdings an der Stelle des Höllenfeuers im Credobild ein Bodengrab steht). Der dritte Artikel ist am schwierigsten darzustellen, weil es hierfür keine biblischen Szenen als Vorbilder gibt. Um so bemerkenswerter ist die Bildgebung des Textes: »Ich glaube an den Heiligen Geist, eine allgemeine christliche Kirche, die Gemeinschaft der Heiligen, Vergebung der Sünden, Auferstehung des Fleisches und ein ewiges Leben.« Auf ein Kirchengebäude, Sinnbild der Ekklesia, in dessen Innern ein Altar steht, fliegt eine Taube zu, die den Ölzweig, ein Zeichen der Versöhnung (Sintflut), bringt. Auf der anderen Seite des Gebäudes steht eine größere Gruppe, über der Tauben flattern oder, wie im Pfingstbild, Flammen lodern. Damit könnte die Gemeinschaft der Heiligen gemeint sein. Der erhöht stehende Engel mit Kreuzstab und Sprechgestus ist vielleicht aus der Vorlage eines Himmelfahrtsbildes entnommen, *vgl. Bd. 3, Abb. 468.* Seine Funktion in diesem Bildzusammenhang ist nicht eindeutig zu interpretieren. Das gleiche gilt für die Gruppe, die, aus dem Totenreich kommend, bergauf strebt und doch verharrt. Gestik und Haltung einzelner lassen nicht auf die Gerechten des Alten Bundes, sondern auf die Verdammten schließen. Wenn diese Interpretation richtig ist, würde in den Gruppen beiderseits des Berges das zukünftige Gericht anklingen. Dann wäre mit diesem »Himmelfahrtsengel« auf die Wiederkunft Christi zum Gericht hingewiesen: »... von dannen er kommen wird, zu richten die Lebendigen und die Toten.« Die »Auferstehung des Fleisches« ist der anderen Bildseite eingefügt. Das mag formale Gründe haben. Im Credotext steht sie am Schluß des dritten Artikels. Ikonographisch gehört die Auferstehung der Toten sowohl dem Gerichtsbild als dem Kreuzigungsbild an (*vgl. Bd. 3, S. 66–68 und Abb. 173,* vor allem die dort genannten Beispiele aus dem zweiten Band). Hier ist sie wie in den erweiterten karolingischen Kreuzigungsdarstellungen der Elfenbeintafeln dem Kreuz Christi zugeordnet und befindet sich neben dem Auferstehungsbild der damaligen Zeit. Da die Weltgerichtsdarstellung der karolingischen Kunst des frühen 9. Jh. kaum schon bekannt gewesen sein dürfte, hat der Illustrator das Motiv sicher aus einer Kreuzigungsdarstellung entnommen. Auch die byzantinische Form der Höllenfahrt, die Anastasis, die manchmal die Auferstehung der Toten aus ihren Gräbern einbezieht, war um diese Zeit in den fränkischen Kunstzentren vermutlich noch nicht bekannt (vgl. die byzantinische Elfenbeinschnitzerei 10./11. Jh. *Abb. 105, Bd. 3*). Es handelt sich bei dieser Illustration des Symbolum Apostolorum im Utrechtpsalter einer Handschrift der Hofschule von Reims, die eine außergewöhnlich schöne Schrift aufweist, um eine wahrscheinlich originale Zusammensetzung verschiedener, damals geläufiger Bildformeln. Der Anfang links oben und der Schluß links unten lassen eine eigene Konzeption erkennen. Diese szenische Credo-Illustration blieb über Jahrhunderte ohne erkennbare Nachfolge.

Erst im 12. Jh. stoßen wir wieder auf szenische Darstellungen, nun sogar mit einer umfangreichen typologischen Erweiterung, die sich nicht nur auf die Propheten, sondern auch auf alttestamentliche Szenen erstreckt. Von drei uns bekannten liturgischen Büchern mit einer Credobearbeitung von Joinville, aus der Zeit zwischen 1250 und 1300, enthält das Brevier, das für den Gottesdienst in Saint-Nicaise in Reims vor der Heiligsprechung Ludwig des Heiligen angefertigt wurde, einen vollständigen Bildzyklus mit alttestamentlichen Präfigurationen und Apostel- und Prophetengestalten, auf deren Schriftbändern oft längere Texte zu lesen sind. Diese Handschrift befindet sich in der Öffentlichen Bibliothek in Leningrad, die beiden anderen in Paris, NB[40]. In diesem Brevier ist der Text »Ich glaube an Gott den Vater, den Allmächtigen – Schöpfer Himmels und der Erden« auf zwei ganzseitige Bilder verteilt: links der Engelsturz, das Spruchband hält Petrus, *Abb. 328,* und rechts die Erschaffung der Welt (Pflanzen, Gestirne, Vögel, Tiere des Wassers und der Erde und die Menschen) und die Gestalt des Jeremias, *Abb. 329.* Die Illustrationen zum zweiten Teil des Credo bedienen sich der im Mittelalter traditionellen Thematik der Leben-Jesu-Zyklen und setzen den neutestamentlichen Szenen jeweils auf der gegenüberliegenden Seite typologische gegenüber: »Und an Jesus Christus« – drei Engel bei Abraham. Der mittlere Engel hat den Kreuznimbus, die Szene ist als Erscheinung Christi auf Erden verstanden. »Seinen eingebornen Sohn« – Erscheinung Christi im brennenden Dornbusch als christologisch gedeutete Gotteserscheinung. »Empfangen vom Heiligen Geist« – Verkündigung an Maria. »Geboren aus der Jungfrau Maria« – Geburt Jesu.

Die beiden alttestamentlichen Szenen mit den Eingangsworten des Christusbekenntnisses sind zugleich Typen der Verkündigung und Geburt Jesu. »Gelitten unter Pontius Pilatus«: Judas empfängt den Verräterlohn, Handwaschung Pilati, Geißelung, Kreuztragung / die Brüder Josephs präparieren den blutigen Rock, sie bringen ihn Jakob. »Gekreuzigt«: Christus am Kreuz / Isaaks Opferung. »Gestorben«: Kreuzabnahme / Schlachtung des Osterlammes mit Bezeichnung der israelitischen Häuser. »Begraben«: Grablegung / Jonas wird vom Walfisch verschlungen. »Niedergefahren zur Hölle«: Höllenfahrt / Simon zerreißt den Löwen. »Am dritten Tage auferstanden von den Toten«: Auferstehung Christi / Errettung des Jona. »Aufgefahren gen Himmel«: Himmelfahrt Christi / Himmelfahrt des Elia. »Sitzend zur Rechten Gottes«:

---

40. Siehe zu dieser Handschriftengruppe L. J. Friedman, Text and Iconographie for Joinvilles Credo, Cambridge (Mass.), 1958.

Unsere Abb. des Leningrader Exemplars sind nach den Tafeln V–XXII angefertigt.

Gott und Christus nebeneinander sitzend, *Abb. 330.* Dieses ursprünglich als Illustration zu Ps 110 (109) konzipierte Bildmotiv ist durch die Taube zum Trinitätsbild abgewandelt worden. Dem Bild gegenüber steht David mit diesem Psalmwort. »Von dannen er kommen wird, zu richten die Lebendigen und die Toten«: Ankunft Christi zum Gericht mit Engeln und Arma / Salomonisches Urteil. Unterhalb der Wiederkunft Christi, *Abb. 330* unten, steht Joel mit einem Wort, das auf Joel 3,7.12 anspielt: »Ich rufe alle Völkerschaften auf, daß sie sich erheben und hinaufziehen ins Tal Josaphat, wo ich über sie zu Gericht sitzen werde« (jüdische Endgerichtsvorstellung). Dem Bild selbst ist Hiob mit dem Wort: »Herr, wann kommst du, um zu richten« und Philippus eingefügt.

Der Anfang des dritten Teils »Ich glaube an den Heiligen Geist« ist bei Joinville durch ein Pfingstbild veranschaulicht; gegenüber kniet Elia vor dem Opferaltar, auf den das Feuer des Himmels fällt (siehe oben), Joel mit Spruch 2,18. »Die Kirche und die Gemeinschaft der Heiligen« – ein Bischof mit Klerikern und Mönchen. »Die Vergebung der Sünden« – vier Sakramente (Taufe, Ehe, Absolution und Eucharistie), *Abb. 331.* Gegenüber steht der Jakobssegen in der Deutung auf Ekklesia und Synagoge (siehe oben) und David mit dem Spruch Ps 115 (114), 12. Der vorletzte Satz ist auf der nächsten Seite durch die Auferstehung der Toten beim Gericht veranschaulicht, gegenüber Augustin mit einem sich auf die Auferstehung beziehenden Wort[41], und darüber der Schluß durch die Hochzeit des Lammes mit dem Wort »vitam eternam«, *vgl. Abb. 230.* Hier steht das Gleichnis von den zehn Jungfrauen gegenüber. Der Ablauf der Szenen erfolgt unregelmäßig von oben nach unten und umgekehrt. Abgesehen von den beiden ersten Seiten sind jeweils mehrere Szenen auf beiden Seiten zusammengefaßt. Jeder zusammenhängenden Bildgruppe sind mindestens ein Prophet und

ein Apostel zugeordnet, teils innerhalb der Bildkomposition, teils außerhalb mit größeren Texten auf den Schriftbändern. Diese Typologie zu den Credodarstellungen wird in einigen französischen Handschriften des 14. Jh. weiter ausgesponnen und findet ihren Abschluß in mehreren Teppichen des 14. bis 16. Jh.[42]

Ohne ersichtliche Parallelen in der Wand- und Tafelmalerei Italiens sind im 14./15. Jh. einige szenische Bildzyklen zum Credo in Siena entstanden. Der wohl älteste von A. Lorenzetti im Kapitelsaal von San Agostino ist verloren[43]. Die Deckenbilder des Baptisteriums in Siena von Vecchietta stehen als Bekenntnis bei der Taufe in Zusammenhang mit dem Raum. Am Chorgestühl der Kapelle im Palazzo Publico befinden sich Intarsien von Domenico di Nicolà, 15. Jh. Ihnen gehen bemalte Täfelchen von Nicola di Naldo da Norcia, einem Schüler von Taddeo Bartolo, um 1412, voraus, die sich in der Opera del Duomo in Siena befinden[44]. Entgegen der Tradition ist das nicäno-konstantinopolitanische Symbolum dargestellt, das die Wesenseinheit des Sohnes mit Gott Vater hervorhebt. Erhalten sind neun von ursprünglich zwölf Täfelchen zu den zwölf Sätzen vom Beginn bis zum Schluß des Christusbekenntnisses. Ob es noch vier weitere zu dem Bekenntnis des Heiligen Geistes gab, ist nicht bekannt. Sie haben wahrscheinlich einen Bücherschrank in der Sakristei des Domes geschmückt, deren Fresken vom selben Maler stammen. Stellt man viermal drei Täfelchen untereinander und nimmt eine Abfolge von links nach rechts an, so ergibt sich, daß die letzte Dreierreihe abhanden gekommen ist. Die erhaltenen Darstellungen lassen sich nach den Unterschriften bestimmen. Künstlerisch ist die Malerei aufgrund mancher Anklänge an die Antike der frühen Renaissance zuzurechnen, für die Ikonographie insgesamt gibt es kaum vergleichbare Werke. Einzelne Bildformen, vor allem Passion, Auferstehung und Himmelfahrt, stehen

41. MPL XL, 284.

42. D. T. B. Wood, Credo-Tapestries, Burl. Magazine XXIV, 1913/14, S. 247–254, S. 309–316.

43. G. Rowley, A. Lorenzetti. Princeton 1958, S. 88 ff.

44. Die neun Täfelchen, die aus der Domsakristei stammen, wurden Taddeo Bartolo oder auch Benedetto di Bondo zugeschrieben. Dankenswerterweise teilte mir Professor E. Carli, Siena, mit, daß er schon im Museumsführer von 1946 den genannten Künstler vorgeschlagen habe, der 1410 die Fresken in der

rechten Seitenkapelle der Domsakristei, die zur Aufbewahrung von Büchern diente, ausgeführt hat. Diese Zuschreibung hat Berenson in: Italian Pictures of the Renaissance-Central Italian and North Italian School, I, Phaidon, London 1968, S. 297, übernommen. Die Angabe von Berenson, daß sich zwei weitere Tafeln in der Sammlung Thyssen in Castagnola befinden, beruht nach Auskunft der Sammlung auf einem Irrtum. Demnach müssen die drei fehlenden als verloren gelten.

in der Tradition. Die Frage, woher Nicola di Naldo Anregungen für die Bildformulierungen zu den rein spirituellen ersten Sätzen empfing, kann nur in einer genauen Untersuchung der Täfelchen beantwortet werden, die noch aussteht. Da uns in diesem Kapitel vor allem die Themenwahl interessiert, geben wir die Bildmotive zu den einzelnen Sätzen nach den Inschriften an:

1. Credo in unum Deum (Ich glaube an einen Gott): Gott Vater thront im Licht; er hält Krone und Zepter in Händen. Seine Gestalt ist in der Bildfolge von der des Sohnes immer durch die Krone unterschieden.

2. Patrem omnipotentem/factorem coeli et terrae/visibilium omnium et invisibilium (den allmächtigen Vater, Schöpfer des Himmels und der Erde, aller sichtbaren und unsichtbaren Dinge): Die gleiche Schöpfergestalt – nur eine andere Manteldrapierung – steht auf diesem Bildfeld zur Seite gewandt inmitten der sphärischen Kreise seiner Schöpfung. In Vollmacht hebt der Schöpfer seine Rechte. Der Gestus der linken Hand bedeutet vermutlich Abwehr der Finsternis, *Abb. 332.*

3. Et in unum Dominum Jesum Christum/Filium Dei unigenitum (und an den einigen Herrn Jesum Christum, den eingeborenen Sohn Gottes): Christus steht von Goldstrahlen umgeben auf einer Wolke. Die eine Hand ist im Sprechgestus erhoben, die andere geöffnet gesenkt. Mit dieser Bewegung ist vermutlich auf die Menschwerdung verwiesen. Auffallend ist, daß die Gestalt in gleicher Weise wie die des Auferstandenen nur mit einem Tuch bekleidet ist, das den rechten Arm und die Brust freiläßt. Vielleicht ist dies auch ein Hinweis auf das Erlösungswerk, aber warum schon an dieser Stelle?

4. Et ex Patre natum ante omnia saecula (aus dem Vater vor aller Zeit geboren): Dieses Täfelchen ist verloren.

5. Deum de Deo/lumen de lumine/ Deum verum de Deo vero (Gott von Gott, Licht vom Licht, wahrer Gott vom wahren Gott): Die Einheit und Wesensgleichheit von Gott Vater und Gott Sohn wird durch die Anordnung beider Gestalten hervorgehoben. Sie sind von der Lichtmandorla (zum Teil beschädigt) und zehn Cherubim umgeben. Goldstrahlen als Symbol für das spirituelle Licht der Gottheit und seiner doxa umhüllen die Gestalt des Sohnes. Die Handhaltung Gott Vaters kann Segen oder Bezeugung der Sohnschaft des Christus sein. Die offenen Hände des Sohnes deuten als Demutsgebärde zusammen mit dem nach unten gerichteten Blick den empfangenen Auftrag an, *Abb. 333.*

6. Genitum non factum/consubstantialem Patri:/per quem omnia facta sunt (geboren, nicht geschaffen, eines Wesens mit dem Vater, durch welchen alle Dinge geschaffen sind): Nun tritt Christus als Schöpfer-Logos mit dem rufenden und abwehrenden Gestus inmitten der Sphären auf, *Abb. 334;* vgl. zum Schöpfer Bd. 6 Altes Testament.

7. Qui propter nos homines/et propter nostram salutem descendit de caelis (der um uns Menschen willen und um unserer Seligkeit willen gestiegen ist vom Himmel): Das Täfelchen zeigt oben in der Ecke Gott Vater in der Glorie des Himmels. Er sendet den Sohn, der von Cherubim begleitet und vom Licht umleuchtet mit der Taube des Heiligen Geistes zur Erde schwebt, *Abb. 335.* Die im 15. Jh. häufig bei der Verkündigung mit dargestellte Sendung des Sohnes hat der Maler, vom Text des Symbolum und von dessen Intention ausgehend, abgewandelt, vgl. Bd. 1, S. 20ff. Nicht das kleine Kind mit dem Kreuz auf der Schulter schwebt zur Erde zu Maria, sondern der Sohn in seiner göttlichen Herrlichkeit kommt herab.

8. Et incarnatus est de Spiritu Sancto/ex Maria Virgine: et homo factus est (und ist Fleisch geworden von dem Heiligen Geiste aus Maria der Jungfrau und ist Mensch geworden): Dieses Täfelchen ist verloren.

9. Crucifixus etiam pro nobis:/sub Pontio Pilato passus et sepultus est (auch gekreuzigt für uns, unter Pontio Pilato gestorben und begraben): Hier handelt es sich um reale Geschehnisse, die auch so dargestellt sind und mancher späteren Katechismusillustration dieser Sätze entsprechen: Vor Pilatus wird Jesus gegeißelt, daneben Christus am Kreuz und Christus im Grab[45].

10. Et resurrexit tertia die secundum Scripturas (Am dritten Tage auferstanden nach der Schrift): Hierfür ist einer der allgemein üblichen Darstellungstypen der Auferstehung verwandt. Christus steigt in frontaler Haltung aus dem offenen Grab empor; die vier Hüter schlafen.

11. Et ascendit in caelum/sedet ad dexteram Patris (aufgefahren gen Himmel, sitzet zur Rechten des Vaters): Die Darstellung zu diesem Satz schließt sich an den östlichen Darstellungstypus der Himmelfahrt an, der ohnehin ein Verherrlichungsbild ist, vgl. Bd. 3. Die Apostel sind nicht

45. Abbildung siehe: C. Brandi, Quattro Centisti Senesi, Milano o. J., Tf. 11a; hier Benedetto di Bondi zugeschrieben.

mit dargestellt, aber die Botschaftsengel, die zur Erde herabblicken und zum thronend auffahrenden Christus emporweisen. Die zwanzig Figuren (in Zeitkostümen), die seitlich in zwei Gruppen auf Wolken mit emporschweben, stammen aus der italienischen Bildüberlieferung des 14. Jh., vgl. das Fresko von Giotti, *Bd. 3, Abb. 513.* Sie stellen die aus dem Totenreich durch Christus befreiten Gerechten dar, haben also ihren Ursprung im Anastasisbild, dem Auferstehungsbild des Ostens.

12. Et iterum venturus est cum gloria/indicare vivos et mortuos:/cuius regni non erat finis (und wird wiederkommen mit Herrlichkeit, zu richten die Lebendigen und die Toten, so daß seines Reiches kein Ende sein wird): Dieses Täfelchen ist verloren. Durch den Verzicht auf die Darstellung des letzten Teils des Nicaenums wird die für das apostolische Bekenntnis übliche Anzahl von zwölf Darstellungen erreicht[46].

Aus der Mitte des 15. Jh. sind drei Blockbücher bekannt, die die zwölf Sätze des Apostolicums mit Szenen illustrieren und jeder szenischen Darstellung den betreffenden Apostel und Propheten einfügen. Die Texte ihrer Schriftbänder sind in dem wohl ältesten Exemplar der Wiener Nationalbibliothek nach dem Druck mit der Feder eingetragen. Dies unterblieb beim Heidelberger Credo (UB. Cod. Palat. germ. 438), bei dem die Seiten mit den Illustrationen zu dem 2.–5. Satz des Credo fehlen. Aus dem Augustinerchorherrnstift Weyarn (Obb.) stammt das »Symbolum Apostolicum«, München (SB. xyl 40), dessen Holzschnitte später koloriert wurden. Während für den ersten Artikel der Tradition entsprechend die Schöpfung dargestellt ist, *Abb. 336,* Heidelberg, beginnt der zweite mit der Taufe Christi. Das Spruchband Gottes bestätigt die Gottessohnschaft Jesu Mt 3,17. Das Wort, das unten zwischen David und Andreas steht, bezieht sich auf Ps 2,7: »Du bist mein Sohn, heute habe ich dich gezeugt.« Aus

diesen beiden Worten erklärt sich, daß als Illustration für den Satz »... Gottes eingebornen Sohn ...« die Taufe gewählt ist. Die übrigen Sätze sind auch in den Blockbüchern mit entsprechenden neutestamentlichen Bildmotiven illustriert. Nur im dritten Artikel von der Kirche variiert die traditionelle Auswahl. (Papst oder Petrus mit Schlüssel neben Kirchengebäude, Beichte und Absolution, Auferstehung des Fleisches, Christus und Maria im Himmel thronend und von Aposteln angebetet.)[47] Künstlerisch höher als die Blockbücher steht ein Holzschnittzyklus von 1485, den Conrad Dinkmut in Ulm unter dem Titel »Erklärungen der zwölf Artikel des christlichen Glaubens« herausbrachte (A. Schramm, Bildschmuck, Bd. 6, Abb. 110–121). Es hat sich in dieser Zeit die Regel gebildet, den ersten Artikel mit einem Schöpfungsbild, das Christusbekenntnis mit sechs oder sieben und entsprechend das Bekenntnis zum Heiligen Geist mit vier oder fünf Darstellungen zu illustrieren, je nachdem, welche Motive zusammengezogen werden. Die biblischen Szenen des Christusbekenntnisses bleiben thematisch konstant, nur die erste Darstellung variiert gelegentlich. Der dritte Teil, für dessen Sätze es, abgesehen von Pfingsten, keine unmittelbaren Vorbilder der Bibelillustration oder der mittelalterlichen Kunst gibt, wird am unterschiedlichsten veranschaulicht. Selbstverständlich setzen sich in Katechismen der Reformatoren, die im Gegensatz zu Luther an der Gliederung in zwölf Sätze festhalten, die letzten Darstellungen von der mittelalterlichen Themenwahl ab. Die kombinierte Form kommt auch im 16. und 17. Jh. vor, allerdings wird die Figur der Apostel dann in der Regel durch den Namen ersetzt.

Interessant ist ein Einblattdruck mit einer Bildfolge (Eisenradierungen) von Daniel Hopfer zum Credo, die dieser der Reformation gegenüber aufgeschlossene Basler Künstler 1522/23 schuf[48]. Der Zyklus umfaßt der mittelalterlichen Tradition entsprechend zwölf Darstellungen.

---

46. Die Tafeln befinden sich bedauerlicherweise in schlechtem Erhaltungszustand. Sie sind, wenn ich recht sehe, abgesehen von dem Passionstäfelchen, niemals publiziert worden, so daß der ikonographische Zusammenhang dieser kleinen sienesischen Bildgruppe mit der gesamten Credo-Illustration und den speziellen literarischen Quellen dafür bisher unerforscht blieb. Es ist möglich, daß es sich bei der Wahl des Nicänums um eine Lokaltradition handelt. Vielleicht lag auch ein besonderes dogmatisches

Interesse vor.

47. Die beiden Blockbücher sind in den Veröffentlichungen der Graphischen Gesellschaft Berlin von P. Kristeller publiziert, Bd. IV, 1907 und Bd. XXIII, 1917.

48. W. Wegner, Beiträge zum graphischen Werk Daniel Hopfers, in: Zschr. f. Kunstgeschichte 20, 1957, S. 239–259. Der Verfasser behandelt auch Hopfers Blätter zu Stellen des Matthäusevangelums.

Über jedem Satz des Apostolikums steht nur der Name des diesem zugeordneten Apostels, *Abb. 338.* Die Bildfelder 3, 4, 5, die Doppelszenen bringen, übernehmen die herkömmlichen Darstellungen aus den Leben-Jesu-Zyklen; die anderen weisen eigenständige Formulierungen auf, wenn auch einige der Bildinhalte in dieser Zeit schon vorkommen. Der Wortlaut der jedem Bild zugefügten Sätze des Apostolikums stimmt beinahe ganz überein mit dem Text in Luthers »Kurtzer Form« von 1520 und dem Betbüchlein von 1522, der in den späteren Katechismen von Luther etwas abgeändert wurde. Hopfer muß diese frühen Vorarbeiten zum Katechismus gekannt haben. Das erste Bild zum Artikel von Gott dem Schöpfer zeigt seine Verbindung mit dem Humanismus. Er setzt sich mit dieser Illustration von den Blockbüchern ab, deren Schöpfungsbild in den lutherischen Katechismen weiterlebt. Die konzentrischen Kreise, durch die Hopfer die Welt ohne Bezug zur biblischen Schöpfungsgeschichte symbolisiert, deutet er durch die lateinischen Inschriften als die Sphären nach dem Aristotelischen System. Innerhalb der Druckgraphik ist ein Vorläufer für diese Darstellung der geschaffenen Welt in der Schedel'schen Weltchronik, Blatt 5, die 1493 in Nürnberg erschien, zu finden (Wohlgemuth und Pleydenwurf). Der Idee, den zweiten Satz durch eine Darstellung des zur Erde herabkommenden Gottessohnes zu interpretieren, begegneten wir schon auf den sienesischen Täfelchen, wo sie der Text des nicänischen Credo nahelegte. Die Blockbücher stellten diesen Satz durch die Taufe Jesu dar. Hopfer greift für das Eingangsbild zum 2. Artikel, dem Luther die Überschrift »Von der Erlösung« gab, die Idee des schon erwähnten, im 15. Jh. bekannten Darstellungstypus »Ratschluß der Erlösung« oder »Sendung des Sohnes« auf *(vgl. Bd. 1, Abb. 12 und 16).* Er hebt einerseits die Trinität hervor, aus deren Mitte sich Christus aufmacht, um zur Welt herabzukommen, andererseits betont er dessen Passion auf Erden durch das schwere Kreuz und die Dornenkrone. (Vgl. die Kreuztragung zur 3. Bitte des Vaterunsers »Dein Wille geschehe«.) Das dritte und vierte Bild bedienen sich herkömmlicher Darstellungstypen für Verkündigung, Geburt und Passion Christi; ebenso das fünfte, auf welchem der Abstieg in die Hölle durch einen steilen Felsen von dem Aufstieg aus dem Grab getrennt ist. Das sechste Bild bringt – nach dem Erlösungswerk – die Umkehrung zur Herabkunft: Als Sieger erhebt sich Christus von der Erde, um sich zur

Rechten Gottes, des allmächtigen Vaters, zu setzen. Wieder wird die Trinität, nicht zuletzt durch die figürliche Darstellung der drei göttlichen Personen, hervorgehoben. Jetzt thront Gott in der Mitte, Christus hält die Zeichen des Richters – Schwert und Lilie – in Händen; der Heilige Geist die Taube und den Globus. Das Thronen zur Rechten Gottes wird allgemein bei Darstellungen dieses Credosatzes gezeigt, aber meistens nicht mit dem Heiligen Geist. Hier ist es verbunden mit der Himmelfahrt. Das nächste Bild weicht erheblich von der üblichen Illustrierung ab. Es ist nicht die Ankunft Christi zum Gericht auf Erden gezeigt, sondern der Richter im Kreis der Beisitzer im Himmel. Allerdings sind es vierzehn und nicht der Zahl der Apostel entsprechend zwölf. Unter diesem kreisförmigen »Wolkenhimmel« ist in kleinem Format die Trennung der Gerechten und der Verdammten mehr im Sinne einer Zukunftsvision angedeutet als vergegenwärtigt. Diese Differenzierung, die als eine der zeitlichen Realität empfunden wird, entspricht dem Wortlaut des Satzes: »Von dannen er zukünftig ist zu richten ...«. Die fünf Bilder zum 3. Artikel von der Kirche setzen sich wiederum von der spätmittelalterlichen Tradition ab. In Entsprechung zu der Sendung des Sohnes steht zu Beginn die Sendung des Heiligen Geistes. In den Blockbüchern und auch in den späteren Katechismusillustrationen nimmt diese Stelle ein Pfingstbild ein. Hier aber schreitet der Heilige Geist gekrönt hinab und bringt Licht, das von der Taube in seiner rechten Hand ausstrahlt, und das Feuer des Gerichts zur Erde. Zu dieser Darstellung ist keine Parallele nachzuweisen. Für die »Gemeinschaft der Heiligen« sind in der katholischen Zeit Papst oder Petrus mit Schlüssel, Bischof und Kleriker, Heilige oder ein Kirchengebäude dargestellt worden. Hier ist es die Volksmenge, über der das Zeichen des Heiligen Geistes schwebt. In ihr sind alle Stände vertreten, Gebrechliche und Kinder gehören zu ihr. Die Hellebarden, Keulen und Sensen verweisen auf die Bauern, die sich der neuen Lehre anschlossen. Jeder einzelne dieser Volksgruppe ist durch den Nimbus als zur »Gemeinschaft der Heiligen« gehörend ausgewiesen. Hierin zeigt sich eine sehr deutliche Absage gegenüber dem Kult der Heiligen, in denen man bis dahin die Kirche vertreten sah (Allerheiligenbild). Beim Satz von der »Vergebung der Sünde«, der im Mittelalter durch die Beichte oder Absolution illustriert wurde, zeigt Hopfer eine Taufhandlung. Die Darstellung der Auferstehung des

Fleisches ist nicht mit dem Gericht verbunden. Durch die Verselbständigung bekommt diese Glaubensaussage ein besonderes Gewicht. Für den letzten Satz bringen die Blockbücher die Verehrung Christi und Marias durch Apostel beziehungsweise die Marienkrönung. Diese Radierung schließt mit der Anschauung der Trinität, die der großen Schar gewährt wird. Auffallend ist die formale Ähnlichkeit zur Aufnahme Christi in die Herrlichkeit Bild sechs, allerdings mit dem gravierenden Unterschied der nicht sehenden Jünger und der im ewigen Leben Gott schauenden Schar der Auferstandenen. – In die gleiche Zeit gehören noch eine fragmentiert erhaltene Bildfolge von Jakob Cornelicz von Amsterdam, um 1520, die sich an die Thematik der Blockbücher anschließt[49], und zwölf Holzschnitte des von 1530–1552 in Basel und Bern tätigen Heinrich Holzmüller. Er gibt zum 9. Satz von der Kirche eine evangelische Predigt und zu dem von der Vergebung eine Taufe als Interpretation. Bei Cornelicz steht hier die Beichte.

In den Katechismen Luthers ist die Credodarstellung sehr vereinfacht durch die Zusammenfassung der Bekenntnisse zu Christus und zum Heiligen Geist in je einem Artikel, so daß jedem der drei Artikel nur ein Bild hinzugefügt wird. Luther begründet seine Gliederung in »drei Hauptartikel nach den drei Personen der Gottheit, dahin alles, was wir glauben, gerichtet ist«, mit der leichteren Verständlichkeit: »Der erste Artikel von Gott dem Vater erklärt die Schöpfung. Der andere von dem Sohn die Erlösung. Der dritte von dem Heiligen Geist die Heiligung.«[50]

Der erste Artikel ist nicht nur gemäß der Tradition, sondern vor allem auf diese Begründung Luthers hin in den Katechismen durchweg mit einem Bild Gottes des Schöpfers illustriert. Entgegen der auf der christologischen Deutung des Schöpfers im Mittelalter beruhenden Darstellung des Schöpferlogos wird seit dem 15. Jh. immer Gott Vater als Schöpfer dargestellt. Innerhalb dieses konstanten Themas gibt es mehrere Varianten, die in Katechismusillustrationen auf drei Grundtypen zurückgeführt werden können: 1. Gott steht inmitten seiner Schöpfung, dabei segnet er die Tiere oder erschafft Eva. 2.

Gott steht neben seiner Schöpfung, in den erwähnten Blockbüchern hinter ihr. Bei dieser Gruppe wird sehr oft nicht das Paradies, sondern ein Landschaftsausschnitt gezeigt, in dem manchmal die Kirche ein Abbild der Heimatkirche sein dürfte. 3. Gott erscheint oberhalb seiner Schöpfung und hält oder segnet sie[51]. Da der Vaterunseranrede häufig auch ein Schöpfungsbild beigegeben ist, wird entweder der Holzschnitt zum 1. Artikel wiederholt oder eine der Varianten dafür verwendet. Den ersten Typus hat Cranach für den Holzschnitt zur Anrede des Vaterunsers der Auslegungen Melanchthons verwandt, *Abb. 371*, der vor 1527 angefertigt wurde. Eine spiegelbildliche Wiedergabe davon ist in die bei Rhau 1528 erschienenen Genesispredigten und ebenso in die erste Gruppe der Drucke des Großen Katechismus aufgenommen worden. Im Enchiridion von 1535 bei Schirlentz ist diese Vorlage nach einer vereinfachenden Kopie wiedergegeben. Dagegen befindet sich in dem Druck von 1538 ein Holzschnitt, der in der gleichen Wolkenumrahmung mit den vier Windköpfen in den Ecken (Zeichen für die Universalität) die Erschaffung Evas darstellt, Monogrammisten AW (ineinandergestellt), *Abb. 339*.

Den zweiten Typus, den mit einer anderen Weltdarstellung der Stich von Daniel Hopfer verwendet, bringen die Drucke bei Steiner in Augsburg 1530ff., *Abb. 337*, Stich von Weiditz, 1523. Eine Variante davon ist der Holzschnitt von Erhard Schön im Nürnberger Großen Katechismus von 1531, der die Schöpferfigur durch den großen Schritt und den wehenden Mantel aktiviert und zum beherrschenden Bildgegenstand macht, *Abb. 340*. An ihn schließen sich die Drucke des Enchiridion von 1545ff. bei Bapst, Leipzig, und der Monogrammist HB (Hans Brosamer) in dem Druck von 1543 bei Lotter in Magdeburg an, *Abb. 341*. Die symbolische Rundform der Schöpfung ist hier aufgegeben; Gott schreitet durch eine vom Firmament überspannte Landschaft. Der im gleichen Verlag 1534 erschienene Druck des Großen Katechismus enthält eine Nachbildung des Cranachschen Holzschnittes. Behams Holzschnitt, der für die Katechismusbearbeitung von Lukas Lossius bei Egenolph, Frankfurt, verwandt

---

49. Abbildungen siehe: K. Steinbart, Das Holzschnittwerk des Jakob Cornelicz von Amsterdam, Burg bei Magdeburg 1937, S. 108f., Nr. 121–132.

50. Großer Katechismus, Einleitung zum Credo.

51. Vgl. die Darstellung in der Weltchronik, die 1493 bei Koberger in Nürnberg erschien, in: A. Schramm, Die Bilderkunst der Frühdrucke, Bd. XVII, 1934, Tf. 159, S. 412.

wurde, zeigt den Schöpfer in ganzer Figur schwebend, *Abb. 342.*

Der dritte Typus, der ein Brustbild des Schöpfers über seiner Schöpfung zeigt, ist dem Bild der Blockbücher ähnlich, in dem aber Gott hinter der Schöpfung und im Kreis der Engel steht. Von einem solchen Vorbild wird der Holzschnitt im Bibeldruck von 1483 bei Koberger, Nürnberg, und der von Cranach in der ersten Vollbibel der Übersetzung Luthers von 1534 bei Hans Lufft, Wittenberg, angeregt worden sein. Auf den Holzschnitt Cranachs im Bibeldruck von 1534 greift Hans Brosamer für das Schöpfungsbild seiner Katechismusillustration von 1553 bei Gülfferich, Frankfurt, zurück und nimmt die Windengelköpfe aus dem Katechismusbild Cranachs hinzu, *Abb. 343.* Die Schöpfung ist als das vom Firmament umgebene Paradies mit Adam und Eva, dem sich in vier Flüsse teilenden Strom, Pflanzen und Tieren wiedergegeben.

Für den 2. Artikel ist bei den Luther-Katechismen durchgehend Christus am Kreuz dargestellt. Dabei reichen die Varianten vom isolierten Kruzifixus in der Wolkenglorie im Kleinen Katechismus bei Schirlentz, *Abb. 344,* über die Hinzufügung von Maria und Johannes oder den Schächerkreuzen bis zur Einbeziehung der beiden Präfigurationen, Isaaks Opferung und der erhöhten Schlange, *Abb. 347,* Holzschnitt des Monogrammisten AW im Großen Katechismus von 1538, der auch in die Spangenbergsche Bearbeitung von 1544 übernommen wurde.

Den dritten Artikel vom Heiligen Geist illustriert in der Regel ein Pfingstbild, für das häufig der mittelalterliche Typus mit Maria inmitten der Apostel beibehalten wird. Da auch die zweite Bitte des Vaterunsers durch ein Pfingstbild interpretiert wird, kommt oft das gleiche Bild zweimal vor. Cranach setzt sich bei dem Holzschnitt für die Erläuterungen zum Vaterunser Melanchthons von der Tradition ab, *Abb. 373.* Er verzichtet auf Maria; die Apostel sind um einen Tisch versammelt; die feurigen Zungen stehen nicht auf den Häuptern der Apostel, sondern fahren aus dem Mund eines jeden. Dieses Vorbild wurde für die ersten Katechismen mit einer nur geringfügigen Abänderung übernommen (siehe unten) und dann im ganzen Einflußgebiet der Wittenberger Werkstatt, wie wir es für die Gebotsillustrationen schilderten, kopiert. Daneben hat Erhard Schön für den Nürnberger Katechismus von

1531 einen Typus formuliert, *Abb. 345,* der gleichfalls für die Credodarstellung und die zweite Bitte vielfach variiert wurde. Die machtvolle Ausbreitung des herabkommenden Geistes und die feurigen Zungen im Mund der Apostel entsprechen der Cranachschen Auffassung. Durch die allmählich erfolgte Reduzierung der Zahl der Apostel löst sich die Darstellung von der Bindung an die biblische Szene, und der Empfang des Heiligen Geistes erhält allgemeine Gültigkeit. Manchmal erscheint die Gottesgestalt über der Taube. – In der Kirche in Sonneborn, deren Freskenzyklus sich an süddeutsche Katechismusillustrationen anschließt, lassen sich aus einigen Resten die drei Bildthemen zum Credo rekonstruieren.

Wie schon erwähnt, geht M. Joh. Spangenberg bei seiner Katechismusbearbeitung wieder von der im Mittelalter gültigen Einteilung in zwölf Artikel aus. Die Verteilung auf die Apostel fehlt bei ihm. Die Bildgegenstände der Illustrationen des Bekenntnisses zu dem Erlöser sind in diesen Katechismen die traditionellen aus dem Leben Jesu. Bei den Sätzen zur Kirche unterscheiden sie sich. Aus der Wittenberger Ausgabe von 1544 (München SB. Catech. 433) bilden wir den mit AW signierten Holzschnitt zur Auferstehung Christi ab, der in seiner Besiegung der Hölle und des Todes für die Kunst der Reformationszeit typisch ist, *Abb. 348.* Für die Illustration zum 9. Satz von der Gemeinschaft der Heiligen ist ein Holzschnitt des Meisters AW aus dem Großen Katechismus von 1538 übernommen, der dort dem vierten Hauptstück, dem Sakrament der Taufe, eingefügt ist, *Abb. 388.* Die 1557 in Augsburg bei Othmar (München SB. Catech. 609) erschienene Ausgabe stellt am Schluß für den Satz »... ein ewiges Leben« das Gleichnis vom reichen Mann in den Flammen der Hölle und dem armen Lazarus im Schoße Gottes (Lk 16,19–31) dar, *Abb. 346,* während für die »Auferstehung des Fleisches« Christus gezeigt wird, wie er seine Jünger lehrt, und eine sich auf das Gericht beziehende Beischrift.

An die Katechismusillustrationen der Reformation schließen sich zwölf Steinreliefs an, die Sem Schlör für den Blockaltar der von Herzog Christoph erbauten Stuttgarter Schloßkapelle gegen 1560 gearbeitet hat. Da sie im letzten Krieg stark beschädigt wurden, sind sie nicht mehr zugängig. Erwähnenswert ist im Bereich des Reformators Brenz, daß unter direkter Anregung des Landesfürsten, der zum neuen Glauben übertrat, die alte Tradition der

Credodarstellung mit den zwölf Aposteln für einen Altar, also an einer zentralen Stelle im Kirchenraum, übernommen wurde. Die neunte Tafel zeigt den evangelischen Gottesdienst, bei dem Männer und Frauen, wahrscheinlich dem tatsächlichen Brauch entsprechend, getrennt auf den im rechten Winkel zueinander stehenden Kirchenbänken sitzen und auf den Prediger ausgerichtet sind. Die Kanzel steht seitlich vom Altar (siehe Fleischhauer, 1971, Abb. 69).

Die Credo-Erläuterung »Icones Symboli apostolici cum brevi« des Humanisten Erasmus von Rotterdam kam 1557 in Köln bei Birkmann heraus (Münster, UB I an G 3 283). Sie enthalten zwölf Holzschnitte, da Erasmus wie Spangenberg, Bucer, Brenz die mittelalterliche Tradition der Aufteilung in zwölf Sätze beibehielt. Die Nennung der Apostelnamen bezieht sich in dieser Zeit nicht mehr unmittelbar auf die alte Legende, die damals in Frage gestellt wurde, sondern bedeutet die Identität des Glaubens der Apostel, den sie an Pfingsten bezeugten, mit dem der Gemeinde. Die ersten drei Darstellungen (Schöpfung, Verkündigung und Geburt Jesu) sind ganzseitig. Das vierte Bild zur Passion faßt die Handwaschung Pilati mit der Abführung des Verurteilten, Golgatha und einem großen Sarkophag zusammen, *Abb. 349*, eine Kombination, die noch im 18. Jh. zu finden ist. Der nächste Holzschnitt zieht die Höllenfahrt und die Auferstehung am dritten Tag – in dem Typus des in der Höhe schwebenden Auferstandenen – zusammen, *Abb. 350*. Ein eigenartiges Motiv ist der auf dem Höllentor hockende Drache, der mit giftigem Biß in die Wolkenglorie des Auferstandenen fährt. Die Illustration zur Wiederkunft zum Gericht, *Abb. 351*, entspricht dem Glaubenssatz: »zu richten die Lebendigen und die Toten«, steht aber, abgesehen vom Typus des Richters, im Gegensatz zur Bildtradition der Gerichtsikonographie. Niemals sind im Mittelalter die Gerichteten als die noch Lebenden dargestellt, die bei dem Klang der Posaune erschrocken die Flucht ergreifen. Wie bei den Totentanzspielen werden sie vom Tod dirigiert. Es scheint, als vertrete dieser die Stelle der Teufel im traditionellen Ge-

richtsbild und treibe die von der Wiederkunft überraschten noch Lebenden in die Hölle. Die Toten aber sind zum ewigen Leben erstanden und schauen anbetend den zum Gericht erscheinenden Herrn, vgl. Bd. 5 das Gerichtsbild des 16. Jh. Der letzte Credoteil beginnt mit einem Pfingstbild mit Maria; die Kirche und die Gemeinschaft der Heiligen sind durch einen Predigtgottesdienst, die Vergebung der Sünden durch die Taufe Jesu im Jordan veranschaulicht. Bei der Auferstehung des Fleisches blasen vier Engel die Posaune (Tube). Die noch Lebenden sind zu Boden gestürzt oder fliehen. Auf dem Friedhof, der eine Kirche umgibt, erheben sich einige Auferstehende aus ihren Gräbern. Den Abschluß des Apostolikums bildet ein Doppelbild, *Abb. 352*. Das ewige Leben ist dargestellt durch eine im Himmel im Kreis um die Krönung Marias sitzende Schar mit Siegespalmen in Händen. Der vorderste Mann mit Harfe und Krone dürfte König David sein. Auf Erden treiben tierische Teufelsgestalten ihre Spiele mit den Ausgestoßenen. Der Zyklus bringt eine beachtliche Zahl von ikonographischen Besonderheiten, die zum Teil der darstellungsgeschichtlichen Entwicklung der Bildgegenstände in der Renaissance entsprechen, zum andern wohl unter dem persönlichen Einfluß des Erasmus aufgenommen sein dürften.

Eine völlige Sonderstellung nehmen die zwölf lasierten Federzeichnungen zum Credo ein, die Paul Lautensack um 1535 zusammen mit zwölf Zeichnungen zum Vaterunser schuf. Lautensack, 1478 in Bamberg geboren, lebte später in Nürnberg und gehörte dort entweder einer Gruppe von Sektierern oder Schwärmern an, oder er war ein Einzelgänger. Auf Grund einer Schrift zur Apokalypse mit skurrilen Spekulationen wies ihn der Rat der Stadt 1542 aus Nürnberg aus, doch konnte er 1545 wieder zurückkehren und starb 1558 daselbst[52]. Der Credozyklus ist sehr eigenwillig gestaltet, aber verständlicher als seine Blätter zum Vaterunser, die mit mehr Bildmotiven der Apokalypse durchsetzt sind. Der jeweilige Satz des Credo steht in der Sockelzone zwischen Prophet und Apostel und ist außerdem noch einmal in einzelne Worte aufgeteilt

---

52. Die Forschung hat sich bisher noch nicht mit diesen Zyklen, die in der Literatur bisher irrtümlich als Apokalypsezyklen nur erwähnt wurden, ohne näher auf sie einzugehen, beschäftigt. Es sind lediglich vier Blätter der Erläuterungen zum Credo (Incarnation und Passion) auf der Reformationsausstellung 1967

in Berlin gezeigt worden, Katalog Nr. 194. Auch wir können in unserem Zusammenhang nur einige der Blätter mit kurzen Hinweisen bringen, ohne die sich darin äußernden Vorstellungen im einzelnen zu untersuchen.

über das ganze Bild verstreut. Bei der Zeichnung zum ersten Artikel fällt die dreifache figürliche Darstellung Gottes, *Abb. 353*, auf. Zu beiden Seiten der Weltkugel, deren untere Hälfte dem Chaos überlassen ist (»Es war finster auf der Tiefe, und der Geist Gottes schwebte auf dem Wasser«), sitzt der allmächtige Schöpfer, siehe Inschriften in den Nimben. Die Gestalten sind nur durch die Blickrichtung und die Handhaltung unterschieden. Über der Welt erhebt sich der Kruzifixus. Die Art, wie den drei Figuren und der Weltkugel die Worte »Gott Vater – Allmächtiger – Schöpfer – Himmels und der Erden« zugeordnet sind, verweist auf die gegenseitige Bedingung der Erschaffung der Welt und ihrer Erlösung. Die Engel und die ungeborenen Kinder (?) blicken auf den Kruzifixus. Das Wirken des Sohnes von Anfang an, sei es als Schöpfer (Kol 1,16) oder Erlöser, scheint ein Lautensack sehr wichtiger Gedanke zu sein. Das zweite Blatt, *Abb. 354*, zeigt wieder die übereinstimmenden Gottesgestalten, diesmal in der Paradieseslandschaft mit dem Hirsch am Lebensbrunnen. Die Ureltern vor dem Paradiesesbaum reichen sich die Hände, und über ihnen breitet die Taube ihre Flügel aus. Vielleicht will Lautensack in diesem ersten Bild zum zweiten Artikel sagen, daß das Bekenntnis zu Jesus Christus sich auf den Erlöser des Menschengeschlechts bezieht, das auch nach dem Sündenfall unter Gottes Gnade steht. Die Zuführung Adams und Evas, die in der Katechismusillustration dem Traubüchlein eingefügt ist, wird in diesem Bildzusammenhang vermutlich als Urbild der Sozialität gezeigt. Außerdem ist durch die Trinitätsdarstellung Jesus Christus als Gottessohn und, wie im ersten Bild, als der von Anfang an mit dem Vater Wirkende ausgewiesen. Möglicherweise liegt Lautensack bei dem wiederholten Motiv der Trinität vor allem an der Darstellung des Heiligen Geistes, dessen Wirken für alle Gruppen von Schwärmern und Sektierern von größter Bedeutung ist. Die Darstellung des Abschieds und der Himmelfahrt Christi (Mt 26,16f. und Mk 16,19), *Abb. 355*, ist, wie bei Credodarstellungen üblich, verbunden mit dem »Sitzen zur Rechten Gottes, des allmächtigen Vaters«. In der Gestaltgebung ist hier der Sohn durch die Wundmale als der vom Tod Auferstandene gekennzeichnet. Narrative und symbolische Bildelemente gehen ohne den geringsten Unterschied der Realitätssphären ineinander über. Auf den fünf Blättern zum dritten Artikel stehen Motive der mittelalterlichen Kunst, der Reformationszeit und Gebilde

eigener Phantasie nebeneinander. Die einheitlichste Darstellung gilt der »Vergebung der Sünden«, die eine Taufhandlung und die Absolution als Nebenszene zeigt. Die Auferstehung des Fleisches ist dann wieder sehr eigenwillig formuliert, *Abb. 356*. Dem im Himmel thronenden Christus, der die Sichel als Attribut des Richters und ein Zepter, aus dem sieben Engel hervorgehen, hält, ist in der Mitte der irdischen Welt der Teufel als Herrscher der Hölle gegenübergestellt. Aus seinen Herrschaftszeichen: Globus, Zepter und Krone gehen Schlangen hervor, die zwischen die auferstehenden Toten fahren und den Machtanspruch des Teufels bekunden. Vor der dreifachen Krone steht der Türkenhalbmond. Lautensack greift hier die Polemik gegen das Papsttum auf, wie sie bei der bildlichen Ausdeutung der Vision des apokalyptischen Tieres schon in Luthers Septemberbibel 1552 (Cranach) zu finden ist. Das letzte Blatt mit der Darstellung zum »ewigen Leben« ist voll Harmonie. Die Welt (Stadtbild von Nürnberg) ist verwandelt in das himmlische Jerusalem mit den zwölf Toren und den Wächterengeln. Darüber ist die erlöste Menschheit anbetend um Gott versammelt. Da es sich bei diesem Werk um Zeichnungen und nicht um Druckgraphik oder Entwürfe für Malerei handelt, hatte der Zyklus keine Auswirkung auf die zeitgenössische Kunst. Er bleibt aber als eine persönliche Aussage eines durch die Reformation und die ihr folgenden geistigen Strömungen religiös stark engagierten Künstlers von Interesse.

Für die Zeit der Gegenreformation sind (nach Pigler I, 497) einige Kupferstichfolgen zu nennen: Maerten de Vos (1532–1603), Adriaen Collaert (um 1560–1618), Jan Collaert d. J. (1566–1628), Giovanni Marco Pitteri (1706–1786); ein Altarbild von Teodoro Ghisi, 1588, Graz Gemäldegalerie. Für die Wandmalerei verweisen wir auf den beachtlichen Zyklus mit zwölf Darstellungen in den Seitenschiffen der ehemaligen Reichsabteikirche in Ochsenhausen (Schwaben), den J. A. Huber 1787 malte. Die biblischen Motive sind auf die Aussagen des Apostolikums konzentriert. An das Schöpfungsbild schließt eine Darstellung an, die in der Katechismusillustration sonst nicht vorkommt: Christus, durch die entblößte Seitenwunde als Erlöser gekennzeichnet, legt seine Hand, die das Zepter hält, auf die Weltkugel. Er ist der Herr der erlösten Welt, *Abb. 357*. Darauf folgen wie bei anderen zwölfteiligen Credodarstellungen die Verkündigung und

die Geburt Jesu in eine Bildkomposition zusammengezogen, die Passionsszenen (Handwaschung des Pilatus,
Grabtragung Christi, alle Leidenswerkzeuge – Arma), die
Auferstehung (der aus dem Grab emporfahrende Christus). Daran schließt das Thronbild an, das Gott Vater
zeigt, wie er den Arm um den neben ihm sitzenden Sohn
legt, und die Wiederkunft zum Gericht. Der dritte Teil
beginnt mit dem traditionellen Pfingstbild, dann folgt die
für die Rokokomalerei typische Darstellung der Kirche
mit den Papstinsignien, siehe oben. Für den Satz »Vergebung der Sünden« ist die große Sünderin (Lk 7,306ff.)
dargestellt, ein biblisches Motiv, das schon in der Katechismusbearbeitung von Spangenberg, der auf die Gliederung in zwölf Einzelsätze zurückgeht, zu finden ist, *Abb.
358*. Die »Auferstehung des Fleisches« beschränkt sich auf
die beim Schall der Posaunen aus den Gräbern Auferstehenden, *Abb. 359*. Das letzte Bild gewährt durch eine
Lupe einen Blick in die lichterfüllte Ewigkeit, *Abb. 360*.

Das Vaterunser – Pater noster

Das Vaterunser-Gebet steht mit geringfügigen textlichen
Varianten bei Matthäus 6,9–13 und bei Lukas 11,2–4. Als
Gebet, das Jesus seinen Jüngern als Beispiel rechten Be-
tens gab, gehörte das Vaterunser schon in der frühen
Christenheit zum Stoff der Taufkatechese. Seit dem 2. Jh.
ist es in der »Didache« nachzuweisen. Für Tertullian ist es
»legitima oratio«, für Cyprian »publica et communis oratio«. Seit dem 4. Jh. ist das Vaterunser Bestandteil der Liturgie, zunächst im Osten, bald aber auch im Westen. Vor
allem wird es im eucharistischen Gottesdienst vor der
Kommunion gesprochen oder gesungen. Dadurch ist das
Gebet mehr in der Liturgie verankert als in der kirchlichen
Unterweisung, obwohl es zur alten Trilogie der Lehre, das
heißt des katechetischen Stoffs gehört[53].

Vorreformatorische bildliche Darstellungen zum Vaterunser gibt es kaum. Auf die völlig singuläre Federzeichnung am Schluß des karolingischen Utrechtpsalters
ist schon hingewiesen worden, *Abb. 327*. Sie zeigt über
dem Text des Gebetes (»Oratio Dominica«) nach Mt 6,9ff.
Jesus inmitten der Jünger stehend. Alle blicken, einige mit

erhobenen Händen, nach oben, wo aus den Wolken die
Hand Gottes erscheint: Gebet als Hinwendung zum Vater, der darauf antwortet (Zeichen der Hand).

Erst in der 2. Hälfte des 15. Jh. ist im Zusammenhang
der Druckgraphik ein mehrfach wiederholtes Bild-
Schrift-Schema entstanden, das ein kolorierter Einblattdruck von Hanns Paur, 1479 (Graph. Samml., München)
wiedergibt, *Abb. 361*. Das Blatt ist oben etwas beschnitten. Gott hält eine Paternoster-Schnur, die oberhalb der
Hand mit »lieb« beschriftet ist. Auf ihren sieben Kugeln
sind die Bitten des Gebetes zu lesen. Einleitung und Anrede stehen gesondert darüber. Sie sind ebenso wie die
einzelnen Bitten mit kurzen Erläuterungen verbunden;
zur vierten Bitte gehören zwei Dreizeiler. Bei der Anrede
steht: »Hoch in der Schöpfung. Reich in dem Erbe. Süß
in der Liebe. – Ein Spiegel der Gottheit. Ein Kron der
Ewigkeit. Ein Schatz der Seligkeit.« Auf der anderen Seite
der Schnur werden die Farben der einzelnen Gebetskugeln
erklärt. So bedeutet Weiß Reinheit im Glauben; Blau Ste-
tigkeit in der Hoffnung; Rot Gerechtigkeit in der Liebe;
Grau Dankbarkeit in der Demut; Gelb Bewährung in der
Barmherzigkeit; Grün Anfang in der Weisheit; Schwarz
Klage in Geduld (wohl Geduld im Leiden gemeint). Das
Blatt ist ein Gruß zum neuen Jahr im Sinne eines An-
dachtsblattes, wie sie seit der Erfindung des Drucks im 15.
Jh. in mancher Form vorkommen. – Älter ist ein stark re-
stauriertes Fresko vom Ende des 14. Jh. in der Martinskir-
che zu Billigheim (Pfalz), das im Zusammenhang eines
neutestamentlichen Zyklus Mt 6,9–13 illustriert. Christus
steht inmitten der Jünger und hält sieben Spruchbänder in
Händen. Es sind weder die sieben Bitten im einzelnen
noch ein Hinweis auf andere Katechismusstücke dargestellt, doch ist das Wandbild – falls die neue Restauration
der 1894 mit Ölfarbe überstrichenen Malerei dem Original
entspricht – ebenso wie das Andachtsblatt ein Vorläufer
der szenischen Vaterunserzyklen des 16. Jh.

Luther hatte schon 1519 Auslegungen zum Vaterunser
herausgegeben. Sie blieben ebenso ohne Illustration wie
das Vaterunser in seinem Betbüchlein von 1522 (München
SB, L. impr. membr. 27). In diesem steht nur am Beginn
jedes Teils ein Holzschnitt; vor dem Vaterunser das Bildmotiv Christus am Kreuz. Bei dieser Wahl dürfte es sich
um eine Verlegenheitslösung gehandelt haben, da noch
keine Vorbilder für die Vaterunser-Illustration bekannt
waren. Vor dem 2. Artikel steht der Gute Hirte. 1523 sind

53. RGG, 3. Aufl., VI, Sp. 1235–1238 (J. Jeremias und Jan-
nasch).

dann in dem Druck bei Steiner in Augsburg als Eingangsbild Christus und die Jünger dargestellt, ein Motiv, das
anschließend häufig anzutreffen ist.

Ende 1523 erschienen in einem lateinischen Wochenge-
betbüchlein des Erasmus von Rotterdam (Precatio Dominica) bei Froben in Basel (ein zweiter Druck bei Bebel)
zum Vaterunser acht Metallschnitte nach Entwürfen von
Hans Holbein d. J., deren Entstehung wohl etwas früher
anzusetzen ist, *Abb. 362–369.* Die Stiche kamen offenbar
gleichzeitig auch als Einblattdrucke mit deutschem Text
der Bitten, doch ohne Erläuterungen heraus[54]. Erasmus
zog bei der Auslegung die Anrede und die erste Bitte zusammen, um für jeden Tag der Woche ein Gebet zu haben.
Holbein stellte ein Bild des das Volk lehrenden Christus
voraus. Für die Auslegung des Erasmus war wichtig, daß
Christus selbst seine Jünger das Vaterunser gelehrt hat.
Während beim Eingangsbild, *Abb. 362,* durch einige
Aposteltypen der Anschluß an eine biblische Szene deutlich wird, kniet bei der Darstellung zur ersten Bitte »Dein
Name werde geheiligt« das Volk in zeitgenössischer
Tracht anbetend auf der Erde, *Abb. 363.* Darüber erscheint Gott Vater, die Taube des Heiligen Geistes und der
Name Jesu Christi in den Wolken. In der Auslegung geht
Erasmus von der Preisung des Schöpfers zum Lob der
Trinität über. Die zweite Bitte »Dein Reich komme« ist
von alters her als Bitte um den Heiligen Geist gedeutet
worden. Deshalb illustrierte man sie in den Katechismen
in der Regel mit einem Pfingstbild, obwohl die Reformatoren in ihren Erläuterungen nicht von Pfingsten, sondern
allgemein vom Heiligen Geist sprachen. Holbein hielt sich
bei dieser Zeichnung an den spätmittelalterlichen Darstellungstypus, der Maria inmitten der knienden Apostel
zeigt, *Abb. 364.* Für die dritte Bitte »Dein Wille geschehe«
die Kreuztragung Jesu zu wählen liegt nahe, *Abb. 365.*
Holbein zeigt sie aber in übertragenem Sinn. Christus

schleppt nicht allein das Kreuz, jeder, der ihm folgt, trägt
das seine, Mt 16,24: »Will mir jemand nachfolgen, der ver-
leugne sich selbst und nehme sein Kreuz auf sich.« Erasmus weist in der Erläuterung auf das Gebet Jesu am Ölberg hin. Für die Frömmigkeit der Zeit war durch
Andachtsbilder und geistliche Schriften der Wille Gottes
identisch mit dem Leiden in der Nachfolge, so daß Holbein die Kreuztragung als Erfüllung des göttlichen Willens
für die dritte Bitte wählte. Ein Holzschnitt des isolierten
Kreuzträgers, mit dem sich Holbein d. J. an die Tradition
der Andachtsbilder des 15. Jh. anschloß (Woltmann Nr.
192), zeigt, wie nah dem Künstler, der mit der niederländischen Mystik der Zeit in Verbindung stand, der Gedanke der Nachfolge im Leiden war. Das tägliche Brot,
das in der vierten Bitte erbeten wird, erklärt Erasmus als
das natürliche Brot, das geistliche Brot des Worts und das
sakramentale Brot. Diese Dreiheit kommt in dem Stich
Holbeins zum Ausdruck, *Abb. 366.* Nebeneinander stehen die Darreichung des sakramentalen Brotes und die
Wortverkündigung, beide bedingen sich gegenseitig und
bilden eine Einheit. Außerdem sieht man durch eine Öffnung des Kirchenraums eine zu einer Mahlzeit um den
Tisch versammelte Gruppe, mit der auf das irdische Brot
hingewiesen wird. Die fünfte Bitte, bei deren Erläuterung
Erasmus ebenso wie andere Interpreten das Gleichnis vom
Schalksknecht, Mt 18,21–35, heranzog, illustriert Holbein
völlig selbständig. Er geht dabei von Mt 18,18, vgl. auch
Mt 16,19 und Joh 20,23, aus, wo Vergebung durch Lösen
interpretiert ist, und zeigt, wie Christus in ein Gefängnis
tritt und die Ketten der Gefangenen lösen läßt, *Abb. 367.*
Aus den verschiedenen biblischen Beispielen, die Erasmus
bei der sechsten Bitte »Führe uns nicht in Versuchung«
zur Verdeutlichung der Versuchung durch den Teufel, die
Fleischeslust und die Welt gibt, wählt Holbein die Geschichte Hiobs aus, an der in besonderer Eindringlichkeit

---

54. Es kann sich bei diesen Blättern, die ein unbekannter Monogrammist C V in Metall schnitt, um eine Art Andachtsbilder
oder um Probedrucke handeln. Sie befinden sich im Kupferstichkabinett der Öffentlichen Kunstsammlungen Basel und sind 1953
in einem Privatdruck in Basel publiziert worden. Aus dem Einlei-
tungstext dazu von Hans-Peter Landolt geht hervor, daß dieser
Metallschneider seit 1519 nach Vorlagen von Holbein arbeitete
und seit 1523 für Froben, Bebel und andere Buchdrucker in Basel
tätig war. Der Buchdruck der Precatio in Basel ist nicht datiert,
aber eine Widmung von Erasmus stammt von November 1523.

Die Vorlagen für unsere Abbildungen stellte das Kupferstichkabinett freundlichst zur Verfügung; für die Angaben danken wir
Herrn Dr. Tilman Falk. Siehe auch Hans Koegler, Die illustrierten Erbauungsbücher, Heiligenlegenden und geistlichen Auslegungen im Basler Buchdruck der ersten Hälfte des XVI. Jahrhunderts, in: Basler Zschr. f. Gesch. u. Altertumskunde, Bd. 39, 1940,
S. 53ff. – E. Grüneisen, 1938, S. 6ff. vergleicht die Auslegungen
von Erasmus und Melanchthon im Verhältnis zu den Illustrationen von Holbein und Cranach. Allgemein zur Vaterunser-Dar-
stellung siehe LCI IV, Sp. 412–415 (M. Lechner).

deutlich wird, daß Gott die Anstrengungen des Teufels, die Menschen zu verführen und zu quälen, zuläßt, *Abb. 368.* So erscheint auf dem Bild Gott Vater und blickt auf Hiob herab, der entblößt und mit Schwären bedeckt auf dem Misthaufen sitzt. Er wird vom Teufel bedrängt und von seiner Frau verspottet, während im Hintergrund seine Habe in Flammen aufgeht. Bei der Illustration zur siebten Bitte »Erlöse uns von dem Übel« (Bösen) hielt sich Holbein wiederum an die Deutung des Erasmus, der das Übel als allgemeine menschliche Not verstand: Krankheit, Gebrechen, Tod. Das Bild zeigt Jesus als den Heilenden zwischen Kranken und Gebrechlichen und im Vordergrund einem Sterbenden, *Abb. 369.* Holbein d. J. begründet mit dieser Bildreihe die eine der Traditionen der Vaterunser-Illustration, die die Beispiele verschiedener Erfahrungsbereiche mit biblischen Motiven kombiniert. Die erste und die sechste Bitte schließen sich besonders eng an den Text des Erasmus an.

Offensichtlich sind die Radierungen zum Vaterunser eines Einblattdruckes von Daniel Hopfer, um 1523, von Holbein abhängig[55]. Wenn auch die Bildkomposition vereinfacht und die ikonographischen Details vielfach abgewandelt sind, so ist doch die Übernahme der Themenwahl gerade bei den von der Auslegung unabhängigen Bildern Holbeins auffallend, *Abb. 370.* Sogar der Text stimmt, abgesehen von der sechsten Bitte, mit dem der Holbein-Stiche in der deutschen Ausgabe überein, während in Luthers Betbüchlein von 1522 einzelne Worte des Gebetes anders lauten. Hopfer hebt im Gegensatz zu Holbein Jesus kaum hervor. Die Wirkung der Gott-Vater-Gestalt und ihr Zusammenhang mit der Trinität bei der ersten Bitte des Holbein-Stiches ist bei Hopfer durch die Verlegung der Figur von der Mittelachse an die Seite abgeschwächt. Predigt und Sakramentsempfang der vierten Bitte sind bei Hopfer vor ein Gebäude gesetzt. Da die tägliche Mahlzeit kompositionell der Darstellung eingefügt und nicht wie bei Holbein als Nebenszene behandelt ist, kommt es zu einem gedrängten Bildgefüge. Andere Bildentwürfe sind vereinfacht, der letzte am selbständigsten abgeändert. Abgesehen von der Übernahme der Themen und einzelner Motive, die in der Druckgraphik lange nachwirken, übertrug Mathis Walther die Holbein-Stiche mit den Texten

1563 in die Glasmalerei und stiftete die Scheiben für die Dorfkirche in Einingen am Thunersee[56].

Cranachs Holzschnitte zum Vaterunser entstanden ebenso wie die zu den Geboten in enger Anlehnung an Melanchthons Auslegungen. Sie kamen höchstwahrscheinlich auch 1527 in Wittenberg als zwei Tafeldrucke mit kurzen Erläuterungen in Gebetform heraus. Erst bei dem oben erwähnten Auffinden eines dieser Drucke in zerschnittenem Zustand (Max Geisberg, Kupferstichkabinett Dresden) bestätigte sich die bereits in der Weimarer Lutherausgabe ausgesprochene Vermutung, die Holzschnitte zum Vaterunser seien ursprünglich für die Auslegungen Melanchthons konzipiert worden. Es sind allerdings für die Wittenberger ersten Katechismusdrucke von Rhau nicht die Originalstöcke verwandt worden, sondern weitgehend getreue Kopien, die aus dem Umkreis von Georg Lemberger stammen. Der Zeichner erreicht den klaren, kraftvollen Illustrationsstil Cranachs künstlerisch nicht ganz, da die Zeichnung weicher ist und er Freude an erzählerischer Ausschmückung hat.

Die Cranach-Holzschnitte, *Abb. 371–378* (nach einem Druck der Originalblätter, die seit dem letzten Krieg verschollen sind), unterscheiden sich von Holbeins Darstellungen inhaltlich durch die einheitliche Bevorzugung neutestamentlicher Szenen mit Ausnahme der ersten Bitte. Melanchthon hat vor dem Tafeldruck ausführlich über das Vaterunser geschrieben und dabei, wie für die Auslegung der Gebote, biblische Beispiele herangezogen, die Cranach für die Themenauswahl übernahm. Das Eingangsbild des lehrenden Christus, das bei Holbein und in vielen späteren Katechismusdrucken der Anrede vorangestellt ist, fehlt bei Cranach, da die kurzen Texte bei Melanchthon mit der Anrede an Gott beginnen. Diese legt ein Bild des Schöpfers nahe, denn der erste Artikel des Apostolikums bezeugt Gott-Vater als den allmächtigen Schöpfer. Der Originalschnitt Cranachs ist in den ersten Drucken des Großen Katechismus seitenverkehrt wiedergegeben und so auch, wie erwähnt, für den ersten Artikel verwandt worden, *Abb. 371.* Das Gottesdienstbild für die erste Bitte ergibt sich aus Melanchthons Auslegung: Die rechte Lehre, die den Glauben bewirkt, ist die Botschaft vom Kreuz, *Abb. 372.* Die im Anblick des Kreuzes hö-

55. W. Wegner, Beitrag z. graph. Werk D. Hopfers, in: Zschr. f. Kunstgesch. 1957, S. 42–44.

56. E. Scheidegger, Die Berner Glasmalerei von 1540 bis 1580, Bern 1947, S. 60–63.

rende Gemeinde ist ein in der Kunst der Reformation immer wiederkehrendes Bildthema, vgl. auch *Abb. 404*. Das Pfingstbild zur zweiten Bitte haben wir oben schon erwähnt, weil es auch für den dritten Artikel in den Katechismen Luthers, die die Cranach-Vorbilder in Kopien verwandten, benutzt wurde, *Abb. 373*. Offenbar war der Originalholzstock, als er kopiert wurde, links beschädigt, so daß die Figuren von Petrus an nach außen frei ergänzt wurden. Cranach hat sich beim Pfingstbild mehr von der mittelalterlichen Bildtradition gelöst als Holbein. In der Übersetzung Luthers von Apg 2,3 heißt es: »... es erschienen ihnen Zungen, zerteilt, wie von Feuer.« Die geteilten Zungen kommen in der Vulgata nicht vor. Das Herausflattern der Feuerzungen aus dem Mund der Apostel ist in der Bildgeschichte des Pfingstbildes neu und bedeutet vielleicht eine Hervorhebung des Sprachwunders und des Verkündigungsauftrages.

Der dritten Bitte ist ein Bild des Niederfalls Jesu bei der Kreuztragung beigegeben, das sich an entsprechende Darstellungen spätmittelalterlicher Passionszyklen anschließt, *Abb. 374*. Bei der Illustration zur vierten Bitte hält sich Cranach an die von Melanchthon herangezogene Geschichte von der Speisung der Menge und gibt die Verse Joh 6,5–10 wieder, *Abb. 375*. Im Hintergrund ist die Vermehrung des Öls durch Elias dargestellt, die zu den Präfigurationen der Speisung gehört. Für die fünfte Bitte das Gleichnis vom Schalksknecht, dem sein Herr die Schuld erläßt, wogegen er selbst seinen Schuldner ins Gefängnis bringt (Mt 18,23–35), als Exempel zu wählen, liegt nahe. Cranach stellt es in äußerster Vereinfachung dar, *Abb. 376*. Während Holbein die sechste Bitte durch Hiob interpretiert, zeigt Cranach, wie der Teufel als der Versucher Jesus gegenübertritt, ohne direkt Mt 4,1–11 zu illustrieren, *Abb. 377*. Er ordnet dem Teufel im Mönchsgewand (in dieser Zeit häufig), dem Text des Melanchthon entsprechend, den brüllenden Löwen (vgl. 1 Petr. 5,8) zu, der die Herde des Hirten (Joh 10) anfällt. Holbein zeigt zur siebten Bitte das »Übel« in seiner mannigfachen Gestalt auf, Cranach konzentriert sich auf die Darstellung des kanaanäischen Weibes (Mt 15,22–28), *Abb. 378*. Diese Frau, die nicht abläßt, Jesus um die Heilung ihrer Tochter zu bitten, hat Melanchthon an anderer Stelle zur Deutung der siebten Bitte herangezogen (zum »Hündlein« vgl. Vers 26 und 27).

Die Auswahl der biblischen Szenen als Exempel zu den einzelnen Bitten wird nur an Hand der Auslegungen Melanchthons verständlich, und zwar nicht nur der Kurzfassungen, die als Tafeldruck vor allem für Kinder gedacht waren, sondern auch seiner vorhergehenden Schriften. Die Übernahme der Cranachschen Bildfolge in die Katechismen Luthers, der bei seinen Erläuterungen die biblischen Beispiele nicht heranzog, wurde dadurch erleichtert, daß es sich bei vier bis sieben um allgemein bekannte Sonntagsperikopen handelte und zwei und drei ohnehin jedem vertraut waren. Holbein hat für den Eingang, die zweite und die dritte Bitte bekannte Motive gewählt; die Illustrationen zu eins, drei, fünf, sieben lehnen sich nur lose an Bibelstellen an und bringen den Gehalt der Bitten durch frei erfundene Bildmotive den Menschen der Gegenwart nahe. Wie verschieden ein Bildmotiv interpretiert oder verwendet werden kann, wird an dem Gottesdienstbild klar, das in seiner Zuordnung zur ersten Bitte »Dein Name werde geheiligt« und wegen der Abendmahlsdarstellung zur vierten Bitte »Gib uns unser tägliches Brot« herangezogen wird; ferner bei den Gebotsdarstellungen zur Veranschaulichung der Sonntagsheiligung zusammen mit dem Gegenbeispiel des Holzsammlers.

Das, was über das Kopieren und die Wiederverwendung der Holzstöcke Cranachs und die allmähliche Verselbständigung der Entwürfe anderer Zeichner in dem Abschnitt zu den Geboten gesagt wurde, gilt ebenso für die Illustration des Vaterunsers. Nur ist hierbei das Vorbild im Katechismus von 1529 selbst schon eine Kopie. Die neutestamentlichen Themen, die Cranach einführte, wurden in der Regel beibehalten. An die Stelle des Schöpfungsbildes am Anfang tritt allerdings wie schon bei Holbein öfters eine Darstellung des lehrenden Christus. Dabei können die Jünger um Jesus stehen oder knien. Der Holzschnitt des seine Jünger das Gebet lehrenden Christus, den Weiditz für das Betbüchlein von 1523 schnitt, ist in die Augsburger Ausgaben des Großen Katechismus 1530 und 1533 von dem Verleger Steiner übernommen worden. Die einzelnen Bitten sind hier nicht illustriert. Hans Brosamer, der der Wittenberger Werkstatt nahestand, löst sich in seinem späten Katechismus von 1553 von der Tradition des Schöpfungsbildes und zeigt bei der Anrede Christus als Lehrer, der die knienden Jünger zu Gott im Himmel weist. Bei der zweiten Bitte verzichtet Brosamer auf das Pfingstbild und stellt statt dessen einen betenden Mann dar, der durch das Fenster seiner Kammer Gott Vater schaut, *Abb. 379*. Es fällt auch in anderen Katechismen, sofern ihre Illustrationen nicht auf simplen Kopien beruhen, durch die beherrschende Gottesgestalt und die Reduzierung der Zahl der Jünger eine Loslösung vom traditionellen Pfingstbild auf, schon bei dem erwähnten Druck von 1529 bei Endter in Nürnberg. Bei der dritten Bitte bringt Brosamer statt der Kreuztragung Christus am Ölberg, *Abb. 380*, ein Passionsthema, das vom biblischen Text her im engen Zusammenhang mit der dritten Bitte steht, aber in der Cranachtradition fehlt. In den Objektiones von Lossius, die mit älteren Holzschnitten von Hans Sebald Beham und seiner Werkstatt zwischen 1552 und 1563 in Frankfurt erschienen, ist der einsame Beter in einer kargen Landschaft als Abraham, der Urvater des Gebets und des Gehorsams, verstanden und dient als Illustration zur Anrede, *Abb. 381*. In dem 1579 bei Tetzelbach in Frankfurt erschienenen Katechismus (Fulda) ist das Vaterunser ausschließlich mit variierten Darstellungen des lehrenden Christus und einigen Jüngern illustriert. An Stelle der Gottesgestalt im Himmel steht das Tetragramm. Für den Druck eines von Melanchthon 1559 herausgegebenen Katechismus sind die Cranachschen Holzstücke der ersten Tafeldrucke wieder verwandt worden mit Ausnahme desjenigen zur dritten Bitte. Hier steht der neuen Auslegung des Verfassers entsprechend eine Gerichtsszene, wahrscheinlich von Cranach d. J.[57] In Bucers Straßburger Katechismus von 1537 illustrieren die dritte Bitte die Ölbergszene und die sechste die Verspottung Hiobs, *Abb. 382* (vgl. Holbein d. J.).

Wie bei den Darstellungen zu den Geboten, so werden auch die biblischen Szenen zum Vaterunser von etwa 1540 an erweitert. Zum Beispiel ist beim Gleichnis vom Schalksknecht das dritte Motiv, die Abführung des Schuldners in das Gefängnis bzw. den Schuldturm, oder bei der Versuchung Jesu in kleinem Format im Hintergrund die zweite und dritte Versuchung aufgenommen worden, wie in den oben erwähnten verschiedenen Drucken bei Bapst in Leipzig. Zur selben Zeit sind auch typologische Szenen zu finden, wie in einem Druck von 1542 bei Otthmer in Augsburg, wo für die vierte Bitte der Mannasegen steht. Die typologische Darstellung wird später

häufiger. Ein ebenfalls in Augsburg von Jeremias Wolffens herausgegebener »Katechismus in Emblematibus« von 1718 bringt für jede Bitte fünf alttestamentliche Szenen (Nürnberg GNM).

In der Kirche zu Sonneborn, siehe oben, nahmen die nur in Fragmenten erhaltenen acht Darstellungen des Vaterunsers die Gewölbezwickel des Chors ein. Das Einleitungsbild, das David – an der Krone erkennbar – im Gebet vor Gott kniend darstellt, zeigt, ebenso wie auch manch andere Motive, die Abhängigkeit des westfälischen Freskenzyklus von der süddeutschen Illustration. Unabhängig jedoch von der gesamten Katechismusillustration ist in Sonneborn das Bild zur 2. Bitte: die Predigt Christi vom Schiff aus, die die sieben Gleichnisse vom Reich Gottes einschließt (Mt 13,1–23). Hier wird der Maler vermutlich von der Interpretation des Auftraggebers geleitet worden sein. Sie liegt allerdings so nahe, daß das Fehlen in anderen Katechismendarstellungen erstaunlich ist und sich nur durch das beharrliche Festhalten an der Wittenberger Tradition erklären läßt. Die 3. Bitte ist Frankfurter Drucken entsprechend durch die Ölbergszene illustriert. Weitere Darstellungen schließen sich der Cranachschen Themenwahl an.

Von Paul Lautensack gibt es auch zum Vaterunser zwölf lasierte Federzeichnungen (Berlin Kupferstichkabinett), die seine Beschäftigung mit der Apokalypse und mehr Zeitpolemik erkennen lassen als die Blätter zum Credo, siehe oben. Auffallend ist neben der Durchsetzung der Zeichnungen mit apokalyptischen Motiven auch die häufige Einbeziehung der Trinität und der Bundeslade mit anderen jüdischen Kultgegenständen. Künstlerische Anleihen hat Lautensack bei der Holzschnitt-Apokalypse Dürers, bei alttestamentlichen Illustrationen der Wittenberger Bibel von 1534 und bei polemischen Kampfflugblättern der Zeit gemacht. Es ist ihm echte religiöse Leidenschaft nicht abzusprechen, man erkennt an manchem Detail sein Verständnis und sein Eintreten für die Anliegen der Reformatoren. Aber an der Art, wie er einzelne Stücke gegensätzlicher Vorstellungsbereiche zusammenfügt und zu den sieben Bitten in Verbindung setzt, zeigt sich nicht nur die Selbständigkeit seiner Interpretation, sondern auch eine geistige Erregtheit und Radikalität, wie sie den sogenannten Schwärmern dieser Zeit eigen war. Die Anzahl der Blätter kommt durch zwei Darstellungen zu der Doppelaussage der fünften Bitte und durch drei

---

57. Suppl. Melanchth. V, 1, 8, 133, nach H. Zimmermann, S. 111 und Archiv für Reformationsgeschichte XXIII, 1926, S. 108 ff.

Blätter zu dem Lobpreis am Schluß zustande. Das erste Blatt zur Anrede zeigt nicht den allmächtigen Vater im Himmel, sondern nach Apk 1 den Menschensohn, der auf der Bundeslade steht. Erst das zweite Blatt bringt Gott Vater in der Herrlichkeit thronend zu der ersten Bitte. Zu der dritten Bitte ist die Gottesvision aus Apk 4 gewählt, zur vierten die Verehrung des Lammes auf dem geöffneten Buch durch die vierundzwanzig Ältesten, Apk 5. Das nächste Blatt zeigt die Bekleidung der Seelen unter dem Altar mit dem weißen Gewand der Gerechtigkeit. Vielfach ist ein Engel, der die Volksmenge auf die himmlische Erscheinung hinweist oder das Gegenwartsgeschehen erläutert, eingefügt. Innerhalb der äußerst lebendig gezeichneten Volksgruppen sind nicht nur Vertreter der Stände hervorgehoben, sondern auch einzelne zeitgeschichtliche Persönlichkeiten charakterisiert. Neben solchen singulären und in besonderer Weise an Zeitströmungen und an die Individualität des Künstlers gebundenen Werken geht die Vaterunser-Illustration mehr oder weniger in Anlehnung an Traditionen, die sich im 16. Jh. bildeten, bis ins 18. und 19. Jh. als Volkskunst und Lehrmittel weiter.

Im Kirchenraum sind die Darstellungen allerdings mehr von Stil und Bildsprache der Zeit abhängig als im Buchdruck, obwohl auch hier die lehrhafte Tendenz des Bildes ausschlaggebend ist. Aus der 2. Hälfte des 18. Jh. stammt ein Zyklus an den Emporen der evangelischen Kirche in Rottenacker (Ehingen a. d. Donau) von Martin Klauflügel und seinem Gehilfen Johann Michael Frey, die, ohne die biblische Tradition ganz aufzugeben, die Bitten des Vaterunser in der allegorischen Ausdrucksweise der Zeit für die Gemeinde veranschaulichen, *Abb. 383 a–h.* Das erste Bild schließt sich an eine seit dem 17. Jh. mehrfach wiederkehrende Form an. Auf der Erde knien betende Männer und Frauen, die zu dem in einer sehr großen Licht- und Wolkenglorie erscheinenden Tetagramm aufblicken (nicht abgebildet). Das zweite Bild zeigt eine Frau auf einem Berg, auf die das himmlische Licht niederströmt; sie erblickt Siegespalme, Krone und Zepter, und ein Engel schwebt ihr entgegen, *Abb. 383 a.* Zur dritten Bitte sind zwei Darstellungen vorhanden: Isaaks Opfer steht zu »Dein Wille geschehe«, *Abb. 383 b,* und eine Bildkomposition zu »wie im Himmel, so auf Erden«, *Abb. 383 c,* die einen Teil der Erdkugel zeigt, die eine Seite dunkel und den Blitzen ausgesetzt, die andere im Licht mit Blumen bestreut. In den Wolken sitzt ein Engel, der einen großen Ring hält und

nach oben blickt, wo das Wort FIAT auf den, der Himmel und Erde gemacht hat, verweist. Die kosmische Weltordnung der Schöpfung wird durch die Bahnen der sieben Planeten verdeutlicht. Die 4. Bitte um das tägliche Brot zeigt nicht nur die Segnung mit irdischen Gütern (Sonnenschein und Füllhörner), sondern weist durch den Krug und den Brotkorb auch auf die geistliche Speise hin, *Abb. 383 d.* Die nächste Bitte war wieder mit zwei Bildern illustriert. Ein modernes traditionelles Abendmahlsbild (nicht abgebildet) ersetzt heute die ursprüngliche Darstellung, die (nach R. Lieske) einen Mann und einen Engel zeigte, von denen jeder eine Liste mit Zahlen hielt; der Engel eine längere als der Mann. An dem im 16. Jh. in der biblischen Katechismusillustration nicht herangezogenen Beispiel der Steinigung des Stephanus wird das Wort »wie auch wir vergeben unseren Schuldigern« erläutert, *Abb. 383 e.* Das nächste Bild zeigt einen von der Versuchung der Welt (Sirenen auf dem Meer, modisch gekleidete Frau, Schlange, Reichtum in Säcken) unangefochtenen Beter, *Abb. 383 f.* »Und erlöse uns von dem Übel«: ein Engel bringt einem Gefesselten, über den ein Teufel wacht, einen Schlüssel, um ihn zu befreien, *Abb. 383 g.* Vergleicht man die Szene mit Holbeins Gefangenenbefreiung zu dieser Bitte, so empfindet man sie als einen müden Nachklang. Zum Schluß des Gebetes ist eine dreifarbige, von Flammen umgebene Kugel zu sehen. Auf dem sie umspannenden Band liest man »Regnum« und in den Flammen »Gloria«, *Abb. 383 h.* (Zu den übrigen, zum Teil demontierten Katechismusdarstellungen dieser Kirche siehe R. Lieske, 1973, S. 69 f.)

Mit einem im 18. Jh. in Zürich gedruckten kolorierten Einblattholzschnitt, der der Kinderunterweisung diente, wurde das Prinzip der Bildtafel mit Texten wieder aufgegriffen, *Abb. 384.* Über jedem der zwölf Bildchen steht die Bitte um eine gereimte Erläuterung in Gebetsform; unten eine Erklärung zum Bild und die betreffende Bibelstelle. Der liturgische Schluß ist mit vier Darstellungen illustriert. Auffallend sind die vielen Exempel aus dem Alten Testament, die sich aus dem Rang, den das Alte Testament im Gottesdienst und in der Exegese der Calvinisten, aber auch allgemein in der Kinderlehre einnimmt, erklären läßt. Selbst in der Viererreihe am Schluß steht zwischen der Majestasvision nach Apk 4 und der Parusie des Herrn zum Gericht eine Szene aus 1 Mos 14: der Untergang Pharaos mit seinem ganzen Heer im Roten Meer nach der Befreiung der Kinder Israel, bei der Gott seine Macht erwiesen hat. Gott ist nirgends figürlich dargestellt. Das entspricht dem Festhalten der Calvinisten am Gebot, von Gott kein Bild zu machen. Bei der ersten Bitte erscheint im Himmel das Tetragramm, beim Untergang Pharaos zieht, dem biblischen Text entsprechend, Gott in der Gestalt einer Feuersäule mit den Israeliten. Sie steht neben der schützenden Wolke (Wasserwoge?) über Mose. Gegenüber dem 16. Jh. sind in der Vaterunser-Illustration folgende Darstellungen neu: die klugen und törichten Jungfrauen – zweite Bitte; Noahs Dankgebet nach der Sintflut – dritte Bitte; die Speisung des Elia durch die Raben – vierte Bitte; der Sündenfall – fünfte Bitte. Bei der Noahdarstellung hält ein Engel den Regenbogen, der sich zum Kreis rundet. Er weist den Geretteten auf das Zeichen des neuen Bundes hin. Daß dieser ein Neuanfang ist, wird durch die Schöpferhand Gottes inmitten der sonnenhaften Glorie, um die die sieben Planeten (Tage der Schöpfung) kreisen, deutlich.

Das vierte und fünfte Hauptstück (Taufe, Beichte, Abendmahl)

Luther hat bekanntlich die sieben Sakramente der katholischen Kirche auf zwei reduziert: Taufe und Abendmahl (Sakrament des Altars). Von ihnen ist in den Katechismen im 4. und 5. Hauptstück die Rede. Außerdem ist, wenn auch noch nicht in der 1. Ausgabe des Großen Katechismus, eine kurze Vermahnung zur Beichte hinzugefügt. Da Melanchthon bei seinen frühen Arbeiten zum Katechismus weder das Credo noch die Sakramente behandelt hatte, fehlen hierfür autorisierte Darstellungen. Bei der Illustrierung der Glaubensartikel half man sich vielfach durch die Übernahme der Bilder zur Anrede und zur zweiten Bitte des Vaterunsers und nahm ein Kreuzigungsbild hinzu; für Taufe, Abendmahl, Beichte mußten neue Illustrationen geschaffen werden. Von Wittenberg ausgehend, sind dabei zunächst zwei Tendenzen zu beobachten. Entweder wird jedem Katechismusstück eine gesonderte Illustration beigefügt, wie in dem Großen Katechismus bei Rhau, 1529: eine Taufhandlung, die Austeilung des Abendmahls in zweierlei Gestalt und eine Einzelbeichte[53], *Abb. 385, 386, 387.* Oder es werden auf einer Darstellung beide Sakramente mit einer Predigt verbunden und dem

vierten Hauptstück vorangestellt wie im Großen Katechismus von 1538, Rhau, *Abb. 388.* Die Wortverkündigung, in der sich für Luther die Menschwerdung Gottes ereignet, ist der Taufe und dem Abendmahl gleichgeordnet. Derselbe Holzschnitt ist im Katechismus von Spangenberg 1538 dem 9. Satz von der »Gemeinschaft der Heiligen« hinzugefügt. Es handelt sich hierbei um eine als Illustration mancher Stelle verwendete Standarddarstellung, siehe oben. Daraus erklärt es sich, daß vor dem fünften Hauptstück noch ein Bild des letzten Abendmahls in der in Passionszyklen üblichen Form steht. Schon die niederdeutsche Ausgabe von 1534 bei Lotther, Magdeburg (Wolfenbüttel HAB Li 5412), bringt die Kombination der drei gottesdienstlichen Handlungen, jedoch an Stelle der Kinder- eine Erwachsenentaufe, *Abb. 389.* Die Taufe bedeutet immer die Aufnahme in die Gemeinde.

Die Ausgaben des Enchiridion 1531 ff. bei Schirlentz enthalten zwei Holzschnitte, die sehr häufig kopiert und abgewandelt wurden. In das Taufbild wird die Darstellung des Heiligen Geistes einbezogen und der Ritus der Taufhandlung hervorgehoben (der Geistliche schöpft mit der Hand das Wasser, um den Täufling zu begießen, der Diakon hält die Bibel), *Abb. 390.* Auch beim Abendmahl, *Abb. 391,* wird der Ritus betont, indem zwei Geistliche Kelch und Brot reichen, während bei dem Bild des Drucks von 1529 ein betont großer Kelch auf dem Altar steht und ein Geistlicher das Brot austeilt. In einem Bogenfeld, über dem Eingang zum Altarraum zu denken, ist hier im Sinne der Stiftung des Altarsakraments in zweierlei Gestalt das letzte Abendmahl dargestellt, das auf dem Holzschnitt der Drucke bei Bapst, Leipzig, *Abb. 392,* seitlich als Wandbild wiedergegeben ist, während das Altarbild Christus am Kreuz zeigt. Gegen Mitte des Jahrhunderts werden die Sakramentsdarstellungen oft durch das Bild der Taufe Jesu im Jordan und des letzten Abendmahls abgelöst. Selbst der Katechismus Melanchthons von 1544, Nürnberg, bringt die Taufe Jesu, und Hans Brosamer, der von der Wittenberger Werkstatt abhängig ist, nimmt in dem Kleinen Katechismus von 1553 die beiden biblischen Bilder auf. Michael Ostendorf, Illustrationen zu dem Druck der Katechismuspredigten von Nikolaus Gallus, 1554, der

---

58. Diese war, wenngleich nicht als Sakrament verstanden, bis zur Aufklärung in der evangelischen Kirche Brauch und wird noch heute manchenorts praktiziert.

neue Bildgebungen sucht, setzt die Taufe Jesu in den Vordergrund einer großen Landschaft. Im Hintergrund wird in einem quadratischen Kapellenraum eine Taufe vollzogen. In den Leipziger Katechismen 1545 ff. ist dem Taufbüchlein die Kindersegnung eingefügt, *Abb. 393* (vgl. auch die Bearbeitung von Petrus Pretorius, 1563, Wittenberg).

Im Freskenzyklus der Kirche in Sonneborn sind nördlich und südlich des Chorfensters aus geringen Fragmenten die Taufe Jesu und die Predigt Johannes des Täufers vor den Pharisäern erschlossen worden. Wahrscheinlich befand sich an der durch einen Fensterdurchbruch zerstörten Nordwand des Chores zum fünften Hauptstück eine Abendmahlsdarstellung. Wenn diese Vermutungen zutreffen, wären in der Zeit, in der diese Kirche von den Lutheranern benutzt wurde, die fünf Hauptstücke des Katechismus, der damals im Gottesdienst eine große Rolle spielte, in bildlichen Darstellungen zu sehen gewesen[59].

Das Bild zur Beichte im Anhang des Katechismus ist selten kopiert worden. Dadurch variiert es und setzt verschiedene Akzente, doch zeigt es immer die Einzelbeichte, *Abb. 395*. Manche Katechismen enthalten im Anhang noch ein Traubüchlein. Die Ausgaben des Enchiridion bei Bapst, Leipzig, zeigen als Illustration hierfür die Entdeckung des Sündenfalls, wohl ein vorhandener Entwurf, der sich in eine Vermahnung oder Belehrung Gottes umdeuten läßt, *Abb. 394*. Die Ausgabe von 1542 bei Lotther, Magdeburg (München, SB. Catech. 432), illustriert das Traubüchlein mit einer Darstellung der Zuführung von Adam und Eva, dem Urbild der Ehe.

Konfessions- und Sakramentsbilder

Die Katechismusillustration hat die Aufgabe, durch das Bild die Volksbelehrung zu unterstützen. Gegen Ende der Reformationszeit stellt sich der Kunst eine neue Aufgabe. Es geht nun nicht mehr nur um die Unterweisung noch, wie in den Streitschriften und Flugblättern der Kampfzeit, darum, den theologischen oder kirchlichen Gegner zu denunzieren, sondern um die Selbstdarstellung der eigenen Konfession im Bild. Diese Möglichkeit stand aber nicht allen Konfessionen, in die die abendländische Christenheit nun auseinandergetreten war, im gleichen Maße offen. Am deutlichsten läßt sich diese Tendenz bei den römischen Katholiken und den Lutheranern verfolgen. Zur Darstellung des Triumphes der römischen Kirche im nachtridentinischen Katholizismus siehe den letzten Abschnitt des vorangegangenen Kapitels und im 2. Teil.

Für das Selbstverständnis der lutherischen Kirche war maßgebend, daß sie sich als die Wahrerin der rechten Predigt und der rechten Sakramentsverwaltung verstand und das wahre Christusbekenntnis verteidigte. Diese Thematik nehmen die jetzt anzuführenden Bildwerke auf. Zu ihnen gehören zum einen die Darstellungen der Verlesung oder der Überreichung der »Confessio Augustana« an Karl V. auf dem Reichstag zu Augsburg 1530, die mit einem Kirchenraum, in dem sich eine Reihe von kirchlichen Handlungen vollzieht, verbunden sind, und zum anderen Altarwerke, die an Darstellungen weniger Kultformen die zentralen Glaubensfragen verdeutlichen. Beide der Kunst gestellten Aufgaben haben Vorläufer im Mittelalter.

Die Darstellung der Überreichung oder der Verlesung der Confessio, die eine von Melanchthon formulierte offizielle Zusammenfassung der neuen Lehre und der Zeremonien der Wittenberger Reformation bedeutet[60], steht ikonographisch in der Nachfolge der Konzilsbilder byzantinischer Traditionen. Diese sind bis in konstantinische Zeit zurückzuverfolgen; älteste bildliche Überlieferungen stammen aus dem Ende des 8. und 9. Jh.[61] Das im

---

59. Siehe H. Claussen, S. 377f.

60. Siehe RGG, 3. Aufl., I, Sp. 733–736. (H. Bornkamm) und RDK III, Sp. 853–859 (H. Lankheit).

61. Siehe H. Stern, Les représentations des Conciles dans l'église de la nativité à Bethléem, in: Byzantion 11, 1936, 101–152 und 13, 1938, 415–459. Ferner LCI 2, Sp. 551–556 (A. A. Schmid).

9. Jh. im Osten vermutlich schon verbreitete Bildschema im Pariser Codex der Homilien des Gregor von Nazianz (Paris NB. Grec. 510) stellt das erste Konzil von Konstantinopel dar und zeigt die Bischöfe unter dem Vorsitz des Kaisers im Halbkreis um den Thron, auf dem das Evangelienbuch liegt, versammelt (vgl. Bd. 3, S. 157). Auf einem Tisch befinden sich die Schriften, über die entschieden werden soll. Die Konzilsdarstellungen kamen einem Bekenntnis zu den jeweils erarbeiteten Glaubenssätzen gleich und wurden deshalb als Glaubensdokumentation immer wieder herangezogen. Der Osten hebt sieben Konzile bis Nicaea II., 787, hervor, während dem Westen nur die vier bis Chalcedon in besonderem Maße wichtig sind[62]. Im 15. Jh. lieferte die illustrierte Chronik des Konzils von Konstanz (1414–1418), die bei Anton Sorg in Augsburg 1483 herauskam, einen umfangreichen Motivschatz für die Darstellung dieses Konzils, die auch durch graphische Blätter Verbreitung fand[63]. Schließlich geht das katholische Reformkonzil von Trient 1545–1563, zu dem es unter anderem ein Gemälde aus dem Umkreis Tizians gibt (Paris, Louvre), den Darstellungen der Überreichung der Confessio Augustana nur um wenige Jahrzehnte voraus. So ist es berechtigt, bei allen sachlichen Unterschieden in den Konfessionsbildern einen ikonographischen Zusammenhang mit einer alten Bildtradition zu sehen, die dem Auftraggeber vielleicht gar nicht bewußt war.

Diese Darstellungen mit ausgesprochenem Bekenntnischarakter sind typisch für das konfessionelle Denken der Zeit um 1600. Sie beschränken sich auf Franken und den nächsten Umkreis und sind wohl durch den für die lutherische Sache stark engagierten Markgrafen von Ansbach angeregt worden. Bezeichnend für diese Konfessionsbilder ist, daß sie zugleich das historische Ereignis von 1530 auf dem Reichstag in Augsburg und das vielfältige kirchliche Handeln einer evangelischen Gemeinde der Gegenwart zusammen darstellen. Durch Nebenmotive zeigen sie, daß sich die Lutheraner von den anderen kirchlichen Gruppen, die am Ende der Reformationszeit nebeneinander stehen, abgrenzen. Bekannt sind folgende Bilder dieser Gruppe: zwei des in der 2. Hälfte des 16. Jh. in Nürnberg

als Portraitmaler bekannten Andreas Herneisen: Windsheim, für den Ratssaal gemalt, und Nürnberg-Mögelsdorf in der evangelischen Pfarrkirche, beide 1601; zwei von einem unbekannten Meister in Kasendorf/Oberfranken 1602 und in der Petrikirche in Kulmbach 1607. Ein großes Bild (1,55 m × 5,40 m) von Wolf Eisenmann, 1606, befindet sich in der Andreaskirche zu Weißenburg. Ein weiteres in Schweinfurt ist undatiert, vermutlich ist es etwas später anzusetzen als die zuerst genannten. Auch die beiden im angrenzenden Württemberg bekannten Predellenbilder in den Stadtkirchen zu Langenburg (Jagstkreis) und zu Waldenburg scheinen erst in den zwanziger Jahren des 17. Jh. entstanden zu sein. Inhaltlich stimmen die Darstellungen weitgehend überein. Die Setzung der Schwerpunkte variiert durch eine unterschiedliche Komposition der Einzelmotive.

Das in der oberen Hälfte nicht sehr gut erhaltene Bild in Nürnberg-Mögelsdorf, *Abb. 396*, verlegt die historische Szene und die kirchlichen Handlungen in einen großen kirchenähnlichen Raum und legt durch den unterschiedlichen Maßstab den Akzent auf den historischen Akt während des Augsburger Reichstags. Johann der Beständige, Kurfürst von Sachsen, überreicht die Confessio und die Apologie an Kaiser Karl V. Die Landesfürsten (Georg, Markgraf von Brandenburg; Ernst, Herzog zu Lüneburg; Philipp, Landgraf von Hessen; Wolfgang, Fürst zu Anhalt) und die Vertreter der freien Reichsstädte (Nürnberg, Reutlingen, Weißenburg, Windsheim, Heilsbronn, Kempten), die die Confessio unterschrieben hatten, knien hinter ihm. Im übrigen Bildraum sind die einzelnen Zeremonien des gottesdienstlichen Handelns um einen Altar gruppiert. Auf der Seite links von ihm von vorn nach hinten: die Taufe eines Kindes, die Beichte (ein Ehepaar, zwei Pfarrer), die Austeilung des Kelches (vgl. Ausschnitt Bd. 2, Abb. 113) und eine Predigt vor der Gemeinde. Auf der anderen Seite des Altars: die Austeilung des Brotes, ganz hinten eine Trauung und davor eine Glaubensunterweisung. Der Altar ist bedeckt mit Schriftstellen, die für das Bekenntnis der Reformation von besonderer Bedeutung sind. Zentrum des Altars ist ein Kru-

---

62. Noch für das 18. Jh. ist auf die Deckengemälde von H. Wannenmacher in der Stiftsbibliothek zu St. Gallen hinzuweisen. Diese Darstellung der vier ersten ökumenischen Konzile mit der Figur der Ekklesia soll als ein Bekenntnis zum orthodoxen katho-

lischen Glauben verstanden werden. Siehe J. Duft, Die Stiftsbibliothek St. Gallen, Konstanz 1964.

63. U. Richenthal, Das Konzil zu Konstanz. Kommentar und Textbearbeitung von O. Feger, Konstanz 1964.

zifix, über dem Gott Vater und das Zeichen des Heiligen Geistes erscheinen. Hinter dem Tisch des Altars stehen Paulus, Matthäus, Markus und Lukas; sie überlieferten die Einsetzungsworte. Die mittleren halten ein Blatt, auf dem das Vaterunser zu lesen ist. Unter dem Altar, gleichsam als Verlängerung des Kreuzesstammes, ist ein Fuß zu sehen, der die Schlange und den Tod zertritt. Die Erläuterung gibt der Text aus 1 Mos 3,15. Mit alldem sind das Bekenntnis des Glaubens, der Vollzug der Sakramente und die Äußerungen des Gemeindelebens, wie sie die Confessio beinhaltet, veranschaulicht. Wie schon erwähnt, ist selbst ein solches Dokumentationsbild nicht frei von Anspielungen auf die Gegensätze. So hat der Erzbischof von Trier, der links vorn mit dem Erzbischof von Mainz spricht, als Gegner der Reformation einen Pferdefuß. Gegen die Abendmahlslehre Zwinglis ist die spöttische Umformung der Worte aus dem 1. Psalm gerichtet, die sich am Abendmahlstisch befindet: »Selig ist der Mann, der nicht wandelt im Rath der Sacramentierer (»Gottlosen«), noch tritt auf den Weg der Zwinglianer (»Sünder«), noch sitzt, da die Zürcher (»Spötter«) sitzen«. Außerdem wird Calvin, Zwingli und Beza, ein Nachfolger Calvins, durch zwei Bewaffnete der Eintritt in den Kirchenraum verwehrt.

Auf dem Bild in Kasendorf, *Abb. 397,* und der Kopie in Kulmbach sind die beiden Darstellungskomplexe etwas mehr voneinander getrennt. Der Altar mit der Abendmahlsausteilung in beiderlei Gestalt steht im oberen Bildteil beherrschend in der Mitte. Die Taufe fällt auf dem Kasendorfer Bild mehr ins Auge als auf den anderen Kompositionen, weil sie der Säule, die die Kanzel trägt, räumlich zugeordnet ist. Dahinter ist bei der Beichte mit der knienden Person die Absolution hervorgehoben. Auf der anderen Seite findet eine Trauung an einem Altar statt, dessen Retabel den Sündenfall zeigt. Ganz hinten verweisen die Engel und eine Sängergruppe auf die Musica sacra des evangelischen Gottesdienstes. Alle Ausstattungsstücke, selbst die Kanzeltreppe, sind mit Schriftworten bedeckt. Der Zeugnischarakter des Kruzifixus verbindet sich in dem Bild-Schrift-Zusammenhang dieser Konfessionsbilder mit der neuen Sakramentsauffassung. Das

Kulmbacher Bild ist von einem Staffelsteiner Bürger, der während der Bamberger Gegenreformation nach Kulmbach ausgewandert war, gestiftet.

Der Augsburger Johannes Dürr greift für einen kolorierten Kupferstich, 1630, (Reformationsjubiläum) das Kompositionsschema des Langenburger Bildes auf und zeigt die Verlesung der Confessio durch den sächsischen Vizekanzler Christian Baier vor Karl V., der fünf Fürsten und die Vertreter von Nürnberg und Reutlingen beiwohnen, *Abb. 398.* Diese beiden Städte hatten die Confessio Augustana schon vor der Überreichung an den Kaiser unterzeichnet, während die anderen oben genannten erst während des Reichstags ihre Unterschrift gaben. Deshalb ist auf diese Reichsstädte auf dem Kupferstich und auf den Bildern in Schweinfurt, Langenburg und Waldenburg nur durch ihr Wappen hingewiesen. Um diesen historischen Akt sind in einem weiten Kirchenraum etwas schematisch alle genannten gottesdienstlichen Handlungen angeordnet, auch hier ergänzt durch die Musica sacra (Psalm 150). Das Niedertreten des Todes unter dem Altar ist durch ein Wort aus 1 Kor 15 interpretiert: »Der Tod ist verschlungen in den Sieg ...« Dem Kopf der Schlange unter dem Altar hat Johann Dürr die Namen der Gegner im Abendmahlsstreit und der Schwarmgeister beigeschrieben.

Zu unterscheiden ist von dieser Gruppe der Konfessionsbilder eine andere, die versucht, den historischen Akt der Verlesung der Confessio Augustana im Kapitelsaal der bischöflichen Residenz in Augsburg nach schriftlichen Quellen und Protokollen zu rekonstruieren. Ein weit verbreiteter Kupferstich von G. Cöler gegen 1630 nach einem Entwurf von Michael Herr, der zusammen mit dem Prediger Johannes Saubert den historischen Quellen nachging, gehört dieser Gruppe an, *Abb. 399.* Karl V. thront vor der Seitenwand des Kapitelsaals unter einem Baldachin. Vor ihm stehen die beiden Kanzler Georg Brust und Christian Baier mit dem deutschen und dem lateinischen Exemplar der Bekenntnisschrift. Ringsherum sitzen die Geistlichen und Stände. Die wichtigsten in den vorderen Reihen sind numeriert, um sie dem Protokoll entsprechend identifizieren zu können[64].

Das Weißenburger Bild von W. Eisenmann[65] weicht

---

64. Zu den Angaben siehe Katalog der Ausstellung »Martin Luther«, Veste Coburg 1967, Nr. 18.

65. Publiziert von M. Meyer, Das Konfessionsbild in der Andreaskirche zu Weißenburg, in: Beiträge zur Stadtgeschichte, Weißenburg 1967 (Uuizinburc–Weißenburg 867–1967).

von der üblichen Anordnung der Teile des Konfessionsbildes ab, *Abb. 400*. Der großen Mitteltafel, die das kirchliche Leben darstellt, sind seitlich je zwei Darstellungen übereinander hinzugefügt: links das Passamahl und der Durchzug durch das Rote Meer (Präfigurationen für das Abendmahl und die Taufe), rechts das Abendmahl Jesu mit den Jüngern (Stiftung des Abendmahls) und die Überreichung der Confessio und Apologie an Karl V. Die drei biblischen Szenen stellen eine Verbindung zu dem evangelischen Sakramentsaltar her. Da der historische Akt aus dem Kirchenraum herausgenommen ist, konnten die Darstellungen des kirchlichen Lebens übersichtlicher angeordnet werden. Sondermotive sind die erhöhte Schlange als Präfiguration des Kruzifixus und die Seitenaltäre, deren bildliche Darstellungen in bezug zu den Handlungen stehen: das Jüngste Gericht zur Beichte (neben dem Altar) und Adam und Eva (mit dem Wort 1 Mos 2,18) zur Trauung. Auf den evangelischen Kirchengesang verweist die Chorschule im Vordergrund. Die amtierenden Geistlichen tragen auf diesem Bild die alten Meßgewänder; in Weißenburg ist bis etwa 1800 an ihnen festgehalten worden. Die Schriftworte am Altar beziehen sich auf die Gnadengabe des Sakramentes. In den Kommunikanten sind die Stifter des Bildes mit ihren Ehefrauen zu erkennen, die alle portraithaft wiedergegeben sind. Der siebente Stifter legt die Beichte ab. Die Devotion der Stifterfiguren auf Werken des Mittelalters ist hier im Sinne des Humanismus und der Reformation zum persönlichen öffentlichen Bekenntnis abgewandelt. Alle polemischen Motive gegen die Calvinisten und Schwarmgeister fehlen an dem Altar. Dieses Bild erweist sich in vieler Hinsicht als selbständig gegenüber den anderen.

Die Sakramentsdarstellungen, wie sie auf Altarwerken der evangelischen Kirche vorkommen, hatten in der kollektiven Darstellung der sieben Sakramente, die in ihren Anfängen ins 14. Jh. zurückreicht, ihre Vorläufer (Mitte des 14. Jh. Fresken in S. Maria Incoronata zu Neapel, Giottoschule, Reliefs am Campanile des Doms in Florenz, Schule des Andrea Pisano; hier sind in den 28 Feldern der oberen Reihe die sieben Sakramente in Beziehung zu den Planeten, Tugenden und freien Künsten gesetzt). Nördlich der Alpen sind es, nach dem Konzil von 1439 in Basel, auf die die Siebenzahl der Sakramente festgelegt wurde, vor allem flämische Meister, die sich diesen Gegenstand zu eigen machen[66]. Rogier v. d. Weyden gruppiert auf einem Triptychon, zwischen 1453 und 1456, Antwerpen, *Abb. 401*, die Sakramente (Seitenflügel) um ein sehr hohes Kruzifix in einem Kirchenraum (Mitteltafel). Dem Kreuz, das vor der Vierung des abgebildeten gotischen Kirchenraumes steht, sind Johannes und die Frauen in der gleichen Weise wie auf Kreuzigungsbildern der Zeit als Trauernde zugeordnet. Der eine Flügel des Sakramentsaltars zeigt Taufe, Firmung und Buße, der andere Priesterweihe, Eheschließung und Letzte Ölung. Die Eucharistie ist auf der Mitteltafel am Altar des abgebildeten Kirchenraums dargestellt und steht so in engster Beziehung zum Kruzifixus. Die Reihenfolge der sieben Sakramente, die hier durch die Spruchbänder der schwebenden Engel erläutert werden, ist nicht bindend, die Taufe steht allerdings immer am Anfang und das Sterbesakrament am Schluß. Die Gewänder der Engel haben auf Rogiers Bild liturgische Farben.

Auf einem Altarbild von Dieric Bouts, um 1470, Madrid, *Abb. 402*, steht wieder ein großes Kruzifix an der Schwelle des Altarraums einer gotischen Kirche und ist ebenso wie auf dem Werk Rogiers zugleich Andachtsbild der Passion und Sinnbild für die Eucharistie, die im Hintergrund (kaum sichtbar) zelebriert wird. Der Chorbogen enthält Darstellungen zur Passion; in den Geschossen der pfeilerartigen Türme werden die sechs anderen Sakramente demonstriert. Der Kirchenraum ist zugleich Erleb-

---

66. Darstellungen der Messe und damit des eucharistischen Sakramentes gab es selbstverständlich das ganze Mittelalter hindurch. Die achtzehn erhaltenen Elfenbeintäfelchen vom Einband des karolingischen Drogosakramentars, deren heutige Anordnung nicht mehr der ursprünglichen entspricht, bringen Darstellungen von liturgischen Handlungen, vor allem aus der Messe, daneben aber auch die Taufe Jesu, die Segnung der Apostel und den Missionsauftrag. Da es sich nicht um eine kollektive Darstellung der sieben Sakramente handelt, wenn auch mehrere davon mit dargestellt sind, gehört das Werk nicht in unseren Zusammenhang. Siehe Frauke Steenbock, Der kirchliche Prachteinband im frühen Mittelalter, Berlin 1965, Abb. 26, 27, Kat. Nr. 17. Th. Bogler OSB, Österliche Szenen auf dem Elfenbeindeckel des Drogosakramentars, in: Paschatis Sollemnis, Freiburg 1959, S. 108 ff.

nisraum für die Feier des Sakraments und Symbol für die Kirche.

Die Predella des Altars der Vrouwekerk in Aarschot (Belgien), Anfang 16. Jh., *Abb. 403*, zeigt in der oberen Hälfte das Gleichnis vom Weinberg in seiner allegorischen Deutung auf die Kirche und in der Mitte Christus in der Kelter[67]. Darunter sind auf einzelnen Bildfeldern die sieben Sakramente, in der Mitte für die Eucharistie die abgekürzte Form der von Engeln bewachten Monstranz dargestellt. In Deutschland und England werden die sieben Sakramente um 1500 mehrmals auf Taufsteinen dargestellt; deutsche Beispiele: Bamberg, Obere Pfarrkirche, 1510–1528; Magstadt, Evangelische Pfarrkirche, 1511 bis 1519; vor allem Reutlingen, Marienkirche, 1499. Das achte Bildfeld trägt die Darstellung der Taufe Jesu.

Von den Sakramentsaltären der Reformationszeit ist der der Wittenberger Stadtkirche, den Lukas Cranach 1547, ein Jahr nach Luthers Tod, der Gemeinde übergab, in mancher Hinsicht aufschlußreich, *Abb. 404*. Auf den Seitenflügeln stehen sich gleichrangig die Taufe eines Kindes durch Melanchthon und das »Amt der Schlüssel«, Beichte und Absolution, die Bugenhagen erteilt, gegenüber. Im Unterschied zu den Illustrationen in den Katechismen vollzieht sich die Beichte vor Gemeindegliedern. Die Beichte oder Buße ist im Katechismus von Luther nicht als Sakrament aufgeführt, doch ist ihre Bedeutung in dem betreffenden Anhang hervorgehoben und in die Nähe der beiden Sakramente gerückt. Das Abendmahl auf der Mitteltafel gibt nicht die kultische Handlung der Sakramentsausteilung wieder, sondern vergegenwärtigt das letzte Abendmahl. Jedoch sind die Apostel durch wichtige Männer der Reformation ersetzt, deren Glaube der unverfälschte Glaube der Apostel sein will. Ihre ideell gleichzeitige Anwesenheit und Teilnahme am Mahl mit Christus verleiht der Darstellung in hohem Maße Zeugnischarakter; *vgl. Bd. 2, Abb. 115*. Auf der Predella des Wittenberger Altars steht der Kruzifixus genauso in der Mitte eines Raumes wie bei den niederländischen Sakramentsbildern des 15. Jh. Aber er ist nicht eucharistisches Zeichen zur sinnbildlichen Darstellung des Meßopfers, sondern das

Objekt und Zentrum des Glaubens und der Predigt. Das in immer neuen Varianten auftretende Bild des Predigtgottesdienstes in den Gebots- und Vaterunser-Zyklen der Katechismusillustration ist älter als dieses Altarbild. Erst nach Luthers Tod 1546 werden in den Holzschnitten dem Prediger deutlich Luthers Züge gegeben; ebenso ehrt Cranach den Reformator als Kronzeugen für die rechte Lehre auf der Predella des Wittenberger Altars. Das Hinweisen auf den Gekreuzigten ist ein ganz wesentliches Motiv für das Predigtbild. Luther hat 1533 bei einer Predigt über Mt 11,2 ff. gesagt: »Wir Pfarrer und Prediger sind in unserer Zeit das, was Johannes der Täufer zu seiner Zeit gewesen ist ... Wir weisen auf Christum.«

Außerhalb des unmittelbaren künstlerischen Einflusses Cranachs steht der Flügelaltar, den Michael Ostendorfer[68] im Auftrag des Rates der Stadt 1553–1555 für die evangelische Gemeinde der Neupfarrkirche in Regensburg malte, *Abb. 405*. Die inhaltliche Konzeption ist ebenso wie die der Cranach-Altäre von Luthers Lehre bestimmt, doch scheint sie insbesondere von zwei Schriften des Regensburger Superintendenten Nikolaus Gallus »Summa der wahren Lehre des rechten Glaubens« 1552 (München, SB. L'empr. c. n. mss. 1024,21) und »Katechismus, predigtweise gestellt für die Kirche zu Regensburg« (München, SB. Rom 702a) angeregt zu sein. Die schon erwähnten Katechismuspredigten kamen 1554 mit Holzschnitten von Ostendorfer, der einige Jahre vorher in Nürnberg schon für Verlage arbeitete, heraus. Das zentrale Thema ist auf der Mitteltafel des Altars die Aussendung der Apostel, die, als konkreter Auftrag zur Verkündigung der wahren Lehre verstanden, durch die anderen Darstellungen verdeutlicht wird. Unterhalb der Aussendung ist eine Predigt vor einer großen Gemeinde zu sehen. Auf dem Schriftband steht aus der ersten der 95 Thesen Luthers: »Tut Buße und glaubt dem Evangelio«. Neben dem Predigtgottesdienst ist dargestellt, wie ein vornehm gekleideter Mann (Ratsherr?) nach der Beichte die Absolution empfängt. Diese Szene dokumentiert die Zugehörigkeit zum neuen Glauben einer bekannten Persönlichkeit und weist wie auf dem Wittenberger Altar auf die Bedeutung, die Beichte

---

67. Hier taucht wieder der Wagen der Kirche auf, vor den der Löwe (Markus) und der Stier (Lukas) gespannt sind, während der Adler (Johannes) auf dem Weinfaß steht und der Engel (Matthäus) als Fuhrmann fungiert.

68. A. Wynen, M. Ostendorfer, Diss. Freiburg i. Br. 1961, S. 64 ff., 276 f. (Maschinenschrift) und Kleiner Kunstführer Nr. 877, München 1967 (W. Pfeiffer).

und Absolution bei Luther haben, hin. Sowohl die Apostel bei der Sendung als auch alle Personen der Gemeinde tragen zeitgenössische Kleidung, und viele sind so persönlich charakterisiert, daß man in ihnen Portraits erkennen möchte. Aber sie lassen sich nicht identifizieren. Unter den Geistlichen dürfte Nikolaus Gallus zu sehen sein, der von 1553–1570 an der Gemeinde der Neupfarrkirche wirkte und als der eigentliche Reformator Regensburgs gilt. Die Malerei der Innenseiten der Altarflügel, die bei geöffnetem Zustand zugleich mit der Mitteltafel zu sehen sind, gilt den beiden Sakramenten und ihren biblischen Typen. Links: der alttestamentliche Ritus der Beschneidung, die Taufe Jesu, eine christliche Taufe. Rechts: die Feier des Passahmahls, die Einsetzung des Abendmahls (Segnung des Kelches) und die Austeilung des Brotes und des Kelches an die Gemeinde. Die alttestamentlichen Zeremonien sind als Beschneidung Jesu und als Passahfeier Jesu mit seinen Jüngern dargestellt, also an der Wende zu der neuen Sinngebung, die sie durch den Opfertod Christi bekommen. Auf den Außenseiten der Flügel (nicht abgebildet) sind Verkündigung und Geburt, Kreuzigung und Grablegung Jesu zu sehen; auf der Rückseite der Mitteltafel das Gericht. Bevor im 17. Jh. Beichtstühle eingerichtet wurden, fand die Beichte häufig hinter dem Altar statt. Die Gerichtsdarstellung auf der Rückwand von Altären wird im Zusammenhang mit der Beichte verständlich. (Vergleiche einen Sakramentsaltar nach lutherischem Ritus – Taufe, Abendmahl, Beichte, Predigt – von Jesse Herlin und Valentin Salomon, 1568 für die Georgskirche gemalt, im Stadtmuseum zu Nördlingen, Katalog Abb. 13–16.)

Die Darstellung der Sendung der Apostel als Auftrag, das wahre Evangelium zu predigen, ist an Ausstattungsstücken evangelischer Kirchen mehrfach anzutreffen. So ist zum Beispiel an der Kanzel in der Jakobuskirche zu Freiberg/Sachsen zur rechten Seite eines Kruzifixus die Gesetzesübergabe auf dem Sinai dargestellt, auf der linken die Sendung der Apostel[69]. Damit knüpft die Kunst der Reformation an ein im Mittelalter vorgegebenes Thema an. Wir haben die Sendung der Apostel im Zusammen-

hang der Erscheinungen des Auferstandenen behandelt (Mt 28,16–20 und Par.), *vgl. Bd. 3, S. 118–120, Abb. 385, 389–393*. Von den Osterperikopen ausgehend, deren älteste Darstellungen in der byzantinischen Buchmalerei bis ins 9. Jh. zurückzuverfolgen sind (Paris, NB. gr. 510), und wohl nicht ganz ohne Beeinflussung durch die Gesetzes- und Schlüsselübergabe entstanden sind (vgl. Bd. 3, Abb. 574–588 und 601–603, S. 202–213), hat sich um 800 eine gesonderte monumentale Darstellung der Aussendung der Apostel gebildet, deren frühestes Beispiel in dem Mosaik der Mittelapsis des 1. Trikliniums Leos III. im Lateran, 795–816, erhalten ist, leider in einem miserabel restaurierten Zustand: Mit dem geöffneten Buch in der linken Hand steht Christus auf dem Berg und segnet die Apostel, die in zwei Gruppen auf ihn zukommen. Der Zusammenhang der bildlichen Darstellung zu Mt 28,19 geht aus einer Inschrift hervor. Die auf diesem Hauptbild dargestellte Aussendung der Apostel zielt auf die damals gegenwärtige römische Kirchenordnung, die sich in der Zuordnung von Kaiser- und Papsttum ausdrückt. Das zeigen die beiden seitlich angeordneten Mosaiken mit den Darstellungen der Belehrung des Herrschers und des Papstes mit ihren Amtsinsignien[70]. Der Regensburger Altar ist von der Themenstellung her analog und zugleich kontrastierend. Die Sendung der Jünger durch den Auferstandenen lebt durch die Wortverkündigung und die Sakramentsspendung, die der Altar mit darstellt.

In der zwischen dem römischen Mosaik und der Reformation liegenden Zeit scheint sich jedoch im Abendland die Darstellung der Aussendung der Apostel auf die Illustration der Ostertexte zu beschränken und ist auch in diesem Zusammenhang selten. Die repräsentativen Darstellungen des erhöhten Christus mit den Aposteln stehen in anderen ideellen Zusammenhängen. Erst Ende 15. Jh. tritt das Thema der Aussendung der Apostel hervor, und zwar in zwei Formen: einmal in Verbindung mit Lk 9,1–6 und apokryphen Apostelakten, als Abschied oder Trennung der Apostel (Divisio apostolorum), bevor sie, autorisiert durch die Credosätze (Inschriften), zu ihrer Mis-

69. Abbildung siehe: H. C. von Haebeler, Das Bild in der Evangelischen Kirche, Berlin 1956. Vgl. auch U. Gertz, Die Bedeutung der Malerei für die Evangeliumsverkündigung in der evangelischen Kirche des 16. Jahrhunderts, Berlin 1937.

70. C. Davis-Weyer, Eine politische Apologie des Imperium Romanum und die Mosaiken der Aula Leonina, in: Munuscule discipulorum, ed. T. Buddensig u. a., Berlin 1968, S. 71–83; Chr. Walter, Papal political imagery in the medieval Lateran Palace, in: Cah. Arch. 20, 1970, S. 155–176.

sionstätigkeit aufbrechen, *vgl. Bd. 1, Abb. 443*, zum anderen in dem Zwölfbotenbild[71]. Dieses zeigt (vielfach als Halbfigurendarstellung) den segnenden Christus inmitten der durch ihre Attribute gekennzeichneten Apostel (Staffel des Hochaltars der ehemaligen Abteikirche in Blaubeuren, 1493–1494; Zwölfbotenaltar von Tilman Riemenschneider aus Windsheim, Heidelberg, Kurpfälzisches Museum, u. a. m.). Es ist fraglich, ob solche Altäre die Anregung für die mehrfach wiederkehrende Darstellung der Sendung der Apostel im Bereich der Kunst der Reformation gegeben haben; wahrscheinlicher ist eine selbständige Konzeption im Zusammenhang der theologischen Themenstellung für die Kunst.

Von den evangelischen Sakramentsaltären mit ausgesprochenem Bekenntnischarakter sind nur wenige erhalten geblieben. Sie waren auch nicht so häufig wie das traditionelle Abendmahlsbild als Hinweis auf die Einsetzung des Altarsakraments. Ein betont großer Kelch verweist auf die Darreichung beider Elemente in Entsprechung zu den Einsetzungsworten. Häufig trägt die Predella des Altars dieses Abendmahlsbild. Auf dem Duttenstedter Altar, um 1600, nimmt es die Mitteltafel eines Triptychons ein; die Seitenflügel zeigen die alttestamentlichen Typen des Opfertodes, die Opferung Isaaks und die Erhöhte Schlange (vgl. auch Bd. 2, Abb. 112–115).

Höchst aufschlußreich für die Auffassung des Bildes im Bereich der lutherischen Reformation ist die Deckenmalerei der unter Pfalzgraf Ottheinrich erbauten Schloßkapelle von Neuburg an der Donau. Die Gestalten des Alten Testaments sind nicht nur Träger ihrer historischen Handlung – die Teil des als vorbildlich für das Neue Testament gedeuteten heilsgeschichtlichen Geschehens ist –, sondern auch Beispiele für den im göttlichen Wort wurzelnden Glauben des einzelnen Menschen der Gegenwart. In dem einmaligen Neuburger Bildprogramm spiegelt sich das Bekenntnis und die persönliche theologische Auseinandersetzung Ottheinrichs auf seinem Weg zur Reformation. Der Fürst berief 1543 zur Ausmalung seiner Hofkapelle – ältester bekannter evangelischer Sakralbau in

Süddeutschland – Hans Bocksberger d. Ä. aus Salzburg. Dieser beachtliche Meister der Generation nach Dürer und Cranach, der sich mit der italienischen Hochrenaissance auseinandersetzte, malte unmittelbar vorher mit zwei anderen Künstlern die Fresken mit allegorisch aufgefaßten, antiken Bildinhalten in den Prunkgemächern der nach dem Vorbild oberitalienischer Paläste (Mantua) erbauten Landshuter Stadtresidenz. Als Graphiker war er für die Illustration von Bibeldrucken tätig und dadurch mit der Bildwelt des Alten Testaments vertraut.

In der Neuburger Schloßkapelle sind um die Darstellung der Himmelfahrt Christi (Zentralkomposition, vgl. Corregio Mantua, Abb. 517, Bd. 3) mit dem Wort aus 1 Kor 15,17: »Ist aber Christus nicht auferstanden, so ist Euer Glaube eitel ...« Beispiele des Alten Testaments in einer zum Teil ungewöhnlichen Auswahl angeordnet. Wir können an dieser Stelle nicht das ganze Bildprogramm beschreiben und interpretieren (vgl. hierfür Bd. 6), sondern müssen uns auf die Sakramentsdarstellung beschränken[72]. Sowohl die Taufe als das Abendmahl sind nicht unmittelbar, sondern jeweils durch eine bekannte alttestamentliche Typologie und durch ein einmaliges Beispiel aus der patristischen Geschichte dargestellt. Die Abendmahlsbilder schließen auf der Altarseite und die Taufbilder an der Eingangsseite gegenüber an das Himmelfahrtsbild an und haben so einen bevorzugten Platz in der Bildordnung. Dazwischen sind zu beiden Seiten des Hauptbildes in kleineren Medaillons die zehn ägyptischen Plagen verbildlicht. Wenn auch über dem Altar Moses mit den Gesetzestafeln gezeigt wird, so stehen die Plagen doch nicht oder nicht ausschließlich in direktem Zusammenhang mit der Übertretung der Gebote (siehe oben), sondern verweisen als Strafen Gottes über die Ägypter auf die Errettung des Volkes Israel, die die Errettung durch den Sieg Christi (Hauptbild) präfigurieren. So sind denn auch stellvertretend für die Taufe der Durchzug durch das Rote Meer und für das Abendmahl das Passamahl vor dem Aufbruch der Israeliten dargestellt. Dieses Passabild ist ausdrücklich als Abendmahlstypus durch das beigefügte

---

71. Siehe zu den hier genannten Darstellungstypen: RDK I, Sp. 813–815 (A. Katzenellenbogen); ders. Verfasser, The Separation of the Apostles, in: GBA 91, 1946, H. 6, S. 81–98; LCI 1, Sp. 168 f. (J. Myslivec); E. M. Vetter, Der Windsheimer Zwölfbotenaltar ..., hg. von G. Poensgen, München–Berlin 1955, S. 75–99.

72. E. Steingräber, Die freigelegte Deckenmalerei in Neuburg a. d. Donau, 1952. Prof. D. Georg Kretschmar danke ich für mündliche Auskunft zu den literarischen Quellen der beiden Darstellungen.

Wort aus 1 Kor 5: »Wir haben auch ein Osterlamm, das ist Christus, für uns geopfert« gekennzeichnet. Das 2. Bild zum Abendmahl ist als eine Warnung vor unwürdigem Genuß des Sakraments zu deuten. Als abschreckendes Exempel ist eine sehr krasse Schilderung Cyprians (Bischof von Karthago 248–258) von erlebten Mißbräuchen beim Sakramentsempfang (De lapsis 25) gewählt. Gezeigt wird eine Abendmahlsfeier: An einer Seite des Tisches teilt ein Diakon das Brot und auf der anderen ein Priester den Kelch aus. Ein junges Mädchen, das nach Cyprians Bericht bei der Christenverfolgung unter Decius in Afrika vom christlichen Glauben wieder abgefallen war, wendet sich vom Kelch ab und spuckt den Wein aus. Über diese wohl aus der Auseinandersetzung mit das Sakrament verachtenden Sektierern zu verstehende Warnung vor dem unwürdigen Sakramentsempfang hinaus mag durch die Darreichung von Brot und Wein und durch den großen Kelch, der allein in der Mitte des Tisches steht, auch auf Cyprians Aussagen zur Eucharistie hingewiesen sein, die die Confessio Augustana als Beispiel für die Kommunion in beiderlei Gestalt heranzieht. Die Beischrift »Vorbild des Leibes und Blutes des Herrn aus Cyprio 5 von den Gefallenen« läßt diese Deutung auch zu (Steingräber), doch ist mit diesem sich dem Sakramentsempfang widersetzenden Mädchen sicher in erster Linie der Bericht Cyprians über die Mißbräuche gemeint. Auch das Bild der Tauftypologie wird durch eine historische Szene ergänzt, die sich wieder auf eine Sakramentsschändung bezieht und als Warnung vor dem Mißbrauch zu verstehen ist. Palladius, Diakon des Chrysostomus von Konstantinopel, beschreibt im 2. Kapitel der nur in griechischer Sprache überlieferten Lebensgeschichte des Bischofs eine Tauffeier in der Osternacht, die wegen Feindseligkeiten gegen Chrysostomus nicht in der Hagia Sophia stattfinden konnte. Sein Gegner Theophilus ging so weit, daß er Soldaten anstiftete, die Teilnehmer am Gottesdienst zu vertreiben. Das Bild zeigt die mit gezogenen Schwertern einbrechenden Söldner, die sich auf die zur Taufe Versammelten stürzen. Als literarische Quelle diente dem

Diakon ein Brief des Chrysostomus an den römischen Bischof Innozenz, in dem er sich wegen dieses Vorfalls über Theophilus beklagt. Darauf bezieht sich der dem Bild beigefügte Text: »Dies geschehen bei der Tauff von Theoph(ilus) Bischof zu Alexandrien und den Priestern angriche Clage Chrysostomus in ainer Epistel Inocenz dem römischen Bischof.« Neben dem Durchzug durch das Rote Meer ist unter Bezug auf 1 Kor 10 zu lesen: »Brüder, unsere Väter sind alle durch's Meer gegangen und sind alle unter Mose getauft.«

Es ist nicht erwiesen, wer im einzelnen das Bildprogramm für die Schloßkapelle festgelegt hat. Es kann auf eigenen Studien Ottheinrichs beruhen, dessen Interessen weit gespannt waren; seine Reisen führten ihn 1541 auch ins Heilige Land. Es kann von seinem theologischen Berater, dem Augsburger Wolfgang Musculus, stammen, der viele griechische Schriftsteller ins Lateinische übersetzte und dabei auf die Lebensbeschreibung oder den Brief des Chrysostomus gestoßen sein mag.

Aus diesem Bildprogramm ist in unserem Zusammenhang noch eine allegorisch gedeutete Darstellung der Sintflut für die protestantische Malerei der Zeit aufschlußreich, *Abb. 408*. Ein kleines Kirchengebäude, das als Sinnbild des Papsttums zu verstehen ist, geht im Hintergrund in den Fluten unter, während die Taube mit dem Ölblatt auf die große Arche Noah zufliegt. Die Arche, von alters her ein biblisches Sinnbild der Kirche, dient hier dazu, auf den wahren Glauben der Reformation zu verweisen. Auch die Rettung der Ertrinkenden bezieht sich auf den allein im Evangelium gründenden Glauben, durch den die Menschen gerettet werden.

Unter Pfalzgraf Wolfgang Wilhelm wurde die Stadt wieder katholisch. Er vollendete 1617 den Bau der Hofkirche und berief die Jesuiten, die in Neuburg ihre erste Niederlassung in Deutschland gründeten. 1625 wurde die als protestantischer Sakralbau errichtete Schloßkapelle katholisiert, bald darauf wurde die Malerei übertüncht. Ihre Freilegung ist vor dem Zweiten Weltkrieg begonnen und 1951 vollendet worden.

Ikonographisches Stichwortverzeichnis

(besorgt von Rupert Schreiner)

Verzeichnis der zitierten biblischen Texte

Bildverzeichnis

Sofern für Buchmalerei Maße angegeben sind,
beziehen sie sich auf die Seite und nicht auf das Bild

1 Rabula-Codex, Evangeliar; geschrieben in syrischer Sprache von dem Mönch Rabula im Kloster St. Johann, Zagba, Mesopotamien, signiert und datiert 586. H. 33,7 cm, B. 26,8 cm. Florenz, Bibl. Medicea Laurenziana, Cod. Plut. I, 56, fol. 14v.
Pfingsten, mit Maria.

2 York-Psalter; englisch, um 1170. H. 29,2 cm, B. 19,0 cm. Glasgow, Hunterian Museum, Ms. U 3,2, fol. 4,3v.
Pfingsten, mit Maria orans und erweitertem Apostelkreis.

3 Chludoff-Psalter; Konstantinopel, 2. H. 9. Jh. Nach Grabar vermutlich unter dem ersten Patriarchat des Photius (858–867) im Kloster St. Nikolaus für den Gebrauch in der Hagia Sophia geschrieben. Text im 12. Jh. weitgehend überschrieben. Marginalillustration zu Psalm 66 (65), 1, »Jauchzet Gott, alle Lande«. Moskau, Historisches Museum, Ms. gr. 129, fol. 62v. Ausschnitt.
Pfingsten mit Etoimasia.

4 Ikone; vermutlich palästinensisch, 7. Jh., Fragment, H. 35 cm, B. 14 cm. Sinai, Katharinenkloster.
Himmelfahrt, Pfingsten, Geburt Christi, siehe Bd. 1.

5 Homilien des Jacobus Monachus Kokkinobaphos (Marienpredigten); byzantinisch (Konstantinopel?), Alexis Komnenos gewidmet, zw. 1081 u. 1118. H. 23 cm, B. 16,5 cm. Rom, Biblioteca Apostolica Vaticana, cod. graec. 1162, fol. 2v.
Himmelfahrt, Pfingsten.

6 Ölampulle; Tonrelief, syrisch, um 600. Monza, Domschatz, Ampulle Nr. 10, revers.
Himmelfahrt Christi; durch die Einfügung der Hand Gottes und der auf Maria herabfahrenden Taube ist der Hinweis auf die Trinität und auf Pfingsten aufgenommen.

7 Homilien des Gregor von Nazians; Konstantinopel, für Basileos I. geschrieben und reich illustriert, zw. 880 u. 886. H. 41 cm, B. 30,5 cm. Paris, Bibl. Nat.; Cod. grec. 510, fol. 301r.
Pfingsten, Vertreter der Völker.

8 Elfenbeinrelief; byzantinisch, 11 Jh. H. 18,5 cm, B. 10,3 cm. Berlin. Staatl. Museen/Preußischer Kulturbesitz, (Frühchristlich-Byzantinische Sammlung).
Pfingsten, Vertreter der Völker.

9 Psalter der Königin Melissande († 1161, Gemahlin des Königs v. Jerusalem, Foulques d'Anjou); byzantinisch, signiert:

Basilius Pictor, geschrieben in Latein, zw. 1131 u. 1144. H. 21,6 cm, B. 13,6 cm. London, British Museum, Ms. EG 1139, fol. 9v.
Pfingsten, Soldaten an Stelle der Vertreter der Völker.

10 Hosios Lukas, Katholikon; Mosaik in der Bemakuppel, byzantinisch, Anf. 11. Jh.
Pfingsten, Etoimasia.

11 Venedig, San Marco; Mosaik in der Westkuppel (»Pfingstkuppel«), byzantinisch, Ende 12. Jh. Siehe auch Bd. 3, Abb. 564.
Pfingsten, Etoimasia.

12 Ikone; griechisch, 17 Jh. Köllikon/Aargau, Sammlung Dr. Siegfried Amberg.
Pfingsten, Joel an Stelle der Kosmosfigur.

13 Palermo, Palazzo Reale, cappella Palatina; Mosaik im Gewölbe der linken Chorkapelle, normannisch-byzantinisch, um 1143–1153.
Pfingsten.

14 Drogo-Sakramentar; Metz, geschrieben für Bischof Drogo von Metz (826–855), Raddatz: um 830, Köhler: nach 844. D-Initiale zur Oratio der Pfingstfestliturgie. H. 26,4 cm, B. 21,4 cm. Paris, Bibl. Nat., Cod. lat. 9428, fol. 78r.
Pfingsten, Hand Gottes und Christus.

15 Elfenbeinrelief; Ausläufer der karolingischen Hofschule, 2. Hälfte 10. Jh., eingesetzt in einen Buchdeckel, vermutlich Trier, 13. Jh. H. 29,4 cm, B. 12,1 cm. Manchester, John Rylands Library.
Pfingsten, Hand Gottes.

16 Sakramentar von Gellone; Schule von Flavigny/Burgund, zw. 755 u. 787. O-Initiale zum Kapitel: »Dominica Pentecoste«. H. 18,0 cm, B. 30,1 cm. Paris, Bibl. Nat., Cod. lat. 12048, fol. 82r.
Hand Gottes über drei Apostelköpfen.

17 Bibel von San Paolo; Karolingische Hofschule von Corbie, signiert vom fränkischen Schreiber Ingobertus, um 870–875. Rom, Kloster S. Paolo fuori le mura, fol. 308v.
Himmelfahrt, Pfingsten, 16 Vertreter der Völker.

18 Sakramentar aus Fulda; ottonisch, um 975. H. 27 cm, B. 24 cm. Göttingen, Univ. Bibl., Cod. theol. 231, fol. 82r.
Pfingsten.

19 Reichenauer Perikopenbuch; Reichenau, um 1020/1040. H. 23,5 cm, B. 17,6 cm. München, Bayr. Staatsbibl., Cod. lat. 23338, fol. 104v.
Pfingsten.

20 Sakramentar aus St. Bertin; französisch, 11. Jh. Paris, Bibl. Nat., Cod. lat. 819, fol. 61v.
Pfingsten.

21 Perikopenbuch Heinrichs II. (1002–1024); Reichenau, 1007 oder 1012. Entweder 1007 bei der Bistumsgründung oder 1012 bei der Domweihe von Heinrich II. und Kunigunde für Bamberg gestiftet. H. 42,3 cm, B. 31,5 cm. München, Bayr. Staatsbibl., Cod. lat. 4452, fol. 135v.
Pfingsten.

22 Klosterneuburger Altar; Grubenschmelz; Nikolaus von Verdun, vollendet 1181. 51 Tafeln mit typologisch einander gegenübergestellten Szenen aus dem Alten und Neuen Testament. Klosterneuburg bei Wien, Stiftskirche, Leopoldskapelle.
Pfingsten.

23 Perikopenbuch aus Salzburg; Regensburg, um 1030. H. 37,4 cm, B. 29 cm. München, Bayr. Staatsbibl., Cod. lat. Clm. 15713, fol. 37v. Pfingsten.

24 Perikopenbuch des Meisters Bertold von Regensburg; Regensburg, 2. H. 11. Jh. New York, Pierpont Morgan Library, Ms. 780, fol. 51r. (Vormals Salzburg, Stift St. Peter, Cod. VI 55).
Pfingsten.

25 Evangeliar; Reichenau, Spätstufe, 1060–1080. H. 20,9 cm, B. 15,4 cm. Würzburg, Univ. Bibl., M.p.th. q. 5, fol. 32v.
Pfingsten.

26 Egbert-Codex, Evangelistar; Reichenau, Luithardgruppe, um 980. Geschrieben und mit Miniaturen ausgestattet von den Mönchen Keraldus und Heribertus im Auftrag des Erzbischofs Egbert von Trier (977–993). H. 27 cm, B. 21 cm. Trier, Stadtbibl., Cod. 24, fol. 103r.
Pfingsten mit gottesfürchtigen Männern.

27 Reichenauer Sakramentar; Reichenau, Ende 10. Jh. Paris, Bibl. Nat., Cod. lat. 18005, fol. 94v.
Pfingsten, Gaben der Gemeinde.

28 Sakramentar aus St. Gereon; Köln, zw. 996 u. 1002. H. 26,8 cm, B. 18,4 cm. Paris, Bibl. Nat., Cod. lat. 817, fol. 76v.
Die Völkerschaften beim Pfingstfest.

29 Sakramentar aus St. Gereon; Köln, zw. 996 u. 1002. Paris. Siehe Nr. 28, fol. 77r.
Pfingsten.

30 Winchester-Psalter; Scriptorium von St. Swithun, Text lateinisch und französisch, um 1150–1160. Der Psalter wurde für Bischof Henry de Blois von Winchester (1129–1171) geschrieben und wohl bald nach seiner Fertigstellung der Kirche von Shaftesbury geschenkt. H. 31,8 cm, B. 22,5 cm. London, British Museum, Cotton nero C IV, fol. 28.
Pfingsten (darunter Majestas Domini, nicht abgebildet).

31 Missale (Sakramentar) des Erzbischof Robert von Jumièges; Schule von Winchester, zwischen 1006 und 1023. Rouen, Bibl. munic., Ms. Y 6 (274) fol. 84v.
Pfingsten.

32 Cottonpsalter; Schule von Winchester, um 1050. Federzeichnung. London, British Museum, Cotton Tiberius CVI, fol. 15v.
Pfingsten.

33 Evangeliar von Bury St. Edmunds; Federzeichnung; englisch, um 1120–1140. Cambridge, Pembroke-College, Ms. 120.
Pfingsten. Gott Vater und Christus zwischen Seraphin thronend.

34 Shaftesbury-Psalter; englisch, 2. H. 12. Jh. London, British Museum, Landsdowne 383, fol. 14r.
Pfingsten.

35 Evangeliar aus Kloster Abdinghof bei Paderborn; Wesergebiet (Helmarshausen?), um 1000. H. 24,5 cm, B. 19,5 cm. Kassel, Murhard'sche Bibl. der Stadt Kassel und Landesbibl., 2° Ms. theol. 60, fol. 30. Die Handschrift befindet sich zur Zeit in der Deutschen Staatsbibl. Ostberlin.
Pfingsten.

36 Prümer Evangeliar; Scriptorium von Prüm, 2. Viertel 11. Jh. Die Handschrift enthält eine Dedikationsinschrift des Ruotpertus, Abt von Prüm (1027–1068). Manchester, John Rylands Library, Cod. lat. 7, fol. 85r.
Pfingsten.

37 Prümer Antiphonar; Scriptorium von Prüm, um 1000. Paris, Bibl. Nat., Ms. lat. 9448, fol. 49r.
Pfingsten.

38 Missale von Mont St. Michel; Mont St. Michel, 1050–1065. New York, Pierpont Morgan Library, Ms. 641, fol. 80v.
Pfingsten.

39 Wys'schrader Krönungsevangelistar des König Wratislav; böhmisch, 1085–1086 (Codex Vyšehradensis). Prag, Universitätsbibl., Ms. XIV, A 13, fol. 57r.
Pfingsten.

40 Psalter des Landgrafen Hermann von Thüringen; thürin-

gisch, 1211–1213. Stuttgart, Württ. Landesbibl., Cod. H B.
II 24, fol. 124v.
Pfingsten.

41 Espalion (Aveyron), Eglise de Perse; Tympanonrelief des
Hauptportals. Südfranzösisch, Anf. 12. Jh.
Pfingsten.

42 S. Domingo de Silos (Burgos), Klosterkreuzgang; Steinrelief
am Südostpfeiler. Nordspanisch, 1085–1100.
Pfingsten.

43 Evangeliar; in Gold geschrieben, Mainzer Scriptorium, um
1260. H. 34,2 cm, B. 26 cm. Aschaffenburg, Schloß-(ehem.
Hof-)Bibl., Ms. 13, fol. 97v.
Pfingsten.

44 Evangeliar Heinrichs des Löwen aus dem Braunschweiger
Dom; im Kloster Helmarshausen von dem Mönch Heriman
für Heinrich den Löwen angefertigt. 1173–1180. Sammlung
des Großherzogs von Braunschweig. Fol. 65.
Pfingsten, sieben Gaben des Hl. Geistes, David und Salomo.

45 Sog. Stammheimer Missale; geschrieben vom Presbyter
Heinrich im Michaelskloster zu Hildesheim, zw. 1160 u.
1180. H. 22 cm, B. 13,5 cm. Bibliothek der Freiherrn von
Fürstenberg, Brabeke. Ohne Nr., fol. 117v.
Pfingsten (Apostel ohne Geistausgießung).

46 Köln, St. Maria Lyskirchen. Malereien im Gewölbe, um
1250.
Typologie zu Pfingsten: Gottesurteil am Karmel (Elia und
die Baalspriester).

47 Klosterneuburger Altar; Grubenschmelzplatte, vollendet
1181. Siehe Nr. 22.
Typologie zu Pfingsten: Arche Noah.

48 Klosterneuburger Altar; Grubenschmelzplatte, vollendet
1181. Siehe Nr. 22, 47.
Typologie zu Pfingsten: Moses am Berg Sinai.

49 Biblia Pauperum; österreichisch, um 1320–1330. Feder-
zeichnung. H. 36,0 cm, B. 25,0 cm. Wien, Österr. Nat. Bibl.,
Cod. lat. 1198, fol. 9v. Ausschnitt.
Pfingsten mit typologischen Darstellungen: Moses am Berg
Sinai, Gottesurteil am Karmel.

50 Speculum humanae salvationis; moselfränkisch, um
1330–1340. Karlsruhe, Badische Landesbibliothek, Cod. H
78, fol. 20r.
Pfingsten, Turmbau zu Babel, Verkündung des Dekalogs,
Elias und die Witwe von Sarepta.

51 Psalter des Abtes Odbert von St. Bertin; B-Initiale zu Ps. 1.
989–1008. Boulogne-sur-Mer, Bibl. Municipale, Cod. 20.
Pfingsten, Thronender Christus.

52, 53 Vézelay, Kathedrale St. Madeleine; Tympanonrelief des
inneren Hauptportals. Burgundisch, gegen 1132.
Ausgießung des Hl. Geistes durch Christus, Aussendung der
Apostel.

54 Sog. Koblenzer Retabel; Goldblechtreibarbeit, Maasschule,
um 1160–1170. Paris. Musée Cluny.
Pfingsten mit Christus.

55 Köln, St. Maria im Kapitol; Holztür, um 1049. Letztes Feld
der Tür.
Pfingsten – Sendung der Apostel.

56 Lektionar aus Cluny; französisch, Ende 12. Jh. H. 43 cm, B.
32,5 cm. Paris, Bibl. Nat., Cod. lat. 2246, fol. 79v.
Pfingsten mit Christus.

57 Lektionar aus Halberstadt; aus dem Besitz des Halberstädter
Domherrn Marcward, gest. 1148. 2. V. 12. Jh. Halberstadt,
Domschatz, Ms. 132.
Pfingsten mit Christus.

58 Sog. Hamilton-Psalter; oberitalienisch, spätes 12. Jh. Berlin,
Staatliche Museen/Preuß. Kulturbesitz, Kupferstichkabi-
nett, Ms. 78 A 5, fol. 58r, Ausschnitt.
Pfingsten mit Christus.

59 Sakramentar aus der Kathedrale St. Etienne; Limoges, spätes
11. Jh. oder um 1100. H. 27 cm, B. 16,5 cm. Paris, Bibl. Nat.,
Cod. lat. 9438, fol. 87v.
Pfingsten, Thronender Christus.

60 Elfenbeinkästchen aus der Abtei Farfa; Schule von Monte
Cassino, 1070–1075. Schmalseite. Rom. S. Paolo fuori le
mura.
Pfingsten mit Majestas Domini.

61 Handschrift des NT; italienisch, aus Verona, 1. H. 13. Jh.
Rom, Bibl. Apostolica Vaticana, Cod. lat. 39, fol. 85v.
Pfingsten mit Christus.

62 Ingeborg-Psalter (der Königin Ingeborg von Dänemark, der
zweiten Frau Philipps II.); Paris, gegen 1200. H. 30,4, cm,
B. 20,4 cm. Chantilly, Musée Condé, Cod. 1695 (früher 9),
fol. 32v.
Pfingsten, Maria inmitten der Apostel mit Majestas Domini.

63 Taddeo di Bartolo (um 1362–1422); Altartafel aus S. Ago-
stino in Perugia, 1403. Perugia, Pinacoteca Vannucci.
Pfingsten, Maria inmitten der Apostel, Christus haucht den
Hl. Geist.

64 Chorbuch aus der Karmeliterkirche in Mainz; um 1432. Initiale S. Mainz, Dommuseum, Nr. 27
   Pfingsten; Gottvater und Christus (Ratschluß Gottes).

65 Altartafel; spanisch, 15. Jh. Frankfurt, Städelsches Kunstinstitut.
   Pfingsten mit Gottvater und Christus.

66 Grandes Heures de Rohan; französisch, um 1418. H. 29 cm,
   B. 20,8 cm. Paris, Bibl. Nat., Ms. lat. 9471, fol. 143v.
   Pfingsten, Trinität.

67 Flügelaltar; Tafelmalerei, westfälisch, aus Osnabrück, um
   1380. Ausschnitt. Köln, Wallraf-Richartz-Museum. Aus der
   Sammlung des Freiherrn W. v. Haxthausen.
   Pfingsten, Taube mit Hostie.

68 Konrad von Soest (um 1370 bis nach 1422); sog. Wildunger
   Altar, Passionsaltar, 13 Darstellungen aus dem Leben und
   der Passion Christi. Tafelmalerei, 1403. Vorletzte Tafel, Innenseite, H. 77 cm, B. 54 cm. Bad Wildungen, Stadtpfarrkirche.
   Pfingsten.

69 Sog. Kappenberger Altar; westfälisch, 2. H. 15 Jh. Münster
   in Westfalen, Landesmuseum.
   Pfingsten.

70 Tafelmalerei; österreichisch, 1. H. 15 Jh. Graz, Museum Jo-
   anneum, Landesbildgalerie.
   Pfingsten; oben Himmelfahrt.

71 Veit Stoß (1450–1533); Englischer Gruß, Medaillon im Ro-
   senkranz, Holzrelief, 1517–1518. Nürnberg, St. Lorenz.
   Pfingsten, Petrus und Maria betend.

72 Andrea da Firenze (1333–1392) und Werkstatt; Fresken der
   Spanischen Kapelle bei Sa. Maria Novella, Florenz.
   1365–1368. Gewölbezwickel.
   Pfingsten mit Vertretern der Völker.

73 Fra Angelico (1387–1455); Flügel vom Weltgerichtstripty-
   chon, Innenseiten. Tafelmalerei, 1445–1450. Rom, Palazzo
   Corsini, Galeria Nazionale d'Arte Antica.
   Pfingsten.

74 Triptychon; Orcagna-Schule, Tafelmalerei, Mitteltafel des
   Triptychons, 3. V. 14. Jh. Florenz, Chiesa di Badia.
   Pfingsten. Auf den Seitenflügeln je drei Apostel kniend
   (nicht abgebildet).

75 Lorenzo Ghiberti (1378–1455); Bronzerelief, zw. 1403 u.
   1424. Florenz, Nordtür des Baptisteriums, rechter Flügel, 7.
   Reihe von unten.
   Pfingsten, Vertreter der Völker.

76 Tiziano Vecelli (1477?–1576); Altarbild, Öl auf Leinwand,
   um 1550. Venedig, S. Maria della Salute, erste Altarkapelle
   links.
   Pfingsten.

77 Dominikos Theotokopoulos, gen. El Greco (1541–1614);
   Gemälde, Öl auf Leinwand, zw. 1604 u. 1614. H. 274 cm,
   B. 127 cm. Madrid, Prado.
   Pfingsten.

78 Franciscode Zurbarán (1598–1664); Altargemälde, Öl auf
   Leinwand, 1635–1637. H. 160 cm, B. 116 cm. Cadiz, Mus.
   Prov. Bellos Artes.
   Pfingsten.

79 C. P. List (nachweisbar um 1680); Altarblatt. Öl auf Leinwand, 1681. Mondsee, ehem. Stiftskirche, Heiliggeist-Altar
   im linken Vorchor.
   Pfingsten, Erdkugel, Engel.

80 Franz Anton Maulbertsch (1724–1796); Altarbild in Freskotechnik, 1757–1758. Sümeg/Westungarn, Pfarrkirche.
   Petrus predigend.

81 Giulio Campi (um 1502–1572); Deckenfresko, 1557. Cremona, S. Sigismondo.
   Pfingsten.

82 Hans Georg Asam (um 1649–1711); Deckenfresko,
   1683–1686. Benediktbeuern, Hauptschiff, zweites Joch von
   Westen.
   Pfingsten.

83 Matthäus Günther (1705–1788); Deckenfresko, datiert und
   signiert 1743. Neustift (Novacella) bei Brixen, Kirche des
   Augustinerchorherrenstiftes, westl. Chorkuppel.
   Pfingsten.

84 Franz Anton und Johann Jakob Zeiller (1716–1793/
   1708–1783); Kuppelfresko, 1766 vollendet. Ottobeuren,
   Kirche der ehem. Benediktiner-Reichsabtei, Zentralkuppel
   über der Vierung.
   Pfingsten.

85 Ottobeuren, Fresko der Hauptkuppel, 1766 vollendet. Ausschnitt aus Abb. 84.
   Pfingsten.

86 Francesco Borromini (1599–1667); stuckierte Kuppel,
   1642–1650. Rom, Palazzo della Sapienza, Cappella di S. Ivo,
   Kuppelgewölbe des Kapellenraums.

87 Sog. Bertold-Missale, Meßformular zu Pfingsten; Schule von
   Kloster Weingarten, zw. 1200 u. 1215. D-Initiale. New
   York, Pierpont-Morgan-Library, Ms. 710, fol. 65r.
   Die sieben Gaben des Hl. Geistes.

88 Glasfenster; französisch, 13 Jh. Le Mans, Kathedrale, Detail, Nachzeichnung.
Thronender Christus und die Gaben des Hl. Geistes.

89 Glasfenster; französisch, um 1140. Saint Denis, Abteikirche. Medaillon aus den sog. anagogischen Fenstern Abt Sugers, im 19. Jh. restauriert.
Christus zwischen dem alten und dem neuen Gesetz (Ekklesia und Synagoge).

90 Bibel von Floreffe; Maasschule, um 1160. London, British Museum, Ms. Add. 17737/38, Bd. II fol. 3v.
Illustrationen zum Buch Hiob.
Symbolische Deutung des Dankgebets Hiobs und des Mahls seiner drei Töchter und sieben Söhne nach der Prüfung.

91 Psalter aus Angers; französisch, 1. H. oder M. 11 Jh. Amiens, Bibl. Municipale, Fonds L'Escalopier, Ms. 2, fol. 19°.
Die himmlische Taube auf dem Buch mit den sieben Siegeln. Die sieben Gaben des Hl. Geistes.

92 Hortus Deliciarum der Herrad von Landsberg; Original des 2. H. 12 Jh. verbrannt, Kopie des 19. Jh. fol. 65r.
Der Stein des Propheten Sacharia mit den sieben Augen und sieben Tauben des Hl. Geistes. Christus mit arma.

93 Rom, Sa. Sabina; Mosaik an der Innenseite der Eingangswand mit Widmungsinschrift des Bauherrn Petrus von Illyrien. Entstanden unter Papst Cölestin I. (422–432).
Die judenchristliche Kirche (Ecclesia ex circumcisione).

94 Rom, Sa. Sabina, Mosaik, zw. 422 u. 432. Siehe Nr. 93.
Die heidenchristliche Kirche (Ecclesia ex gentibus).

95 Sog. Bernward-Bibel; Hildesheim, dem Diakon Guntbald zugeschrieben, Anf. 11. Jh. H. 46 cm, B. 34,5 cm. Hildesheim, Domschatz, Schatzkatalog Elbern/Reuther Nr. 61, fol. 1r.
Großes Stationskreuz, Mose mit dem Alten Testament und Ecclesia Universalis, darüber Hand Gottes.

96 Merseburg, Dom; reliefierter Taufstein aus rötlichem Sandstein. Bei der Restaurierung der Neumarktkirche St. Thomas dort entfernt und 1831 in das südliche Schiff der Domvorhalle gebracht. Entstanden um 1180. H. 126,5 cm, Durchmesser 132 cm.
In den Arkaden: Die 12 Apostel auf den Schultern von Propheten. Am Sockel: Die vier Paradiesflüsse zwischen vier Löwen.

97 Kalksteinrelief; oberägyptisch, 5. Jh. H. 46,8 cm, B. 76,7 cm. New York, The Brooklyn Museum, Inv. Nr. 58,80.
Ekklesia (?): Weibliche nimbierte Büste mit Stabzepter und Globus mit Kreuz.

98 Bâwit (Mittelägypten), Apollonkloster; Wandmalerei in einer Nische in Raum 17. 6./7. Jh. Ausschnitt.
Ekklesia mit Kelch, Hirsch.

99 Ravello, Dom S. Pantaleone; Marmorbüste über der Kanzeltüre, signiert von Niccolo di Bartolomeo, datiert 1272.
Ekklesia (?).

100 Buchdeckel; Elfenbein, Metzer Schule, um 900. Florenz, Museo Nazionale, Slg. Carrand, Cat. Supino (1898) Nr. 32.
Kreuzigung Christi mit kronenhaltender Hand Gottes. Am linken und rechten Rand: Ekklesia und Synagoge.

101 Vierpaß; Gold mit Grubenschmelz, byzantinisch, nach Wessel: Anf. 10. Jh., nach LCI: M. 10. Jh., nach RDK und Grondijes: 2. H. 11. Jh. Tiflis, Museum.
Kreuzigung Christi mit Ekklesia und Synagoge.

102 Gunhild-Kreuz; Walroßzahn, dänisch (?), vom Meister Luitger signiert, mit Inschrift der Helena, genannt Gunhild, Tochter König Sven II. d. Gr., um 1050–1075. Corpus zerstört. Kopenhagen, Nationalmuseum. Medaillons an den Balkenenden, Vorderseite.
a, b Querbalken: Ekklesia, Synagoge,
c, d Längsbalken: Mors, Vita.

103 Elfenbeinrelief; Montecassino o. Amalfi, um 1070–1080. H. 27 cm, B. 12 cm. Berlin, Staatliche Museen, Preußischer Kulturbesitz, Skulpturenabteilung, Inv. Nr. 589, Ausschnitt.
Kreuzigung Christi. Engel führen Ekklesia und verstoßen Synagoge.

104 Evangeliar; byzantinisch, 11. Jh. Paris, Bibl. Nat., Cod. grec. 74, fol. 59r.
Kreuzigung Christi mit Auferstehung der Toten. Ekklesia wird von Engeln herangeführt, Synagoge vom Kreuz vertrieben.

105 Dreiteiliges Altarretabel aus der Wiesenkirche in Soest; Pergament auf Eichenholz, westfälisch, Anf. 13. Jh. Gesamthöhe: 81 cm, Gesamtbreite 194 cm. Beschädigungen durch zeitweise Verwendung als Antependium bedingt. Berlin, Staatl. Museen, Preußischer Kulturbesitz, Gemäldegalerie, Nr. 1216 A.
Mitteltafel: Kreuzigung Christi. Ekklesia wird von Engeln geführt, Synagoge vertrieben.
Vgl. auch: Bd. 2, Abb. 191 und Bd. 3, Abb. 48.

106 Buchmalerei; syrisch, um 1220. H. 44 cm, B. 35 cm. London, British Museum, Cod. Add. 7170, fol. 151r.
Kreuzigung Christi. Ekklesia wird von Engeln geführt, Synagoge vertrieben.

107 Buchdeckel; Holzrelief, vom Gertrudispsalter, um 1200. Ci-

vidale, Archäologisches Museum.
Kreuzigung Christi mit Ekklesia und Synagoge.

108 Buchdeckel aus St. Godehard; Grubenschmelz- und Niello-
tafeln mit Walroßrahmung, Schule von Hildesheim, um
1160. H. 37 cm, B. 26 cm. Trier, Domschatz, Schatzver-
zeichnis Nr. 70 (zu Cod. 141 gehörig). Ausschnitt.
Kreuzigung Christi. Ekklesia. Synagoge.

109 Essener Sakramentar; rheinisch, um 1100. Düsseldorf,
Heinrich-Heine-Institut (vorm. Landesbibl.). Cod. D. 4, fol.
8v.
Christus am Kreuz. Ekklesia mit Kelch und Krone. Synagoge mit Judenhut.

110 Antiphonar von St. Peter in Salzburg; Regensburg (?), um
1160. H. 43,2 cm, B. 31 cm. Wien, Österr. Nationalbibl.,
Cod. s.n. 2700, fol. 300r.
Christus am Kreuz. Ekklesia mit Kelch. Synagoge mit Och-
senjoch.

111 Hortus Deliciarum der Herrad von Landsberg, 2. H. 12. Jh.,
fol. 150r. Siehe Nr. 92.
Kreuzigung Christi. Ekklesia reitet auf dem Tier mit den vier
Köpfen, Synagoge reitet auf einem Esel.

112 St. Gilles-du-Gard, Abteikirche; Tympanonrelief des
Hauptportals, südfranzösisch, Anfang 12. Jh. Ausschnitt.
Engel schlägt Synagoge zu Boden.

113 Worms Dom; Steinplastik im Wimperg über dem Südportal,
rheinisch, um 1300.
Ekklesia reitet auf dem Tier mit den vier Köpfen.

114 Bordeaux, St. Seurin; Steinrelief in einer Blendarkade der
Südvorhalle, um 1300.
Synagoge mit Schlange um den Kopf.

115 Worms, Dom; Steinfiguren am rechten Pfeiler des Südpor-
tals, rheinisch, um 1300.
Synagoge. Luxuria (nicht abgeb.)

116, 117 Apsisbogen aus der Kirche von Spentrup; Wandmalerei,
jütländisch, um 1200. Kopenhagen, Nationalmuseum.
Die Synagoge sticht mit der Lanze nach dem Lamm Gottes.
Ekklesia, auf der Schlange stehend, fängt das Blut im Kelch
auf.

118 Tatzenkreuz; Walroßzahn, aus der englischen Abtei Bury St.
Edmunds. Nach Mersmann: 2. Drittel 11. Jh., nach Rade-
macher: M. 12. Jh. H. 50 cm. New York, Metropolitan Museum of Art, The Cloisters Collection (vormals Slg. Topic-
Mimara). Mittelpunkt, Rückseite.
Synagoge stößt die Lanze gegen das Lamm Gottes, aber sie
zersplittert. Propheten.

119 Einzelblatt eines Missales; vor 1250. Baltimore, The Walters
Art Gallery, Collection Mr. and Mrs. Philip Hofer. Ausschnitt.
Synagoge durchsticht das Lamm Gottes, aber die Lanze zerbricht. Ekklesia mit Kelch.

120 Apokalypsenhandschrift; englisch (?), 13. Jh. Eton, College
Library, Ms. 177, fol. 7r.
Synagoge thront mit erhobenen Gesetzestafeln zwischen
Mose und Aaron. Entschleierung der Synagoge durch die
Hand Gottes.

121 Sakramentar von Tours; französisch, 12. Jh. Paris, Bibl.
Nat., Cod. lat. 193, fol. 71r.
Ekklesia mit Kelch, segnender Christus, Entschleierung der
Synagoge, die die Gesetzestafeln hält.

122 Liber floridus des Kanonikus Lambert von Saint-Omer;
französisch, 1120 vollendet. Älteste erhaltene Kopie nach
dem verschollenen, um 1100 entstandenen Urexemplar. H.
37 cm, B. 20,4 cm. Gent, Universitätsbibl., Ms. 92, fol. 253r.
Christus krönt Ekklesia und verstößt Synagoge.

123 Sog. Riesenbibel von Montalcino; italienisch, 12. Jh. Initiale
O zum Hohenlied. Montalcino, Bibl. Communale, Cod. s.s.
Bd. II. fol. 56r.
Christus und Ekklesia thronend; die vom Thron gestoßene
Synagoge liegt vor den Stufen des Thrones.

124 Missale Metense; Metz, 2. V. 14. Jh. Initiale C. Trier, Bistumsarchiv, Ms. 407, fol. 189r.
Thronender Christus mit Kelch und Hostie zwischen Ekklesia und Synagoge.

125 Homiliar des Beda von Verdun; Verdun, vermutlich aus der
Kathedrale, letztes V. 12. Jh. Initiale Q zur Homilie zum
Kirchweihfest. Verdun, Bibl. Municipale, Ms. 121, fol. 273r.
Ekklesia steht triumphierend auf der besiegt am Boden lie-
genden Synagoge.

126 Eleutherius-Schrein; Silbertreibarbeit mit Bronzeguß und
Teilvergoldung auf Holzkern, französisch, 1247 vollendet.
L. 120 cm, B. 50 cm, H. 107 cm. Ausschnitt aus der Dach-
schräge. Tournai, Kathedrale. In dem Schrein ruhen die Ge-
beine des Hauptpatrons der Stadt Tournai, Bischof Eleu-
therius.
Ekklesia mit Kelch.

127 Eleutherius-Schrein, Goldschmiedearbeit, vollendet 1247,
Tournai. Siehe Nr. 126.
Synagoge mit gesenktem Kelch und zersplitterter Lanze.

128 Dijon, St. Benigne; Hauptportal, burgundisch, um 1160.
Nach einem Stich des 18. Jh. Vom in der französischen Revolution zerstörten Original sind nur Reste erhalten.

Majestas Domini mit Ekklesia und Synagoge. Auf dem Türsturz: Geburt Christi und Anbetung der Könige. Am Mittelpfeiler: Der Titelheilige, St. Benignus.

129 Straßburg, Münster; Südportal, sog. »Marienportal«. Zustand vor der Französischen Revolution, nach einem Stich von J. Brunn aus dem Jahre 1617. Originale vom Ecclesiameister, 1225–1230.
An den Begrenzungen: Ekklesia und Synagoge. Am Mittelpfeiler: Salomo als Richter. Tympana: Marientod, Marienkrönung.

130,131 Straßburg, Münster, Südportal, 1225–30. Siehe Nr. 129. Entfernte Originale, heute im Frauenhausmuseum, Straßburg.
Ekklesia. Synagoge. (Ausschnitte)

132 Erfurt, Dom; Gewändefiguren am Nordwestportal, 2. V. 14 Jh.
Ekklesia und die klugen Jungfrauen.

133, 134 Marburg, Elisabethkirche; Glasfenster im Hochchor, zw. 1235 u. 1249.
Ekklesia. Synagoge.

135, 136 Konrad Witz (1395–1447); Fragmente vom Basler Heilspiegelaltar, Tafelmalerei, um 1435. H. 86,5 cm bzw. 86 cm, B. 80,5 cm bzw. 81 cm. Basel, Kupferstich-Kabinett der Öffentl. Kunstsammlungen.
Ekklesia, Synagoge.

137 Bible moralisée; französisch, um 1240, Paris, Bibl. Nat., Cod. fr. 11560, fol. 87v. Ausschnitt.
Thronende Ekklesia mit Kelch. Streitgespräch zwischen Christen und Juden.

138 Bible moralisée; Werkstatt der Gebrüder Limburg, um 1440. Paris, Bibl. Nat., Cod. fr. 166, fol. 44r. Ausschnitt.
Tod der Synagoge. Ekklesia diskutiert mit Gruppen. Darüber: Moses mit dem Dekalog.

139 Bible moralisée, fol. 40v, Ausschnitt, um 1410, Paris. Siehe Nr. 138.
Begräbnis der gekrönten Synagoge durch die vier Evangelisten in Gegenwart der Ekklesia. Christus segnet die Tote.

140 Große Chorgestühlwange; Holz, 1400–1410. Erfurt, Dom, nördliches Chorgestühl, Ausschnitt.
Turnier zwischen Ekklesia und Synagoge auf Pferd bzw. Eber reitend.

141 Joh. Georg Bergmüller (1688–1762); Deckenfresko im westlichsten Joch über dem Haupteingang, 1725–1727. Ehemalige Reichsabtei Ochsenhausen, Klosterkirche.
Ekklesia, Flucht eines Rabbiners. Jüdische und christliche Kultgegenstände.

142 Homiliar, fol. 1r, letztes V. 12. Jh., Verdun. Siehe Nr. 125. Initiale I zum Sermo des Maximus am ersten Adventssonntag.
Ekklesia und Synagoge als die Frauen an der Mühle im Jüngsten Gericht.

143 Vézelay, Kathedrale St. Madeleine; Kapitellplastik am vierten Südpfeiler, Westseite, M. 12. Jh.
Mystische Mühle: Prophet und Apostel mahlen den Weizen des Alten Testaments zum Mehl des Neuen Testaments.

144 Tafelgemälde; schwäbisch, um 1460. Ulm, Museum der Stadt Ulm, Inv. Nr. 2150.
Hostienmühle.

145 Evangeliar aus St. Médard in Soissons; Hofschule Karls des Gr., um 810. H. 36,2 cm, B. 26,7 cm. Paris, Bibl. Nat., Cod. lat. 8850, fol. 6v.
Fons Vitae (Lebensbrunnen).

146 Evangeliar aus St. Médard in Soissons, fol. 11r, um 810, Paris. Kanontafel, Ausschnitt.
Enthüllung des Lebensbrunnens, zwei Evangelistensymbole.

147 Evangeliar aus Mainz, um 1260. Aschaffenburg, siehe Nr. 43, fol. 17r.
Einheit der Kirche: Cherubimräder, Evangelisten, Paradiesflüsse.

148 Sog. Bertold-Missale, fol. 64v, zw. 1200 u. 1215, New York. Siehe Nr. 87.
Pfingsten, Paradiesflüsse.

149 Evangeliar des Erzbischofs Kuno von Falkenstein; Trier, um 1380. H. 29 cm, B. 20 cm. Trier, Domschatz, ohne Signatur, Miniatur Nr. 121 unterer Teil.
Lebensbrunnen im Bezug auf Pfingsten (oben).

150 Lukas Horenbout d. J. (vor 1585–1626); Flügelaltar, signiert und datiert 1596, Gent, Kleiner Beginenhof. Abbildung ohne den Flügel.
Polemische Darstellung gegen die Reformatoren und Häretiker mit Lebensbrunnen-Allegorie.

151 Tafelgemälde; spanisch, Monogramm B.E.L.A.S.C.O. (Luis de Velasco, 1555–1606?), 2. H. 16. Jh. Wahrscheinlich eine Kopie nach einem verlorenen Werk von Hubert (?) van Eyck. Oberlin/Ohio, Allen Art Museum, Inv. Nr. 52,13.
Triumph der Kirche über das Judentum mit Lebensbrunnen-Allegorie.

152,155 Liber floridus des Kanonikus Lambert von Saint-Omer;
M. o. 2. H. 12. Jh. Wolfenbüttel, Herzog-August-Bibl.,
Gud. lat. 1, fol. 76v.
Die ersten vier Seligpreisungen der Kirche (»Voces Eccle-
siae«): Zeder im Libanon, Palme in Cades, Zypresse vom
Berg Sion, Rose von Jericho.

153 Liber floridus des Kanonikus Lambert, fol. 231v, 1120 vollendet, Gent. Siehe Nr. 122.
Baum der Tugenden und des Guten (Arbor bona) als Allegorie der Kirche.

154 Liber floridus, fol. 232r, 1120 vollendet, Gent. Siehe Nr. 122,
153.
Der Baum des Lasters und des Bösen (Arbor mala) als Allegorie der Synagoge.

156 Liber floridus, fol. 31v, M. o. 2. H. 12. Jh., Wolfenbüttel.
Siehe Nr. 152, 155.
Die Lilie als Symbol der Kirche.

157 Liber floridus, fol. 32r, M. o. 2. H. 12. Jh., Wolfenbüttel.
Siehe Nr. 152, 155, 156.
Die Palme als Symbol der Kirche.

158 Liber floridus, fol. 77r, M. o. 2. H. 12. Jh., Wolfenbüttel.
Siehe Nr. 152, 155, 156, 157.
Die vier letzten Seligpreisungen der Kirche (»Voces Ecclesiae«): Ölbaum auf den Feldern, Platane beim Wasser, Tere-
binthe und ihre Zweige, Weinrebe und ihr Duft.

159 Codex Purpureus Rossanensis; Purpurpergament, Schrift:
griech. Unziale mit Silber geschrieben, Konstantinopel (?),
6. Jh. Rossano (Kalabrien), Erzbischöfliche Bibliothek, fol.
121r. H. 30,7 cm, B. 26 cm.
Der Evangelist Markus, von der Weisheit inspiriert.

160 Bibelhandschrift; syrisch, 7. od. 8. Jh. H. 31 cm, B. 23 cm.
Paris, Bibl. Nat., Cod. syr. 341, fol. 118r.
Christus, die Quelle der Weisheit: Jungfrau mit Emanuel,
flankiert von Salomo und Sapientia mit dem Buch der Weisheit.

161 Gračanica (Serbien), Klosterkirche; Wandmalerei, um 1320.
Illustration zum Buch der Sprüche 9,1 (Inschrift).
Thronende göttliche Weisheit (als Engel) vor dem Tempel
der Weisheit.

162 Ohrid (Makedonien), Sv. Kliment; Wandmalerei im Narthex, E. 13. Jh. Illustration zum Buch der Sprüche 9,5 (Inschrift).
Das Gastmahl der göttlichen Weisheit. Rechts im Hintergrund der Weisheitstempel mit kleiner Büste der Jungfrau.

163 Ikone; Leinwand auf Holz, russisch, 17. Jh. H. 31,2 cm, B.
26 cm. München, Privatbesitz.
Die göttliche Weisheit.

164 Sammelhandschrift mit Psychomachie des Prudentius und
Physiologus; mosan, aus der Abtei St. Laurent in Lüttich, E.
10. o. 1. V. 11. Jh. H. 26,5 cm, B. 16,5 cm. Brüssel, Bibl.
Royal, Ms. 10066–77, fol. 137v.
Die Weisheit thront als die höchste Tugend siegreich in ih-
rem Haus.

165 Bibel aus St. Vaast; Arras, 2. Vol. 11. Jh. H. 51 cm, B. 35,5
cm. Arras, Bibl. Municipale, Ms. 559 (ehem. 435), Bd. 3, fol.
1r. Ausschnitt.
Christus als Sapientia vor dem Tempel der Weisheit über einem Juden und einem Häretiker (?) thronend; umgeben von
den Kardinaltugenden und den vier Evangelisten.

166 Kollektar aus Zwiefalten; 12. Jh. H. 28 cm, B. 19,2 cm. Stuttgart, Württ. Landesbibliothek, Cod. brev. 128, fol. 9v.
Christus auf dem Thron der Weisheit im himmlischen Jerusalem. (Majestas Domini mit Anbetung der 24 Ältesten).

167 Bibelhandschrift; aus Saint-Martial in Limoges, E. 11. Jh. H.
53,3 cm, B. 39 cm. O-Initiale. Paris, Bibl. Nat., Cod. lat. 8,
Bd. 2, fol. 74v.
Die thronende göttliche Weisheit mit den sieben Büchern der
Weisheit und dem Blütenzepter.

168 Psychomanie des Prudentius; St. Gallen, Anfang 11. Jh. St.
Gallen, Stiftsbibliothek, Ms. 135, fol. 438r. Ausschnitt.
Die thronende göttliche Weisheit mit dem Blütenzepter im
Tempel der Weisheit.

169 Prachtbibel; geschrieben von Johann Freibeckh von Kö-
nigsbrück, Schenkung an das Domstift Salzburg, aus der Bibliothek der Erzbischöfe von Salzburg, 1428–1430. H. 52
cm. B. 34 cm. München, Bayerische Staatsbibl., Cod. lat.
15701, fol. 230r. Ausschnitt.
Thronende Ekklesia-Sapientia.

170 Sog. Gumbertusbibel; Riesenbibel, vermutlich Regensburg-Prüfening, vor 1195 für das Gumbertuskloster in Ansbach erworben, um 1180 entstanden. H. 67 cm, B. 46 cm. Erlangen, Universitätsbibl., Ms. 1, fol. 141r. Ausschnitt.
Die thronende Weisheit zwischen Geißelung und Kreuzigung Christi.

171 Brixen (Südtirol), Johanneskapelle am Domkreuzgang;
Wandmalerei am Triumphbogen, M. 13. Jh., im 19. Jh. teil-
weise entstellend restauriert und ergänzt.
Die göttliche Weisheit auf dem Thron Salomonis.

172 Evangelistar; norddeutsch, zw. 1221 u. 1242. H. 25,6 cm, B.

15,3 cm. Brandenburg (Havel), Domarchiv. Illustration zum Text Mariae Himmelfahrt.
Maria als thronende Weisheit mit Propheten.

173 Sog. Stammheimer Missale, fol. 11r, zw. 1160 u. 1180. Schloß Stammheim. Siehe Nr. 45.
Die göttliche Weisheit als Schöpferin der Welt.

174 Antiquitates Judaicae des Flavius Josephus; E. 12. Jh. H. 19 cm, B. 12,5 cm. Paris, Bibl. Nat., Cod. lat. 5047, fol. 2r. Titelminiatur des ersten Buches.
Das Sechstagewerk nach dem Bericht des Josephus.

175 Bible Histoire; Paris, Meister Guyart Desmoulins, um 1410. H. 45,8 cm, B. 32,5 cm. Brüssel, Bibl. Royale, Cod. 9001, fol. 19r. Ausschnitt.
Linke Seite: Thronende Weisheit, Ratschluß Gottes und Erschaffung der Engel. Rechte Seite: Ratschluß Gottes und Engelsturz.

176 Bible Moralisée; französisch, von Italienern ausgemalt, 13./14. Jh., H. 30 cm, B. 20,5 cm. Paris, Bibl. Nat., Cod. fr. 9561, fol. 2v.
Der erste Schöpfungstag; Ekklesia-Sapientia neben zwei Cherubim.

177 Bible Moralisée, fol. 3r, 13./14. Jh. Paris. Siehe Nr. 176.
Der zweite Schöpfungstag; Ekklesia-Sapientia.

178 Bible Moralisée; Reims (?), um 1240. H. 34,4 cm, B. 26 cm. Wien, Österr. Nat. Bibl., Cod. 2554, fol. 1r. Ausschnitt.
Erster und zweiter Schöpfungstag (Scheidung von Licht und Finsternis, Trennung von Himmel und Erde). Darunter: Ekklesia mit Kelch neben zwei Cherubim und Angriff auf die thronende Ekklesia mit Kelch.

179 Bible Moralisée; Paris, für König Ludwig IX. geschrieben, M. 13. Jh. H. 43 cm, B. 29,5 cm. Wien, Österr. Nat. Bibl., Cod. 1179, fol. 2r.
Linke Seite: Erster Schöpfungstag, Ekklesia neben Engeln. Zweiter Schöpfungstag, Verspottung der Ekklesia. Rechte Seite: Dritter Schöpfungstag, Verehrung der Ekklesia. Vierter Schöpfungstag, Verehrung der Ekklesia.

180 Hortus Deliciarum der Herrad von Landsberg, letztes V. 12. Jh. fol. 32r. Siehe Nr. 92, 111.
Thronende Philosophia-Sapientia mit den sieben freien Künsten.

181 Handschrift der Hildegard von Bingen: Wisse die Wege – Scivias; nach Baillet zw. 1151 u. 1179, nach Keller um 1170/80. Ehemals Wiesbaden, Nassauische Landesbibliothek, Hs. 1. Das Original ist seit dem zweiten Weltkrieg verschollen. Die Abb. nach einer 1927-33 angefertigten Kopie. Illustration zu Schau III/9.

Der Turm der Kirche. (Von links nach rechts: Die Heiligkeit mit den drei Köpfen, die Stärke auf dem überwundenen Drachen, die Weisheit auf dem siebensäuligen Weisheitstempel, die Gerechtigkeit mit dem Spruchband, der Turm der Kirche, an dem die Menschheit noch baut.)

182 Apokalypse von Valençiennes; französisch (?), 9. Jh. Valenciennes, Bibl. Municipale, Ms. 99, fol. 23r. Illustration zu Apk. 12,1-4.
Das apokalyptische Weib auf dem Monde stehend und der Drache.

183 Trierer Apokalypse; Anf. 9 Jh. Trier, Stadtbibliothek, Cod. 31, fol. 37v. Illustration zu Apk. 12,1-4, Ausschnitt.
Das apokalyptische Weib und der Drache.

184 Trierer Apokalypse, fol. 38r, Anf. 9 Jh. Trier. Siehe Nr. 183.
Der Sturz des Drachen und seiner Engel; rechts unten steht der Seher.

185 Trierer Apokalypse, fol. 39r, Anf. 9. Jh. Trier. Siehe Nr. 183, 184.
Die Errettung des Weibes vor dem Drachen, der den Strom speit. Unten: Die Erde; der Seher.

186 Liber floridus des Kanonikus Lambert, fol. 14v, M. o. 2. H. 12. Jh. Wolfenbüttel. Siehe Nr. 152, 155, 156, 157, 158. Illustration zu Apk. 12.
Das Sonnenweib, das geboren hat, und der Drache; Entrückung des Kindes. Links oben: Der Seher Johannes.

187 Liber floridus, fol. 15r, M. o. 2. H. 12. Jh. Wolfenbüttel. Siehe Nr. 152, 155, 156, 157, 158, 186.
Michael streitet gegen den Drachen.

188 Liber floridus, fol. 15v, M. o. 2. H. 12. Jh. Wolfenbüttel. Siehe Nr. 152, 155, 156, 157, 158, 186, 187. Ausschnitt.
Die Errettung des Weibes: Verleihung der Flügel; der Drache speit den Strom.

189 Beatus-Apokalypse; Kommentar zur Apokalypse des Priestermönchs Beatus von Liebana (Asturien), letztes Dr. 8 Jh. Vermutlich in einem Doppelkloster Kataloniens nach einer Inschrift von dem Priestermönch Emeterius und der Nonne Ende illustriert, katalanisch, vollendet 975. H. 36 cm, B. 26 cm. Gerona, Kathedralarchiv, fol. 171v-172r.
Das apokalyptische Weib und der Drache. Entrückung des Kindes. Errettung des Weibes. Kampf mit dem Drachen.

190 Beatus-Apokalypse; Apokalypsenkommentar, mozarabisch, Maler Martinus, 1086 vollendet. H. 36 cm, B. 25,3 cm. Burgo de Osma (Soria), Kathedrale, Archiv, Cod. 1, fol. 117v.
Das apokalyptische Weib und der Drache. Das mit Flügeln

versehene Weib bringt das Kind zu Gott. Höllensturz der Verdammten.

191 Beatus-Apokalypse; Apokalypsenkommentar, Spätphase der mozarabischen Gruppe, aus dem Benediktinerkloster Lorvao (Nordportugal), Schreiber Egas, Maler nicht genannt, 1189 vollendet. Lissabon, Archiv Torre del Tombo, fol. 152v.
Das schwangere apokalyptische Weib und der Drache. Das Weib geleitet als Mutter der Kirche die Kinder des Glaubens. Höllensturz der Verdammten.

192 Bamberger Apokalypse; Evangelistar und Apokalypsenhandschrift, Reichenau, Anf. 11. Jh. Vermutlich für Otto III. bestimmt. Geschenk Kaiser Heinrichs II. und seiner Gemahlin Kunigunde an das Kollegiatstift St. Stephan in Bamberg anläßlich der Kirchenweihe 1120. Bamberg, Staatsbibliothek, Cod. bibl. 140 (A II 42), fol. 29v.
Das Sonnenweib und der Drache.

193 Bamberger Apokalypse, fol. 31v, Anf. 11. Jh. Bamberg. Siehe Nr. 192.
Errettung des Weibes, der Flügel verliehen wurden. Der Drache speit den Strom.

194 Hortus Deliciarum der Herrad von Landsberg, letztes V. 12. Jh., fol. 261r. Siehe Nr. 92, 111, 180.
Das Sonnenweib als Himmelskönigin und die Feinde der Kirche. Entrückung des Kindes. Der Drache speit den Strom.

195 Sog. Mühlenaltar; westfälisch, 1. V. 14. Jh. Doberan, ehemalige Stiftskirche der Zisterzienser.
Das apokalyptische Weib als Himmelskönigin mit dem Sohn auf dem Arm.

196 Saint-Savin-sur-Gartempe, Abteikirche, Vorhalle, um 1100. Ausschnitt aus dem Freskenzyklus zur Apokalypse, Nordseite des äußeren Bogens.
Das apokalyptische Weib und der Drache. Entrückung des Kindes. Der Seher.

197 Scheyerer Matutinalbuch; bayerisch, aus dem Benediktinerkloster Scheyern. Zw. 1206 u. 1225 unter dem Abt Conrad von einem Bruder Conrad geschrieben. Stilistisch von Regensburg-Prüfening abhängig. Dem Matutinalbuch ist ein Miniaturzyklus ohne Textbezug vorgebunden. H. 55,1 cm, B. 39,7 cm. München, Bayer. Staatsbibl., Cod. lat. 17401, fol. 14r.
Das apokalyptische Weib mit dem Kind vor dem Drachen.

198 Scheyerer Matutinalbuch, fol. 15r, 1206–1225. München. Siehe Nr. 197.
Himmelfahrt Christi. Darunter: Der Drache mit den Irrleh-

rern des Konzils von Nicäa, fünf Bischöfen und Kaiser Konstantin.

199 Neues Testament aus Verona, 1. H. 13 Jh., Rom, Vatikan. Siehe Nr. 61. Fol. 163r, Ausschnitt.
Das apokalyptische Weib und der Drache. Die Entrückung des Kindes. Das Weib entflieht mit den Flügeln.

200 S. Pietro al Monte bei Civate; Wandmalerei an der Stirnlünette des Westwerks, mailändisch, gegen 1100. Ausschnitt. Kampf mit dem Drachen und seine Verstoßung aus dem Himmel. Rettung des Kindes.

201 Hans Burgkmair d. Ä. (1473–1531); Holzschnitt, Illustration zur Lutherbibel, 1523 in Augsburg bei Silvan Othmar gedruckt.
Das apokalyptische Weib und der Drache.

202 Sog. Apokalypse von Angers; Folge von Bildteppichen mit 73 von ursprünglich 105 erhaltenen Darstellungen; Paris, in der Werkstatt von Nicolas Bataille nach Entwürfen des Hofmalers Jean de Bruges im Auftrag von Herzog Ludwig von Anjou gewirkt, 1376–1382. Angers, Bischöfliches Museum. Detail. Illustration zu Apk. 12,7.
Der Drache kämpft gegen die Gläubigen.

203 Apokalypsehandschrift; St. Albans (?), um 1230. H. 43 cm, B. 30 cm. Cambridge, Trinity College, Ms. R. 16.2, fol. 14r. Ausschnitt.
Der Drache speit den Strom. Dem Weib werden Flügel gegeben, sie flieht in die Wüste und wird gespeist. Der Drache kämpft gegen die Gläubigen.

204 Psalter aus der Diözese Straßburg; oberrheinisch, 13. Jh. Mainz, Stadtbibliothek, Ms. 436, fol. 84v. D-Initiale zu Psalm 102 (101).
Ecclesia orans, vor der Sonne stehend.

205 Mosaikgrabplatte; nordafrikanisch, 4. Jh. Tunis, Musée Nationale le Bardo.
Kirchendarstellung mit Inschrift: Ecclesia mater.

206 Missale von Mont St. Michel, 1050–1065, New York, fol. 6r. Initiale D. Siehe Nr. 38, fol. 6r.
Ekklesia und die Unschuldigen Kindlein.

207 Exultetrolle; Benevent, 12. Jh. B. 23 cm. Rom, Biblioteca Casanatense, Cod. 724 B 13, Ausschnitt. (Gesamtabbildung Avery CXXII, 8–CXXIII, 1).
Ekklesia zwischen acht Leuchtern.

208 Exultetrolle; S. Vincenzo al Volturno, zw. 981 u. 987, im 12. Jh. wurde in Venevent die alte italienische Textversion auf die römische Liturgie umgestellt, wobei stellenweise die Ordnung von Text und Bild gestört wurde. B 27 cm. Rom,

Bibl. Apost. Vaticana, Cod. lat. 9820, Ausschnitt. (Gesamtabbildung Avery CXXXIX,8–CXL,11).
Ekklesia auf einem Kirchengebäude thronend.

209 Exultetrolle; Monte Cassino, 11. Jh. B. 28 cm. London, British Museum, Ms. Add. 30337, Ausschnitt. (Gesamtabbildung Avery XLV,4–XLVI,6).
Mater Ecclesia. Darüber Tellus.

210 Einzelblatt; Federzeichnung, Salzburg, Luitholdgruppe, 2.
Drittel 12. Jh. Straßburg, Sammlung Forrer.
Die göttliche Weisheit und die sieben freien Künste.

211 Evangelienkommentare des Hieronymus; Engelberg, Abt
Frowin von Engelberg (1143–1178) gewidmet, 3. V. 12 Jh.
H. 28,5 cm, B. 19,8 cm. Engelberg (Schweiz/Unterwalden),
Stiftsbibliothek, Cod. 48, fol. 103v. O-Initiale.
Ecclesia lactans stillt Mose und Paulus.

212 Giovanni Pisano (1245/48 – nach 1314); Pisa, Dom, Pfeilerfigur des Stützenwerks der Kanzel, Marmor, 1302–1312.
Segnender Christus über den Evangelisten stehend.

213 Giovanni Pisano, Pfeilerfigur des Stützenwerks der Kanzel,
1302–1312, Pisa. Siehe Nr. 212.
Ecclesia lactans über den Kardinaltugenden stehend.

214 Ainau bei Ingolstadt, ehem. Schloß, jetzige Pfarrkirche St.
Ulrich, Steinrelief neben dem Südportal, bayrisch, 1. H. 13.
Jh.
Einzug in Jerusalem mit Mater Ekklesia.

215 Pompièrre (Südlothringen), St. Martin, Tympanon, 12. Jh.,
eingefügt in die Kirche des 19. Jh. Siehe Gesamtdarstellung
Bd. 2, Abb. 46.
Ecclesia lactans (beim Einzug in Jerusalem).

216 Steinrelief; aus der Gangolfstraße in Metz, 12. Jh. Verduner
Stil, H. ca. 100 cm, USA, Privatbesitz.
Ecclesia lactans.

217 Bible Moralisée; französisch, um 1240. H. 42,2 cm, B. 30 cm.
Oxford, Bodleian Library, Ms. 270 b, fol. 6r. Rechte Medail-
lonreihe.
Erschaffung Evas. Geburt der Ekklesia. Zusammenführung
von Adam und Eva. Verlöbnis der Ekklesia, mit Gottesmutter.

218 Bible Moralisée, um 1250, Wien, fol. 3r. Ausschnitt aus dem
Schöpfungszyklus. Siehe Nr. 179.
Geburt der Ekklesia.

219 Bible Moralisée; französisch, um 1390. H. 41,2 cm, B. 28,5
cm. Paris, Bibl. Nat., Cod. fr. 167, fol. 206r. Ausschnitt.
Christus am Kreuz mit Geburt der Ekklesia, Taufe mit
Agnus Dei, alttestamentliche Opferung, Mose mit Dekalog.

220 Bible Moralisée, um 1240, Paris, fol. Ausschnitt. 186r. Siehe
Nr. 137.
Links: Hesekiel schaut die vier Wesen, Pfingsten (abge-
kürzt). Rechts: Räder des Hesekiel, Christus am Kreuz mit
Geburt der Ekklesia, Taufe, Geburt Evas, Mose.

221 Bible Moralisée, 13./14. Jh., Paris, fol. 8r, Ausschnitt. Siehe
Nr. 176, 177.
Der Schöpfer führt Eva dem Adam zu. Christus vermählt
sich mit Ekklesia.

222 Bible Moralisée, um 1410, Paris, fol. 46r. Siehe Nr. 138, 139.
Ausschnitt.
Mose mit dem Gesetz des Alten Bundes. Der Herzog von
Burgund (Jean du Berry) verehrt das Kind, Ekklesia mit dem
Gesetz des Neuen Bundes.

223 Bible Moralisée, um 1410, Paris, fol. 3r, Ausschnitt. Siehe
Nr. 138, 139, 222.
Maria mit dem Kinde, Vermählung des Christuskindes mit
der Kirche.

224 Bible Moralisée, um 1390, Paris, fol. 63r. Siehe Nr. 219. Ausschnitt.
Geburt Christi, Ekklesia nimmt das Kind entgegen, Synagoge mit entfallenen Gesetzestafeln wendet sich ab.

225 Lob des Kreuzes; Federzeichnungen, Prüfeninger Malschule, aus dem Kloster St. Emmeram in Regensburg, zw.
1170 und 1185. H. 30,7 cm, B. 21,3 cm. München, Bayer.
Staatsbibl., Cod. lat. 14159, fol. 1r. Ausschnitt.
Entdeckung des Sündenfalls. Gott und das Weib, das mit
dem Kreuzstab der Schlange den Kopf zermalmt. Adam
wendet sich von Eva und dem Baum der Verführung zur Ekklesia mit dem Lebensbaum des Kreuzes. Darunter (nicht
abgebildet): Kain und Abel.

226 Biblia Pauperum; Federzeichnungen, älteste österreichische
Armenbibel, um 1310. H. 33,5 cm, B. 24 cm. St. Florian/OÖ,
Bibliothek des Augustinerchorherrenstifts, Cod. III, 207,
fol. 1v. Ausschnitt.
Das Weib zertritt der Schlange den Kopf. Medaillon mit der
Verkündigung, umgeben von Isaias, Ezechiel, David und Je-
remias. Gideon und das Vlies.

227 Biblia Pauperum; kolorierte Federzeichnungen, um 1340/
50. H. 37 cm, B. 29 cm. Wolfenbüttel, Herzog-August-Bibl.,
Cod. Guelf. Helmst. 35a, fol. 7v. Ausschnitt.
Erschaffung Evas. Ekklesia auf dem tetramorphen Tier und
Synagoge auf dem Ziegenbock unter dem Kreuz. Quellwun-
der des Mose.

228 Sog. Jungfrauenkapitell; französisch, aus dem Kreuzgang
von St. Etienne in Toulouse, um 1120. Toulouse, Musée des
Augustins, Inv. Nr. 392, Vorderseite.

Christus und Ekklesia. An den Breitseiten: Kluge und Törichte Jungfrauen.

229 Bible Moralisée; französisch, Teile einer Handschrift (acht Blätter), deren größter Teil in der Kathedrale von Toledo aufbewahrt wird, um 1230. H. 37,5 cm, B. 26,5 cm. New York, Pierpont Morgan Library, Ms. 240, fol. 3v. Ausschnitt, Illustration zur Hochzeit des Lammes.
Christus und Ekklesia als himmlisches Brautpaar. Darüber (nicht abgebildet): Johannes schaut das Ewige Jerusalem.

230 Credo von Joinville; französisch, als Teil eines Breviers, um 1290 H. 23,5 cm, B. 16,5 cm. Leningrad, Öffentl. Bibl., Ms. lat. G. v. I 78, fol. 190r. Ausschnitt.
Die Hochzeit des Lammes als Illustration des letzten Satzes des Credos.

231 Boethius-Handschrift; angelsächsisch, zw. 1120 u. 1150. Cambridge, University Library, Ms. Ji. 312, fol. 62v. O-Initiale.
Christus und Ekklesia mit dem Lamm Gottes, auf dem überwundenen Teufel stehend. Links und rechts: Sonne und Mond. Darüber Hand Gottes.

232 Bibel aus St. Vaast, 2. V. 11. Jh., Arras, Bd. 2, fol. 141v. Siehe Nr. 165. Initiale O zum HL.
Christus als Herrscher und Ekklesia als seine Braut im Tierkreis.

233 Frowinbibel; Engelberg, Abt Frowin von Engelberg (1143–1178) gewidmet, vom Schreiber Richene, um 1150/1160. H. 38 cm, B. 28 cm. Abtei Engelberg (Schweiz/Unterwalden), Stiftsbibliothek, Cod. 4, Bd. 2, fol. 69v. Eingangsminiatur zum HL.
Christus und Ekklesia (Sponsus – Sponsa).

234 Frowinbibel, um 1150/60, Engelberg, Bd. 2, fol. 70r. Siehe Nr. 233. Initiale O zum HL.
Sponsus – Sponsa.

235 Lectionarium Matutinale; schwäbisch, aus Ellwangen, zw. 1124 u. 1136. H. 46 cm, B. 35,2 cm. Stuttgart, Württemb. Landesbibl., Cod. Brev. 55, fol. 180v. Initiale O zum HL.
Sponsus – Sponsa.

236 Beda-Kommentar zum HL; englisch, 12. Jh. Cambridge, King's College, Ms. 19, fol. 21v. Initiale O zum HL.
Sponsus – Sponsa.

237 Lateinische Bibel; französisch, 2. H. 12. Jh. Paris, Bibliothek von St. Geneviève, ohne Nr., fol. 258v. Initiale O zum HL.
Ekklesia als Braut des Hohenliedes; Taube am Ohr, Turm der Kirche.

238 Bibel aus St. Bertin; französisch, 12./13. Jh. Paris, Bibl. Nat.,

Cod. lat. 17645, fol. 112v. Initiale O zum HL.
Sponsus – Sponsa (Christus liebkost Ekklesia, die ein Kirchenmodell trägt).

239 Heisterbacher Bibel; niederrheinisch, um 1240. Berlin (West), Preußischer Kulturbesitz, Staatsbibliothek, Ms. theol. lat. 2° 379, fol. 267v.
Christus umarmt Ekklesia mit dem Kreuzstab.

240 Psalter; oberrheinisch, um 1235. Würzburg, Universitätsbibliothek, M. P. Theol. 4° 70, fol. 19r. Initiale D.
Sponsus – Sponsa (Christus berührt die Augen der Sponsa).

241 Hortus Deliciarum der Herrad von Landsberg, letztes V. 12. Jh., fol. 199v. Siehe Nr. 92, 111, 180, 194.
Christus krönt Ekklesia, die von den Aposteln zugeführt wird.

242 Hortus Deliciarum der Herrad von Landsberg, letztes V. 12. Jh., fol. 244v. Siehe Nr. 92, 111, 180, 194, 241.
Christus trocknet die Tränen eines Gerechten (Ekklesia).

243 Einzelblatt; ausgeschnittene Initiale Q aus einer oberrheinischen Handschrift, Ende 12. Jh. Basel, Slg. Robert von Hirsch.
Christus-Johannes-Gruppe (Johannesminne).

244 Orationes des Anselm von Canterbury; Federzeichnungen, M. 12. Jh. Admont, Stiftsbibliothek, Cod. 289, fol. 56r. Ausschnitt. Illustration zu einem Johannesgebet.
Johannes verläßt seine Frau. Johannesminne.

245 Johanneslob; französisch, A. 14 Jh. H. 23 cm, B. 15 cm. Leningrad, Öffentliche Bibliothek, Ms. fr. O. v. I1, fol. 9v. Ausschnitt.
Johannes nimmt Abschied von seiner Frau; Christus führt ihm Ekklesia als Braut zu.

246 Andachtsbild; Holzplastik, Bodensee (Meister Heinrich von Konstanz), aus Sigmaringen, 1320/1330. Berlin (West), Preußischer Kulturbesitz, Skulpturenabteilung.
Christus-Johannes-Gruppe.

247 Sakramentar aus Petershausen; Reichenau, um 980. Wahrscheinlich von Anno dem Schreiber des Gero-Codex (Darmstadt, Landesbibl., Hs. 1948). H. 23,6 cm, B. 18,3 cm. Heidelberg, Universitätsbibl., Cod. Sal. IX b, fol. 40v.
Ecclesia imperatrix.

248 Sakramentar aus Petershausen, um 980, Heidelberg, fol. 41r. Siehe Nr. 247. Vgl. Bd. 3, Abb. 641, das Christusbild im Lorscher Evangeliar um 810.
Thronender Christus (Sponsus).

249 Prüfening bei Regensburg; Klosterkirche, Georgs-(Hoch-)

chor, Malerei im Gewölbe, zwischen 1130 und 1140. Das Benediktinerkloster ist 1109 durch den reformerischen Bamberger Bischof Otto I gegründet. Hochchor im 17. Jh. umgebaut. Die Wandmalerei 1897 stark restauriert und ergänzt, das Gewölbebild nach einer Kopie rekonstruiert bei Erhaltung der ursprünglichen Komposition.
Ecclesia imperatrix.

250 Evangelistar für die Festtage; Salzburg o. Passau, aus dem Augustinerchorherrenstift, St. Nikola bei Passau, 3. V. 12. Jh. H. 32 cm, B. 22,6 cm. München, Bayer. Staatsbibl., Cod. lat. 16002, fol. 39v.
Ecclesia imperatrix.

251 Steinskulpturen; mitteldeutsch, um 1240/45. Magdeburg, Dom, Heilig-Grab-Kapelle. (Bekannt als Otto I. und seine Gemahlin Königin Edith; ursprünglicher Standort unbekannt.)
Sponsus – Sponsa als Herrscherpaar.

252 Rom; S. Maria in Trastevere, Apsismosaik, römisch, um 1140. Ausschnitt.
Vorstellung der inthronisierten Braut durch Christus.

253 Braunschweig, Dom, südl. Querschiff, Malerei im Gewölbe, Ostkappe, 1240/1250. Ausschnitt.
Ecclesia (mit Attributen des apokalyptischen Weibes) und Christus als Herrscherpaar.

254 Einzelblatt; deutsch, 2. H. 13. Jh. Washington, National Gallery, Rosenwald Collection.
Ecclesia mit Kelch und Siegesfahne als apokalyptisches Weib gekennzeichnet mit Christus.

255 Sammelhandschrift, Hoheslied, Sprüche Salomonis und Daniel mit Glossen; Reichenau, Luithard-Gruppe, aus der Bamberger Dombibliothek, vermutlich Geschenk Heinrichs II., E. 10. Jh. H. 24,9 cm, B. 18,7 cm. Bamberg, Staatl. Bibliothek, Cod. Bibl. 22, fol. 4v.
Ekklesia führt den Zug der Gläubigen zum Kreuz und reicht ihnen den Kelch.

256 Sammelhandschrift mit HL, E. 10. Jh., Bamberg, fol. 5r. Siehe Nr. 255. Prachtinitiale (ganzseitig) zum HL.
Thronender Christus in der Glorie (O-Initiale), Engelschöre, Ekklesia führt den Zug der Gläubigen zu Christus.

257 Hortus Deliciarum der Herrad von Landsberg, letztes V. 12. Jh., fol. 225v. Siehe Nr. 92, 111, 180, 194, 241, 242.
Thronende Ekklesia mit Heiligen und Seligen in der Himmelsstadt. Kampf der Engel mit den Teufeln. Evangelistenmedaillons.

258 Augustinus-Handschrift; Canterbury, nach 1100. H. 35,7 cm, B. 24,8 cm. Florenz, Bibl. Laurenziana, Cod. Plut. XII 17, fol. 2v.
Civitas Dei. Gottesstaat mit Christus in der Mandorla, thronender Ekklesia, Heiligen, Engeln, Paradiesespforte und Paradiesflüssen.

259 Wienhausen, Klosterkirche, Nonnenchor, Malerei im Gewölbejoch über dem Altar, um 1322. Ausschnitt aus der himmlischen Hochzeit.
Christus und Ekklesia auf dem Thron (Sponsus – Sponsa) im Himmlischen Jerusalem.

260 HL-Kommentar des Honorius Augustodunensis; Regensburg (?), aus Kloster Benediktbeuern, 12. Jh. H. 29 cm, B. 19,5 cm. München, Bayr. Staatsbibl., Cod. lat. 4550, fol. 1v. Titelblatt.
Sponsus – Sponsa, Gestalt der erlösten Menschheit.

261 Codex Vindobon; HL-Kommentar des Honorius Augustodunensis; Salzburg, 3. V. 12. Jh. H. 29,4 cm, B. 20 cm. Wien, Österr. Nat. Bibl., Cod. 942, fol. 79r. Ausschnitt.
Sunamit (Judenschaft) auf dem Wagen des Aminadab.

262 HL-Kommentar des Honorius Augustodunensis, 12. Jh., München, fol. 38v. Siehe Nr. 260. Ausschnitt.
Filia Babylonis (Heiden).

263 Bible Moralisée, um 1240, Wien, fol. 13r. Siehe Nr. 178. Ausschnitt.
Rückkehr der Söhne Jakobs (Wagen mit Getreidesäcken). Wagen der Kirche (Wagen des Aminadab mit Evangelienbuch).

264 HL-Kommentar des Honorius Augustodunensis, 12. Jh., München, fol. 89r. Siehe Nr. 260, 262. Ausschnitt.
Mandragora als Sinnbild für diejenigen, die sich erst nach dem Sturz des Antichrist bekehren.

265 Göß bei Leoben, ehem. Benediktinerinnenstift, sog. Bischofskapelle, Wandmalerei an der Südwand, 1282–1285.
Die Braut des HL (Ekklesia) durchbohrt mit der Lanze das Herz des Bräutigams (Christus) – vulneratio.

266 Scivias der Hildegard von Bingen, 2. H. 12 Jh., ehemals Wiesbaden. Siehe Nr. 181. Illustration zu Schau I/5, Ausschnitt.
Synagoge mit Mose, Abraham u. Propheten.

267 Scivias der Hildegard von Bingen, 2. H. 12. Jh., ehemals Wiesbaden. Siehe Nr. 181, 266. Illustration zu Schau II/6. Ekklesia unter dem Kreuz und am Altar kniend. Medaillons mit Geburt, Grablegung, Auferstehung, Himmelfahrt.

268 Bad Wurzach (Schwaben), ehem. Kloster Maria Rosengarten, Deckenfresko in der Kapelle, 1763.

Christus vermählt sich einer Seele durch Überreichung eines Ringes.

269 Otto van Veen (1556–1629); sechsteiliger Gemäldezyklus: »Triumph der Katholischen Kirche«, Öl auf Leinwand, 1580–1585. München, Bayer. Staatsgemäldesln., derzeit Filialgalerie Bamberg.
Der Wagen der Kirche.

270 Otto van Veen, »Triumph der Kath. Kirche«, 1580–85, München, Siehe Nr. 269.
Triumphzug des Glaubens.

271 Joh. Bapt. Enderle (1725–1798); Kirchdorf, Pfarrkirche, Deckenfresko im Chor, signiert und datiert, 1753.
Ekklesia im Triumphwagen, Verherrlichung der Monstranz, Sturz der Häretiker.

272 Franz Anton Maulbertsch (1724–1796); Mühlfrau (Dyje/ČSSR), Pfarrkirche, Deckenfresko über der Orgelempore, 1776/77.
Die triumphierende Kirche. Michael stürzt Teufel und Häresie.

273 Wolfgang Andreas Heindl (tätig um 1719–1755); Hartkirchen (Oberösterreich), Pfarrkirche, Deckenfresko im Altarraum, 1751–1752.
Die Kirche als triumphierende Hüterin des Sakraments. Sturz der Häretiker durch Engel.

274 Cosmas Damian Asam (1686–1739); Weingarten, Klosterkirche, Fresko in der Zentralkuppel, 1718–1720. Ausschnitt.
Triumphierende Kirche und Trinität mit Allerheiligenhimmel.

275 Paul Troger (1698–1762); Zwettl, Zisterzienserstift, Stiftsbibliothek, Deckenfresko, 1732/33.
Die göttliche Weisheit als Vermittlerin der Gotteserkenntnis.

276 Andrea Sacchi (vor 1599–1661); Rom, Palazzo Barberini, Deckenfresko, zw. 1629 u. 1633.
Die thronende göttliche Weisheit mit den Personifikationen ihrer Eigenschaften.

277 Franz Georg und Franz Josef Hermann (1692–1768/1738–nach 1791); Bad Schussenried, ehem. Prämonstratenserkloster, Bibliothekssaal, Deckenfresko, signiert, 1756/57. Ausschnitt, südl. Mittelgruppe.
Der Tempel des Hl. Geistes. Im siebensäuligen Rundtempel sitzt die Göttliche Weisheit, umgeben von den Personifikationen der Stärke, der Frömmigkeit, der Gabe des Rates, der Gottesfurcht und des Verstandes.

278 Franz Anton Maulbertsch (1724–1796); Entwurf zu einem Fresko, möglicherweise für das verlorene Deckenfresko in der Stiftsbibliothek Klosterbruck von 1778, um 1778. Augsburg, Städt. Kunstsammlungen, Deutsche Barockgalerie.
Die Offenbarung der Göttlichen Weisheit.

279 Schrotblatt; oberrheinisch, zw. 1450 u. 1460. H. 39,7 cm, B. 26,9 cm. (Schreiber Nr. 2756) München, Staatl. Graph. Sammlung.
Mose mit den Gesetzestafeln und Gott im brennenden Dornbusch. Links und rechts Medaillonreihen mit den Übertretungen der Zehn Gebote und den ägyptischen Plagen als Strafen für die Übertretungen.

280 Einblattholzschnitt; schwäbisch, um 1465/1480. H. 41 cm, B. 28,7 cm. (Schreiber Nr. 1844) London, British Museum.
Mose mit den Gesetzestafeln und Spruchbändern zwischen den zehn ägyptischen Plagen und den Übertretungen der Zehn Gebote.

281 Hans Weiditz (vor 1500–1536?); Holzschnitt, Illustration zum 1523 bei Heinrich Steiner in Augsburg gedruckten Gebetbüchlein Luthers, in Wiederverwendung für Luthers Großen Katechismus, 1530 in Augsburg bei Steiner gedruckt.
Mose mit den Gesetzestafeln. Erstes Gebot: Gesetzesübergabe an Mose und Anbetung eines Götzenbildes, ägyptische Plage.

282 Holzschnitt; Umkreis des Urs Graf, Titelbild zu »Der Zehn Gebote nützliche Erklärung«, Predigten und Erläuterungen Martin Luthers von 1516/17, verdeutscht von Sebastian Münster, 1520 bei Adam Petri in Basel gedruckt.
Gesetzesübergabe an Mose, Tanz um das Goldene Kalb, Lager der Kinder Israels, Josua zwischen Horeb und Sinai.

283 Einblattholzschnitt; vermutlich oberrheinisch, koloriert, zw. 1460 u. 1480. H. 23,2 cm, B. 33,7 cm. (Schreiber Nr. 1846) München, Staatl. Graph. Sammlung.
Übertretungen der Gebote, beim 4. Gebot Befolgung.

284 Heidelberger Blockbuch-Dekalog; kolorierte Holzschnitte, oberrheinisch, 1455–1458. Der Dekalog ist Teil eines Heidelberger Blockbüchersammelbandes, der handschriftliche Teile, Federzeichnungen, Holzschnitte und drei echte Blockbücher enthält. H. 26,9 cm, B. 20,1 cm. Heidelberg, Universitätsbibliothek, Cod. Pal. Germ. 438, fol. 142v.
Illustration zum Ersten Gebot: Anbetung Gottes durch Gläubige mit Engel und Teufel.

285 Holzschnitt; süddeutsch, koloriert, H. 18 cm, B. 11,8 cm. Illustrationen zum Dekalogteil des »Seelentrost« (»Büchlein das da heißt der Sele trost«), 1478 in Augsburg bei Anton Sorg gedruckt.
Erstes Gebot.

286 Heidelberger Blockbuch-Dekalog, fol. 143v, 1455–1458, Heidelberg. Siehe Nr. 284.
Drittes Gebot: Sonntagsheiligung bzw. würfelnde und trinkende Männer.

287 Heidelberger Blockbuch-Dekalog, fol. 146v, 1455–1458, Heidelberg. Siehe Nr. 284.
Neuntes Gebot: Eine junge Frau wendet sich von ihrem älteren Mann ab und einem Jüngling zu.

288 »Seelentrost«, Augsburg, 1478. Siehe Nr. 285.
Zweites Gebot: Betende bzw. Spieler mit Schwörszene.

289 »Seelentrost«, Augsburg, 1478. Siehe Nr. 285, 288.
Viertes Gebot: Verehrung der Eltern.

290 Hans Baldung gen. Grien (1476–um 1545); Holzschnitte – Illustrationen zum Traktat »Die Zehn Gebote und das Paternoster« von Marcus von der Weiden, 1516 in Straßburg bei Grüninger gedruckt.
Sechstes Gebot: Du sollst nicht unkeusch sein.

291 Hans Baldung gen. Grien, »Die Zehn Gebote und das Paternoster«, Straßburg, 1516. Siehe Nr. 290.
Siebtes Gebot: Diebstahl aus einer Truhe.

292 Zehn-Gebote-Tafel; nordwestdeutsch mit niederländischem Einfluß, Tafelgemälde mit Aufsatz, um 1480. H. mit Lünette 346,5 cm, B. 205 cm. Danzig, Marienkirche.
Zehn Gebote, jeweils Befolgung und Übertretung, mit Engels- bzw. Teufelsgestalten.

293 Holzschnitt; südwestdeutsch, Illustration zum »Spiegel christlicher Wallfahrt« von Johannes Schottus, 1509 in Straßburg bei Knoblouch gedruckt.
Das Siebte Gebot mit ägyptischer Plage (Hagelschlag) als Strafe für den Taschendiebstahl. Kleine Gottesfigur.

294 Hans Weiditz, Luthers Großer Katechismus, Augsburg, 1530. Siehe Nr. 281.
Neuntes und Zehntes Gebot (Wucher und Ehebruch) mit entsprechenden ägyptischen Plagen.

295 Einblatt-Metallschnitt; oberrheinisch, um 1475. H. 39,7 cm, B. 26,6 cm. (Schreiber Nr. 2757) London, British Museum. Ausschnitt.
Siebtes und Zehntes Gebot (Diebstahl und Wucher) mit entsprechenden ägyptischen Plagen (Hagelschlag und Tod der Erstgeburt) mit kleiner Mosefigur.

296 Zehn-Gebote-Altar; Tafelmalerei, niedersächsisch, Meister des Jakobikirchenaltars, 1410–1420. Nur die Mitteltafel des einstigen Flügelaltares erhalten. H. 160 cm, B. 173 cm. Hannover, Niedersächsische Landesgalerie.

2. bis 4. und 7. bis 9. Gebot, alttestamentliche Darstellungen; in den Rahmungsschnittpunkten Apostelbüsten.

297–306 Lucas Cranach d. Ä. (1472–1553) (oder Werkstatt); Holzschnitte, Illustrationen zu einem Tafeldruck von Melanchthon, 1527, in Wiederverwendung in Luthers Großem Katechismus, 1529 in Wittenberg bei Rhau gedruckt. Der vollständige Dekalog mit biblischen Beispielen.

297 Gesetzesübergabe, Tanz um das Goldene Kalb.
298 Steinigung eines Gotteslästerers.
299 Sonntagsheiligung – Sabbatschändung des Holzsammlers.
300 Trunkenheit Noahs und seine Söhne.
301 Kain und Abel.
302 David und Bathseba.
303 Achan vergräbt den gestohlenen babylonischen Mantel.
304 Verleumdung Susannas durch die beiden Alten.
305 Jakob bringt die Herde Labans an sich.
306 Joseph und Potiphars Weib.

307 Holzschnitt; seitenverkehrte Nachbildung der Cranach-Vorlage, Kleiner Katechismus, 1535 in Wittenberg bei Schirlentz gedruckt.
Drittes Gebot: Du sollst den Sonntag heiligen.

308 Holzschnitt, Kleiner Katechismus, Wittenberg, 1535. Siehe Nr. 307.
Fünftes Gebot: Du sollst nicht töten.

309 Erhard Schön, Holzschnitt, Großer Katechismus, 1531 in Nürnberg bei Hieronymus Formschneyder gedruckt.
Zweites Gebot: Steinigung des Gotteslästerers.

310 Holzschnitt; seitenverkehrte Nachbildung der Cranach-Vorlage, Großer Katechismus (niederdeutsch), 1534 in Magdeburg bei Michael Lotter gedruckt.
Viertes Gebot: Noah und seine Söhne.

311 Holzschnitt; Kleiner Katechismus, 1542 in Augsburg bei Valentin Otmar gedruckt.
Siebtes Gebot: Diebstahl.

312 Holzschnitt; slowenischer Katechismus von 1580.
Drittes Gebot: Predigtgottesdienst und Holzsammler.

313 Hans Sebald Beham (1500–1550); Holzschnitt, Illustration zur lateinischen Katechismusauslegung »Obiectiones in Catechismus puerorum ...« des Lucas Lossius, 1553 und 1554 in Frankfurt/M. bei Egenolph gedruckt.
Zweites Gebot: Würfelnde Landsknechte und Meineidszene unter dem Kreuz, Steinigung des Lästerers.

314 H. S. Beham, Holzschnitt, »Obiectiones«, Frankfurt/M., 1553. Siehe Nr. 313.

Achtes Gebot: Susanna im Garten von zwei Ältesten belästigt, Gerichtsszene mit dem Verhör und Steinigung der Verleumder im Hintergrund.

315 Wahrscheinlich Jost Amman (1539–1591); Holzschnitt, Illustration zum Katechismus, 1579 in Frankfurt/M. bei Tetzelbach gedruckt.
Viertes Gebot: Noah und seine Söhne, die Arche mit dem Regenbogen.

316 Holzschnitt; Katechismus, Frankfurt/M., 1579. Siehe Nr. 315.
Fünftes Gebot: Opfer Kains und Abels, Brudermord, Verfluchung Kains.

317 Holzschnitt; oberdeutscher, wahrscheinlich Straßburger Meister, Illustration zum Dekalog in »Kürtzer Katechismus« von Martin Bucer, 1537 in Straßburg gedruckt.
Erstes Gebot: Berufung Moses.

318 Holzschnitt, »Kürtzer Katechismus«, Straßburg, 1537. Siehe Nr. 317.
Zweites Gebot (Bildnisverbot): Vernichtung des Goldenen Kalbes.

319 Holzschnitt, »Kürtzer Katechismus«, Straßburg 1537. Siehe Nr. 317, 318.
Zehntes Gebot: Joseph und Potiphars Weib.

320 Holzschnitt, Kleiner Katechismus, um 1660 in Nürnberg bei Endter gedruckt.
Erstes Gebot: Du sollst keinen Gott neben mir haben.

321 Holzschnitt, Enchiridion, Nürnberg, um 1660. Siehe Nr. 320.
Erste Bitte des Vaterunsers: Dein Name werde geheiligt.

322 Martin Engelbrecht (1684–1756); Kupferstichfolge der Zehn Gebote, 1. H. 18. Jh.
Erstes Gebot: Gnadenstuhl mit den Allegorien des Glaubens und der Liebe. Im Hintergrund Tanz um das Goldene Kalb.

323 M. Engelbrecht, Kupferstich, 1. H. 18. Jh. Siehe Nr. 322.
Sechstes Gebot: Die Keuschheit tritt Amor mit Füßen. Im Hintergrund David und Bathseba.

324 Evangeliar Heinrichs des Löwen, um 1175. Privatbesitz. Siehe Nr. 44. Ausschnitt einer Kanontafel mit dem letzten Satz des Credos.
Medaillon mit Brustbild des Apostels Mathias. Szenen aus der Psychomachie des Prudentius.

325 La Somme le Roi, französische Prunkhandschrift, 1295. Paris, Bibliothèque Mazarine, Ms. 870, fol. 5r.
Die Apostel verfassen das Credo, inspiriert durch den Heiligen Geist.

326 Stundenbuch des Duc Louis de Savoie; französisch, zw. 1440 u. 1465. H. 28,3 cm, B. 19,6 cm. Paris Bibl. Nat., Cod. lat. 9473, fol. 165r.
Die Apostel empfangen das Credo vom Heiligen Geist.

327 Utrechtpsalter; Reims, um 830, Federzeichnungen. H. 33 cm, B. 25 cm. Utrecht, Universitätsbibliothek, Hs. 32, fol. 90r.
Szenische Illustration zum Credo.
Oben: Christus lehrt die Apostel Vaterunser.

328–331 Credo von Joinville, um 1290, Leningrad. Siehe Nr. 230.

328 Fol. 19v: Erster Credo-Artikel: Engel verehren den Schöpfer, Engelsturz.

329 Fol. 20r: Erster Credo-Artikel: Erschaffung der Welt.

330 Fol. 64r: Sitzen zur Rechten Gottes, Wiederkunft Christi.

331 Fol. 66r: Letzter Teil des Credo: Pfingsten, Kirche, Sakramente der Taufe, Eheschließung, Vergebung der Sünden und Wandlung in der Messe.

332–335 Nicola di Naldo da Norcia (nachweisbar 1409–1412), Schüler des Taddeo Bartolo; Credozyklus (Nicänum), Tafelmalereien, wahrscheinlich Füllungen einer zerlegten Türe des Sakristeischrankes. Neun von zwölf Tafeln erhalten, um 1412 (oder früher), H. 41 cm, B. 52,5 cm. Siena, Museo dell' Opera Metropolitana.

332 Zweiter Satz: »Allmächtiger Vater, Schöpfer Himmels und der Erden«.

333 Fünfter Satz: »Gott von Gott, Licht von Licht, wahrer Gott von wahrem Gott«.

334 Sechster Satz: »Geboren, nicht geschaffen, eines Wesens mit dem Vater, durch welchen alle Dinge gemacht sind«.

335 Siebenter Satz: Christus kommt zur Erde herab.

336 Heidelberger Blockbücher Sammelband, Credozyklus; kolorierte Holzschnitte, um 1450/60. Heidelberg, vol. 163v. Siehe Nr. 284.
Erster Credo-Artikel: »Gott Vater, Schöpfer Himmels und der Erde«.

337 Hans Weiditz, Holzschnitt, Großer Katechismus Luthers, Augsburg, 1530. Siehe Nr. 281, 294.
Erster Credo-Artikel: »Gott Vater, Schöpfer Himmels und der Erde«.

338 Daniel Hopfer (um 1470–1536); Eisenradierung, um 1522/23, (B 33). H. 24,4 cm, B. 30,7 cm.
Das Glaubensbekenntnis mit zwölf szenischen Darstellungen und den Apostelnamen.

339 Monogrammist AW (nachweisbar 1524– um 1535); Holz-

schnitt, Großer Katechismus, 1538 in Wittenberg bei Rhau gedruckt. Druckstöcke wiederbenützt 1544, vgl. Abb. 348.
Erster Credo-Artikel: »Gott Vater, Schöpfer Himmels und der Erde«.

340 Erhard Schön, Holzschnitt, Großer Katechismus, Nürnberg, 1531. Siehe Nr. 309.
Erster Credo-Artikel: »Gott Vater, Schöpfer Himmels und der Erde«.

341 H. B. signiert, Hans Brosamer (um 1500– um 1554); Holzschnitt, Illustration zu einem Kleinen Katechismus, 1543 in Magdeburg bei Lotter gedruckt.
Erster Credo-Artikel: »Gott Vater, Schöpfer Himmels und der Erde.«

342 H. S. Beham, Holzschnitt, »Obiectiones«, Frankfurt/M., 1553. Siehe Nr. 313, 314.
Erster Credo-Artikel: »Gott Vater, Schöpfer Himmels und der Erde.«

343 Hans Brosamer (um 1500– um 1554); Holzschnitt, HB signiert, Illustration zu einem Enchiridion, 1553 in Frankfurt/M. bei H. Gülfferich gedruckt.
Erster Credo-Artikel: »Gott Vater, Schöpfer Himmels und der Erde.«

344 Holzschnitt, Kleiner Katechismus, Wittenberg, 1535. Siehe Nr. 307, 308.
Zweiter Credo-Artikel: Kruzifixus in Wolkenglorie.

345 Erhard Schön, Holzschnitt, Großer Katechismus, Nürnberg, 1531. Siehe Nr. 309, 340.
Dritter Credo-Artikel: Pfingsten.

346 Holzschnitt; Illustration zum Katechismus Spangenbergs, 1557 in Augsburg bei Silvan Ottmar gedruckt.
Letzter Credo-Satz: Gleichnis vom reichen Mann in der Hölle und vom armen Lazarus im Schoß Gottes.

347 Monogrammist AW, Holzschnitt, Großer Katechismus, Wittenberg, 1538. Siehe Nr. 339.
Zweiter Credo-Artikel: Kruzifixus mit Opfer Abrahams und erhöhter Schlange.

348 Monogrammist AW (nachweisbar 1524– um 1535); Holzschnitt, Katechismus Spangenbergs, 1544 in Wittenberg gedruckt mit zwölf szenischen Darstellungen.
Auferstanden von den Toten.

349–352 Holzschnitte; Illustrationen zum Credozyklus der »Icones symboli apostolici« des Erasmus von Rotterdam, 1557 in Köln bei Brinkmann Erben gedruckt (Ausschnitte).
349 Gelitten – begraben: Handwaschung Pilati und Abführung Christi, Golgatha, großer Sarkophag.

350 Niedergefahren zur Hölle, auferstanden von den Toten.
351 Von dannen er kommen wird: Wiederkunft Christi zum Gericht.
352 Und ein ewiges Leben.

353–356 Paul Lautensack (1478–1558); lavierte Federzeichnungen, Credozyklus mit zwölf Einzelblättern, um 1535. H. 24,5 cm, B. 16,5 cm. Berlin, Stiftung Preußischer Kulturbesitz, Kupferstichkabinett, Inv.-Nr. 862–873.
353 Blatt 1: Ich glaube an Gott, den Vater ...
354 Blatt 2: und an Jesum Christum ...
355 Blatt 6: aufgestiegen gen Himmel, sitzend zur Rechten Gottes.
356 Blatt 11: Auferstehung des Fleisches.

357–360 Johann Joseph Anton Huber (1737–1815); Deckenfresken, Kirche der ehem. Reichsabtei Ochsenhausen, Seitenschiffe, 1787. Credo-Zyklus, 2.10.11.12. Bildfeld.
357 Jesus Christus, der Herr der erlösten Welt.
358 Die große Sünderin.
359 Auferstehung des Fleisches.
360 Der Glaubende schaut im Spiegel die Ewigkeit.

361 Hanns Paûr (nachweisbar 1445– um 1480); kolorierter Einblattholzschnitt, Neujahrswunschblatt, 1479. H. 40 cm, B. 27,5 cm. München, Staatl. Graph. Slg., Inv.-Nr. 118 309.
Gott-Vater mit Paternosterschnur. Sinnsprüche zu den sieben Bitten.

362–369 Hans Holbein d. J. (1497–1543); Metallschnitte nach Entwürfen Holbeins, zwischen 1519 und 1523 vom Meister CV geschnitten, Vaterunser-Zyklus, als Illustrationen für das lateinische Wochengebetbuch »Praecatio Dominica« des Erasmus von Rotterdam Ende 1523 in Basel bei Froben gedruckt. Wohl gleichzeitig als Einblattschnitte mit deutschen Vaterunser-Bitten erschienen. Basel. Kupferstichkabinett.
362 Christus lehrt die Jünger beten.
363 Das Volk verehrt Gott (Vater unser, Dein Name werde geheiliget).
364 Pfingsten (Dein Reich komme).
365 Kreuztragung mit Nachfolge Christi (Dein Wille geschehe).
366 Abendmahl, Predigt, Mahlszene (Unser täglich Brot gib uns heute).
367 Christus befreit Gefangene (Vergib uns unsere Sünden).
368 Geschichte des Dulders Hiob (Führ uns nicht in Versuchungen).
369 Christus als Heilender zwischen Kranken und Gebrechlichen, ein Sterbender (Erlös uns von dem Übel).

370 Daniel Hopfer (um 1470–1536); Einblattgraphik, Eisenradierung (B 28), um 1522/23.
Vaterunser-Blatt.

371–378 Lucas Cranach d. Ä., Holzschnitte, 1527 Tafeldruck mit Texten von Melanchthon; für Luthers Großen Katechismus, Wittenberg, 1529 und 1530 verwandt, vgl. Nr. 297–306. Der Vaterunser-Zyklus. Der Tafeldruck befand sich in Dresden, seit dem 2. Weltkrieg verschollen.

371 Gott Vater, der Schöpfer.

372 Predigtgottesdienst.

373 Pfingsten.

374 Kreuztragung Jesu.

375 Speisungswunder mit Ölvermehrung der Witwe von Sarepta.

376 Das Gleichnis vom Schalksknecht.

377 Versuchung Christi.

378 Das Kanaanäische Weib.

379 H. Brosamer, Holzschnitt, Enchiridion, Frankfurt/M., 1553. Siehe Nr. 343. Vaterunser-Zyklus.
Betender (2. Bitte).

380 H. Brosamer, Enchiridion, 1553. Siehe Nr. 343, 379.
Christus am Ölberg (3. Bitte).

381 H. S. Beham, Holzschnitt, Objectiones von Lossius, 1553. Siehe Nr. 313, 314.
Anrede zum Vaterunser.

382 Holzschnitt, »Kürtzer Katechismus«, Straßburg, 1537. Siehe Nr. 317, 318, 319. Vaterunser-Zyklus.
Verspottung Hiobs (6. Bitte).

383 a–h Johann Martin Kauflügel (1708–1784) und Johann Michael Frey (1750–1819), Tafelmalerei, 1767. Evangelische Kirche in Rottenacker (Kreis Ehingen a. d. Donau) Westempore. Allegorischer Bildzyklus zum Vaterunser, steht im Zusammenhang mit einem Gebote-Zyklus mit biblischen Motiven, den 12 Aposteln mit den betreffenden Credosätzen und einem Zyklus zu den 8 Seligpreisungen (Mt 5, 3–10)

a) 2. Bitte
b) 3. Bitte, erster Teil
c) 3. Bitte, zweiter Teil
d) 4. Bitte
e) 5. Bitte, zweiter Teil
f) 6. Bitte
g) 7. Bitte
h) Lobpreis
Nicht mit abgebildet die Anbetung des Namens Gottes und ein traditionelles Abendmahlsbild, moderne Ergänzung.

384 Andachtsblatt; kolorierter Holzschnitt des Vaterunsers mit alt- und neutestamentlichen Darstellungen, im 18. Jh. in Zürich gedruckt. Basel, Schweizerisches Museum für Volkskunst. H. 37 cm, B. 27,4 cm.

»Das Gebet unsers Herrn Jesu Christi, mit schönen Figuren vorgestellet«.

385–387 Holzschnitte aus dem Lembergerkreis; Illustrationen zum Großen Katechismus Luthers, 1529 in Wittenberg bei Rhau gedruckt. Illustrationen zum 4. und 5. Hauptstück und zum Beichtbüchlein.

385 Taufe.

386 Abendmahl.

387 Einzelbeichte.

388 Holzschnitt; Illustration zum 3. und 4. Hauptstück im Großen Katechismus, 1538 in Wittenberg bei Rhau gedruckt, wiederverwendet in der Katechismusbearbeitung Spangenbergs von 1544, zum 9. Satz des Credo. Siehe dazu Nr. 339, 347, 348.
Taufe, Predigt, Abendmahl.

389 Holzschnitt, Niederdeutscher Großer Katechismus, 4. und 5. Hauptstück, Magdeburg, 1534. Siehe Nr. 310.
Taufe, Abendmahl, Predigt.

390 Holzschnitt, Kleiner Katechismus, 4. Hauptstück, Wittenberg, 1535. Siehe Nr. 307, 308, 344.
Taufe.

391 Holzschnitt, Kleiner Katechismus, 4. Hauptstück, 1535. Siehe Nr. 307, 308, 344, 390.
Abendmahl mit Austeilung von Brot und Kelch. Darüber als Bild des Kirchenraums: Das letzte Abendmahl mit Jesus.

392 Holzschnitt; Illustration zum Kleinen Katechismus mit Trau- und Taufbüchlein, 1545 und spätere Ausgaben in Leipzig bei Bapst gedruckt.
Abendmahl, Austeilung von Brot und Kelch. Als Bild im Raum: Letztes Abendmahl und Jesus am Kreuz.

393 Holzschnitt, Taufbüchlein des Kleinen Katechismus, Leipzig, 1545 ff. Siehe Nr. 392.
Kindersegnung.

394 Holzschnitt, Traubüchlein des Kleinen Katechismus, Leipzig, 1545 ff. Siehe Nr. 392, 393.
Gott belehrt Adam und Eva nach dem Sündenfall.

395 Hans Weiditz (?), Holzschnitt, Großer Katechismus, Vom Amt der Beichte. Augsburg, 1530. Siehe Nr. 281, 294, 337.
Einzelbeichte.

396 Andreas Herneisen (1538–1610); Konfessionsbild, Tafelgemälde, 1601, H. 159,5 cm, B. 235 cm. Nürnberg-Mögeldorf, Evangelische Pfarrkirche.
Überreichung der Confessio Augustana und der Apologie durch Johann den Beständigen, Kurfürst von Sachsen, an Kaiser Karl V. auf dem Augsburger Reichstag von 1530. Im

Mittelgrund Trinitätsaltar mit Szenen aus dem kirchlichen Leben (Gottesdienst, Sakramentsfeier, Lehre) des Protestantismus.

397 Andreas Herneisen; Konfessionsbild, Tafelgemälde, 1602. Kasendorf bei Kulmbach, Evangelische Kirche.
Überreichung der Confessio Augustana auf dem Augsburger Reichstag von 1530.

398 Johann Dürr (tätig um 1630 bis um 1680); altkolorierter Kupferstich, 1630 in Nürnberg bei Paul Fürst gedruckt. H. 24,7 cm, B. 40,6 cm. Veste Coburg, Kunstsammlungen.
Verlesung der Confessio Augustana durch den sächsischen Vizekanzler Christian Baier vor Kaiser Karl V. auf dem Augsburger Reichstag von 1530.

399 Michael Herr (1591–1661); Kupferstichentwurf, gestochen von Georg Cöler (tätig um 1620–1650), um 1630. H. 35,5 cm, B. 43,4 cm.
Verlesung der Confessio Augustana.

400 Wolf Eisenmann (nachweisbar um 1600–1616); Konfessionsbild, Tafelgemälde, 1606. Weißenburg/Bayern, Andreaskirche.
Mitteltafel: Kirchliche Handlungen. Seitentafeln: Passamahl der Israeliten und Untergang Pharaos im Roten Meer – Abendmahl der Jünger mit Christus und Überreichung der Confessio Augustana.

401 Rogier van der Weyden (1399/1400–1464); Sakramentsaltar, Tafelgemälde, zw. 1453 u. 1456. H. 200 cm, Antwerpen, Koninklijk Museum voor schone Kunsten.
Darstellung der sieben Sakramente in einem Kirchenraum, in der Mitte Christus am Kreuz.

402 Dierick Bouts (zw. 1410 u. 1420 – kurz nach 1475), zeitgenössische Kopie; Sakramentsaltar, Tafelgemälde, 1470 Madrid, Prado.
Christus am Kreuz, die sieben Sakramente und Passionsszenen.

403 Altarpredella; Tafelgemälde, A. 16. Jh. Aarschot, Vrouwekerk.
Christus in der Kelter; die sieben Sakramente.

404 Lucas Cranach d. Ä. (1472–1553); sog. Wittenberger Altar, Sakramentsaltar, Tafelmalerei, vollendet 1547. Wittenberg, Stadtkirche. Zur Rückseite des Altars s. Bd. 2, S. 175, Abb. 537.
Mitteltafel: Letztes Abendmahl, statt der Jünger Persönlichkeiten, die bei der Reformation mitwirkten. Linker Flügel: Taufe eines Kindes durch Melanchthon. Rechter Flügel: Beichte mit Johannes Bugenhagen als Verwalter des »Amtes der Schlüssel«. Predella: Predigt (Luther weist auf den Kruzifixus).

405 Michael Ostendorfer (um 1490–1559), Donauschule. Flügelaltar aus der Regensburger Neupfarrkirche, Tafelmalerei, 1553–1555 (durch Restaurationen des 19. Jh. beeinträchtigt). Regensburg, Städtisches Museum. Summa der rechten Lehre.
Mitteltafel: Aussendung der Apostel, Predigt, Beichte.
Linker Flügel: Jesus feiert mit seinen Jüngern das Passamahl, Einsetzung des Abendmahles, Abendmahl im lutherischen Ritus.
Rechter Flügel: Beschneidung und Taufe Jesu, Taufe eines Kindes.
(Auf der Rückseite, nicht abgebildet: Verkündigung an Maria, Geburt, Kreuzigung und Grablegung Jesu; Jüngstes Gericht.)

406 Hans Bocksberger d. Ä. (nachweisbar 1542–1555); Freskoausmalung, umfangreiches protestantisches Bildprogramm, datiert 1543, Neuburg a. d. D., Ottheinrichbau, Schloßkapelle, Ausschnitte.

406 Deckenmedaillon: Erwachsenentaufe durch Chrysostomus, die auf Veranlassung des Theophilus durch kaiserliche Soldaten gestört wird. Im Hintergrund Austeilung der Kommunion.

407 Deckenmedaillon: Kommunikationsfeier. Bischof Cyprian reicht den Kelch einem Mädchen, das ihn verweigert; hier als Warnung vor Mißbrauch und unwürdigem Empfang dem Programm eingefügt. Auf dem Tisch Gaben für das Liebesmahl.

408 Wandbild: Die Arche Noah und die Errettung der Ertrinkenden als Sinnbild des neuen Glaubens.

409 Deckenmedaillon, Ausschnitt: Das Passamahl als alttestamentlicher Typus des Abendmahls.

Bildquellen

ACL, Brüssel: 126, 401, 402 – Alinari/Berger, Köln: 11, 13, 63, 72, 74, 76, 93, 94, 212, 213 – Allen Memorial Art Museum, Oberlin/Ohio: 151 – Archives Photographiques, Paris: 54 – Lala Aufsberg, Sonthofen: 70, 85 – Balack, Wien: 272 – Bayerisches Landesamt für Denkmalpflege, München: 400 – Bayerische Staatsbibliothek, München: 19, 21, 23, 169, 197, 198, 225, 250, 260, 262, 264, 293, 313, 314, 346, 347, 348, 380, 381 – Bayerische Staatsgemälde-sammlung, München: 269, 270 – Biblioteca Apostolica Vaticana: 5, 61, 199, 208 – Biblioteca Casannatense, Vaticano: 207 – Biblioteca Communale Montecalcino: 123 – Biblioteca Medicea Laurenziana, Firenze: 1, 258 – Bibliothèque Nationale Paris: 7, 14, 16, 20, 27, 28, 29, 37, 56, 59, 66, 194, 121, 137, 138, 139, 145, 146, 160, 167, 174, 176, 177, 219, 220, 221, 222, 223, 224, 238, 326 – Bibliothèque Mazarine Paris: 325 – Bibliothèque Municipale Amiens: 91 – Bibliothèque Municipale Arras: 165, 232 – Bibliothèque Municipale Boulogne-Sur-Mer: 51 – Bibliothèque Municipale Rouen: 31 – Bibliothèque Municipale Valenciennes: 182 – Bibliothèque Municipale Verdun: 125, 142 – Bibliothèque Royal Brüssel: 164, 175 – Bibliothèque Sainte-Geneviève Paris: 237 – Bischöfliches Dom- und Diözesanmuseum Mainz: 64 – Bischöfliches Museum Angers: 202 – Bistumsarchiv Trier: 124 – Gudula Bock, Oberapfingen: 141 – Bodleian Library Oxford: 217 – British Museum, London: 9, 30, 32, 34, 90, 106, 209, 280 – Brooklyn Museum, New York: 97 – Brüggemann, Leipzig: 404 – Bundesdenkmalamt Wien: 22, 47, 48, 265 – Dengler, Bad Wurzach 268 – Domschatz Trier: 108, 149 – Domstift Brandenburg (Havel): 172 – Eschenburg, Warnemünde: 195 – Eton College Library, Windsor: 120 – Foto Marburg: 23, 26, 29, 40, 41, 50, 52, 53, 55, 62, 64, 66, 68, 75, 90, 96, 99, 108, 112, 113, 114, 115, 122, 128, 129, 130, 131, 132, 133, 134, 140, 143, 149, 152, 154, 165, 166, 172, 183, 184, 196, 197, 198, 202, 215, 228, 235, 237, 239, 249, 251 – Gabinetto Fotografico Firenze: 100 – Gabinetto Fotografico Nazionale Rom: 17, 159, 276 – Galeria Nazionale d' Arte Antica, Rom: 73 – Germanisches Nationalmuseum Nürnberg: 285, 288, 289, 392, 393, 394, 395 – Heinrich-Heine-Institut Düsseldorf: 109 – Herzog-August-Bibliothek Wolfenbüttel: 155, 156, 157, 158, 186, 187, 188, 227, 297, 298, 299, 300, 301, 302, 303, 305, 306, 307, 308, 311, 314, 344, 385, 386, 387 – Hessische Landesbibliothek, Darmstadt: 266, 267 – Hirmer Verlag, München: 84, 189, 200, 274 – Houghton Library Harward University, Cambridge, Mas.: 119 – Institut für Denkmalpflege Halle (S.): 57 – Johann-Gottfried-Herder-Institut, Marburg: 292 – John Rylands Library, Manchester: 36 – King's College Library, Cambridge: 236 – Anton H. Konrad, Weißenhorn: 271 – Kunsthistorisches Institut der Universität Saarbrücken: 123 – Kunstsammlung der Veste Coburg: 396, 389, 399 – Landesbibliothek Karlsruhe: 50 – Landesdenkmalamt Tübingen: 141, 383 – Landesgalerie Graz: 70 – Landeskirchliches Archiv Nürnberg: 321, 322, 345 – Landesmuseum für Kunst und Kulturgeschichte Münster: 69 – MAS Barcelona: 42, 77, 78, 190, 191 – Metropolitan Museum of Art New York: 118 – Norbert Müller-Dietrich, Stuttgart: 216 – Murhardsche Bibliothek der Stadt Kassel: 35 – Musée Byzantine, Athen: 4 – Musée Condé Chantilly: 62 – Musée Cluny Paris: 54 – Musée des Augustins, Toulouse: 228 – Musée Nationale de Bardo, Tunis: 205 – Museo Nazionale Firenze: 100 – Museo Provinciale Cadiz: 78 – Museum der Stadt Ulm: 144 – National Gallery of Art, Washington: 254 – Nationalmuseum Kopenhagen: 102, 116, 117 – Niedersächsisches Landesmuseum Hannover: 296 – Öffentliche Bibliothek Leningrad: 230, 245, 329, 330, 331 – Öffentliche Kunstsammlung Basel: 135, 136, 362, 363, 364, 365, 366, 367, 368, 369 – Österreichische Galerie Wien: 120 – Österreichische Nationalbibliothek Wien: 49, 110, 171, 178, 179, 218, 226, 261, 263, 273, 275 – Opera della Metropolitana Siena: 332, 333, 334, 335 – Pembroke College Cambridge: 33 – Pfarramt Mondsee: 79 – Photoptic Paris: 3 – Pierpont Morgan Library, New York: 24, 38, 87, 148, 206, 229 – Pinacoteca Vannucci, Perugia: 63 – Praun Photo, München 71 – Rheinisches Bildarchiv Köln: 45, 46, 67, 109, 173 – Rheinländer, Hamburg: 259 – Franz Ronig, Trier: 124, 125, 142 – Sammlung Dr. Amberg, Köllikon: 12 – Sammlung Robert von Hirsch, Basel: 243 – Schloßbibliothek Aschaffenburg: 43, 147 – Schweizerisches Museum für Volkskunst Basel: 384 – Staatliche Graphische Sammlung München: 279, 283, 338, 361, 370, 371, 372, 373, 374, 375, 376, 377, 378 – Staatliche Museen Preußischer Kulturbesitz

Bildquellen

Berlin: 8, 58, 103, 105, 239, 246, 282, 353, 354, 355, 356 – Staatsbibliothek Bamberg: 255, 256 – Staatsbibliothek der tschechischen sozialistischen Republik, Prag: 39 – Stadtbibliothek Mainz: 204 – Stadtbibliothek Trier: 26, 183, 184, 185 – Städtische Kunstsammlung Augsburg: 278, 322, 323 – Städelsches Kunstinstitut Frankfurt a. M.: 65 – Stiftsbibliothek Engelberg: 211, 233, 234 – Stiftbibliothek St. Gallen: 168 – Trinity College Library Cambridge: 203 – Universitätsbibliothek Erlangen, Nürnberg: 170 – Universitätsbibliothek Heidelberg: 247, 248, 284, 286, 287, 336 – Universitätsbibliothek München: 281, 294, 337 – Universitätsbibliothek Münster: 349, 350, 351, 352 – Universitätsbibliothek Utrecht: 327 – Universitätsbibliothek Würzburg: 25, 240 – Wagmüller, Regensburg: 405 – Wallraf-Richartz-Museum, Köln: 67 – Warburg Institut, London: 44, 324 – Wehmeyer, Hildesheim: 95 – Württembergische Landesbibliothek Stuttgart: 40, 166, 235. Einige Vorlagen sind der angegebenen Literatur entnommen.

Bildteil

1 Rabula-Codex, syr., 586, Florenz. Pfingsten.
2 Hunterian-Psalter, engl., um 1770, Glasgow. Pfingsten.
3 Chludoff-Psalter, Konstantinopel, 2. H. 9. Jh., Moskau. Pfingsten mit Etoimasia.

4 Ikone (Fragment), palästin., 7. Jh., Sinai. Himmelfahrt Christi, Pfingsten.
5 Homilien des Mönches Jacobus, byzant., 1081/1118, Rom. Himmelfahrt, Pfingsten.
6 Ölampulle, palästin., um 600, Monza. Himmelfahrt, mit herabfahrender Taube.

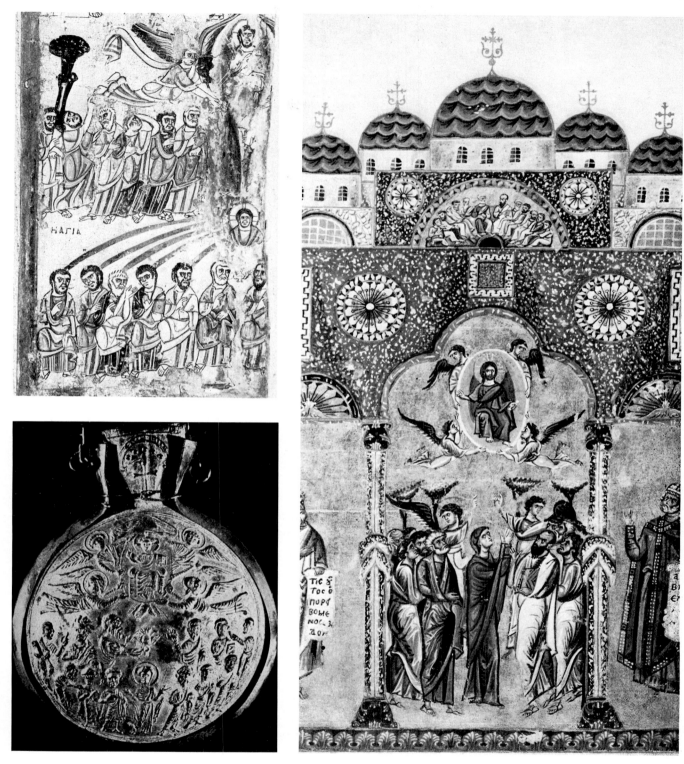

4

5

6

7 Homilien d. Gregor v. Nazianz, Konstantinopel, 880/886, Paris. Pfingsten; Vertreter der Völker.

8 Elfenbeinrelief, byzant., 11. Jh., Berlin. Pfingsten, Vertreter der Völker.

9 Melissande-Psalter, byzant., 1131/1144, London. Pfingsten, Vertreter der Völker (Soldaten).

10 Hosios Lukas, Mosaik, byzant., Anf. 11. Jh., Pfingsten, Etoimasia.

8

9

10

11 Venedig, San Marco, Mosaik, byzant., Ende 12. Jh.,
   Pfingsten, Etoimasia.
12 Ikone, griechisch, 17. Jh., Köllikon. Pfingsten, Joel.
13 Palermo, Capp. Palatina, Mosaik, normann.-byzant.,
   1143—1153, Pfingsten.

12

13

14

15

16

14 Drogo-Sakramentar, Metz, um 830, Paris. Pfingsten.

15 Elfenbeinrelief, spätkaroling., 2. H. 10. Jh., Manchester. Pfingsten.

16 Sakramentar von Gellone, Burgund, 755/787, Paris. Hand Gottes, Apostelköpfe.

17 Bibel von San Paolo, karoling., 870–875, Rom. Himmelfahrt, Pfingsten.

18

19

18 Sakramentar aus Fulda, ottonisch, 975, Göttingen. Pfingsten.
19 Reichenauer Perikopenbuch,
1020/1040, München. Pfingsten.
20 Sakramentar aus St. Bertin,
franz., 11. Jh., Paris. Pfingsten.
21 Perikopenbuch Heinrichs II.,
Reichenau, 1007 o. 1012, München. Pfingsten.
22 Klosterneuburger Altar, Grubenschmelz, Nikolaus von Verdun, vollend. 1181. Pfingsten.
23 Perikopenbuch aus Salzburg,
um 1030, München. Pfingsten.

24

25

26

27

28

29

30

31

32

33

34

216

35

36

36

35 Evangeliar aus Abdinghof, Wesergebiet, um 1000, Kassel (Berlin/Ost). Pfingsten.
36 Prümer Evangeliar, 2. V. 11. Jh., Manchester. Pfingsten.
37 Prümer Antiphonar, um 1000, Paris. Pfingsten.
38 Missale von Mont St. Michel, 1050—65, New York. Pfingsten.
39 Wys'schrader Krönungsevangelistar, böhm., 1085—1086, Prag. Pfingsten.
40 Psalter des Landgrafen Hermann von Thüringen, 1211—1213, Stuttgart. Pfingsten.

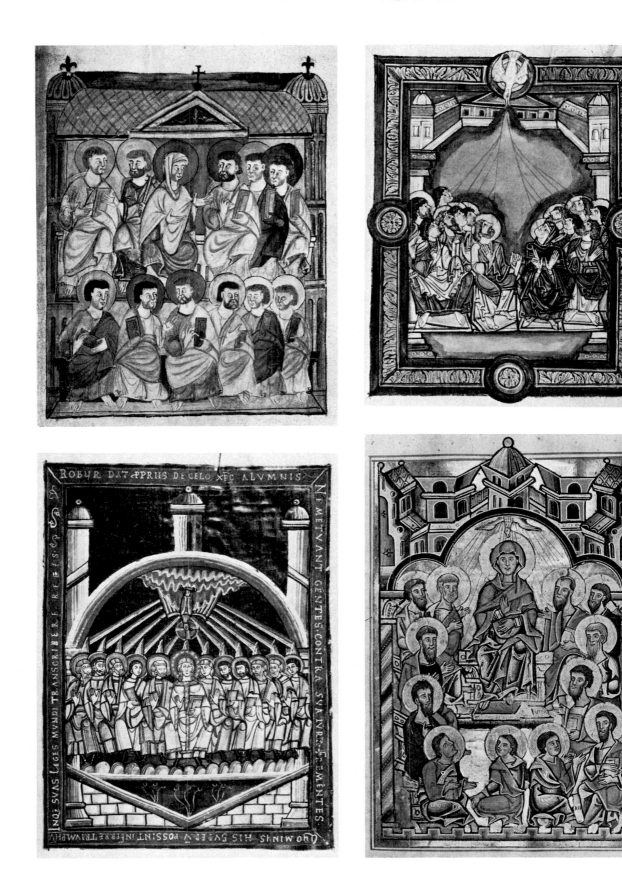

37
38
39
40

218

41 Espalion (Aveyron), Eglise de Perse, Tympanonrelief, Anf. 12. Jh. Pfingsten.
42 S. Domingo de Silos, Kreuzgang, Steinrelief, 1085—1100. Pfingsten.

43 Evangeliar, Mainz, um 1260, Aschaffenburg. Pfingsten.
44 Evangeliar Heinrichs des Löwen, Helmarshausen, 1173—1180, Priv.-Bes. Pfingsten, Sieben Gaben des Geistes.

45

46

47

48

49

50

51

52

53

54

51 Psalter aus St. Bertin, 989—1008, Boulogne-sur-Mer. Pfingsten, thronender Christus.
52 u. 53 Vézelay, Kathedrale, Tympanonrelief, burgund., um 1132. Ausgießung des Hl. Geistes durch Christus mit Aussendung d. Apostel.

54 Koblenzer Retabel, Goldblech, Maasschule, 1160/1170, Paris. Pfingsten mit erhöhtem Christus.
55 Köln, St. Maria im Kapitol, Holztür, um 1049. Sendung der Apostel. Pfingsten.

55

57

56

58

59

Jlis quippe orantibʒ de celo ruit spc scs sup aplos;

56 Lektionar aus Cluny, E. 12. Jh., Paris. Pfingsten mit erhöhtem Christus.

57 Lektionar, 2. V. 12. Jh., Halberstadt. Pfingsten mit erhöhtem Christus.

58 Hamilton-Psalter, oberital., E. 12. Jh., Berlin. Pfingsten mit erhöhtem Christus.

59 Sakramentar aus Limoges, um 1100, Paris. Pfingsten mit Christus.

60 Elfenbeinkästchen aus Farfa, Montecassino, 1070—1075, Rom. Pfingsten mit erhöhtem Christus.

61 NT-Handschrift aus Verona, 1. H. 13. Jh., Rom. Pfingsten mit erhöhtem Christus.

62 Ingeborg-Psalter, Paris, gegen 1200, Chantilly. Pfingsten, Maria, Majestas Domini.

60

61

62

63

64

65

66

67

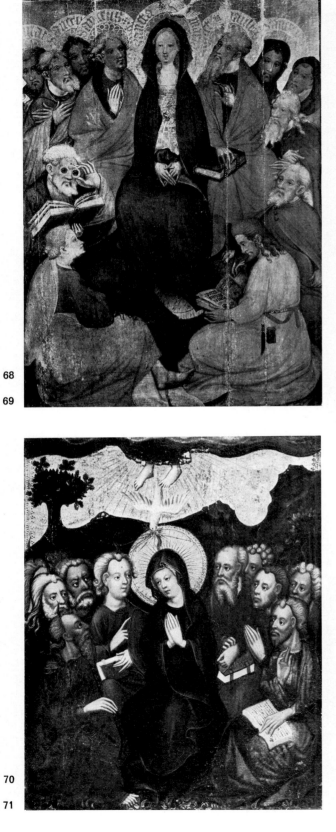

68
69

70
71

72

73

74

75

73 Fra Angelico, Tafelmalerei, 1445—1450, Rom. Pfingsten.
74 Orcagna-Schule, Tafelmalerei, 3. V. 14. Jh., Mitteltafel
   eines Triptychons, Florenz. Pfingsten.
75 Lorenzo Ghiberti, Bronzerelief einer Türe des Baptisteriums,
   1403/1424, Florenz. Pfingsten, Vertreter der Völker.
76 Tizian, Altarbild, um 1550, Venedig. Pfingsten.

77

78

77 El Greco, Ölgemälde, 1604/1614, Madrid. Pfingsten.

78 Francisco de Zurbarán, Altargemälde, Öl, 1635—1637, Cadiz. Pfingsten.

79 C. P. List, Altarblatt, Öl, 1681, Mondsee. Pfingsten, Trinität.

80 Franz Anton Maulbertsch, Altarfresko, 1757—1758, Sümeg (Ungarn), Petrus predigend.

79

80

82

81 Giulio Campi, Deckenfresko, 1557, Cremona. Pfingsten.

82 Hans Georg Asam, Deckenfresko, 1683 bis 1686, Benediktbeuren. Pfingsten.

83 Matthäus Günther, Deckenfresko, 1743, Neustift bei Brixen. Pfingsten.

83

236

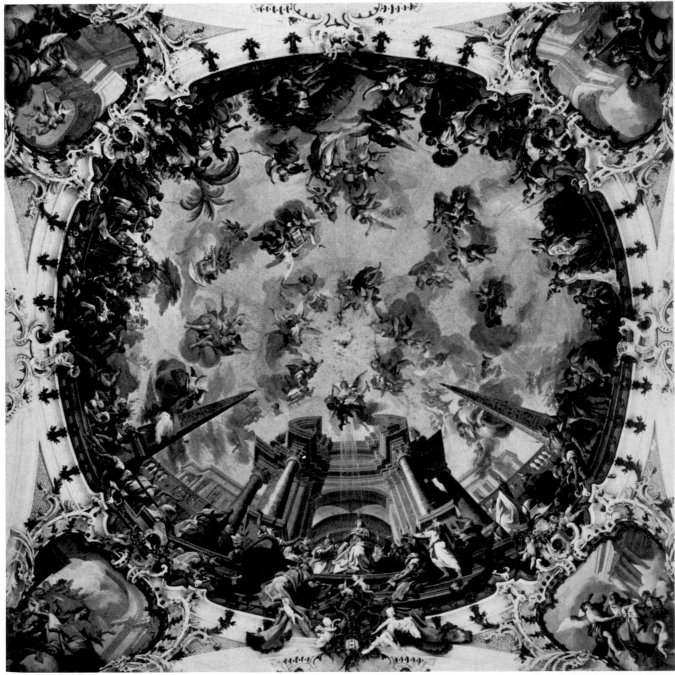

84 u. **85** Franz Anton und Johann Jakob Zeiller, Kuppelfresko,
1766, Ottobeuren. Pfingsten, Die Völker der Weltteile.

84

86

87

CORDA [...] SANCTI SPIRITU

RRYSTRATIONF DOCHISTI. DA HOBIS

meoden spū recta sapere. æ de einf

semp consolatione gaudere. P. muñ. e.

Muncra domine qs. Yt sup.

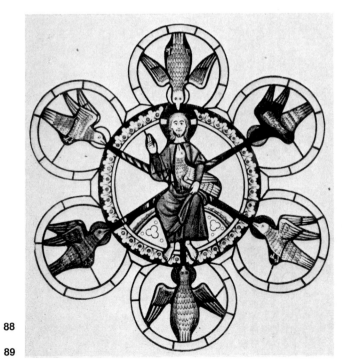

88

89

REX [ ] SENSA REVELAT

86 Francesco Borromini, S. Ivo, Stuckierte Kuppel, 1642—1650, Rom.

87 Bertold-Missale, Schule v. Weingarten. 1200/1215, New York. Die sieben Gnaden des Hl. Geistes.

88 Glasfenster, 13. Jh., Le Mans (Nachzeichnung). Thronender Christus und Gaben des Hl. Geistes.

89 Glasfenster, um 1140, Saint Denis (Restauration 19. Jh.). Christus mit den Gaben des Hl. Geistes zwischen altem und neuem Bund.

90 Bibel von Floreffe, Maasschule, um 1160, London. Symbolische Deutung des Gebetes Hiobs und des Mahls seiner drei Töchter und sieben Söhne.

91 Psalter aus Angers, 11. Jh., Amiens. Himmlische Taube auf dem Buch mit sieben Siegeln, sieben Gaben des Geistes.

92 Hortus Deliciarum, 2. H. 12. Jh. (Kopie). Stein des Sacharia mit den sieben Augen und die sieben Tauben des Geistes, Christus mit arma.

90

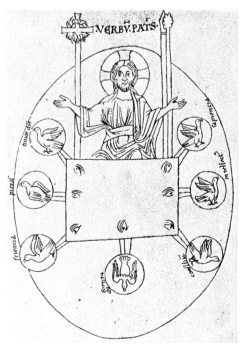

91

92

240

93 u. 94 Rom, Santa Sabina, Mosaik, 422/432. Judenchristliche u. heidenchristliche Kirche.

95 Bernward-Bibel, A. 11. Jh., Hildesheim. Mose u. Ecclesia.

96 Merseburg, Dom, Taufstein, um 1180. Zwölf Apostel auf den Schultern von Propheten.

97 Kalksteinrelief, oberägypt., 5. Jh., New York. Ekklesia(?)

98 Bâwit, Wandmalerei, 6./7. Jh., Ekklesia mit Kelch, Hirsch.

99 Ravello, Dom, Marmorbüste, 1272. Ekklesia(?)

93

94

95

96

97

98

99

100

101

102 a

102 b

102 c

102 d

103

100 Buchdeckel, Elfenbein, Metzer Schule, um 900, Florenz. Kreuzigung, Ekklesia und Synagoge.
101 Vierpaß, Gold m. Grubenschmelz, byzant., 10. od. 11. Jh., Tiflis. Kreuzigung, Ekklesia und Synagoge.
102 Gunhildkreuz, Walroßzahn, dänisch(?), um 1050—1075, Kopenhagen. Medaillons an den Balkenenden. Ekklesia, Synagoge, Mors, Vita.

103 Elfenbeinrelief, Montecassino, 1070—1080, Berlin. Kreuzigung. Engel führt Ekklesia, verstößt Synagoge.
104 Evangeliar, byzant., 11. Jh., Paris. Kreuzigung mit Ekklesia und Synagoge.
105 Altarretabel, Mittelteil, Soest, Anf. 13. Jh., Berlin. Kreuzigung mit Ekklesia und Synagoge.

104

105

106
107

106 Buchmalerei, syr., um 1220, London. Ekklesia und Synagoge unter dem Kreuz.

107 Buchdeckel, Holzrelief, um 1200, Cividale. Ekklesia, Synagoge und Fides (?) am Fuß des Kreuzes.

108 Buchdeckel aus Hildesheim, um 1160, Trier, Ausschnitte. Walroßrahmen: Konfrontation Ekklesia und Synagoge. Emailletäfelchen: Ekklesia und Synagoge unter dem Kreuz.

109 Essener Sakramentar, rhein., um 1100, Düsseldorf. Ekklesia und Synagoge unter dem Kreuz.

110 Antiphonar aus Salzburg, um 1160, Wien. Ekklesia und Synagoge unter dem Kreuz.

111 Hortus Deliciarum, 2. H. 12 Jh. (Kopie). Kreuzigung Christi mit Ekklesia und Synagoge, auf symbolischen Tieren reitend.

112 St. Gilles-du-Gard, Tympanonrelief, Fragment, Anf. 12. Jh. Engel schlägt Synagoge zu Boden.

113 Worms, Dom, Wimperg Südportal, um 1300. Ekklesia auf symbolischem Reittier.

114 Bordeaux, St. Seurin, um 1300. Synagoge von Schlange umwunden.

115 Worms, Dom, Pfeiler Südportal, um 1300. Synagoge mit Böcklein.

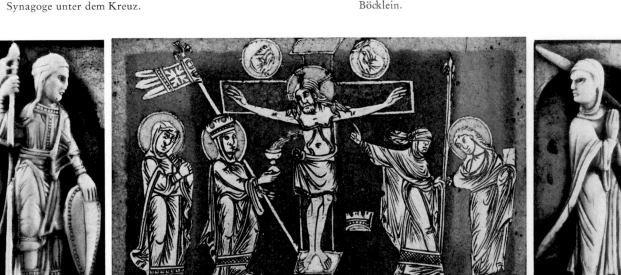

108

109

110

111

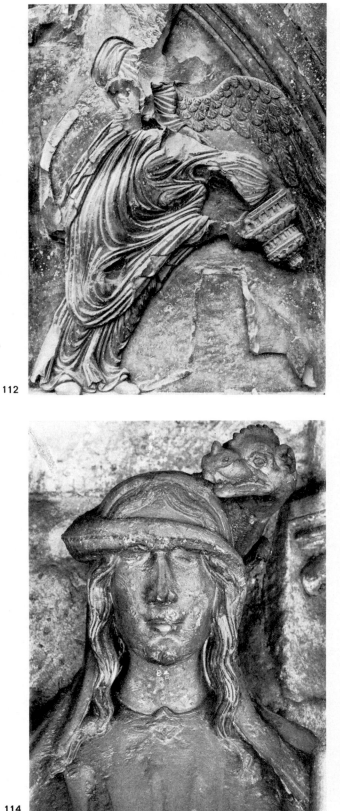

112

113

114

115

116

118

117

119

116 u. **117** Apsisbogen aus Spentrup, Wandmalerei, jütländisch, um 1200, Kopenhagen. Synagoge sticht nach dem Lamm Gottes, Ekklesia auf der Schlange stehend, fängt das Blut auf.

118 Tatzenkreuz, Mittelteil, Walroßzahn, englisch, 11./12. Jh., New York. Synagoge verwundet das Lamm Gottes, Propheten.

119 Einzelblatt eines Missale, vor 1250, Baltimore. Synagoge verwundet das Lamm Gottes.

120 Apokalypsenhandschrift, engl. (?), 13. Jh., Eton. Entschleierung der Synagoge, Mose und Aaron.

121 Sakramentar von Tours, 12. Jh., Paris. Ekklesia, Segnender Christus, Entschleierung der Synagoge.

122 Liber floridus, franz., um 1120, Gent. Christus krönt Ekklesia, verstößt Synagoge.

123 Riesenbibel von Montalcino, 12. Jh. Christus und Ekklesia thronend, entthronte Synagoge.

124 Missale Metense, 2. V. 14. Jh., Trier. Thronender Christus, Ekklesia, Synagoge.

125 Homiliar des Beda von Verdun, letztes V. 12. Jh., Verdun. Ekklesia, Triumph über Synagoge.

126 u. **127** Eleutherius-Schrein, vollend. 1247, Tournai. Ekklesia und Synagoge.

124

125

126

127

128

129

128 Dijon, St. Benigne, Hauptportal, burgund., um 1160 (Stich d. 18. Jh.). Majestas Domini mit Ekklesia und Synagoge.

129 Straßburg, Münster, Marienportal, 1225—1230 (Stich von 1617). An den Begrenzungen: Ekklesia und Synagoge.

130 u. **131** Straßburg, Münster, siehe 129. Ekklesia, Synagoge (Originale, Ausschnitte).

132 Erfurt, Dom, Gewändefiguren, 2. V. 14. Jh. Ekklesia und kluge Jungfrauen.

133
134

135
136

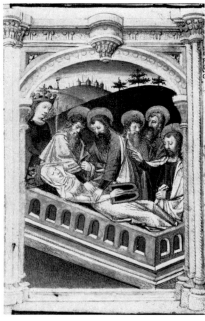

133 u. 134 Marburg, Elisabethkirche, Glasfenster, 1235/1249. Ekklesia, Synagoge.

135 u. 136 Konrad Witz, Basler Heilsspiegelaltar, um 1435. Ekklesia, Synagoge.

137 Bible moralisée, franz., um 1240, Paris. Thronende Ekklesia, Streitgespräch Juden u. Christen.

138 Bible moralisée, Werkstatt Brüder Limburg, um 1410. Paris. Tod der Synagoge, Ekklesia (unten), Mose mit dem Gesetz (oben).

139 Bible moralisée, um 1410. Begräbnis der Synagoge durch die Evangelisten, Ekklesia, Christus.

140 Große Chorgestühlwange, Holz, 1400—1410, Erfurt. Turnier Ekklesia — Synagoge.

141

142

Dominus Custodiat Introitum tuum & Exitum tuum. Psalm: 120

143

144

141 Joh. Georg Bergmüller, Deckenfresko, 1725—1727, Ochsenhausen. Ekklesia und Synagoge (als Rabbiner) mit Kultgegenständen.
142 Homiliar, letztes V. 12. Jh., Verdun. Ekklesia und Synagoge an der Mühle (Gerichtsgleichnis).
143 Vézelay, Kapitellplastik, M. 12. Jh. Mystische Mühle.
144 Tafelgemälde, schwäbisch, um 1420, Ulm. Hostienmühle.

145 u. 146 Evangeliar aus St. Médard, Hofschule Karls d. Gr. um 810, Paris. Fons Vitae, Enthüllung des Lebensbrunnens.
147 Evangeliar aus Mainz, um 1260, Aschaffenburg. Cherubimräder, Evangelisten, Paradiesflüsse.
148 Bertold-Missale, Weingarten, 1200—1215, New York. Pfingsten, Paradiesflüsse.

145

146

147

148

149 Evangelistar d. Kuno von Falkenstein, um 1380, Trier. Lebensbrunnen.

150 Lukas Horenbout d. J., Flügelaltar, 1596, Gent. Polemik gegen Reformatoren und Häretiker, Lebensbrunnen.

151 Tafelgemälde, span., 2. H. 16. Jh., Oberlin/Ohio. Triumph der Kirche über das Judentum, Lebensbrunnen.

149

150

152

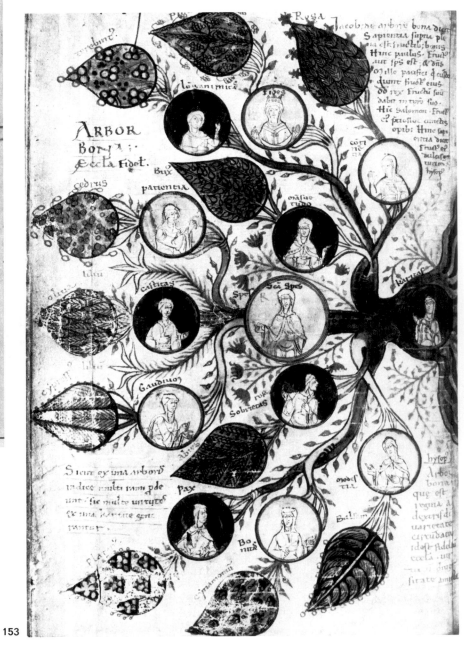

152—158 Liber floridus, französ., um 1120 bzw. M. 12. Jh., Gent/Wolfenbüttel. Symbolische Darstellung der Kirche durch Pflanzen:

153, 154 Der Baum des Guten und des Bösen (Ekklesia und Synagoge).

152, 155, 158 Die acht Seligpreisungen (Stimme der Kirche).

156, 157 Lilie und Palme (Sinnbilder Kirche).

153

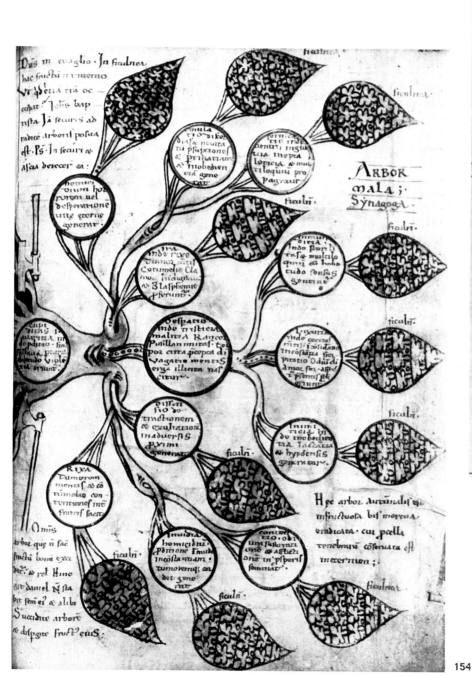

ARBOR
mala;
Synagoga

154

157

156

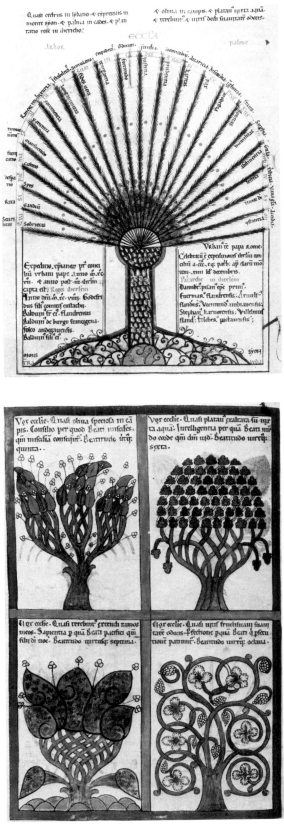

158

159

160

161

162

163

164

159 Codex Rossanensis, Konstantinopel (?), 6. Jh., Rossano. Die Sapentia inspiriert Markus.

160 Bibelhandschrift, syrisch, 7./8. Jh., Paris. Kyriotissa zwischen Salomo und Sapientia-Ekklesia.

161 Gracanica, Wandmalerei, um 1320. Thronende Weisheit vor dem Tempel der Weisheit.

162 Ohrid, Sv. Kliment, Wandmalerei, E. 13. Jh. Gastmahl der Weisheit, rechts Tempel der Weisheit.

163 Ikone, russisch, 17. Jh., Privatbes. Die Göttliche Weisheit in der Verherrlichung.

164 Sammelhandschrift mit Psychomachie des Prudentius, mosan, 1. V. 11. Jh., Brüssel. Die Weisheit thront als höchste Tugend siegreich in ihrem Haus.

165 Bibel aus St. Vaast, 2. V. 11. Jh., Arras. Christus als die göttliche Weisheit über den besiegten Feinden thronend; Kardinaltugenden und Evangelisten.

166 Kollektar aus Zwiefalten, 12. Jh., Stuttgart. Christus auf dem Thron der Weisheit im Himmel. Motive aus Apk 4.

167 Bibelhandschrift, Limoges, E. 11. Jh., Paris. Thronende Weisheit mit sieben Büchern und Blütenszepter.

165

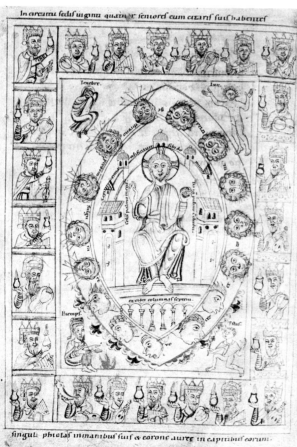

166

167

264

168
169

172

170

171

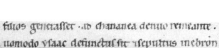

173

174

175

168 Psychomachie des Prudentius, A. 11. Jh., St. Gallen. Weisheit als höchste Tugend im Haus der Weisheit.

169 Prachtbibel aus Salzburg, 1428—1430, München. Ekklesia-Sapientia.

170 Gumbertusbibel, Regensburg (?), um 1180, Erlangen. Weisheit zw. Geißelung und Kreuzigung Christi.

171 Brixen, Johanneskapelle, Wandmalerei M. 13. Jh. Die Göttliche Weisheit auf dem Thron Salomons.

172 Evangelistar, norddeutsch, 1221/1242, Brandenburg. Maria als thronende Weisheit.

173 Sog. Stammheimer Missale, Hildesheim um 1160. Die Göttliche Weisheit als Werkmeister der Schöpfung.

174 Handschrift der Antiquitates Judaicae, E. 12. Jh., Paris. Die Schöpfung nach dem Bericht des Josephus.

175 Bible Histoire von Guyart Desmoulins, um 1410, Brüssel. Thronende Weisheit. Erschaffung und Fall der Engel.

176

177

178

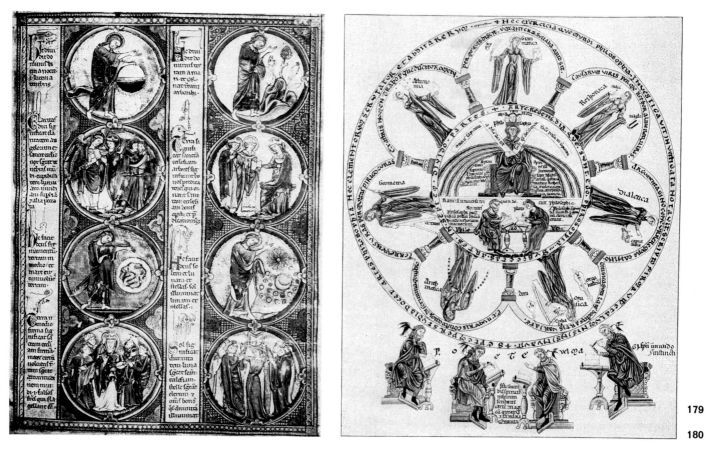

179

180

181

176 u. 177 Bible Moralisée, 13./14. Jh., Paris. 1. u. 2. Schöpfungstag und Ekklesia-Sapientia.

178 Bible Moralisée, um 1240, Wien. 1. u. 2. Schöpfungstag mit Ekklesiaszenen.

179 Bible Moralisée, M. 13. Jh., Wien. 1.—4. Schöpfungstag mit Ekklesiaszenen.

180 Hortus Deliciarum, 2. H. 12. Jh. (Kopie). Thronende Philosophia-Sapientia mit den sieben freien Künsten.

181 Scivias der Hildegard von Bingen, 2. H. 12. Jh. (Kopie). Der Turm der Kirche.

182 Apokalypse von Valenciennes, 9. Jh. Apokalyptisches Weib und Drache.

183—185 Trierer Apokalypse, A. 9. Jh. Apokal. Weib (Kirche) und Drache — Sturz des Drachens — Errettung des Weibes.

186

187

188

186—188 Liber floridus, Mitte 12. Jh., Wolfenbüttel.

189—194 Das apokalyptische Weib und der Drache.
189 Beatus-Apokalypse, katalanisch, 975. Gerona.
190 Beatus-Apokalypse, mozarabisch, 1086, Burgo de Osma.
191 Beatus-Apokalypse, mozarabisch, 1189, Lissabon.

192 u. 193 Bamberger Apokalypse, Reichenau, A. 11. Jh., Bamberg.
194 Hortus Deliciarum, 2. H. 12. Jh. (Kopie).
195 Mühlenaltar, westfäl., 1. V. 14. Jh., Doberan. Maria als apokalyptische Sonnenbraut.

189

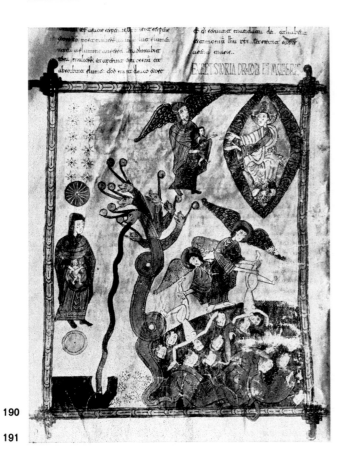

190

191

196

197

198

196—197 Das apokalyptische Weib und der Drache.
196 Saint-Savin-sur-Gartempe, Fesko, um 1100.
197 Scheyerer Matutinalbuch, bayerisch, zw. 1206 u.
      1225.
198 Scheyerer Matutinalbuch. Himmelfahrt Christi.
      Drache und drei Irrlehrer; fünf Bischöfe und
      Konstantin (Hinweis auf das Konzil von
      Ephesus).

199—203 Szenen aus Apk 12.
199 NT-Handschrift aus Verona, 1. H. 13. Jh., Rom.
200 S. Pietro al Monte bei Civate, Wandmalerei,
      mailändisch, gegen 1100.

201 H. Burgkmair d. Ä., Holzschnitt, 1523, Augs-
      burg.
202 Apokalypse von Angers, Bildteppich, 1376 bis
      1382.
203 Apokalypsehandschrift, St. Albans (?), um 1230,
      Cambridge.
204 Psalter aus Straßburg, oberrhein., 13. Jh., Mainz.
      Ekklesia mit Attributen des apokalyptischen
      Weibes.

199

200

274

201

202

203

204

205

206

207

205 Mosaikgrabplatte, nordafrik., 4. Jh.,
Tunis. Kirche mit Inschrift: Ekklesia
mater.

206 Missale von Mont St. Michel, 1050—
65, New York. Ekklesia und die Unschuldigen Kindlein.

207 Exultetrolle, Benevent, 12. Jh., Rom.
Ekklesia zwischen den acht Leuchten.

208 Exultetrolle, S. Vincenzo al Volturno,
981/987, Rom. Ekklesia auf Kirchengebäude thronend.

208

209 Exultetrolle, Monte Cassino, 11. Jh., London. Mater ecclesia, darüber Tellus.

210 Federzeichnung, Salzburg, 2. Drittel 12. Jh., Straßburg. Die
göttliche Weisheit nährt die freien Künste.

211 Handschrift der Hieronymuskommentare, Engelberg, 3. V.
12. Jh. Ecclesia lactans nährt Mose und Paulus.

212 u. **213** Giovanni Pisano, Kanzelfiguren, 1302—1312, Pisa.
Christus, Evangelisten — Ecclesia lactans, Kardinaltugenden.

214

215

216

214 Ainau, Pfarrkirche, Steinrelief, bayr., 1. H. 13. Jh. Einzug in Jerusalem mit Mater Ekklesia.

215 Pompièrre, St. Martin, Tympanon, 12. Jh. Ecclesia lactans (Ausschnitt aus Einzug).

216 Steinrelief aus Metz, 12. Jh., Privatbes. Ecclesia lactans.

217

217—224 Bible Moralisée, Handschriften zw. 1240 u. A. 15. Jh., Oxford, Wien, Paris.

217 Erschaffung Evas, Geburt der Ekklesia, Zusammenführung von Adam und Eva, Verlöbnis der Ekklesia mit Christus.

218 Geburt der Ekklesia.

219 Geburt der Ekklesia, Taufe, Judentum.

220 Pfingsten, Geburt der Ekklesia und Erschaffung Evas.

221 Der Schöpfer führt Adam zu Eva, Christus vermählt sich mit Ekklesia.

222 Mose und Ekklesia mit dem Gesetz des Alten bzw. Neuen Bundes; Herzog von Burgund verehrt das Kind.

223 Vermählung des Christuskindes mit der Kirche.

224 Geburt Christi, Maria nimmt das Kind entgegen, Synagoge wendet sich ab.

218

219

220

Jeu fet tres le mariage da dam crcue. t les conioinst ensemble
Senctis .ij. capitulo.

Dirarq; moples. Post septem
Dannos anno remisionis
leget iosue uerba legis huius co
ram omni istacl.

Moples dist que apres .vij. ds
en lande remission. iosue
doit sure les paroles de la loy deuant
tout le pueple.

Post septem annos i anno
pirmissionis ser legi precipi
tur in conuentu quia completa
legis obseruantia ser spiritalis
succedit. Unde postquam uenit
plenitudo temporis misit deus ti
luum suum natum de uirgine.

Et significe que apres laco
pliscement de la pmicre loy
hui figure p iosue nous deuoit do
ner spiritalement espiruel contenu
en icelle qui nest autre chose que la
loy de grace que nous selonc lap
tur gui dit que quant la plente
de bon temps uit diex no. enuoia
son filz.

221 Jce que ter fist le mariage d.w.am crcue Benesie que thu crist
quant il ot tute esgarde fist mariage celui etresainte eglise et
222 sconoist ali.

223
224

225 Lob des Kreuzes, Federzeichnung, Prüfeninger Schule, 1170/1185, München. Entdeckung des Sündenfalls. Verfluchung und Besiegung der Schlange. Adam und Eva, Ekklesia.

226 Biblia pauperum, Federzeichnung, Österreich, um 1310, St. Florian. Das Weib zertritt der Schlange den Kopf, Verkündigung an Maria, Gideon und das Vlies.

227 Biblia pauperum, kolor. Federzeichnung, um 1340/1350, Wolfenbüttel. Erschaffung Evas. Ekklesia (auf tetramorphem Tier) und Synagoge (auf Ziegenbock unter dem Kreuz), Quellwunder des Mose.

225

226

227

229

228

228 Sog. Jungfrauenkapitell aus St. Etienne, um
1120, Toulouse. Christus und Ekklesia.
229 Bible Moralisée, franzö̈s., um 1230, New
York. Christus und Ekklesia als himmlisches
Brautpaar.
230 Credo von Joinville, franzö̈s., um 1290, Leningrad. Hochzeit des Lammes.
231 Boethius-Handschrift, angelsächs., 1120/1150,
Cambridge. Christus und Ekklesia mit Lamm
Gottes, auf dem Teufel stehend.

232 Bibel aus St. Vaast, 2. V. 11. Jh., Arras.
Christus als Herrscher und Ekklesia-Sponsa.
Tierkreiszeichen.
233 Frowinbibel, um 1150/1160, Engelberg
(Schweiz). Christus und Ekklesia-Sponsa.
234 Frowinbibel. Sponsus-Sponsa (Hohes Lied).

230

231

232

233

234

235 Lectionarium Matutinale, schwäbisch, 1124/1136, Stuttgart. Sponsus-Sponsa.

236 Beca-Komm. z. Hohenlied, engl., 12. Jh., Cambridge. Sponsus-Sponsa.

235

236

237
238

me of
culo
ous suj:
qa me
liora
sunt

239
240

241
242

237 Latein. Bibel, französ., 2. H. 12. Jh., Paris. Ekklesia als Braut des Hohenliedes mit Turm der Kirche.

238 Bibel aus St. Bertin, französ., 12./13. Jh., Paris. Sponsus-Sponsa.

239 Heisterbacher Bibel, niederrhein., um 1240 Berlin. Christus, Ekklesia mit Kreuzstab.

240 Psalter, oberrhein., um 1235, Würzburg. Sponsus-Sponsa.

241 Hortus Deliciarum, 2. H. 12. Jh. (Kopie). Christus krönt Ekklesia.

242 Hortus Deliciarum. Christus trocknet die Tränen eines Gerechten (Ekklesia).

243 Oberrheinische Handschrift, E. 12. Jh., Basel. Johannesminne.

244 Orationes Anselms, Federzeichnung, 12. Jh., Admont. Johannes verläßt seine Frau, Johannesminne.

245 Johanneslob, französ., A. 14. Jh., Leningrad. Johannes nimmt Abschied von seiner Frau, Christus führt ihm Ekklesia zu.

246 Holzplastik, Sigmaringen, 1320/1330, Berlin. Johannesminne.

243

244

245

246

286

247
248
249
250

251

252

253

260

263

261

262

264

265

260—262 u. **264** Hoheslied-Komm. des Honorius Augustodunensis, 12. Jh., München/Wien.

260 Sponsus-Sponsa und erlöste Menschheit.

261 Sunamit auf dem Wagen des Aminadab.

262 Filia Babylonis.

263 Bible Moralisée, um 1240, Wien. Rückkehr der Söhne Jakobs (oben), Wagen der Kirche (unten).

264 Mandragora.

265 Göß, Wandmalerei, 1282—1285. Ekklesia-Sponsa verwundet Christus-Sponsus (Vulneratio).

266 u. **267** Scivias der Hildegard von Bingen, 2. H. 12. Jh. (Kopie). Vision der Synagoge mit Mose, Abraham und Propheten. — Ekklesia unter dem Kreuz und am Altar.

266

267

272

273

272 Franz Anton Maulbertsch, Deckenfresko, 1776/1777, Mühlfraun. Die
triumphierende Kirche. Michael stürzt
Teufel und Häresie.

273 Wolfgang Andreas Heindl, Deckenfresko, 1751—1752, Hartkirchen. Die
Kirche als triumphierende Hüterin
des Sakraments, Sturz der Häretiker.

274 Cosmas Damian Asam, Kuppelfresko,
1718—1720, Weingarten. Triumphierende Kirche und Trinität. Allerheiligenhimmel.

275 Paul Troger, Deckenfresko, 1732 bis
1733, Zwettl. Die göttliche Weisheit
als Vermittlerin der Gotteserkenntnis.

295

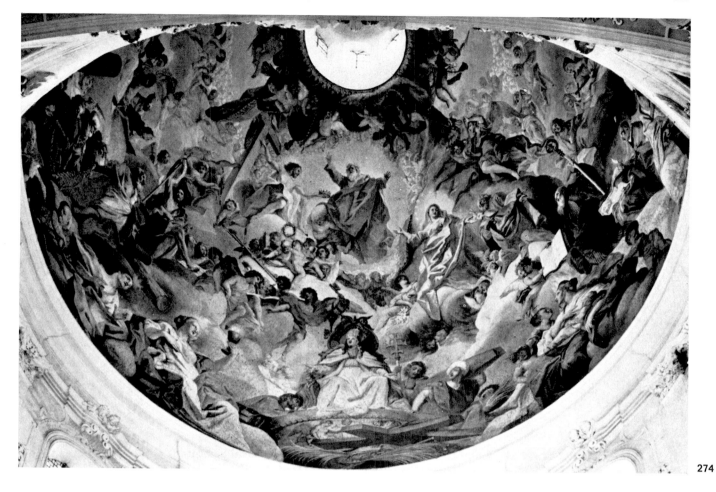

274

275

279

280

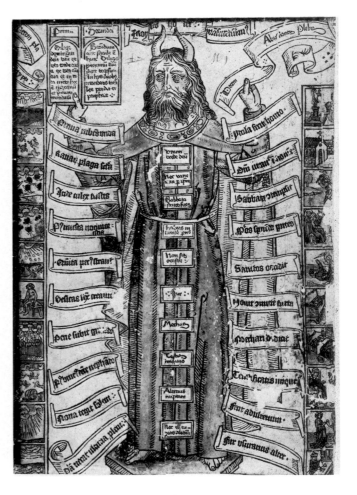

281

279 Schrotblatt, oberrhein., zw. 1450 u. 1460, München. Mose mit Gesetzestafeln und Gott im brennenden Dornbusch; Übertretungen der Gebote und ägypt. Plagen.

280 Einblattholzschnitt, schwäb., um 1465/1480, London. Mose mit Gesetzestafeln zw. ägypt. Plagen und Übertretungen der Gebote.

281 Hans Weiditz, Holzschnitt, 1530, Augsburg. Mose mit Gesetzestafeln; Gesetzesübergabe und Anbetung eines Götzenbildes.

282 Holzschnitt, Umkreis des Urs Graf, 1520, Basel. Gesetzesübergabe, Goldenes Kalb, Josua.

283 Einblattholzschnitt, oberrhein., zw. 1460 u. 1480, München. Gebote und Übertretungen.

282

283

284

285

286

287

288

289

284 Heidelberger Blockbuch-Dekalog, Holzschnitt, oberrhein., 1455—1458. Erstes Gebot.

285 Seelentrost, Holzschnitt, süddeutsch, 1478, Augsburg. Erstes Gebot.

286 u. 287 Heidelberger Blockbuch-Dekalog, siehe 284. Drittes und neuntes Gebot.

288 u. 289 Seelentrost, siehe 285. Zweites Gebot und Viertes Gebot.

290 u. 291 Hans Baldung, Holzschnitte in einem Traktat des Marcus von der Weide, 1516, Straßburg. Sechstes Gebot und Siebentes Gebot.

290

291

293

294

292 Zehn-Gebote-Tafel, norddeutsch, um 1480, Danzig. Zehn Gebote, jeweils Befolgung und Übertretung.

293 Holzschnitt, südwestdeutsch, 1509, Straßburg. Siebentes Gebot (Diebstahl) mit ägyptischer Plage als Strafe.

294 Hans Weidnitz, Luthers Gr. Katechismus, 1530, Augsburg. Neuntes und Zehntes Gebot (Wucher und Ehebruch) mit ägyptischen Plagen.

295 Zehn Gebote, Einblatt-Metallschnitt, um 1475, oberrheinisch, Ausschnitte. Siebtes und zehntes Gebot (Diebstahl und Wucher) mit ägypt. Plagen und Mosefigur.

295

296

296 Zehn-Gebote-Altar, Tafelmalerei, niedersächs., 1410—1420,
Hannover. 2., 3., 4., 7., 8., 9. Gebot, alttestam. Darstellungen.

297—306 Lucas Cranach d. Ä. (od. Werkstatt), Holzschnitte zu
einem Tafeldruck von Melanchthon, 1529, Wittenberg. Dekalog mit bibl. Beispielen:

297 Gesetzesübergabe, Goldenes Kalb (1. Gebot).

298 Steinigung eines Gotteslästerers (2. Gebot).

299 Sonntagsheiligung — Sabbatschändung (3. Gebot).

300 Trunkenheit Noahs, Noahs Söhne (4. Gebot).

301 Kain und Abel (5. Gebot).

302 David und Bathseba (6. Gebot).

303 Achan vergräbt den gestohlenen Mantel (7. Gebot).

304 Verleumdung Susannas (8. Gebot).

305 Jakob bringt die Herde Labans an sich (9. Gebot).

306 Joseph und Potiphars Weib (10. Gebot).

297

298

299

300

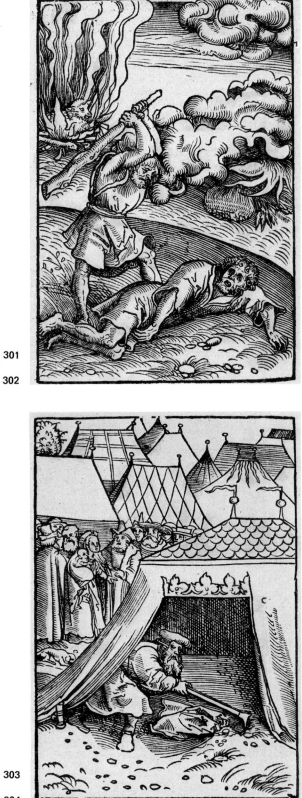

301

302

303

304

307 u. **308** Holzschnitte zum Kl. Katechismus, Wittenberg 1535.
3. u. 5. Gebot: Predigtgottesdienst — Kain und Abel.
309 Erhard Schön, Holzschnitt zum Gr. Katech., Nürnberg 1531.
2. Gebot: Steinigung des Gotteslästerers.

308

310 Holzschnitt, niederdeutsche Ausgabe d. Gr. Katech., Magdeburg 1534. 4. Gebot: Noah und seine Söhne.

311 Holzschnitt, Kl. Katech., Augsburg 1542. 7. Gebot: Diebstahl.

312 Holzschnitt, slowenischer Katech., 1580. 3. Gebot: Predigtgottesdienst und Holzsammler.

313 u. 314 Beham, Holzschnitt zu den Obiectiones des Lossius, Frankfurt 1553 u. 1554. 2. u. 8. Gebot: Szenen unter dem Kreuz, Steinigung des Lästerers — Susanna im Garten von zwei Alten belästigt, Gerichtsszene mit Verhör und Steinigung der Verleumder.

315

316

315 u. **316** Wahrscheinl. Jost Amman, Holzschnitte zum Katech., Frankfurt 1579. 4. Gebot: Noah und Söhne, Arche mit Regenbogen — 5. Gebot: Kain und Abel.

317—319 Oberdeutscher Meister, Holzschnitte zum Dekalog in Bucers „Kürtzer Katechismus", Straßburg 1537.
1. Gebot: Berufung Moses, 2. Gebot: Vernichtung des Goldenen Kalbes, 10. Gebot: Joseph und Potiphars Weib.

320 u. **321** Holzschnitte zum Kl. Katechismus, Nürnberg um 1660. 1. Gebot u. 1. Vaterunserbitte.

322 u. **323** Martin Engelbrecht, Kupferstichfolge zu den 10 Geboten, 1. H. 18. Jh. 1. Gebot: Gnadenstuhl, im Hintergrund Goldenes Kalb. — 6. Gebot: Die Keuschheit tritt Amor mit Füßen, Hintergrund: David und Bathseba.

Das Credo

324 Evangeliar Heinrichs des Löwen, um 1175. Ausschnitt einer Kanonentafel: letzter Credosatz, Brustbild des Matthias, Szenen aus der Psychomachie.

325 La Somme le Roi, französ. Prunkhandschrift, 1295, Paris. Die Apostel verfassen das Credo.

326 Stundenbuch des Duc Louis de Savoie, zw. 1440 u. 1465, Paris. Apostel empfangen vom Hl. Geist das Credo.

317

318

319

310

320

321

Du follft allein an einen Gott glauben.

Ego fum Dominus DEUS tuus. Non habebis
DEOS alienos coram me : non facies ti,
bi fculptile ut adores illud. *Exod. XX.* 2.4 5.

C.P.S.C.Maj.   Mart. Engelbrecht exc: A.V.

Du follft nicht Unkeufchheit treiben.

Non moechaberis. *Exod.XX.*14.

C.P.S.C.Maj.   M. Engelbrecht exc. A.V.

322

323

324

325

326

QUISEDESADDEXTERAM
PATRISMISERENOBIS

QMIUSOLUSSCS·TUSOLUS
DNS·TUSOLUSALTISSIMUS·

IHS·XPECUSCOSPU·INGLO
RIA·DIPATRIS·AMEN·

ORATIODOMINICA
PATERNOSTER
QUIESINCAELISSCIFICE
TURNOMENTUUM·AD
UENIATREGNUMTUUM·
FIATUOLUNTASTUA

SECUNDUM
SICUTINCAELOETINTRA
PANEMNOSTRUMCOTI
DIANUMDANOBISHO
DIE·ETDIMITTENOBIS
DEBITANOSTRA

MATHEUM·
SICUTETNOSDIMITTI
MUSDEBITORIBUSNOS
TRIS·ETNENOSINDU
CASINTEMPTATIONEM
SEDLIBERANOSAMALO

INCIPITSYMBOLU
CREDOINDMPA
PATREMOMNIPOTENTEM
CREATORECAELIETTERRAE
ETINIHMXPMFILIUMEIUS
UNICUMDMMNOSTRU
QUICONCEPTUSESTDESPU
SCO·NATUSEXMARIAUIR

APOSTOLORUM
GINAE·PASSUSSUBPON
TIOPILATOCRUCIFIXUS
MORTUUSETSEPULTUS·DES
CENDITADINFERNA·TER
TIADIERESURREXITAMOR·
TUIS·ASCENDITADCAELUM
SEDETADDEXTERAMDIPA

TRIS·OMNIPOTENTIS·IN
DEUENTURUSIUDICARE
UIUOSETMORTUOS·
CREDOETINSPM·SCMSCAM
ECCLESIAMCATHOLICAM
SCORUM·COMMUNIO
NEM·REMISSIONEM

327

327 Utrechtpsalter, Reims, um 830, Federzeichnungen. Szenische Illustrationen zum Credo. Oben: Christus lehrt die Jünger das Vaterunser.

328—331 Credo vom Joinville, um 1290, Leningrad.

328 Verehrung des Schöpfers, Engelsturz.
329 Erschaffung der Welt.
330 Sitzen zur Rechten Gottes u. Wiederkunft Christi.
331 Pfingsten, Kirche, Sakramente.

314

332

333

315

334

335

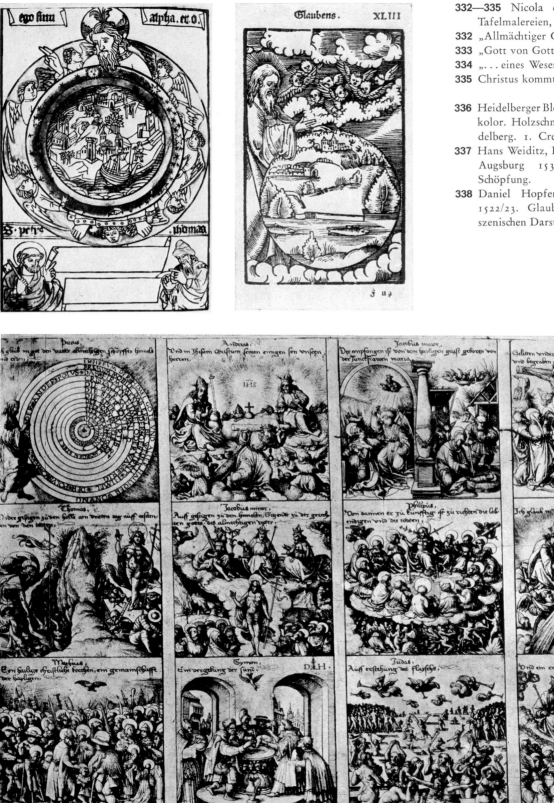

339
340
341

339—343 Gott, der Schöpfer. 1. Artikel des Credo.

339 Monogrammist AW, Holzschnitt Gr. Katech., 1538 Wittenberg.

340 Erhard Schön, Holzschnitt, Gr. Katech., Nürnberg 1531.

341 Hans Brosamer, Holzschnitt zum Kl. Katechismus, Magdeburg, 1543.

342 H. S. Beham, Holzschnitt, „Obiectiones", Frankfurt 1553.

343 Hans Brosamer, Holzschnitt zu einem Enchiridion, Frankfurt 1553.

342
343

318

344
345
346

344 Holzschnitt, Kl. Katech., Wittenberg 1535. 2. Credo-Artikel: Kruzifixus in Wolkenglorie.
345 Erhard Schön, Holzschnitt, Gr. Katech., Nürnberg 1531. 3. Credo-Artikel: Pfingsten.
346 Holzschnitt zum Katech. Spangenbergs, Augsburg 1557. Letzter Credo-Satz: Der Reiche in der Hölle, Lazarus in Gottes Schoß.

347 Monogrammist AW, Holzschnitt, Gr. Katech., Wittenberg 1538. Zweiter Credo-Artikel: Kruzifixus, Opfer Abrahams, erhöhte Schlange.
348 Monogrammist AW, Holzschnitt Katech. Spangenbergs, Wittenberg 1544. Auferstehung Christi.

347
348

SANCTVS ANDREAS.
Paſſus ſub Pontio Pilato, crucifixus,
mortuus, & ſepultus, &c.

Hæretici qui hunc articulum

SANCTVS PHILIPPVS.
Deſcendit ad inferna, Tertia die reſur-
rexit à mortuis.

349

350

349—352 Holzschnitte zum Credo-Zyklus der „Icones symboli
apostolici" des Erasmus, Köln 1557.
349 Gelitten — begraben.
350 Höllenfahrt, Auferstehung.
351 Wiederkunft Christi zum Gericht.
352 Ewiges Leben.

& anguſtia, &c.
SANCTVS BARTHOLOMAEVS.
Inde venturus eſt iudicare viuos
& mortuos.

SANCTVS MATTHIAS.
Et vitam æternam. Amen.

351

352

320

353
354

355
356

353—356 Paul Lautensack, Lavierte Federzeichnungen, Credozyklus, um 1535, Berlin, Blatt 1, 2, 6, 11.
353 „Ich glaube an Gott, den Vater . . .“
354 „und an Jesus Christus . . .“
355 „aufgestiegen gen Himmel . . .“
356 „Auferstehung des Fleisches.“

357—360 J. J. A. Huber, Deckenfresken, Ochsenhausen, 1787.
Credo-Zyklus. 2., 10., 11., 12. Satz.
357 Jesus Christus, Herr der erlösten Welt.
358 Die große Sünderin.
359 Auferstehung des Fleisches.
360 Der Glaubende schaut im Spiegel die Ewigkeit.

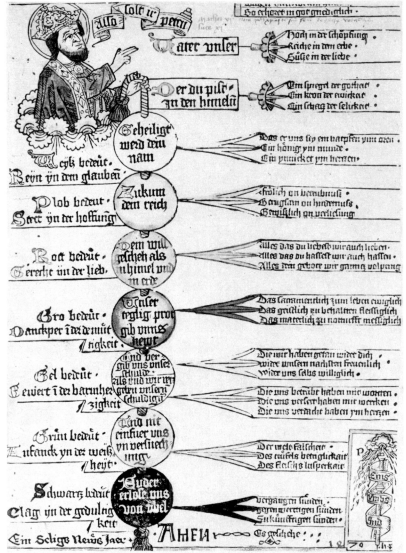

361

363

361 Hanns Paûr, kolor. Einblattholzschnitt, 1479, München. Gott-Vater mit Paternosterschnur, Sinnsprüche zu den sieben Bitten.

362—369 Hans Holbein d. J., Metallschnitte nach seinen Entwürfen, zw. 1519 u. 1523 geschnitten, Vaterunser-Zyklus, Basel.

362 Christus lehrt die Jünger beten.

363 Das Volk verehrt Gott.

364 Pfingsten.

365 Kreuztragung, Nachfolge.

366 Predigt, Abendmahl, Mahlszene.

367 Christus befreit Gefangene.

368 Hiob.

369 Christus zwischen Kranken und Sterbenden.

Zü kum dein rych/

Dein will geschehe als im himel vnd in erde/

Vnser täglich Brot gib vns heüt/

Vñ vergib vns vnser schuld/als vnd wir vergeben vnsern schuldigern.

364

365

366

367

368

369

370 Daniel Hopfer, Eisenradierung, um 1522/23. Vaterunser-Blatt.

370

Das ist/Ach du almechtiger/ gnediger vnd gütiger vatter / der du allenthalben / vmb vns vnd bey vns bist/ schaffest/ernerest/erheltest vnd beschirmest.

Das ist/ Dein name werde recht erkand/ durch rechte lere vnd glauben/vnd dadurch gelobet vnd gepreiset.

371

372

Das ist/Regire du vns/durch deinen heilige geist/ Deñ wo wir von dir verlassen sind/so fallē wir jn alle sunde/ laster vnd vnfal/Wie geschrieben ist/On mich kūnd jhr nichts thun.

Das ist / Wir wolten / das vns alle wege nach vnserm willen gieng/das wir on Creutz weren/Aber Herr Gott schaffe deinen willen an vns / vnd gib vns gehorsam vnd gedult.

373

374

Das ist/ O Herre versorge auch den leib/gib vns narüg/
klugheit/guten leumbd/gesundheit vñ alle leibliche not
turfft/ Wie du versprochen hast/ Sücht zum ersten das
hümelreich/so werden alle andere güter euch zugegeben.

Dieweil nu der Herr vns leret/vnd gebeut vns/vmb ver
zeihung der sunde zu bitten/so sollen wir nicht zweiffeln/
er wölle auch vergeben/ Dagegen aber foddert er / das
wir auch verzeyhen vnd friedlich sein/ Wie er spricht/
Vergebet/so wird euch auch vergeben.

Das ist/ Las vns nicht fallen/so wir versucht werden/
Denn nicht zweiffel ist / der Teufel begere vns jnn alle
schande zu werffen/ Wie Petrus spricht/ Das er/wie ein
zorniger lewe/sucht etc. Dafür wir vns mit vnsern krefft
ten nicht müge beschirmē/ Darúmb Herr behüt du vns.

Das ist/ Hilff vns aus allerley not vnd widderwertig=
keit/Vnd sonderlich errette vns vom Teufel vnd tod.
Amen.

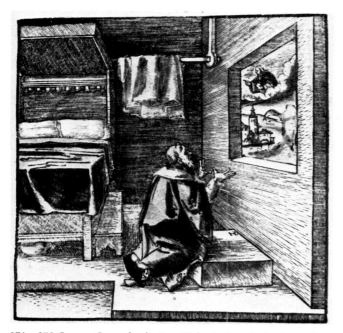

379

380

371—378 Lucas Cranach d. Ä., Holzschnitte f. Luthers Gr. Katech., Wittenberg 1529. Vaterunser-Zyklus.

371 Gottvater, Schöpfer.

372 Predigtgottesdienst

373 Pfingsten.

374 Kreuztragung

375 Speisungswunder, Ölvermehrung.

376 Schalksknecht.

377 Versuchung Jesu.

378 Das Kanaanäische Weib.

379 u. **380** H. Brosamer, Enchiridion, Frankfurt 1553, Vaterunser-Zyklus, 2. u. 3. Bitte: Betender. Christus am Ölberg.

381 H. S. Beham, Holzschnitt, Obiectiones von Lossius, 1553. Anrede zum Vaterunser.

382 Holzschnitt, „Kürtzer Katechismus", Straßburg 1537, Vaterunser-Zyklus. Verspottung Hiobs (6. Bitte).

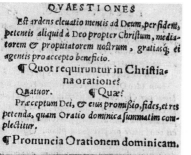

381

382

383 Johann Martin Kauflügel und Johann Michael Frey, Emporenbilder, 1767, Rottenacker. Allegor. Bildzyklus zum Vaterunser. a: 2. Bitte, b: 3. Bitte, 1. Teil, c: 3. Bitte, 2. Teil, d: 4. Bitte, e: 5. Bitte, 2. Teil, f: 6. Bitte, g: 7. Bitte, h: Lobpreis.

a, b

c, d, e

f, g, h

383

384 Andachtsblatt, kolor. Holzschnitt mit zwölf biblischen Darstellungen zum Vaterunser und Erläuterungen, gedruckt Zürich 18. Jh., Basel.

Das Gebeth unsers Herrn Jesu Christi,

mit schönen Figuren vorgestellet.

Unser Vater! der du bist in den Himmeln.

O unser Vater! der du bist
Im Himmel und auf Erden,
Im Glauben, der die Wahrheit ist,
Willst angebethet werden.

Geheiliget werde dein Nam.

Gelobt, geheilig't werd' dein Nam,
Und allenthalb geehret,
Von Engeln und auch uns zusamm',
Dein Ehr' und Lob vermehret.

Zukomm e dein Reich.

Zukomme dein Reich, das du alldort
Den Frommen hast bereitet:
Die Hoffnung dessen hat dein Wort
Im Glauben ausgebreitet.

Dein Will geschehe auf Erden, wie im Himmel.

Dein Will gescheh', so soll es seyn,
Daß wir dich allzeit loben,
So wie es dorten g'schieht allein
Im hohen Himmel oben.

Kurze Erklärung der Figuren.

Wie der Herr Jesus seine Jünger, und uns alle lehret bethen, mit ausdrücklichem Befehl: Ihr sollet also bethen: Unser Vater, der du bist in den Himmeln. Math. 6. v. 9.

Wie die heilige Engel in dem Himmel singen: Heilig, heilig, heilig ist der Herr, Zebaoth. Esai. 5. v. 3. Und die Menschen auf Erde bethen: Geheiliget werde dein Nam.

Von den fünf klugen, und fünf thorechten Jungfrauen, welche rufen: Herr! thu uns auf. Math. 25. Und die Gläubigen bethen: Zukomme dein Reich.

Von der Sündfluth, da die ganze Welt untergienge, Noah allein mit den Seinigen erhalten wurde. 1. B. Mos. 7. Mit beygesetzten Worten: Dein Will geschehe auf Erde wie im Himmel.

Gib uns heut unser täglich Brod.

Heut wollst uns unser täglich's Brod,
O lieber Vater geben!
All's was der Seel u. Leib thut noth,
Damit wir mögen leben.

Und vergib uns unsre Schulden wie wir vergeben unsern Schuldigern.

Vergieb uns, Vater! unser Schuld,
Solang wir hier noch leben;
Wie auch wir wollen mit Geduld,
Den Schuldigern vergeben.

Und führe uns nicht in Versuchung.

Auch führe uns in Versuchung nicht,
Und lasse uns nicht irren,
Wenn uns der Satan Fallstrick richt,
Und sucht uns zu verwirren.

Sondern erlöse uns von dem Bösen.

Von uns vertreibe alles Bös,
Durch deine Hülf und Gnaden,
Und durch dein Allmacht uns erlös,
Was Seel und Leib kann schaden.

Wie die freßigen Raben dem Propheten Elias auf Gottes Befehl Brod und Fleisch zutragen. 1. B. der Kön. Kap. 17. Mit den Worten: Gieb uns heut unser täglich Brod.

Mit des Königs Rechnung, Math. 8. Sammt den Worten: Und vergieb uns unsere Schulden, wie wir vergeben unsern Schuldigern.

Wie Eva im Paradies von dem Teufel versicht, und verführt worden. 1. Buch Mos. 3. Mit den Worten: Und führe uns nicht in Versuchung.

Wie der Satan den geduldigen Hiob plaget. Kap. 25.

Dann dein ist das Reich.

Dein ist das Reich und Himmelsthron
Mit Engelchör umgeben,
Wo du den Frommen zu dem Lohn
Ertheilst das ewig Leben.

Und die Kraft.

Und dein ist auch die Kraft und Macht,
Die alles überwieget,
Dein Zorn wenn auf den Sünder
In Staub er plötzlich lieget. (kracht.

Und die Herrlichkeit in Ewigkeit.

Dein Herrlichkeit, wie groß sie sey,
Der Tag wird offenbaren,
Wann du zu richten kommst herbey,
Die gut- und bös' Schaaren.

Amen.

O Vater der Barmherzigkeit!
Was wir in deinem Namen
Dich bitten in Vertraulichkeit,
Das wollst uns geben, Amen.

Wie der Herr Christus auf dem Thron sitzet. Offenb. Joh. 4.

Wie der König Pharao mit seinem ganzen Heer im rothen Meer ersäuft worden. 1. B. Mos. 14.

Wie der Herr Jesus zum letzten Gerichte kommt. Math. 25.

Wie der Herr Christus sein Gebeth beschließt mit dem Worte: Amen, welches sovielheißt, als, Es geschehe.

Gedruckt in Zürich.

385

386

387

388

389

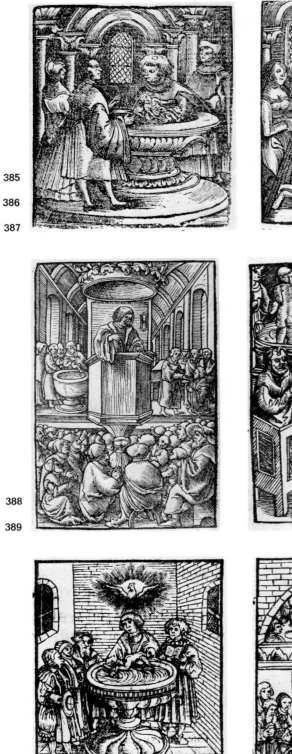

390

391

Holzschnitte zum 4. und 5. Hauptstück und zu den Anhängen in Luther-Katechismen:

385—387 1529: Taufe — Abendmahl — Einzelbeichte.

388 Holzschnitt, Gr. Katechismus, Wittenberg 1538. Taufe, Predigt, Abendmahl.

389 Holzschnitt, Niederdtsch. Gr. Katech., Magdeburg 1534. Taufe, Abendmahl, Predigt.

390 u. 391 Holzschnitt Kl. Katech., Wittenberg 1535. Taufe eines Kindes — Abendmahlfeier, Austeilung von Brot und Wein, darüber das letzte Abendmahl Jesu.

392—394 Holzschnitte zum Kl. Katech., Leipzig 1545 ff. Abendmahlfeier — Kindersegnung — Gott belehrt Adam und Eva nach dem Sündenfall.

395 Hans Weiditz (?), Holzschnitt, Gr. Katech., Augsburg 1530. Einzelbeichte.

Konfessionsbilder:

396 Andreas Herneisen, Konfessionsbild, Tafelgemälde, 1601, Nürnberg-Mögeesdorf. Überreichung der Confessio Augustana und der Apologie an Karl V. Trinitätsaltar mit Szenen aus dem kirchlichen Leben.

397 Andreas Herneisen, Konfessionsbild, Tafelgemälde, 1662, Kasendorf. Überreichung der Confessio Augustana, Trinitätsaltar.

398 Johann Dürr, altkolor. Kupferstich, 1630, Coburg. Verlesung der Confessio Augustana auf dem Reichstag.

399 Michael Herr, Kupferstichentwurf, gestochen von Georg Cöler um 1630. Verlesung der Confessio Augustana.

392

393

394

395

396

397

ABBILDUNG, WELCHER GESTALT VOR DEM GROSMÄCHTIGSTEN KEYSER CARLN DEM V. UFM REICHSTAG ZU AUGSPURGK IM IAHR CHRISTI MDXXX DEN XXV. TAG DES BRACH
MONATS CHURFÜRST IOHANS ZU SACHSEN MARGKGRAVE GEORG ZU BRANDENBURGK-ANSPACH HERZOG ERNST ZU LÜNEBURGK LANDGRAV PHILIP ZU HESSEN FÜRST WOLF ZU ANHALT UND DIE FREYEN
REICHS-STÄTE NÜRNBERGK UND BEUTLINGEN IHRES RECHTEN UHRALTEN IN DEN SCHRIFFTEN DER PROPHETEN UND APOSTELN BEGRÜNDVESTIGTEN UND IN IHREN LANDEN UND GEBIETEN WIEDER AUFGE-
RICHTETEN EVANGELISCHEN GLAUBENS, BEKANTNUS GETHAN, UND SOLCHS N. TEUTSCHER UND LATEINISCHER SPRACHE MIT ALLER FREUDIGKEIT UNDERTHÄNKST ÜBERREICHT HABEN.

398

399

400 Wolf Eisenmann, Konfessionsbild, Tafelgemälde, 1606, Wei-
ßenburg. Mitteltafel: Kirchl. Handlungen. Seitentafeln:
Passamahl und Untergang Pharaos im Roten Meer. —
Einsetzung des Abendmahls und Überreichung der Confessio
Augustana.

401 Rogier van der Weyden, Sakramentsaltar, Tafelgemälde, zw. 1453 u. 1456, Antwerpen. Darstellung der sieben Sakramente in einem Kirchenraum, in der Mitte Christus am Kreuz.

402

402 Dierick Bouts, zeitgenöss. Kopie, Sakramentsaltar, Tafelgemälde, 1470, Madrid. Christus
am Kreuz, sieben Sakramente,
Passionszenen.
403 Altarpredella Tafelgemälde,
A. 16. Jh., Aarschot. Christus
in der Kelter, sieben Sakramente.

403

404 Lucas Cranach d. Ä., Wittenberger Altar, Tafelmalerei, vollendet 1547. Mitteltafel: Letztes Abendmahl. Linker Flügel: Taufe eines Kindes durch Melanchthon. Rechter Flügel: Beichte mit Johannes Bugenhagen als Verwalter des "Amtes der Schlüssel". Predella: Predigt (Luther weist auf den Kruzifixus).

338

405

405 Michael Ostendorfer, Flügelaltar, Tafelmalerei, Regensburg, 1553—1555. „Summa der rechten Lehre", Mitteltafel: Aussendung der Apostel, Predigt, Beichte. Linker Flügel: Beschneidung Jesu, Taufe Jesu, Taufe eines Kindes in einer Kirche. Rechter Flügel: Passafeier Jesu mit seinen Jüngern, Einsetzung des Abendmahls beim letzten Mahl mit seinen Jüngern, Spendung des Abendmahls in einer Gemeinde nach lutherischen Ritus.

405 a

405 b

406

407

406 — 409 Hans Bocksberger d. Ä., Freskoausmalung
Schloßkapelle Neuburg (Donau), dat. 1543.

406 Deckenmedaillon: Erwachsenentaufe durch Chrysostomus, gestört durch Soldaten.

407 Deckenmedaillon: Kommunionsausteilung durch
Bischof Cyprianus, Verweigerung des Kelches.

408 Wandbild: Arche Noah und Rettung der Ertrinkenden als Sinnbild des neuen Glaubens.

409 Deckenmedaillon (Ausschnitt): Passamahl als Typus
des Abendmahls.

408

409